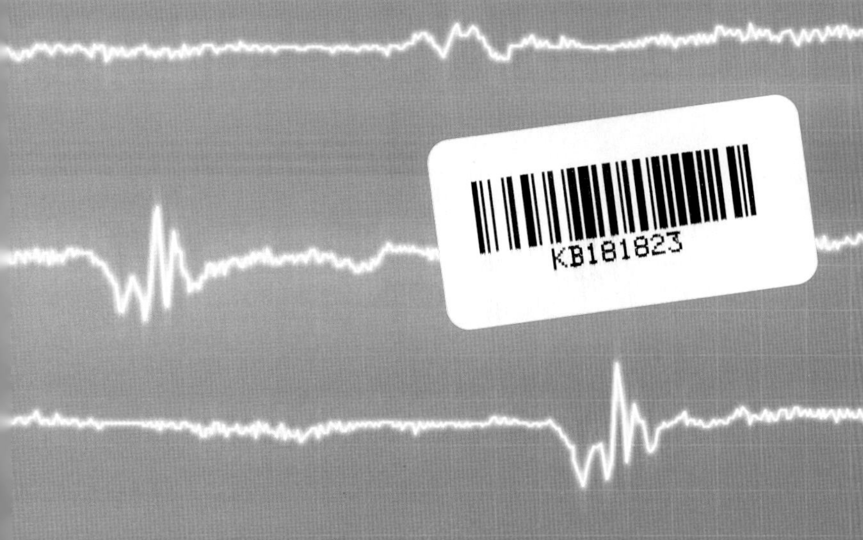

실전 근전도
50 증례를 통한 이해

Electrodiagnostic Medicine in Practice

저자 한태륜

실전 근전도
50 증례를 통한 이해
Electrodiagnostic Medicine in Practice

첫째판 1쇄 인쇄 | 2015년 8월 19일
첫째판 1쇄 발행 | 2015년 8월 29일

지 은 이 한태륜
발 행 인 장주연
출 판 기 획 이경헌
편집디자인 박선미
표지디자인 전선아
발 행 처 군자출판사
등록 제4-139호(1991. 6. 24)
본사 (110-717) 서울특별시 종로구 창경궁로 117 (인의동 112-1) 동원빌딩 6층
전화 (02) 762-9194/5 팩스 (02) 764-0209
홈페이지 | www.koonja.co.kr

ISBN 978-89-6278-296-7
정가 48,000원

집필진 (가나다 순)

김상준 성균관의대
삼성서울병원 재활의학과

방문석 서울의대
서울대학교병원 재활의학과

백남종 서울의대
분당서울대학교병원 재활의학과

서관식 서울의대
서울대학교병원 재활의학과

신형익 서울의대
서울대학교병원 재활의학과

양은주 서울의대
분당서울대학교병원 재활의학과

오병모 서울의대
서울대학교병원 재활의학과

이시욱 서울의대
서울특별시보라매병원 재활의학과

임재영 서울의대
분당서울대학교병원 재활의학과

정선근 서울의대
서울대학교병원 재활의학과

정세희 서울의대
서울특별시보라매병원 재활의학과

서문

The value of experience is not in seeing much, but in seeing wisely.
(William Osler, 1894)

이 책의 원저인 "*Electrodiagnostic Medicine in Practice: 50 Challenging Cases*"는 다양한 신경근육질환의 진단을 위한 근전도 해석의 기본 논리를 갖추는 데 도움을 주기 위해 2010년도에 출간되었습니다. 처음으로 영문 교과서를 만드느라 많은 노력이 들어갔습니다만 다행스럽게도 내용의 우수성을 인정 받아 "2010년 문화체육관광부 우수학술도서"로 선정되기도 하였습니다. 하지만 영문판으로 출간되어 국내의 다양한 독자들에게 다가가기 어려웠고, 우리말로 읽고자 하는 독자들의 그동안의 요청도 있어, 국문으로 번역 출간을 결정하였습니다.

"실전 근전도: 50 증례를 통한 이해"의 집필은 30여 년 전부터 서울대학교병원 재활의학과에서 매주 시행하고 있는 근전도 증례 콘퍼런스로부터 시작되었다고 할 수 있습니다. 근전도 콘퍼런스의 목적은 다양한 증례에서 도출된 어렵지만 흥미로운 질문들을 통해 참가자들로 하여금 근전도 시행을 위한 논리와 적절한 검사 절차들을 갖추어 나갈 수 있게 하는 것이었습니다.

최근 신경근육질환의 다양한 진단 기법이 도입되면서 전기생리학적 소견 외에도 혈액검사, 영상검사, 유전자 검사 결과들이 등장하고 있지만 체계적인 논리가 갖추어지지 않으면 잘못된 결론을 도출하는 경우를 흔히 보아왔습니다. 따라서, 근전도 해석을 위한 기본 논리를 갖추는 것이 중요하다는 것을 일찍부터 생각했던 것입니다.

"실전 근전도: 50 증례를 통한 이해"는 기존 영문판이 가지고 있는 내용의 장점을 그대로 유지하도록 노력하였습니다. 근전도 전문가인 참여 저자들의 증례를 증상 발현부터 진단, 치료, 치료 후 임상경과까지 포괄적으로 기술하였고 근전도 진단 과정을 매 단계를 따라가면서 이해할 수 있게 구성하였습니다. 증례들은 다양한 신경근육질환들이 포함될 수 있도록 선정되었고, 근전도를 시행하는 전공의, 전문의 등

독자들이 고민해볼 만한 질문들을 제시함으로써 흥미로운 사고 과정 속에 근전도에 대한 이해를 높일 수 있도록 노력하였습니다. 한글 의학용어는 대한의사협회 의학용어 5집을 기준으로 하였고, 의미가 명확하지 않거나 생소한 한글 용어는 영문 의학용어를 병기하였습니다. 근전도 결과표는 근전도를 시행하는 독자들이 익숙하게 영문표를 그대로 유지하였으며, 근전도 결과표의 약어는 붙임에 요약하였습니다.

"실전 근전도: 50 증례를 통한 이해"의 발간을 통해 국내의 근전도를 직접 시행하는 보다 많은 독자들이 근전도 검사의 재미를 느끼고 해석의 확고한 논리를 다질 수 있게 되기를 기대합니다. 마지막으로, 이 책의 번역과 새로운 편집에 정성을 다한 서울의대 재활의학교실의 임재영 교수를 비롯한, 김원석, 이구주, 정일영, 천성민, 천세웅 선생님 모두에게 감사를 드리고, 이 책이 나오기까지 애써주신 군자출판사 관계자 여러분들에게도 감사의 뜻을 표합니다.

서울의대 재활의학과 명예교수
강원도재활병원 원장

한태륜

차례 증상(presenting symptoms)

상지국소 증상(Focal-Upper Extremities)

하지국소 증상(Focal-Lower Extremities)

전신 및 기타증상(Generalized and Miscellaneous Presentation)

소아증례(Pediatric Cases)

차례 최종 진단(final diagnoses)

차례 질병의 종류(categories of diseases)

상지 단일신경병증(Individual Neuropathy-Upper Extremities)

하지 단일신경병증(Individual Neuropathy-Lower Extremities)

신경근병증 및 신경총병증(Radiculopathy and Plexopathy)

운동신경 침범 질환(Disorders Affecting the Motor Neurons)

약어

전기진단용어

aMP	Amplitude	진폭
CMAP	Compound muscle action potential	복합근육활동전위
CRD	Complex repetitive discharge	복합연속방전
Dec	Decreased	감소
div	Division	구획
DUR	Duration	지속시간
EMG	Electromyography	근전도
FASC	Fasciculation potential	섬유속자발전위
FIB	Fibrillation potential	섬유자발전위
IA	Insertional activity	삽입전위
Inc	Increased	증가
LAT	Latency	잠시
MIN	Minimal	최소
MUAP	Motor unit action potential	운동단위활동전위
NCV	Nerve conduction velocity	신경전도속도
Nl	Normal	정상
Nl/Inc	Normal to increased	정상~증가
PPP	Polyphasic potential	다상활동전위
PSW	Positive sharp wave	양성예파
SEP	Somatosensory evoked potential	체성감각유발전위
SNAP	Sensory nerve action potential	감각신경활동전위
Spontaneous	Spontaneous activity	자발전위

용어 설명

도수근력검사(Manual Muscle Test)

도수근력검사는 Medical Research Council 척도(Medical Research Council, 1976)의 단계에 근거해 기술하였다. 미세한 차이를 기술하기 위해 "+", "−" 기호를 간간이 사용하였다.

단계	설명
5	중력과 충분한 저항 하에서 능동적 정상 관절 운동
4	중력과 어느 정도의 저항 하에서 능동적 관절 운동
3	중력을 이기고 능동적 관절 운동
2	중력 제거 상태에서 능동적 관절 운동
1	수축은 가능하나 능동적 관절 운동은 불가능
0	근육 수축의 증거가 없음

비정상자발전위 단계(Grading for Abnormal Spontaneous Activity)

비정상자발전위의 단계는 Dumitru 등이 저술한 "Electrodiagnostic Medicine" 제2판, 276쪽의 표 7−9에 기반해 기술하였다.

단계	설명
0	관찰되지 않음
1+	Persistent/unsustained single train이 검사하는 근육의 두 개 이상 부위에서 관찰됨
2+	검사하는 근육의 3개 이상 부위에서 중등도의 양으로 관찰됨
3+	검사하는 근육의 모든 부위에서 많은 양으로 관찰됨
4+	검사하는 근육의 모든 부위에서 기저선(baseline)이 구분되지 않을 정도로 관찰됨

간섭양상 단계(Grading for Interference Pattern)

간섭양상(interference pattern)은 완전(complete), 감소~완전(reduced to complete), 감소(reduced), 이산(discrete), 단일(single)로 단계를 구분하였다. 이는 Dumitru 등이 저술한 "Electrodiagnostic Medicine" 제2판, 457쪽의 내용에 기반하였다. 최대근수축시 단일 운동단위활동전위가 구분되지 않으면 완전 간섭양상, 일부 운동단위활동전위의 구분이 가능하나 대부분의 운동활동전위는 파형의 중첩으로 구분이 되지 않는 경우는 감소 간섭양상으로 기술하였다. 일부 운동활동전위가 중첩되기는 하지만 대부분의 운동활동전위가 구분되는 경우는 이산 간섭양상, 한 개의 운동활동전위만 관찰되는 경우는 단일 간섭양상으로 표기하였다. 감소와 완전 간섭양상의 중간정도에 해당하는 경우는 감소~완전 간섭양상으로 기술하였다.

증례 01

좌측 엄지와 검지를 굽히지 못하는 증상을 주소로 내원한 남자 환자

병력

28세 남자 환자가 7개월 전부터 시작된 왼쪽 손의 위약을 주소로 내원하였다. 환자는 내원 2년 전, 스노우 보드를 타다가 넘어진 후로 왼쪽 어깨에 통증이 시작되었다고 하였다. 수상 당시, 상부 관절와순손상(superior labrum anterior posterior lesion, SLAP lesion)으로 진단되어 관절경을 이용한 상부 관절와순 봉합술(SLAP repair)을 받았다. 왼쪽 손의 위약은 수술 시행 2주 후부터 발생하였으며, 팔과 목의 통증이나 다른 감각 증상이 동반되지는 않았다. 환자는 좌측 엄지와 검지를 굽히지 못하는 증상에 대해 불편함을 호소하였다. 환자의 과거 병력과 사회력에서 특이한 점은 발견되지 않았다.

이 시점에서 감별진단은?

1. 좌측 정중신경병증(median neuropathy)
   a. 전방골간신경병증(anterior interosseous nerve (AIN) neuropathy)
   b. 전방골간신경 분지점 근위부에서 발생한 정중신경병증
      (median neuropathy proximal to branching of the AIN)
   c. 수근관증후군(carpal tunnel syndrome)
2. 좌측 전방골간신경을 포함한 신경통근위축증(neuralgic amyotrophy involving AIN, left)
3. 좌측 경추 8번–흉추 1번 신경근병증(cervical radiculopathy, C8–T1, left)
4. 좌측 원위근병증(distal myopathy, left)
5. 좌측 운동신경원성질환(motor neuron disease, left)

감각 증상 없이 편측에서만 발생한 위약은 개별 말초 신경의 운동가지 손상을 강력히 시사한다. 상지의 대표적인 운동가지는 정중신경에서 분지하는 전방골간신경과 요골신경에서 분지하는 후방골간신경(posterior interosseous nerve)이다. 엄지와 검지 굴곡근에서 국소적으로 발생하는 위약은 전방골간신경병증이 가장 유력한 진단임을 시사한다.

위약 발생 전에 시행했던 수술과 위약 간의 시간적 선후 관계(temporal relationship)를 고려하면 신경통근위축증도 의심할 수 있으나, 신경통근위축증이 전방골간신경에만 국소적으로 발생하는 경우는 드물다. 가능성은 낮지만 원위근병증 또는 운동신경원병도 감별진단에 포함시켜야 한다.

신체 검진

관찰

피부의 변화나 근육 위축이 관찰되지 않았다.

감각

왼쪽 손에 감각 이상 또는 감각 저하는 관찰되지 않았다.

도수근력검사

	Shoulder abductor	Elbow flexor	Elbow extensor	Wrist dorsiflexor	Wrist volar flexor	Thumb IP flexor	Index finger DIP flexor	Pronator
Right	5	5	5	5	5	5	5	5
Left	5	5	5	5	5	3-	4	4

IP=interphalangeal joint, DIP=distal interphalangeal joint

반사

양측 이두근(biceps brachii)과 삼두근(triceps brachii)의 근신전반사는 정상이었다.

특수 검사

왼쪽 손에서 pinch test로 알려진 OK sign은 양성이었다.

혈액검사 결과

전혈구계산(complete blood count)검사와 혈중요소질소(blood urea nitrogen), 크레아티닌(creatinine), 전해질(electrolyte), 적혈구침강속도(erythrocyte sedimentation rate), 혈당(glucose), 알부민, 간효소(liver enzymes), 류마티스 인자(rheumatoid factor)가 포함된 일반화학검사(routine chemistry profile) 결과는 모두 정상이었다. 혈청 크레아틴키나아제(creatine kinase)는 97 IU/L였고(정상 범위: 20~270 IU/L), 젖산탈수소효소(lactate dehydrogenase)도 159 IU/L로 정상이었다(정상 범위: 100~225 IU/L).

영상검사 결과

양쪽 아래팔 엑스선 촬영(forearm X-ray)에서 이상 소견은 관찰되지 않았다.

이 시점에서 감별진단은?

도수근력검사에서 엄지와 검지의 굴곡근 위약을 확인할 수 있다. OK sign 양성 결과와 감각신경 검사의 정상 소견은 전방골간신경병증의 가능성을 강력히 시사한다.

감각신경 검사의 정상 소견과 주관적인 감각 증상 호소가 없다는 점에서 신경근병증의 가능성은 낮다. 근육 효소 검사 결과가 정상 범위인 점을 고려하면 근병증의 가능성은 낮다. 양측 근신전반사가 정상이었다는 점을 고려하면 운동신경원병의 가능성도 낮다.

전기진단검사 결과

SENSORY NERVE CONDUCTION STUDIES			
NERVE - RECORDING SITE	Onset LAT (ms)	Base-peak AMP (μV)	Peak-peak AMP (μV)
L MEDIAN - Digit II	2.30	31.8	43.2
L ULNAR - Digit V	2.45	20.1	36.9

MOTOR NERVE CONDUCTION STUDIES				
NERVE - RECORDING SITE	LAT (ms)	AMP (mV)	Distance (cm)	NCV (m/s)
R MEDIAN - Abductor Pollicis Brevis				
Wrist	3.30	6.6		
Elbow	7.25	6.7	25.1	63.5
L ULNAR - Abductor Digiti Minimi				
Wrist	2.45	7.2		
Elbow	6.35	7.3	25.2	64.6
L MEDIAN - Pronator Quadratus				
Elbow	3.40	2.1		
R MEDIAN - Pronator Quadratus				
Elbow	3.95	2.6		

F - WAVE	
NERVE - RECORDING SITE	MIN F LAT (ms)
L MEDIAN - Abductor Pollicis Brevis	27.40

NEEDLE ELECTROMYOGRAPHY								
MUSCLE	IA	Spontaneous			MUAP			Interference Pattern
		FIB	PSW	CRD/FASC	AMP	DUR	PPP	
L Abductor Pollicis Brevis	Nl	N	N	N	Nl	Nl	Nl	Complete
L First Dorsal Interosseous	**Inc**	**1+**	**1+**	N	Nl	Nl	Nl	Complete
L Abductor Digiti Minimous	Nl	N	N	N	Nl	Nl	Nl	Complete
L Adductor Pollicis	Nl	N	N	N	Nl	Nl	Nl	Complete
L Pronator Quadratus	**Inc**	N	N	N	Nl	Nl	Nl	**Reduced to Complete**
L Flexor Pollicis Longus	Nl	**3+**	**3+**	N	Nl	Nl	Nl	**Reduced to Complete**
L Flexor Digitorum Profundus (IV)	Nl	N	N	N	Nl	Nl	Nl	Complete
L Flexor Digitorum Profundus (II)	Nl	N	N	N	Nl	Nl	**Inc**	**Reduced**
L Flexor Carpi Radialis	Nl	N	N	N	Nl	Nl	Nl	Complete

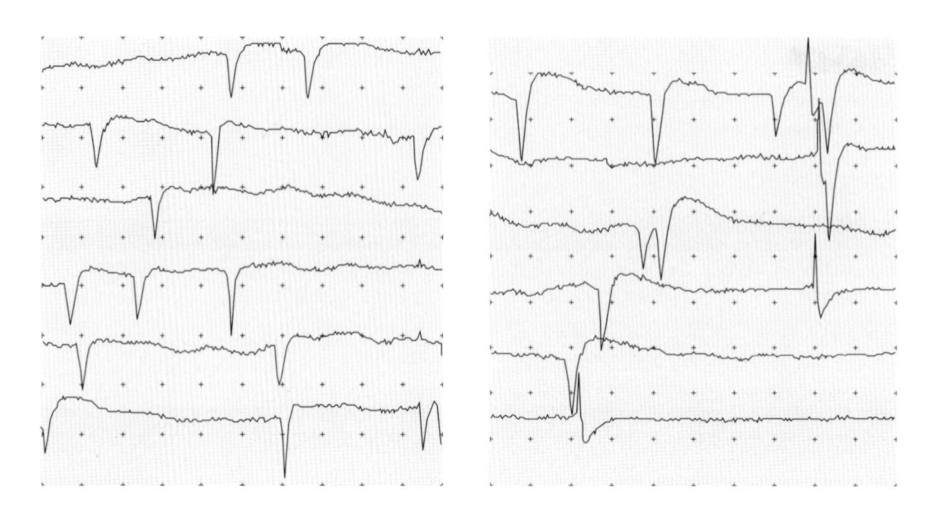

그림 01-1

침근전도 파형. 좌측 등쪽골간근(dorsal interosseous)의 침근전도 결과에서 양성예파(positive sharp wave)가 관찰됨. [민감도(sensitivity), 100 μV/div; 스윕 속도(sweep speed), 100 ms]

전기진단검사 결과 요약

정중신경과 척골신경의 감각신경전도검사 결과는 정상이었다. 정중운동신경의 복합근육활동전위(compound muscle action potential, CMAP) 잠시, 진폭, 그리고 전도 속도는 정상이었다. 정중운동신경 원위부의 복합근육활동전위의 진폭은 근위부의 진폭에 비해 약간 낮았으나, 전기진단검사 중에는 검사자가 중요하다고 인지하지 못했다. 좌측 방형회내근(pronator quadratus)에서 표면 전극(Surface electrode)으로 기록한 정중운동신경의 복합근육활동전위 진폭은 우측의 80% 정도였다(그림 01-2).

침근전도검사에서 비정상자발전위(abnormal spontaneous activity)와 지연된 동원양상(delayed recruitment)이 좌측 장수무지굴근(flexor pollicis longus, FPL)에서 관찰되었다. 좌측 방형회내근에서 비정상자발전위와 간섭양상의 감소(reduced interference)가 관찰되었고, 심수지굴근(flexor digitorum profundus)의 두 번째 힘살(belly)에서도 간섭양상의 감소가 관찰되었다. 좌측 등쪽골간근에서도 비정상자발전위가 관찰되었다. 척골신경이 지배하는 소지외전근(abductor digitti minimi)과 장지굴근의 네 번째 힘살에서는 이상 소견이 관찰되지 않았다.

침근전도검사에서 보였던 등쪽골간근의 이상 소견의 병리학적 기전을 찾기 위해서 추가적인 검사를 시행했다. 정중신경을 자극했을 때, 첫째 등쪽골간근과 소지외전근의 복합근육활동전위가 감소된 소견이 관찰되었다. 결과는 다음과 같다.

MOTOR NERVE CONDUCTION STUDIES		
NERVE - RECORDING SITE	LAT (ms)	AMP (mV)
L MEDIAN - First Dorsal Interosseous		
Wrist	4.80	2.4
Elbow	9.05	3.6
L MEDIAN - Abductor Digiti Minimi		
Wrist		No response
Elbow		No response

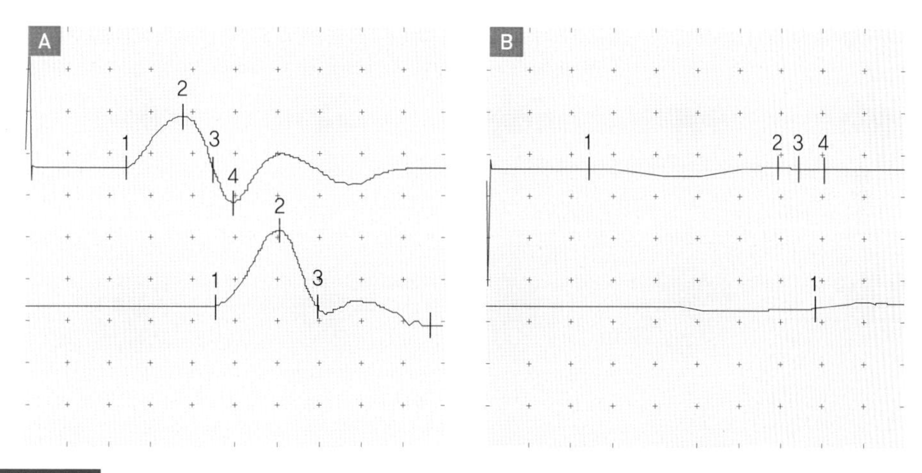

그림 01-2

정중신경의 복합근육활동전위 파형(waveforms). 좌측 등쪽골간근에서 기록된 복합근육활동전위의 진폭은 정중신경 근위부에서 자극한 경우(아래쪽 기록)가 정중신경 원위부에서 자극했을 때(위쪽 기록)에 비해 1.5배 컸다(A). 반면에 좌측 소지외전근에서 복합근육활동전위는 기록되지 않았고, 이것은 근위부 자극과 원위부 자극 간의 차이가 거의 없었다(B). [민감도(sensitivity), 2 mV/div; 스윕 속도(sweep speed), 20 ms]

1. 좌측 등쪽골간신경병증의 부분 축삭절단(partial axonotmesis) 상태(손상 정도는 등쪽골간근 > 장지굴근 > 방형회내근 순임)
2. 마틴-그루버 문합(Martin-Gruber anastomosis)이 동반되어 등쪽골간근을 신경지배하지만, 소지외전근과는 무관함.
3. 신경병증은 전방골간신경의 분기점과 마틴-그루버 문합의 시작점 사이에서 발생한 것으로 추정됨.

추가적으로 필요한 검사는?

전방골간신경병증의 병태생리학적 기전을 조사하기 위해서 다음 검사들을 추가적으로 시행할 수 있다.

자기공명영상 검사

자기공명영상 검사는 전방골간신경 경로상의 병변을 확인하고 수술적치료 여부를 결정하기 위하여 시행한다. 자기공명영상 검사 결과에서 전방골간신경의 지배를 받는 근육의 탈신경(denervation) 소견이 관찰되는데, 이러한 소견은 전방골간신경병증에 합당하다(그림 01-3).

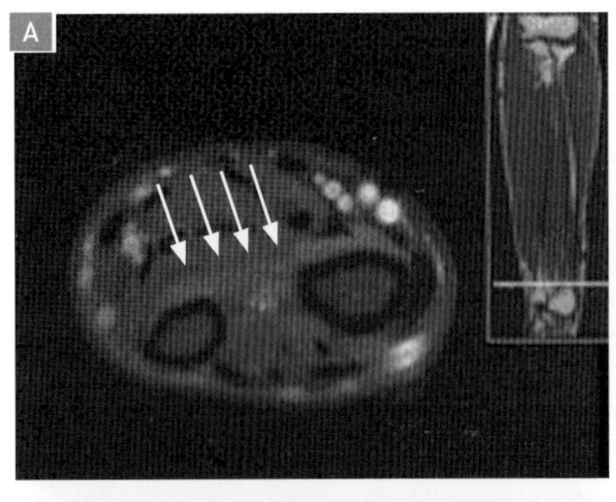

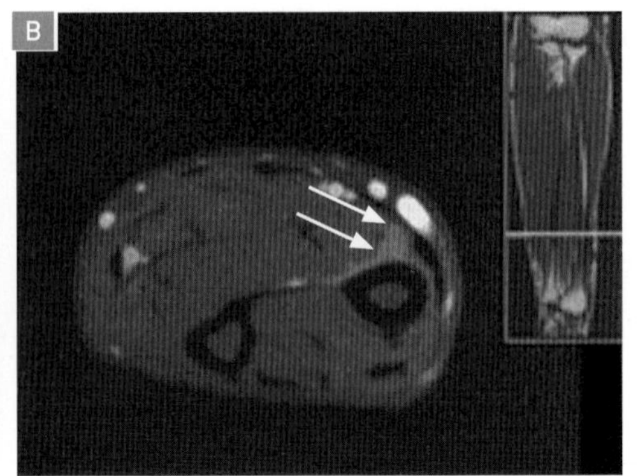

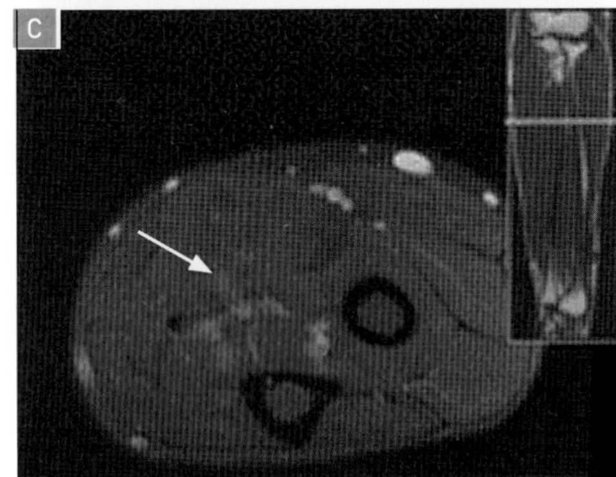

그림 01-3

아래팔의 자기공명영상 횡단면상. T1강조 영상에서 방형회내근(A, 화살표)과 장지굴근(B, 화살표)의 근육 크기 감소와 지방침투 소견이 관찰되는데, 이는 지방성 위축(Fatty atrophy)을 의미한다. T1강조 영상에서 장지굴근(C, 화살표)의 요측에서 희미하게 조영증강 되는 부분이 관찰된다. 하지만 전방골간신경 경로상, 이상 소견은 관찰되지 않는다.

전기진단검사 결론

임상적, 전기진단학적, 그리고 영상의학적 소견은 전방골간신경병증(anterior interosseous neuropathy)을 시사한다. 또한, 전기진단검사에서 마틴-그루버 문합을 확인할 수 있다.

임상 경과

환자는 전기진단검사 시행 1개월 후, 전방골간신경 유리술(surgical release)을 시행 받았다. 수술 전에, 신경 손상 부위를 확인하기 위해 전기진단검사를 의뢰한 것이었고, 전기진단검사에서 병변 부위는 마틴-그루버 문합과 전방골간신경 분기점 사이로 확인되었다. 이에 전기진단 검사자는 손상 부위를 내측 상과 원위부 1 cm에서 10 cm 사이로 추정하였다. 집도의는 전완오목(antebrachial fossa)의 기시부부터 원위부 15 cm 부위까지 세로 방향으로 곡선 절개하였다.

전방골간신경은 두 갈래로 나뉜 표재지굴근(flexor digitorum superficialis) 기시부 사이에서 압박된 상태였다. 상완골에 부착된 표재지굴근의 기시부를 잘라내어 전방골간신경의 압박을 해결하였다. 병변 원위부를 탐색한 결과, 표재지굴근의 원위부 3 cm에 위치한 전방골간동맥의 반회요골혈관(recurrent radial vessel)인 헨리망상구조(leash of Henry) 주위에서 전방골간신경이 압박된 상태였다. 상기 동맥을 결찰 후 절단하여 신경 압박을 해소하였다. 심지굴근의 일부분이 괴사된 소견도 확인되었다. 수술 6개월 후, 추적 관찰에서 엄지와 검지 굴곡근의 근력은 호전되었으나, 전기진단 검사는 시행하지 못했다.

고찰

전방골간신경은 정중신경의 운동가지로서, 원회내근(pronator teres) 높이에서 정중신경으로부터 기시하며, 장수무지굴근과 심수지굴근, 그리고 방형회내근을 신경지배한다. 이 신경이 압박되면, 엄지, 검지, 그리고 중지 운동 기능이 손상 받는다.[1]

전방골간신경병증의 특징적인 임상 양상은 "OK" sign 양성이다. 전방골간신경병증 환자는 엄지와 검지의 마지막 손가락 마디를 굽힐 수 없으므로 그 두 손가락으로 알파벳 "O"자를 만들 수 없다. 팔꿈치를 굽힌 상태에서 회내(pronation) 위약이 관찰되며, 이는 방형회내근의 기능적 손상을 시사한다. 하지만 전방골간신경병증에서 감각 기능의 손상은 관찰되지 않는다.[2] 상기 환자는 전방골간신경병증의 전형적인 징후와 증상을 보이고 있다.

전방골간신경병증의 전기진단검사 결과 중 정중신경의 운동 및 감각 전도검사는 대개 정상이다. 침근전도검사에서 장수무지굴근, 방형회내근, 그리고 심수지굴근의 첫 번째와 두 번째 힘살에서 이상 소견이 관찰되지만, 요측수근굴근과 표재지굴근은 정상이다. 상기 증례의 전기진단검사 결과는 등쪽골간근의 이상을 제외하면 전방골간신경병증의 전형적인 소견과 일치한다.

상기 증례처럼 척골신경 지배를 받는 근육에서 이상 소견이 관찰될 경우, 척골신경의 손상 여부에 대해서 신중하게 검사해야 한다. 하지만 마틴-그루버 문합과 전방골간신경의 손상이 동반되었을 가능성도 함께 고려해야만 잘못된 결론을 내리는 것을 피할 수 있다.[1] 간단한 신경전도검사를 추가로 시행함으로써 마틴-그루버 문합의 동반 여부를 확인할 수 있다. 마틴-그루버 문합이 존재했기 때문에 우리는 척골신경 지배를 받는 수부 내재근(hand intrinsic muscle)의 탈신경 소견을 이용하여 병변 위치에 대한 정보를 추가적으로 얻을 수 있었으며, 이 정보는 수술 계획을 세우는 데 도움이 되었다. 우리는 집도의에게 병변의 위치가 마틴-그루버 문합의 기시부보다 근위부에 위치한다고 알려주었다.

전방골간신경은 외상, 외부 압박, 주위 근육에서 기시하는 이상 섬유대(fibrous band)에 의한 압박, 그리고 면역 반응과 같은 다양한 원인에 의해 손상 받을 수 있다. 가장 흔한 원인은 원인 불명의 급성 면역반응의 일종인 신경통근위축증이지만, 나머지 다른 원인의 빈도에 대해서도 잘 조사되지 않았다. 최근 어느 한 보고에 따르면 신경통근위축증 환자의 9%에서 전방골간신경 손상이 관찰되었다고 한다.[3] 전방골간신경병증이 신경통근위축증에 비해 드물게 발생하고 신경통근위축증 환자의 전방골간신경병증 발생률이 9%라는 점을 고려하면, 신경통근위축증이 전방골간신경 손상의 흔한 원인 중의 하나로 볼 수 있다.

과거에 환자가 받은 수술과 상기 증상의 시간적 연관성을 생각하면 신경통근위축증의 가능성을 고려해야 한다. 하지만 수술 소견에서 전방신경병증의 원인은 신경 압박임이 밝혀졌다. 상기 증례를 통해 전방신경병증의 치료 방침을 결정하기 전에 적절한 검사가 시행되어야 함을 확인할 수 있다.

전방신경병증은 일반적으로 보존적 처치가 1차 치료법이므로 우선 6~8주간 경과 관찰을 하면서 회복 여부를 확인해야 한다. 만약 회복이 불완전할 경우, 수술을 고려해야 한다. 하지만 전방골간신경병증의 수술 적응증은 여전히 논란 중에 있다. 혹자는 증상 발현 수개월 후에도 여전히 임상적, 전기진단학적 회복 징후가 관찰되지 않았지만, 수술 치료를 시행한 후에 회복을 보인 증례들을 보고했다.[4] 다른 연구자들은 상기 증례와 같이 40세 미만 환자의 경우에는 비수술적 치료를 적용하도록 제안하였다.[1]

상기 증례는 전형적인 전방골간신경병증의 초기 증상 발현부터 성공적인 수술 치료로 마무리되는 과정을 보여준다. 비록 등쪽골간근의 침근전도 이상 소견 때문에 전기진단 검사자는 검사 초기에 혼란에 빠졌지만, 추가 검사에서 정중신경과 척골신경 간의 문합이 존재한다는 사실을 확인하였고, 병변 위치에 대한 추가적인 정보도 얻을 수 있었다. 그러나 전방골간신경병증에 대한 여러 치료법 중 환자에게 가장 적합한 치료를 선택하는 데 도움을 주는 연구가 아직도 필요하다고 하겠다.

참고문헌

1. Seki M, Nakamura H, Kono H. Neurolysis is not required for young patients with a spontaneous palsy of the anterior interosseous nerve: retrospectove analysis of cases managed non-operatively. J Bone Joint Surg Br. 2006;88:1606-9.
2. Oh SJ. Principles of clinical electromyography. Case studies. Baltimore, MD: Wiliams and Wilkins, 1998:178-81.
3. van Alfen N, van Engelen BG. The clinical spectrum of neuralgic amyotrophy in 246 cases. Brain 2006;129:438-50.
4. Kim DH, Murovic JA, Kim YY, Kline DG. Surgical treatment and outcomes in 15 patients with anterior interosseous nerve entrapments and injuries. J Neurosurg. 2006;104:757-65.

증례 02

분만 직후 손의 위약과 저림을 호소하는 여자

병력

29세 여자 환자가 5일 전부터 시작된 우측 수부 위약과 저림을 주소로 내원하였다. 5일 전, 환자는 분만 중에 의식을 잃었고 기관 삽관을 받았다. 그리고 2차 병원으로 이송된 후 분만실에서 의식을 회복하였다. 분만 직후 혈압은 70/45 mmHg이었고 질출혈이 있었다. 수액을 투여했으나 혈압은 54/35까지 떨어졌고 질출혈이 멈추지 않아 수혈을 받고 내음부동맥(internal pudendal artery) 색전술을 시행받은 후에야 출혈이 멈췄다. 다음 날, 환자는 우측 수부 무감각과 위약이 있다는 것을 알았다. 당뇨 병력은 없었다.

이 시점에서 감별진단은?

1. 우측 상지의 국소말초신경병증(focal peripheral neuropathy)
   a. 급성 정중신경병증(acute median neuropathy)
   b. 급성 척골신경병증(acute ulnar neuropathy)
   c. 급성 요골신경병증(acute radial neuropathy)
2. 우측 상완신경총병증, 아래 줄기(right brachial plexopathy, lower trunk)
3. 우측 경추 8번–흉추 1번 신경근병증(right C8~T1 radiculopathy)

말초신경이나 상완신경총병증은 수술적 치료 중에 발생할 수 있다. 신경 병변의 주된 기전은 수술 중에 발생한 장시간의 압박이나 견인, 혹은 바늘이나 다른 도구에 의한 직접적인 손상으로 생각된다. 이 환자에서는 증상이 편측 상지에 국한되었으므로 상지의 국소신경 손상이나 신경총병증을 의심할 수 있다. 정중신경과 척골신경은 각각 수근관과 내상과 부위에서 쉽게 압박을 받는다. 정중신경은 수근관 내 수근관에서의 국소 압력을 높일 수 있는 모든 요인들에 의해 압박과 허혈에 더 취약해진다. 수술대 위에서 자세가 잘못되거나 수술에 참여하는 사람의 부주의에 의해 팔에 국소적인 압박이 가해지거나 주관절 내측에 견인력이 가해지게 되면 척골신경 손상이 올 수 있다. 요골신경도 마찬가지로 수술대 위에서 압박에 의해서 손상을 받을 수 있고 주사바늘에 의한 직접적인 손상에 노출될 수도 있다. 상완을 외전하여 상완신경총가 당겨진 자세를 오래 지속하면 견인에 의한 손상이 생길 수 있다. 상완신경총은 상완 골두와 흉곽 사이나 흉곽 출구에서 압박 손상을 받을 수 있다. 가능성이 높지는 않으나 경추 신경근병증도 감별해야 한다.

신체 검진

시진

환자의 우측 손과 손목이 부어 있었다. 우측 아래팔과 손에 정맥 주사 자국이 여러 군데 있었다(그림 02-1).

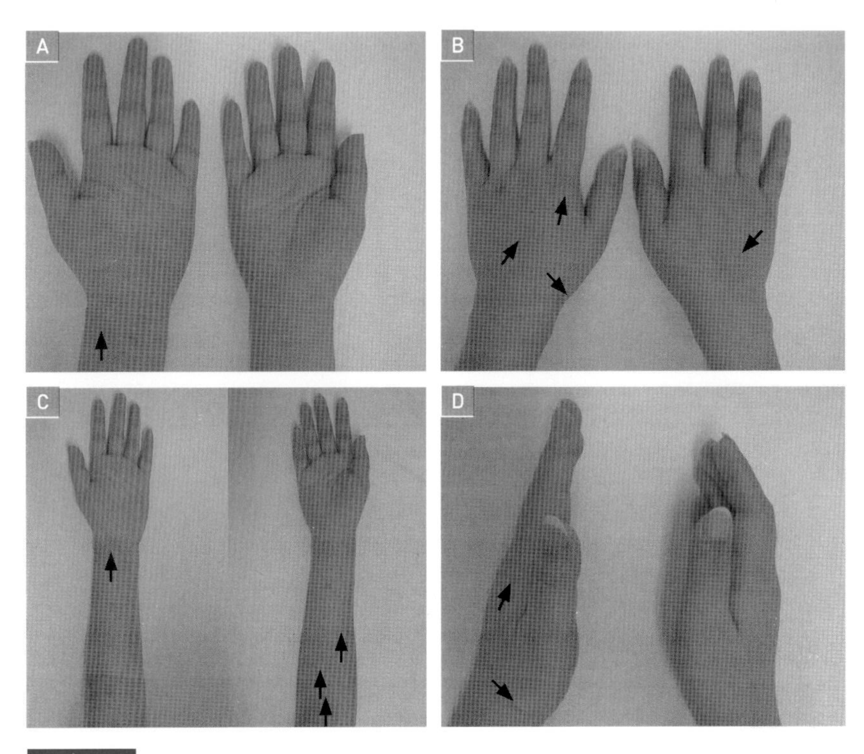

그림 02-1

분만 후 5일째 사진. 우측 손과 손목의 부종(화살표; 정맥주사 바늘 자국). (A) 손바닥 쪽, (B) 손등 쪽, (C) 아래팔의 굴곡근측 표면, (D) 손의 요측 표면.

감각

우측 손의 정중신경 지배 영역의 감각이 반대쪽에 비해 30%가량 감소되어 있었다.

반사

양쪽 이두근(biceps), 삼두근(triceps), 상완요골근(brachioradialis)의 근신장반사는 2+이었다.

도수근력검사

	Shoulder abductor	Elbow flexor	Elbow extensor	Wrist dorsi-flexor	Finger flexor	Finger abductor	Thumb abductor
Right	5	5	5	5	2-	4	1
Left	5	5	5	5	5	5	5

티넬과 팔렌 징후(Tinel and Phalen sign)

우측 손목에서 티넬과 팔렌 징후가 나타났다.

이 시점에서 가장 가능성이 높은 감별진단은?

급성 정중신경병증이 가장 의심되는 상황이다. 정중신경병증은 병변의 위치에 따라 몇 종류로 나뉜다. 가장 흔한 것은 수근관증후군이다. 아래팔에서 발생하는 정중신경병증 중에 잘 알려진 것에는 원형회내근증후군(pronator teres syndrome)과 전방골간신경병증(anterior interosseous neuropathy)이 있다. 원형회내근증후군은 정중신경이 원형회내근을 지날 때 눌려서 발생한다. 이는 전완 근위부에 전반적인 둔한 동통 및 피로를 야기한다. 손의 무딘감도 일으킬 수 있지만 감각 증세는 분명하지 않는 경우가 많다. 전방골간신경은 운동신경섬유로만 구성되어 있기 때문에 전방골간신경병증에서 감각 증상은 없다. 대신에 근육 마비 증상이 있고 특징적인 "OK" 징후를 관찰할 수 있다. 이 환자에서의 증상과 임상적 소견은 급성 수근관증후군에 가장 가깝다.

분만 후 5일째의 전기진단검사 결과

SENSORY NERVE CONDUCTION STUDIES			
NERVE - RECORDING SITE	Onset LAT (ms)	Base-peak AMP (μV)	Peak-peak AMP (μV)
R MEDIAN - Digit II (Stimulation at Proximal to the Wrist)		No response	
R MEDIAN - Digit II (Stimulation at the Palm)	2.60	22.5	29.6
R ULNAR - Digit V	2.15	32.8	28.6
L MEDIAN - Digit II (Stimulation at Proximal to the Wrist)	2.50	43.3	58.2
L MEDIAN - Digit II (Stimulation at the Palm)	2.34	46.1	57.7
L ULNAR - Digit V	2.40	26.3	38.4
L MEDIAN vs ULNAR - Dig IV			
MEDIAN	2.75	5.1	7.1
ULNAR	2.60	11.8	20.3

MOTOR NERVE CONDUCTION STUDIES				
NERVE - RECORDING SITE	LAT (ms)	AMP (mV)	Distance (cm)	NCV (m/s)
R MEDIAN - Abductor Pollicis Brevis				
Palm	3.21	4.9		
Wrist		No response		
Elbow		No response		
R ULNAR - Abductor Digiti Minimi				
Wrist	2.3	7.2		
Elbow	5.25	6.0	19.8	67.1
L MEDIAN - Abductor Pollicis Brevis				
Palm	1.99	11.4		
Wrist	2.70	11.0	4.5	63.4
L ULNAR - Abductor Digiti Minimi				
Wrist	2.65	5.7		
Elbow	5.45	5.7	18.0	64.3

NEEDLE ELECTROMYOGRAPHY								
MUSCLE	IA	Spontaneous			MUAP			Interference Pattern
		FIB	PSW	CRD/FASC	AMP	DUR	PPP	
R Abductor Pollicis Brevis	NI	N	N	N	No activity			
R First Dorsal Interosseus	NI	N	N	N	NI	NI	NI	Complete
R Flex Carpi Radialis	NI	N	N	N	NI	NI	NI	Complete

전기진단검사 결과 요약

감각신경전도검사에서 우측 정중신경을 손목에서 자극하였을 때 전위가 유발되지 않았다. 운동신경전도검사에서 우측 정중신경을 손목에서 자극하였을 때 복합근육활동전위(CMAP)가 유발되지 않았다. 하지만 수근관보다 원위부인 손바닥에서 자극하였을 때 감각신경활동전위(SNAP)와 복합근육활동전위가 반대측에 비해 50% 이하이긴 하지만 유발되었다. 이러한 소견은 축삭 손상을 의미한다. 이 시점에서 침근전도검사는 축삭 손상의 여부를 명확하게 알려주지 못했다. 상기 전기생리학적인 소견으로 우리는 환자가 축삭 손상과 전도 차단(conduction block)이 동반된 병변을 갖고 있을 것이라고 판단했다.

입원 경과

분만 후 24일째에 환자는 전기진단검사를 다시 받았다. 우측 손과 손목의 부종은 호전되었고 증상도 다소 호전된 상태였다(그림 02-2). 우측 수지 굴곡근 근력은 MRC 척도로 5까지 호전되었다. 하지만 무지외전근은 1, 수지 신전근은 5-, 수지 외전근은 4로 근력 약화가 남아 있었다. 정중신경의 지배영역에 있었던 감각 저하는 차도가 없었다. 티넬과 팔렌 징후는 여전히 양성으로 나타났다.

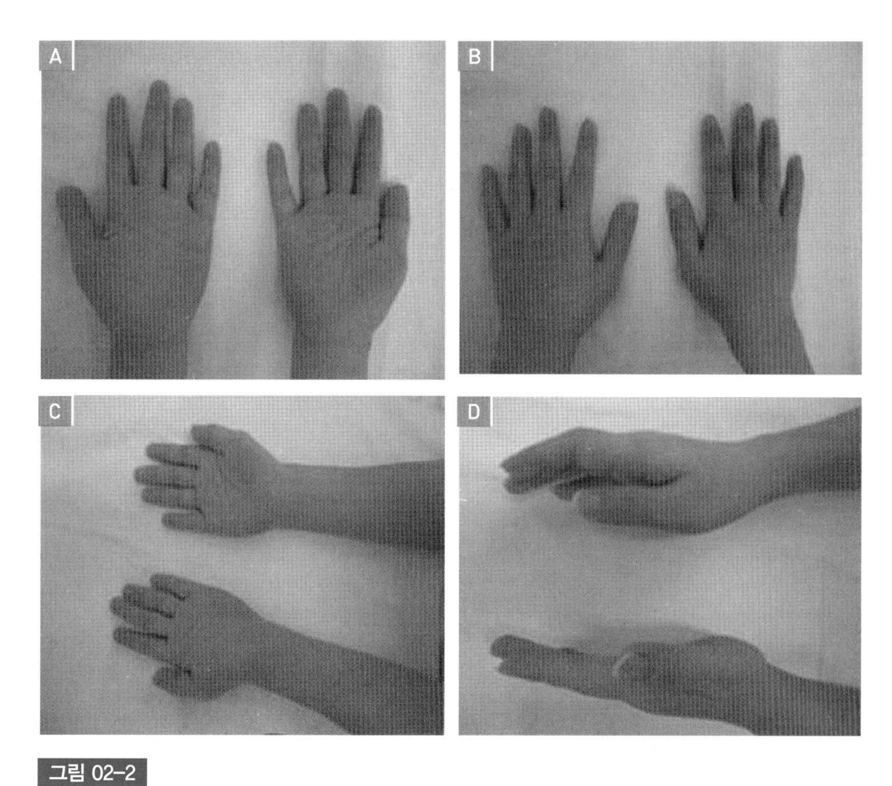

그림 02-2

분만 후 24일째 사진. 우측 손과 손목의 부종이 호전되었다(A–D).

분만 후 24일째의 전기진단검사 결과

SENSORY NERVE CONDUCTION STUDIES			
NERVE - RECORDING SITE	Onset LAT (ms)	Base-peak AMP (μV)	Peak-peak AMP (μV)
R MEDIAN - Digit II (Stimulation at Proximal to the Wrist)	No response		
R ULNAR - Digit V	1.85	39.3	59.8
R SUPERFICIAL RADIAL - Snuff Box	1.30	46.7	48.5
L SUPERFICIAL RADIAL - Snuff Box	1.35	58.6	48.9

MOTOR NERVE CONDUCTION STUDIES				
NERVE - RECORDING SITE	LAT (ms)	AMP (mV)	Distance (cm)	NCV (m/s)
R MEDIAN - Abductor Pollicis Brevis				
Wrist	**6.95**	**1.0**		
Elbow	**10.75**	**1.0**	20.0	52.6
R ULNAR - Abductor Digiti Minimi				
Wrist	2.55	9.5		
Elbow	5.75	8	20	62.5
R RADIAL - Extensor Indicis Proprius				
Forearm	1.3	3.8		
Elbow	3.05	3.6	14.8	84.6
Arm (Radial Groove)	4.6	3	10.3	66.5
L RADIAL - Extensor Indicis Proprius				
Forearm	1.7	4.2		
Elbow	3.1	3.2	11.8	84.3

NEEDLE ELECTROMYOGRAPHY								
MUSCLE	IA	Spontaneous			MUAP			Interference Pattern
		FIB	PSW	CRD/ FASC	AMP	DUR	PPP	
R Abductor Pollicis Brevis	**Inc**	**3+**	**3+**	N	**No activity**			
R First Dorsal Interosseus	Nl	N	N	N	Nl	Nl	Nl	Complete
R Flexor Carpi Radialis	Nl	N	N	N	Nl	Nl	Nl	Complete

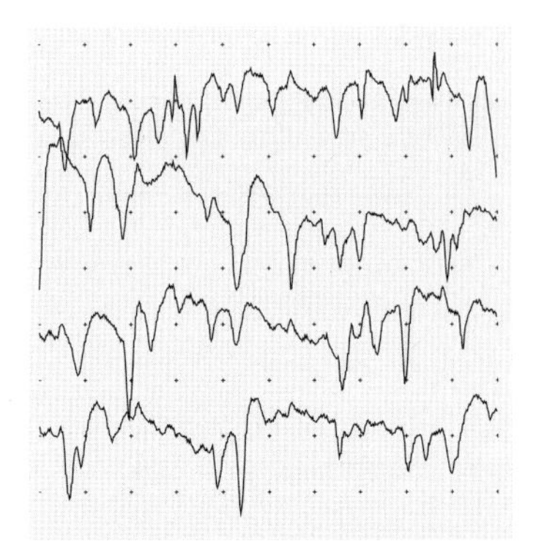

그림 02-3

분만 후 24일째의 침근전도검사 소견. 우측 단무지외전근에서 진폭이 큰 양성예파(positive sharp wave)가 중등도로 관찰되고 있다; 우측 단무지외전근에서 운동단위가 동원되지 않고 있다. [민감도(sensitivity), 100 μV/div; 스윕 속도(sweep speed), 100 ms].

수상 3주 후 신경 손상의 중증도를 알 수 있었다. 운동신경전도검사에서 손목에서 자극하였을 때 우측 정중신경에서 잠시 지연과 진폭 감소가 관찰되었다. 정중신경을 손목에서 자극하였을 때 크게 감소한 복합근육활동전위는 의미 있는 왈러 변성(Wallerian degeneration)을 강하게 시사한다. 감각신경전도검사에서는 정중신경을 손목에서 자극하였을 때 전위가 유발되지 않았다. 침근전도검사에서 단무지외전근에서 삽입전위(insertional activity)가 증가되었고 비정상자발전위(abnormal spontaneous activity)가 다량 관찰되었으며 환자의 수의적 수축에도 운동단위활동전위(MUAP)가 동원되지 않았다. 다시 시행한 전기생리학적 검사에서는 손목 부위에서 우측 정중신경에 부분적인 축삭절단(axonotmesis)과 전도 차단이 동시에 있는 신경병증을 확인할 수 있었다.

전기진단검사 결론

상기 전기진단학적 검사상 이 환자는 손목 부위에서 축삭 손실과 전도 차단이 같이 있는 급성 정중신경병증으로 확인되었다. 이는 정맥 투여했던 다량의 수액이 혈관 외 유출되면서 발생했을 가능성이 높다.

◉ 고찰

수근관증후군은 가장 흔한 포착신경병증(entrapment neuropathy)으로서 당뇨병, 요독증 등과 관련이 있고 손을 많이 사용하거나 손목 부위가 강한 진동에 자주 노출될 때 잘 생긴다. 주로 신경 압박은 장기간 지속되어 나타나기 때문에 증상은 서서히 진행한다. 급성으로 발생하는 정중신경의 압박은 대개 손목 부위의 골절이나 굴곡근 힘줄윤활막염(tenosynovitis)에 의한다. 임신 중에 정중신경은 압박에 더 취약해지고 그만큼 급성 수근관증후군도 빈발한다.[1] 급성 포착신경병증에서 갑작스런 압력의 증가는 국소적인 허혈을 초래하고 신경은 산소가 모자라게 된다.[2] 급성 수근관증후군에서 가장 특징적인 전기생리학적 소견은 손목에서 운동신경이나 감각신경, 혹은 둘 다에서의 전도차단이다.[3] 그리고 수근인대(carpal ligament)보다 근위부에서 자극하였을 때 유발 전위의 진폭이 감소한 것에 비해 잠시의 지연은 두드러지지 않는다.[3] 이 소견은 급격히 정상화될 수 있다; 압박이 해소되면 금새 정상적인 신경 전도 소견이 나온다.[2] 반면에 만성적인 정중신경의 압박에 의한 수근관증후군은 지연된 잠시가 주된 소견이다. 수근관증후군에서 두 종류의 압력을 생각해 볼 수 있다: 수근관 내의 간질액압(interstitial fluid pressure)과 근접한 조직에 의한 직접적인 압력. 이 사례는 전자의 예가 되겠다; 소생술 중에 정맥으로 주입된 다량의 수액과 혈액이 우발적으로 혈관 외로 유출(inadvertent extravastation)되었고 이것이 우측 수근관 내의 압력을 높였을 것이다. 임신 중에 액체 저류가 일어나는데 짧은 시간에 다량의 수액을 투여한 것은 수근관 내의 국소 액체 저류를 증대시켰을 것이다. 이와 유사하게 지방흡입을 위해 다량으로 주입한 팽창 수액(tumescent fluid)에 의해 수술 후 수부 부종과 급성 수근관증후군이 발생한 사례가 있다.[4]

참고문헌

1. Seror P. Pregnancy-related carpal tunnel syndrome. J Hand Surg Br 1998;23:98-101.
2. Werner RA, Andary M. Carpal tunnel syndrome: pathophysiology and clinical neurophysiology. Clin Neurophysiol 2002;113:1373-81.
3. Gordon C, Bowyer BL, Johnson EW. Electrodiagnostic characteristics of acute carpal tunnel syndrome. Arch Phys Med Rehabil 1987;68:545-8.
4. Lombardi AS, Quirke TE, Rauscher G. Acute median nerve compression associated with tumescent fluid administration. Plast Reconstr Surg 1998;102:235-7.

증례
03

좌측 상지의 위약을 주소로 내원한 남자 환자

병력

30세 남자 환자가 20일 전부터 시작된 좌측 상지의 위약을 주소로 내원하였다. 환자는 철봉에 매달린 이후에 처음으로 팔에 힘이 빠지는 것을 느꼈다. 환자는 당시, 어깨를 외전하거나 굴곡하지 못했으나 그 후로 위약이 약간 호전되었다고 한다. 환자는 감각 변화를 호소하지는 않았으며, 철봉에 매달려 있는 동안 급격한 통증이 발생하거나, 이전에 특정 질환을 앓거나 이와 관련된 질환을 앓은 적은 없었다고 한다.

환자는 6년 전에도 군복무 중에 서서히 진행하는 양상의 상지 위약을 경험하였으나 발생 후 두 달에 걸쳐 서서히 호전되었다. 환자는 상기 증상에 대한 가족력에 대해서는 부인하였다.

이 시점에서 감별진단은?

1. 좌측 상완신경총병증(brachial plexopathy, left)
2. 좌측 액와신경병증과 근피신경병증(axillary and musculocutaneous neuropathy, left)
3. 좌측 신경통근위축증(neuralgic amyotrophy, left)
4. 척수전각세포질환(anterior horn cell lesion)
5. 근병증(myopathy)

상기 병력은 상완신경총병증 또는 근위부 신경병증(proximal neuropathy)과 같은 어깨 근위부에서 발생하는 국소병변을 시사한다. 주소와 유사한 위약의 과거력은 신경통근위축증의 재발을 의심할 수 있다. 하지만 95%의 신경통근위축증 환자가 통증을 경험한다고 알려져 있는데, 이 경우 통증이 없었기 때문에 신경통근위축증의 가능성은 낮아 보인다. 문제의 반복적인 발생은 척수전각세포질환이나 근병증과 같은 만성 질환의 가능성을 시사하지만, 이러한 질환에서는 상기 증례에서와 같이 증상의 호전을 보이는 경우가 드물다.

신체 검진

관찰

어깨 근육의 위축은 관찰되지 않았다. 날개견갑골(scapular winging)은 관찰되지 않았으며, 혀나 사지 근육에서 섬유속자발(fasciculation)은 관찰되지 않았다. 족부에서도 이상 소견은 관찰되지 않았다.

관절가동범위

견대(shoulder girdle)의 수동관절가동범위는 모든 방향에서 정상이었다. 왼쪽 어깨의 능동관절가동범위 중 외전과 전방 굴곡이 각각 60도, 45도로 제한되어 있었다.

도수근력검사

	Shoulder abduction	Elbow flexion	Wrist dorsiflexion	Finger abduction
Right	5	5	5	5
Left	2	4	5	5

감각

상지에서 감각 이상(paresthesia)이나 감각 저하(hypesthesia)는 관찰되지 않았다. 바늘통각검사(pin prick test)에서도 이상 소견이 관찰되지 않았다.

반사

좌측 이두근과 양측 상완요골근의 근신전반사는 감소되어 있었다.

이 시점에서 감별진단은?

병력과 신체검사 결과에서 감각 이상을 동반하지 않은 편측 어깨의 위약, 그리고 양측 근신전반사 저하가 관찰되었다. 감각검사의 정상소견과 근위부 근력 저하, 근신전반사 저하 소견은 척수전각세포질환의 가능성을 시사한다. 하지만, 위약이 국소적으로만 발생했다는 점은 척수전각세포질환의 양상과는 일치하지 않는다. 상완신경총병증, 신경통근위축증, 그리고 상완신경과 근피신경에서 발생한 근위부 단일 신경병증의 가능성은 여전히 남아 있다.

전기진단검사 결과

SENSORY NERVE CONDUCTION STUDIES			
NERVE - RECORDING SITE	Onset LAT (ms)	Base-peak AMP (μV)	Peak-peak AMP (μV)
R MEDIAN - Digit II	**3.40**	**3.7**	9.6
L MEDIAN - Digit II	**4.15**	**1.9**	2.4
R ULNAR - Digit V	**3.25**	**3.0**	9.0
L ULNAR - Digit V	2.95	**2.7**	7.7
R MEDIAN vs ULNAR - Digit IV			
Median	**4.10**	7.4	8.6
Ulnar	**4.05**	5.2	4.6
L MEDIAN vs ULNAR - Digit IV			
Median		**No response**	
Ulnar	**4.00**	5.3	5.8
L LATERAL ANTEBRACHIAL CUTANEOUS - Lateral Forearm	1.35	16.1	24.5
R LATERAL ANTEBRACHIAL CUTANEOUS - Lateral Forearm	1.10	11.1	34.5

MOTOR NERVE CONDUCTION STUDIES				
NERVE - RECORDING SITE	LAT (ms)	AMP (mV)	Distance (cm)	NCV (m/s)
R MEDIAN - Abductor Pollicis Brevis				
Wrist	**5.40**	6.3		
Elbow	9.45	6.1	22.0	54.3
L MEDIAN - Abductor Pollicis Brevis				
Wrist	**6.20**	5.8		
Elbow	10.60	5.9	22.0	**50.0**
R ULNAR - Abductor Digiti Minimi				
Wrist	2.95	8.6		
Elbow	6.75	8.1	21.8	57.4
L ULNAR - Abductor Digiti Minimi				
Wrist	2.90	9.7		
Elbow	7.25	9.2	22.5	51.7
R AXILLARY - Deltoid				
Erb's Point	5.75	9.9		
L AXILLARY - Deltoid				
Erb's Point	7.45	**3.2**		
R MUSCULOCUTANEOUS - Biceps Brachii				
Erb's Point	5.15	9.8		
L MUSCULOCUTANEOUS - Biceps Brachii				
Erb's Point	5.25	10.1		

F - WAVE	
NERVE - RECORDING SITE	MIN F LAT (ms)
R MEDIAN - Abductor Pollicis Brevis	32.95
L MEDIAN - Abductor Pollicis Brevis	34.10
R ULNAR - Abductor Digiti Minimi	30.65
L ULNAR - Abductor Digiti Minimi	35.90

NEEDLE ELECTROMYOGRAPHY								
MUSCLE	IA	Spontaneous			MUAP			Interference Pattern
		FIB	PSW	CRD/FASC	AMP	DUR	PPP	
L Abductor Pollicis BREVIS	Nl	N	N	N	Nl	Nl	Inc	Complete
L Abductor Digiti Minimi	Nl	N	N	N	Nl	Nl	Nl	Complete
L FIRST Dorsal Interosseous	Nl	N	N	N	Nl	Nl	**Nl/Inc**	Complete
L Flexor CARPI Radialis	Nl	N	N	N	Nl	Nl	Nl	Complete
L Flexor CARPI Ulnaris	Nl	N	N	N	Nl	Nl	Nl	Complete
L Deltoid	Nl	**3+**	**3+**	N	Nl	**Long**	**Inc**	**Reduced**
L Biceps Brachii	Nl	N	N	N	Nl	Nl	Nl	Complete
L Triceps	Nl	N	N	N	Nl	Nl	Nl	Complete
L Supraspinatus	Nl	**3+**	**3+**	N	Nl	Nl	Nl	Complete
L Rhomboid	Nl	N	N	N	Nl	Nl	Nl	Complete
L Serratus Anterior	Nl	N	N	N	Nl	Nl	Nl	Complete
L C5 Paraspinals	Nl	N	N	N	Nl	Nl	Nl	Complete

이 시점에서 감별진단은?

증상을 호소하지 않은 쪽에서도 신경전도검사의 이상 소견이 발견되었다는 점은 증상이 발생한 부위의 국소신경병증 외에도 전신에 신경병증이 동반 가능성을 시사한다. 따라서 유전성 신경병증(hereditary neuropathy)과 같은 유전에 의한 질환 가능성에 대해서도 고려해야 한다. 추가 정보를 위해서 하지에 대한 신경전도검사와 침근진도검사를 시행하였다.

SENSORY NERVE CONDUCTION STUDIES			
NERVE - RECORDING SITE	Onset LAT (ms)	Base-peak AMP (μV)	Peak-peak AMP (μV)
R SURAL - Lateral Malleolus		No response	
L SURAL - Lateral Malleolus		No response	

MOTOR NERVE CONDUCTION STUDIES				
NERVE - RECORDING SITE	LAT (ms)	AMP (mV)	Distance (cm)	NCV (m/s)
R TIBIAL - Abductor Hallucis				
Ankle	4.90	17.2		
Knee	13.60	14.4	42.0	48.3
L TIBIAL - Abductor Hallucis				
Ankle	4.05	16.0		
Knee	13.85	13.2	40.5	41.3

전기진단검사 결과 요약

양측 정중감각신경전도검사에서 잠시가 지연되었고 감각신경활동전위가 감소되었다. 감각신경활동전위 진폭의 감소는 양측 척골신경에서도 확인되었다. 양측 외측전완피신경(lateral antecubital nerve) 검사 결과는 정상이었다(양측 대칭적임). 양측 비복감각신경활동전위는 측정되지 않았다. 좌측 액와신경의 복합운동활동전위 진폭은 우측의 32.3%로 감소되었다. 양측 정중운동신경의 잠시는 지연되었다. 좌측 삼각근(deltoid)과 극상근(supraspinatus)의 침근전도검사에서 현저한 비정상자발전위가 관찰되었다.

1. 전기진단검사 결과는 신경총 상부줄기(upper trunk, 주로 경추 5번)를 포함하는 좌측 상완신경총병증의 중등도 축삭 손상(moderately axonometric lesion)에 합당한 소견이다.
2. 또한 원위부 대칭성 다발성말초신경병증(distal symmetric peripheral polyneuropathy)의 축삭 손상을 시사하며 이는 압박마비유전신경병증(hereditary neuropathy with liability to pressure palsies)에 합당한 소견이다.

추가적으로 필요한 검사는?

왼쪽 어깨에 시행한 자기공명 관절조영술(MR arthrography)

어떤 병변이 어깨의 위약을 유발하였는지 확인하기 위하여 자기공명 관절조영술을 시행하였다. 하관절와상완인대(inferior glenohumoral ligament)의 전방띠(anterior band)의 염좌(sprain)와 관절낭의 경미한 파열(mild capsular tear)가 관찰되었다(그림 03-1).

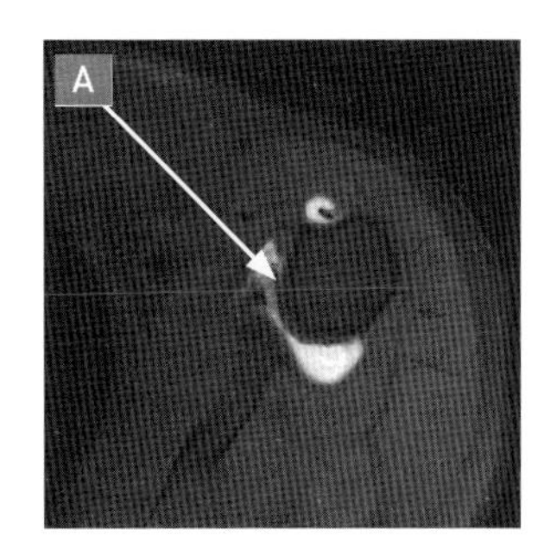

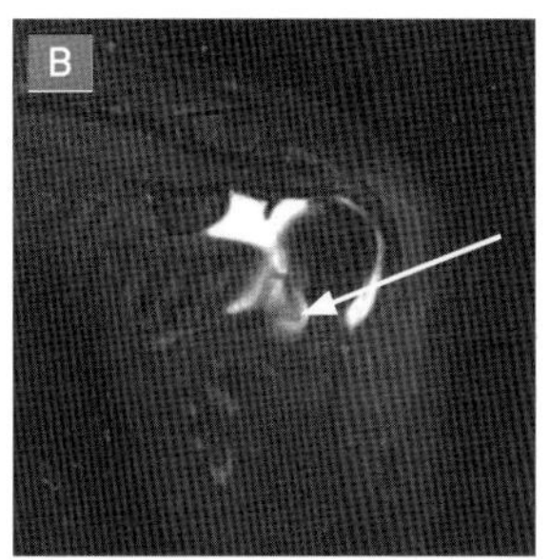

그림 03-1

자기공명 관절조영술. T1강조 횡단면상(A)에서 하관절와상완인대(백색 표시자), 특히 전방띠에서 부종과 고신호강도가 관찰됨. T2강조 관상면상(B)에서 늘어진 하관절와상완인대와 전방띠의 중앙부의 연속성 손상(백색 표시자)이 관찰됨.

전기진단검사 결론

1. 상기 전기진단학적 검사는 상부줄기(주로 경추 5번 신경근)를 포함하는 좌측 상완신경총병증의 중등도 축삭 손상에 합당한 소견이다.
2. 환자는 압박마비유전신경병증에 합당한 원위부 대칭성 다발성말초신경병증이 동반되어 있었다.

임상 경과

전기진단검사실 방문 1주 후에 외래를 방문했을 당시, 환자는 위약이 호전됨을 느꼈다. 환자는 그 이후로 외래를 방문하지 않았다.

고찰

비록 환자의 현재 문제는 상완신경총병증으로 진단되었지만, 환자의 과거력상 호전과 재발을 반복한 위약과 대칭적 운동감각신경병증 소견은 압박마비유전신경병증의 가능성을 시사한다.

압박마비유전신경병증은 상염색체 우성질환(autosomal-dominant disorder)로서 전형적으로 가끔 발생하며 무통의, 재발 양상의 국소 운동감각 말초신경병증으로 나타난다.[1] 압박마비유전신경병증에서 가장 흔히 침범하는 신경은 손목 주위에 정중신경, 팔꿈치 부위에 척골신경, 위팔 부위에 요골신경, 그리고 전비골두(fibular head)에 비골신경이다. 상완신경총도 무거운 물체를 들고 난 이후에 흔히 손상되는 신경이다.

압박마비유전신경병증의 유전자 자리는 염색체 17p12로서 환자의 84%는 이 부위의 소실이 확인된다.[2] 압박마비유전신경병증과 관련된 말초 말이집 단백질(peripheral myelin protein) 22번 유전자는 160개 아미노산 막 관련 단백질을 발현한다.[3] 확진을 위해서 유전자 검사가 필요하나 상기 사례의 환자는 비용 문제로 유전자 검사를 거부하였다.

전기진단검사의 주된 이상 소견은 탈수초 소견으로 대칭적, 전신적으로 관찰되는 운동신경과 감각신경의 전도속도 지연 소견이 관찰된다.[4] 전도차단(conduction block)은 증상이 나타난 신경, 특히 압박된 부위에서 관찰되는 특징적인 소견이다. 전도속도 이상 소견은 증상이 발생한 신경에만 국한되지 않고 체내 신경 전체에서 관찰되며, 무증상의 보인자(carriers)에서도 관찰된다. 압박마비유전신경병증에서 흔히 관찰되는 소견은 다음과 같다: 1) 정중신경의 원위부 운동 잠시 지연, 2) 양쪽 손목 부위에서 정중신경의 감각신경전도 속도 저하, 3) 비골신경의 원위부 운동 잠시 지연 및 신경전도속도 감소가 흔히 나타난다.[5]

참고문헌

1. Dyck PJ, P.K. T, eds. Peripheral Neuropathy. 4th ed. Philadelphia: W.B. Saunders; 2004.
2. Nelis E, Van Broeckhoven C, De Jonghe P, et al. Estimation of the mutation frequencies in Charcot-Marie-Tooth disease type 1 and hereditary neuropathy with liability to pressure palsies: a European collaborative study. Eur J Hum Genet 1996;4:25-33.
3. Manfioletti G, Ruaro ME, Del Sal G, Philipson L, Schneider C. A growth arrest-specific (gas) gene codes for a membrane protein. Mol Cell Biol 1990;10:2924-30.
4. Earl CJ, Fullerton PM, Wakefield GS, Schutta HS. Hereditary Neuropathy, with Liability to Pressure Palsies; a Clinical and Electrophysiological Study of Four Families. Q J Med 1964;33:481-98.
5. Mouton P, Tardieu S, Gouider R, et al. Spectrum of clinical and electrophysiologic features in HNPP patients with the 17p11.2 deletion. Neurology 1999;52:1440-6.

증례
04

우측 손을 쥐었다 펴는 데 어려움을 느끼는 남성

병력

우측 주먹을 쥔 상태에서 펴는 데 불편함을 느끼는 20세 남자가 방문하였다. 그는 특히 4, 5번째 손가락 펴는 것이 어렵다고 하였다. 5년 전부터 증상이 발생하였으며, 그때 당시 특별한 사고나 다른 병력은 없었다. 환자는 5개월 전 우측 손으로 주먹질을 한 후 처음으로 3번째 중수골에 통증이 시작되었다고 하였다. 경부 통증은 없었다.

이 시점에서 감별진단은?

1. 근긴장디스트로피(myotonic dystrophy)
2. 디스트로피가 아닌 근긴장증(non-dystrophic myotonias)
3. 요골 또는 척골의 국소신경병증(focal neuropathy, radial or ulnar)
4. 한 부분에 국한된 파상풍(local tetanus)
5. 운동신경원병(motor neuron disease)

환자는 근긴장(myotonia)을 호소하였는데, 근긴장은 두드림(percussion)이나 자발적인 근수축 이후 근이완이 늦어지는 것을 말한다. 환자의 병력을 바탕으로 볼 때 근긴장을 동반한 질환은 모두 감별진단에 포함되어야 한다. 근긴장디스트로피는 유전되는 질환으로 강하게 주먹을 쥔 다음 손을 펴는 것이 늦어지는 증상과 같은 말단 증상이 주로 나타난다. 선천성 근긴장증(myotonia congenital)이나 기복있는 근긴장증(myotonia fluctuans)과 같은 디스트로피가 아닌 근긴장증도 감별진단에 포함되어야 한다.

손가락 신전근은 요골신경 지배를 받기 때문에 요골신경병증도 가능한 질환이다. 척골신경병증이 있는 환자 또한 손을 펴는 동작을 할 때 어려움을 느낄 수 있다. 척골 갈퀴손(ulnar claw hand)은 손가락을 펴려고 할 때 나타나는 특징적인 손의 형태를 말한다. 이는 4번째와 5번째 중수지(metacarpophalangeal) 관절의 과신전에 의해 나타나는데 총수지신근(extensor digitorum communis)의 섬유가 부적절하게 당겨져서 나타난다.

근육에서 나타나는 당김 증상은 파상풍균(*Clostridium tetani*)과 같은 세균에서 분비된 신경독성물질에 의한 국소적인 증상일 수 있다. 그러나 환자는 파상풍이 발생할 만한 사고는 없었고, 증상 발생시기가 5년 전이었으므로 너무 오래되었다. 히라야마병(Hirayama's disease)과 같은 운동신경원병은 가능성 있는 진단이다. 히라야마병을 진단받은 환자는 보통 10세 후반에서 20대 초반에 편측 상지 말단에서 서서히 발생하는 점진적 근위약이 나타난다. 이 질환에서도 손가락 신전의 어려움이 나타날 수 있다.

신체 검진

시진

근위축과 같이 눈에 띄는 이상은 관찰되지 않았다.

감각

이상감각이나 감각 저하는 없었다.

도수근력검사

	Shoulder abductor	Elbow flexor	Elbow extensor	Wrist dorsiflexor	Finger abductor	Lower extremity
Right	5	5	5	5	5	5
Left	5	5	5	5	5	5

반사

심부건반사는 양측 상완이두근(biceps brachii), 상완삼두근(triceps brachii), 완요골근(brachioradialis)에서 모두 정상이었다.

근긴장

단단하게 주먹을 쥐었다가 손가락을 펼 때, 어려움이 있었다. 특히 4, 5번째 손가락에서 잘 관찰되었다. 가볍게 주먹을 쥐었다 폈다를 반복하면 증상이 호전되었다. 두드릴 때 근긴장이 발생하지는 않았다.

혈액검사 결과

초기 혈액검사에서 전혈구계산(complete blood cell count, CBC) 검사와 전해질(electrolyte), 혈중요소질소(blood urea nitrogen, BUN), 크레아티닌(creatinine, Cr), 적혈구침강속도(erythrocyte sedimentation rate, ESR), 갑상선 기능검사(thyroid function test)를 포함한 기본 화학검사(routine chemistry profile)는 모두 정상이었다. 혈중 크레아티닌키나아제(creatine kinase, CK)는 97 IU/L(정상범위 20~270 IU/L)로 증가되어 있지는 않았고, 젖산탈수소효소(lactate dehydrogenase, LDH)도 165 IU/L(정상범위 100~225 IU/L)로 증가되어 있지 않았다.

이 시점에서 감별진단은?

상기 병력과 신체검진 결과에서는 움직일 때 발생하는 근긴장(action myotonia)과 손의 준비운동 현상(Warm-up phenomenon)을 보여준다. 근력저하나 감각변화는 관찰되지 않았다. 근긴장디스트로피나 디스트로피가 아닌 근긴장증은 이와 같은 소견을 바탕으로 진단하기 적절한 질환이다. 운동 및 감각 이상이 없기 때문에 국소적인 신경병증의 가능성은 낮고, 운동신경원병 또한 연관성이 떨어진다.

전기진단검사 결과

SENSORY NERVE CONDUCTION STUDIES			
NERVE - RECORDING SITE	Onset LAT (ms)	Base-peak AMP (μV)	Peak-peak AMP (μV)
R MEDIAN - Digit II	2.45	**49.5**	**63.4**
R ULNAR - Digit V	2.40	**42.1**	**69.2**
R SUPERFICIAL PERONEAL - Foot	3.05	15.9	23.5
R SURAL - Lateral Malleolus	3.25	**23.1**	**29.6**

MOTOR NERVE CONDUCTION STUDIES				
NERVE - RECORDING SITE	LAT (ms)	AMP (mV)	Distance (cm)	NCV (m/s)
R MEDIAN - Abductor Pollicis Brevis				
Wrist	3.10	10.6		
Elbow	7.15	10.4	25.0	61.7
R ULNAR - Abductor Digiti Minimi				
Wrist	2.50	11.3		
Elbow	6.90	10.6	27.0	61.4
R COMMON PERONEAL - Extensor Digitorum Brevis				
Ankle	4.85	3.1		
Fibular Head	13.55	2.9	38.0	43.7
R TIBIAL - Abductor Hallucis				
Ankle	4.05	13.8		
Knee	12.50	11.2	36.0	42.6

F - WAVE	
NERVE - RECORDING SITE	MIN F LAT (ms)
R MEDIAN - Abductor Pollicis Brevis	28.25
R ULNAR - Abductor Digiti Minimi	28.90
L MEDIAN - Abductor Pollicis Brevis	28.90
L ULNAR - Abductor Digiti Minimi	25.30

H - REFLEX	
NERVE - RECORDING SITE	MIN H LAT (ms)
L TIBIAL (KNEE) - Soleus	32.80
L TIBIAL (KNEE) - Soleus	32.45

NEEDLE ELECTROMYOGRAPHY								
MUSCLE	IA	Spontaneous			MUAP			Interference Pattern
		FIB	PSW	CRD/ FASC	AMP	DUR	PPP	
R Abductor Digiti Minimi*	Nl	2+	2+	N	Nl	Nl	Inc	Complete
R First Dorsal Interosseous	Nl	2+	2+	N	Nl	Nl	Nl	Complete
R Flexor Carpi Ulnaris	Inc	2+	2+	N	Nl	Nl	Inc	Complete
R Flexor Digitorum Profundus IV	Nl	3+	3+	+	Inc	Nl	Inc	Complete
R Abductor Polliscis Brevis	Nl	3+	3+	N	Nl	Nl	Nl	Complete
R Extensor Indicis	Nl	1+	2+	N	Nl	Nl	Inc	Complete
R Flexor Carpi Radialis	Inc	N	N	N	Nl	Nl	Inc	Complete
R Extensor Carpi Radialis Longus	Nl	1+	2+	+	Nl	Nl	Inc	Complete
R Biceps	Nl	1+	1+	N	Nl	Nl	Inc	Complete
L First Dorsal Interosseous	Nl	N	2+	N	Nl	Nl	Inc	Complete
R Gastrocnemius (Medial)	Nl	N	N	N	Nl	Nl	Inc	Complete
R Tibialis Anterior	Nl	N	2+	+	Nl	Nl	Inc	Complete
R Iliopsas	Nl	N	1+	N	Nl	Nl	Nl	Complete
L Lumbar Paraspinals (Lower)	Nl	N	2+	N	Nl	Nl	Nl	Complete
L Deltoid	Nl	N	N	N	Nl	Nl	Nl	Complete
L Biceps	Nl	N	N	N	Nl	Nl	Nl	Complete
L Gastrocnemius (Medial)	Nl	N	N	N	Nl	Nl	Nl	Complete
R Vastus Medialis	Nl	N	N	N	Nl	Nl	Nl	Complete
R Cervical Paraspinals (Lower)	Nl	N	2+	N	Nl	Nl	Nl	Complete
R Lumbar Paraspinals (Lower)	Nl	N	N	N	Nl	Nl	Nl	Complete
L Thoracic Paraspinals (Lower)	Nl	N	N	N	Nl	Nl	Nl	Complete
L Tongue	Nl	N	N	N	Nl	Nl	Nl	Complete
L Peroneus Longus	Nl	1+	2+	N	Nl	Nl	Nl	Complete
L Abductor Pollicis Brevis	Nl	2+	2+	N	Inc	Nl	Inc	Complete
R Tensor Fascia Lata	Nl	N	N	N	Nl	Nl	Nl	Complete
L Tensor Fascia Lata	Nl	N	N	N	Nl	Nl	Nl	Complete
L Vastus Medialis	Nl	N	N	N	Nl	Nl	Nl	Complete
R Deltoid	Nl	N	N	N	Nl	Nl	Nl	Complete
R Masseter	Nl	N	N	N	Nl	Nl	Nl	Complete

*Upper extremity

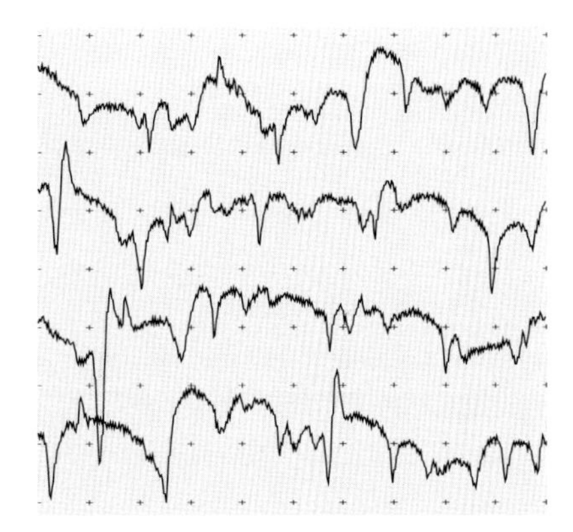

그림 04-1

침근전도검사 파형. 양성예파(positive sharp waves)와 섬유자발전위(fibrillation potentials)가 우측 심지굴근(flexor digitorum profundus)에서 관찰되었다. [민감도(sensitivity), 100 μV/div; 스윕 속도(sweep speed), 100 msec]

전기진단검사 결과 요약

후기 반응(late response)을 포함한 신경전도검사 결과는 정상이었다. 침근전도검사에서 비정상자발전위(abnormal spontaneous activity, ASA)가 양측 상하지 근육과 몇몇 경추와 요추 사이 근육에서 관찰되었다. 일부 상하지 근육들에서는 다상성 운동단위(polyphasic motor unit)도 보였다. 근긴장성 신호(myotonic discharge)는 우측 심지굴근(flexor digitorum profundus), 요측수지신근(extensor carpi radialis), 전경골근(tibialis anterior)에서 기록되었다.

1. 상기 전기진단검사 이상은 원위부에서 두드러진 근긴장디스트로피(dystrophic myotonia)의 가능성을 가장 높게 시사한다.
2. 운동신경원병에서도 광범위한 탈신경전위(denervation potential)가 보일 수는 있으나 상기 이상 소견을 바탕으로는 히라야마병의 가능성은 낮다. 그러나 원위부척수근위축증(distal spinal muscular atrophy)는 배제할 수 없다.

추가적으로 필요한 검사는?

유전자 검사

19번 염색체(Chromosome 19q13.2)에 있는 근육긴장증 단백활성효소(dystrophia myotonica-protein kinase, DMPK) 유전자의 CTG 삼염기 반복 수를 분석하였다. CTG 반복이 대략적으로 230배나 늘어나 있었다(정상 반복 횟수: 35회 미만). 상기 소견은 전형적인 양상의 근긴장디스트로피(dystrophic myotonia 1 – classic phenotype, CTG repeats, 100–1000)에 합당한 소견이다.

전기진단검사 결론

상기 전기진단검사와 임상소견, 유전자 검사는 근긴장디스트로피(myotonic dystrophy)를 시사한다.

임상 경과

심장 이상, 눈의 문제를 확인하기 위해 심장초음파와 안과 검사를 시행하였고 상기 검사들에서 이상 소견은 없었다. 유전자 상담도 진행하였다. 또한 매 5년마다 심장초음파를 확인하도록 하였다.

고찰

근긴장디스트로피(dystrophic myotonia)는 성인에서 가장 흔하게 발생하는 근긴장 이상 질환이다. 근긴장디스트로피는 이 질환이 있는 부모에서 50% 위험정도로 아이에게 유전되는 질환이다. 현재 근긴장디스트로피의 임상 양상에 따라 두 개의 분명한 변이가 알려져 있다. 이번 사례와 같이 1형 근긴장디스트로피는 근육긴장증단백활성효소(dystrophia myotonica-protein kinase, DMPK) 유전자 안의

CTG 반복 확장이 원인이다.[1] 근긴장은 흔하게 관찰되는 증상이지만, 장애를 유발하지는 않는다. 가장 흔한 증상은 주먹을 펴는 데 어려움을 느끼는 것이고 그 외 얼굴과 사지말단 위약, 두드러진 근력 소진을 보인다. 작아진 측두근(temporalis), 안검하수, 길고 야윈 얼굴이 상기 질환을 가지고 있는 환자에서 특징적으로 나타날 수 있다. 때때로 안면근육이상으로 인해 삼킴곤란, 구음장애, 안구움직임 이상 등이 나타날 수 있다. 그 외에 흔한 임상 양상으로는 백내장, 앞머리 대머리, 부정맥, 당뇨병 등이 있다.[2,3] 근긴장디스트로피 환자의 가장 흔한 1차적 사망 원인은 호흡기계 합병증과 급성 심정지인데 아마도 부정맥과 연관성이 있을 것으로 보인다.[4]

근긴장전위(myotonic potential)가 근긴장디스트로피의 가장 중요한 전기진단소견임에도 불구하고 근긴장디스트로피가 있는 모든 환자에서 전기진단적 근긴장(myotonia)이 분명하게 관찰되는 것은 아니다. 유전자 검사가 가장 분명한 진단검사이다.[2] 근긴장성 질환을 감별진단할 때는 1형 또는 2형 근긴장디스트로피, 선천성 근긴장증(myotonia congenita), 슈발츠-얌펠 증후군(Schwartz-Jampel syndrome), 저칼륨주기마비(hyperkalemic periodic paralysis), 선천성 이상근긴장증(paramyotonia congenital), 산성말타아제결핍(acid maltase deficiency) 등의 질환도 감별이 필요하다. 근육병, 신경 손상, 약물 유발 갑상선기능저하증은 흔하지 않은 근긴장증의 원인이다.[3]

참고문헌

1. Brook JD, McCurrach ME, Harley HG, et al. Molecular basis of myotonic dystrophy: expansion of a trinucleotide (CTG) repeat at the 3' end of a transcript encoding a protein kinase family member. Cell 1992;68:779-808.
2. Machuca-Tzili L, Brook D, Hilton-Jones D. Clinical and molecular aspects of the myotonic dystrophies: a review. Muscle Nerve 2005;32:1-18.
3. Miller TM. Differential diagnosis of myotonic disorders. Muscle Nerve 2008;37:293-9.
4. de Die-Smulders CE, Howeler CJ, Thijs C, et al. Age and causes of death in adult-onset myotonic dystrophy. Brain 1998;121:1557-63.

증례 05

좌측 4, 5번째 손가락에 저린 감각이 있는 여성

병력

좌측 4, 5번째 손가락에 저린 감각을 호소하는 29세 여성이 방문하였다. 증상은 7개월 전 자고 일어나면서 발생하였는데, 환자는 밤새 남편의 등에 팔과 손이 깔린 상태로 잤다고 한다. 그 외 특별한 사고는 없었다. 지난 6개월이 지나도록 저린 감각에 큰 호전은 없었고 때때로 저린 증상 때문에 잠에서 깨기도 하였다. 환자는 경부통증을 호소하지 않았고 당뇨, 고혈압, 갑상선질환 또한 진단 받은 적이 없었다.

이 시점에서 감별진단은?

1. 좌측 손목 또는 팔꿈치에서의 척골신경병증(ulnar neuropathy at the elbow or wrist, left)
2. 8번 경추-1번 흉추 신경근병증(C8-T1 radiculopathy)
3. 흉곽출구증후군(thoracic outlet syndrome)

척골신경병증은 4, 5번째 손가락 저린 감각을 호소하는 환자에서 흔한 질환이다. 가장 흔하게 신경이 눌리는 부위는 팔꿈치지만 손가락에만 증상이 국한되어 있는 경우에는 손목 부위 손상일 가능성도 있다. 머리에 의해 팔이 눌린 경우에는(saturday night palsy) 요골신경병증이 흔하게 발생할 수 있지만, 손과 팔이 눌린 병력은 먼저 국소적인 압박신경병증을 시사한다. 손에 저린 감각이 발생하게 하는 흔한 질병인 경추 신경근병증 또한 감별진단에 포함된다. 흉곽출구증후군도 감별해야만 하는 질환이다.

신체 검진

시진

무지구(thenar), 소지구(hypothenar), 그 외 손의 내재근(intrinsic muscles)에 근위축은 없었다.

감각

감각 저하는 없고, 좌측 4, 5번째 손가락에 저린 감각만 있었다.

티넬 징후(Tinel's sign)

좌측 손목과 팔꿈치에 티넬 징후 모두 양성이었다.

스펄링 징후(Spurling's sign)

양측 모두에서 음성이었다.

반사

심부건반사는 양측 상완이두근(biceps brachii), 상완삼두근(triceps brachii), 완요골근(brachioradialis)에서 모두 정상이었다. 양측에서 호프만 징후(Hoffman's sign)는 음성이었다.

도수근력검사

	Shoulder abductor	Elbow flexor	Elbow extensor	Wrist dorsiflexor	Thumb abductor	Little finger abductor
Right	5	5	5	5	5	5
Left	5	5	5	5	5	5

혈액 및 영상검사 결과

초기 혈액검사에서 전혈구계산(complete blood cell count, CBC) 검사와 혈중요소질소(blood urea nitrogen, BUN), 크레아티닌(creatinine, Cr), 전해질(electrolyte), 간효소(liver enzyme), C반응성 단백질(C-reactive protein, CRP)을 포함함 기본 화학검사(routine chemistry profile)는 모두 정상이었다. 팔꿈치 단순 방사선 촬영에서 양측 모두 뼈에는 이상 소견 관찰되지 않았다.

이 시점에서 감별진단은?

병력과 신체검진을 종합하면, 좌측 손목과 발꿈치에서 티넬 징후가 양성이고 4, 5번째 손가락 저린 증상이 관찰되었다. 손목과 팔꿈치에서 발생한 척골신경병증이 가장 가능성 높은 진단이지만 이 시점에서 경추 신경근병증과 흉곽출구증후군을 배제할 수는 없다.

전기진단검사 결과

SENSORY NERVE CONDUCTION STUDIES			
NERVE - RECORDING SITE	Onset LAT (ms)	Base-peak AMP (μV)	Peak-peak AMP (μV)
R MEDIAN - Digit II	3.00	45.6	77.3
L MEDIAN - Digit II	2.95	41.2	66.5
R ULNAR - Digit V	2.90	22.8	38.2
L ULNAR - Digit V	3.00	31.4	56.3
R ULNAR - Dorsal	1.50	54.5	64.2
L ULNAR - Dorsal	1.10	54.4	46.2
R MEDIAN vs ULNAR - Digit IV			
MEDIAN	3.40	32.6	52.3
ULNAR	3.35	35.9	54.1
L MEDIAN vs ULNAR - Digit IV			
MEDIAN	3.10	38.8	57.2
ULNAR	3.10	15.9	30.7

MOTOR NERVE CONDUCTION STUDIES				
NERVE - RECORDING SITE	LAT (ms)	AMP (mV)	Distance (cm)	NCV (m/s)
R MEDIAN - Abductor Pollicis Brevis				
Wrist	3.10	17.1		
Elbow	6.80	13.9	22.0	59.5
L MEDIAN - Abductor Pollicis Brevis				
Wrist	3.05	15.5		
Elbow	6.15	15.5	22.0	71.0
R ULNAR - Abductor Digiti Minimi				
Wrist	2.85	13.1		
Elbow	6.60	12.6	24.0	64.0
L ULNAR - Abductor Digiti Minimi				
Wrist	3.05	12.3		
Below Elbow	6.15	11.6	20.5	66.1
Above Elbow	7.50	11.6	10.0	74.1
L ULNAR - Abductor Digiti Minimi (Inching)				
4 cm Distal to Epicondyle	5.80	11.8		
2 cm Distal to Epicondyle	6.15	11.9	2.0	57.1
Epicondyle	6.50	11.9	2.0	57.1
2 cm Proximal to Epicondyle	6.80	11.9	2.0	66.7
4 cm Proximal to Epicondyle	7.15	11.8	2.0	57.1
6 cm Proximal to Epicondyle	7.45	11.6	2.0	66.7

F - WAVE	
NERVE - RECORDING SITE	MIN F LAT (ms)
R MEDIAN - Abductor Pollicis Brevis	24.15
R ULNAR - Abductor Digiti Minimi	24.25
L MEDIAN - Abductor Pollicis Brevis	22.85
L ULNAR - Abductor Digiti Minimi	25.20

NEEDLE ELECTROMYOGRAPHY								
MUSCLE	IA	Spontaneous			MUAP			Interference Pattern
		FIB	PSW	CRD/ FASC	AMP	DUR	PPP	
L Abductor Pollicis Brevis	Nl	N	N	N	Nl	Nl	Nl	Full
L First Dorsal Interossei	Nl	N	N	N	Nl	Nl	Nl	Full
L Abductor Digiti Minimi	Nl	N	**1+**	**1+**	**Inc**	Nl	**Inc**	**Reduced**
L Flexor Carpi Ulnaris	Nl	N	N	N	Nl	Nl	Nl	Full
L Flexor Digitorum Profundus IV	Nl	N	N	N	Nl	Nl	Nl	Full

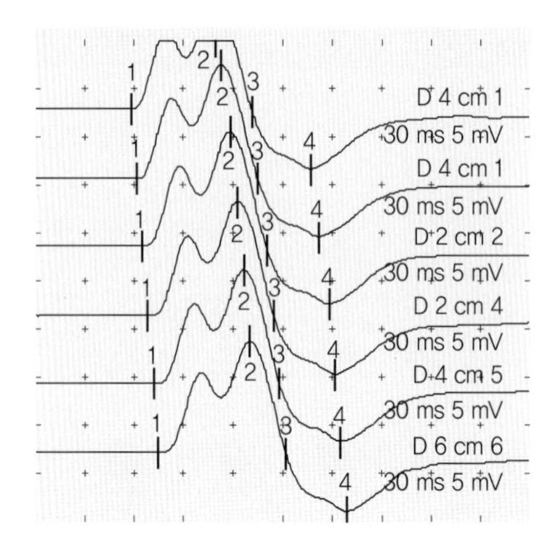

그림 05-1

팔꿈치를 가로지르는 척골신경 인칭(inching)검사. 소지외전근(abductor digiti minimi)에서 시행한 복합근육활동전위(compound muscle action potential, CMAP)에서 특별한 이상 소견 관찰되지 않았다. [민감도(sensitivity), 5 mV/div; 스윕 속도(sweep speed), 30 msec]

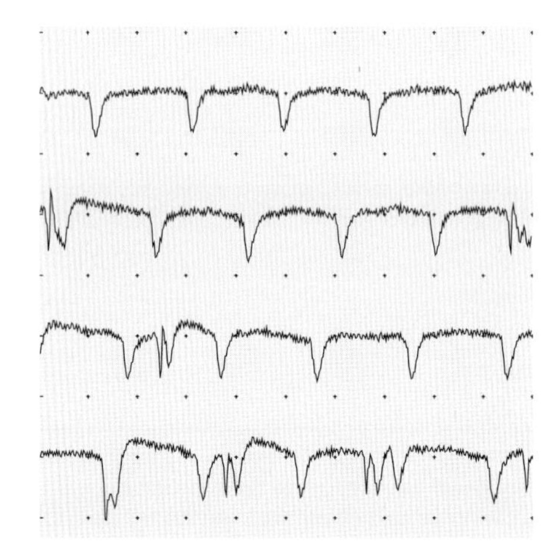

그림 05-2

침근전도검사 파형. 좌측 소지외전근(abductor digiti minimi)에서 경도의 양성예파(positive sharp waves)가 관찰된다. [민감도(sensitivity), 100 μV/div; 스윕 속도(sweep speed), 100 msec]

전기진단검사 결과 요약

상기 전기진단검사 결과, 양측 척골 운동 및 감각신경 반응에서 뚜렷한 이상이 발견되지 않았다. 팔꿈치를 가로질러 시행한 척골신경 분절(segment)검사에서도 신경전도속도의 지연은 없었다. 양측 등쪽 척골 피부감각신경(dorsal ulnar cutaneous sensory nerve) 반응도 대칭적이었다.

침근전도검사에서는 좌측 소지외전근(abductor digiti minimi)에서 비정상자발전위(abnormal spontaneous activity, ASA)와 간섭양상(interference pattern)의 감소가 관찰되었다. 단모지외전근(abductor pollicis brevis), 첫째 등쪽골간근(first dorsal interosseous), 요측수굴근(flexor carpi ulnaris), 심지굴근(flexor digitorum profundus)에서 비정상자발전위와 이상운동단위(abnormal motor unit)는 발견되지 않았다.

1. 상기 전기진단검사의 이상은 운동신경섬유만 침범하고 부분적인 축삭절단(axonotmesis)을 동반한 좌측 척골신경병증에 부합한다.
2. 손목 주변에서의 손상이 의심되는 상황이지만 소지외전근(abductor digiti minimi)의 이상이 2형(심부 신경가지에 국한된)에서 전형적인 소견은 아니다. 따라서 팔꿈치 주위 손상도 배제할 수는 없다.
3. 전기진단검사를 통해 확인된 정상적인 척골감각반응을 토대로 흉곽출구증후군은 제외하였다. 8번 경추-1번 흉추 신경근에 의해 지배 받는 다른 근육들의 이상이 발견되지 않았으므로 8번 경추-1번 흉추 신경근병증의 가능성 또한 낮다.

추가적으로 필요한 검사는?

단순방사선사진

손목과 팔꿈치 단순방사선 사진에서 특별한 뼈의 이상은 보이지 않았다.

전기진단검사 결론

상기 전기진단검사는 부분적인 축삭절단을 동반한 좌측 척골신경병증을 시사한다. 신경 손상 부위는 손목 주위일 가능성이 가장 높으나 팔꿈치 주위 손상의 가능성을 배제할 수는 없다.

임상 경과

정형외과에서는 전기진단검사를 바탕으로 손목과 팔꿈치 부위에서 압박된 척골신경을 풀어주는 수술을 제안했다. 환자는 수술을 기다리는 동안 팔꿈치 통증이 발생하여 정형외과 외래에 재방문하였다. 환자는 좌측 팔꿈치 내측에 통증을 호소하였고 좌내측 상과염(epicondylitis)을 진단 받았다.

전기진단검사를 시행한 7주 후, 환자는 수술을 받았다. 척골신경의 신경박리와 앞쪽 근육 밑 위치 이동, 굴근들의 근육과 근막 Z모양 성형연장술, 손목에서 요측수굴근(flexor carpi ulnaris)의 괴사 조직 제거와 함께 압박된 척골신경 해방, 두상골(pisiform) 피질박리, 단요측수근신근(extensor carpi radialis brevis) 건의 일부 절제 및 가측 상과골에 여러 개의 구멍을 내는 수술을 시행하였다.주강(cubital tunnel)의 근위부 쪽으로 척골신경이 부어있는 것이 수술 중 확인되었다. 귀욘관(Guyon's canal) 부위에 특별히 좁아져서 눌린 곳은 없었다.

수술 3개월 후 좌측 팔꿈치 통증은 호전되었으며 손가락에 저린 감각 또한 사라졌다.

고찰

손목 부위에서 발생하는 척골신경운동병증의 대부분은 소지구(hypothenar)를 구성하는 근육의 손상과는 무관하나,[1] 손상부위는 천부 신경가지와 소지구 근육들을 지배하는 신경가지 사이인 심부신경가지 사이에 위치할 수 있다.[2] 다른 사례에서는 이번 사례와 유사하게 전기진단검사에서 소지외전근(abductor digiti minimi)에 신경 손상이 있었는데, 그 환자에서는 귀욘관(Guyon's canal)에 위치한 신경종(ganglion)에 의해 척골신경의 심부 가지가 압박되고 있었다.[3] 그러나 이번 사례는 민감도와 특이도가 높다고 알려진[4] 팔꿈치를 가로지르는 짧은 분절 신경전도검사에서 이상 소견이 관찰되지 않았다. 손등과 5번째 손가락에서 시행한 척골감각 신경검사에서도 정상이었다. 이 소견은 손목에 있는 척골신경의 심부 가지에 병변이 있는 것을 시사한다. 그러나 위약이 없이 저린 감각만 있는 경우는 순수운동 척골신경병증에 부합되지 않는다.

수술자는 손목과 팔꿈치의 구조물을 모두 풀어 신경 주변을 느슨하게 하였다. 수술장에서의 소견상 손목 부위보다 팔꿈치 부위에서 병변이 확인되었다. 질병의 초기 경과에서는 팔꿈치의 국소병변보다 원위부에서는 감각 이상이 관찰되지 않을 수 있다. 또한 소지외전근에서는 관찰되지 않는 이상 소견이 첫째 등쪽골간근에서 기록된 팔꿈치를 가로지르는 신경전도검사에서는 관찰될 수 있다. 감별하기 힘든 팔꿈치 병변을 진단하기 위해 첫째 등쪽골간근을 대상으로 운동신경전도검사를 시행하거나, 팔꿈치를 가로질러 감각 또는 복합척골신경전도검사를 시행하는 것이 도움이 될 수 있을 것이다.[5]

참고문헌

1. Moneim MS. Ulnar nerve compression at the wrist. Ulnar tunnel syndrome. Hand Clin 1992;8:337–44.
2. Wu JS, Morris JD, Hogan GR. Ulnar neuropathy at the wrist: Case report and review of literature. Arch Phys Med Rehabil 1985;66:785–8.
3. Inaparthy PK, Anwar F, Botchu R, Jahnich H, Katchburian MV. Compression of the deep branch of the ulnar nerve in guyon's canal by a ganglion: Two cases. Arch Orthop Trauma Surg 2008;128:641–3.
4. Azrieli Y, Weimer L, Lovelace R, Gooch C. The utility of segmental nerve conduction studies in ulnar mononeuropathy at the elbow. Muscle Nerve 2003;27:46–50.
5. Robertson C, Saratsiotis J. A review of compressive ulnar neuropathy at the elbow. J Manipulative Physiol Ther 2005;28:345.

증례 06

우측 손에 변형과 위약이 있는 남성

병력

65세 남성이 갑자기 우측 손의 이상감각 발생 이후 나타난 우측 팔의 통증으로 내원하였다. 통증은 3주가 넘는 기간에 걸쳐 서서히 호전되었으나, 이후 우측 손으로 물건을 쥐는 힘이 약해진 것을 느꼈다. 게다가 환자는 그의 우측 손 3, 4번째 손가락을 완전하게 펴는 것이 점차적으로 불가능해졌다고 이야기하였다. 경부 통증이나 사고, 선행된 상기도 감염 증상은 없었으며 환자가 가지고 있는 증상과 유사한 가족력도 없다고 하였다. 환자는 증상이 발생하기 2주 전 골프를 치는 중에 통증이 있었다고 이야기하였다.

이 시점에서 감별진단은?

1. 우측 요골과 척골신경병증(radial and ulnar neuropathy, right)
2. 우측 상완신경총병증(brachial plexopathy, right)
3. 우측 7번 경추-1번 흉추 신경근병증(C7-T1 radiculopathy, right)
4. 다발성단일신경염(mononeuritis multiplex)
5. 경추증성근위축증(cervical spondylotic amyotrophy)
6. 근병증(myopathy)
7. 척수전각세포병(anterior horn cell disease)

상기 병력을 바탕으로는 감별진단의 범위가 넓을 수밖에 없다. 환자가 이야기한 통증의 양상은 다양한 진단(상완신경염, 신경근병증, 다발성 단일신경염, 근골격계 이상, 근염)을 의심해 볼 수 있다. 통증 이후에 발생한 위약은 신경염을 시사하고, 3, 4번째 손가락 신근 위약은 요골신경병증을 시사한다. 상완신경총병증과 신경근병증 또한 가능한 질환이고, 경추증성근위축증, 근병증, 척수전각세포병도 고려해 볼 수 있다. 그러나 환자의 개인적인 병력(앞서서 발생한 급성통증 이후 나타난 위약)은 신경통근위축증(neuralgic amyotrophy)에 가장 부합한다.

신체 검진

시진

분명하게 나타나는 근육 소진(muscle wasting)이나 근 떨림은 없었다.

어깨 관절가동범위

정상범위였다.

감각

우측 손의 2, 3, 4번째 손가락 끝 감각 저하가 확인되었다.

스펄링 징후(Spurling's sign)

양측 상지에서 저린 증상 유발 없이 모두 음성이었다.

반사

	Biceps Jerk	Triceps Jerk
Right	2+	2+
Left	2+	2+

도수근력검사

	Elbow flexor	Elbow extensor	Wrist dorsiflexor	Wrist volarflexor	Thumb abductor	Thumb extensor	Index finger extensor	3rd~5th finger extensor
Right	5-	5-	5	5	3	2	3	1
Left	5-	5-	5	5	5	5	5	5

기타 검진

우측 손에서 프로멘트 징후(Froment's sign)가 양성이었고, 양측 손에서 오케이 징후(OK sign)는 음성이었다.

○ 영상검사 결과

경추 자기공명영상 소견(그림 06-1)

1. 3-4번 경추, 4-5번 경추, 5-6번 경추, 6-7번 경추 중심 관 협착증(central canal stenosis); 3-4번 경추, 4-5번 경추 중심부 디스크 돌출(extrusion); 5-6번 경추, 6-7번 경추 전체적인 디스크 팽윤

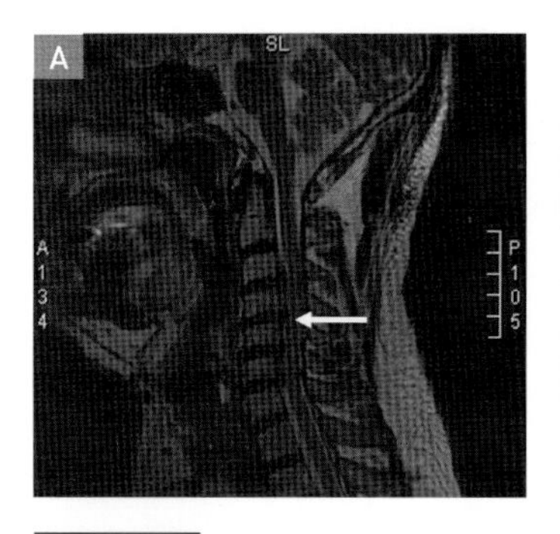

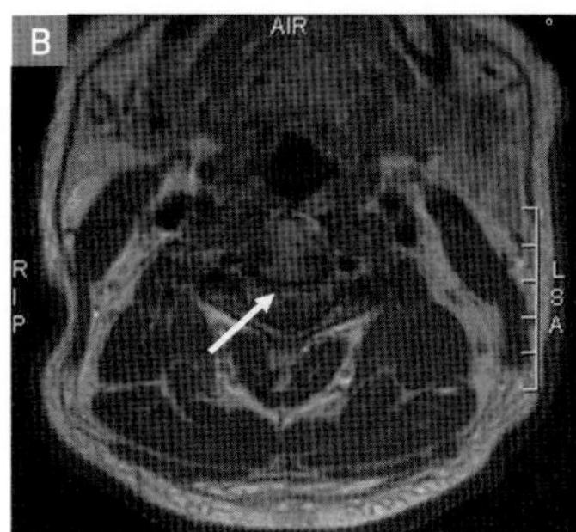

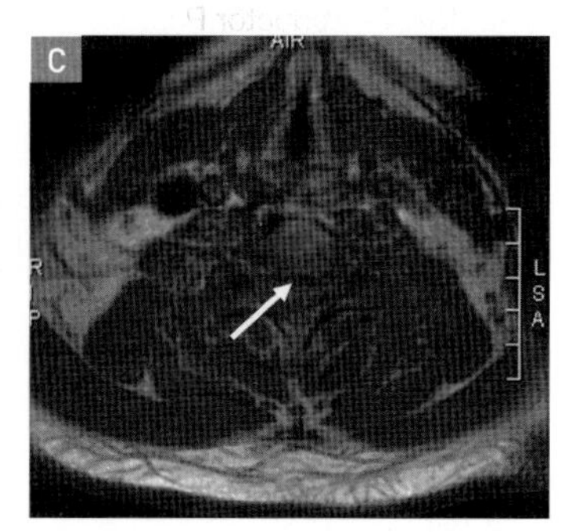

그림 06-1

경추 자기공명영상. (A) 시상면(Sagittal) T2 강조영상. (B) 3-4번 경추 축면(Axial) T2 강조 영상. (C) 5-6번 경추 축면 T2 강조 영상; 4-5번 경추에 중심 관 협착증 관찰됨(A, 화살표), 5-6번 경추, 6-7번 경추 중심부 디스크 돌출(B, 화살표), 5-6번 경추 전체적인 디스크 팽윤(C, 화살표)

(bulging)

2. 양측 6-7번 경추, 4-5번 경추 소공 협착(foraminal stenosis), 6-7번 경추 > 4-5번 경추

이 시점에서 감별진단은?

환자가 가장 불편해 하는 것은 운동 이후 급격하게 발생하는 통증과 이후 우측 손에 발생하는 위약과 감각장애이다. 분명한 근위축은 없었지만 척골신경과 요골신경의 지배를 받는 근육들의 근위약은 존재하였다. 이것은 척골과 요골신경병증, 상완신경총병증, 경추 신경근병증의 가능성을 시사한다. 또한 신체검진과 갑자기 발생한 통증 이후에 발생하는 위약은 요골신경과 척골신경에 수반된 신경통근위축증(neuralgic amyotrophy)을 시사한다.

전기진단검사 결과

SENSORY NERVE CONDUCTION STUDIES			
NERVE - RECORDING SITE	Onset LAT (ms)	Base-peak AMP (μV)	Peak-peak AMP (μV)
R MEDIAN - Digit II	2.80	14.5	24.3
R ULNAR - Digit V	2.70	12.3	19.1
L MEDIAN - Digit II	3.05	24.4	34.1
L ULNAR - Digit V	2.45	24.0	31.2
R RADIAL - Thumb	1.85	24.2	26.7
R MEDIAL ANTEBRACHIAL CUTANEOUS - Forearm	1.15	08.4	05.4

MOTOR NERVE CONDUCTION STUDIES				
NERVE - RECORDING SITE	LAT (ms)	AMP (mV)	Distance (cm)	NCV (m/s)
R MEDIAN - Abductor Pollicis Brevis				
Wrist	3.95	10.4		
Elbow	7.95	09.6	20.0	50.0
R ULNAR - Abductor Digiti Minimi				
Wrist	**4.25**	**02.3**		
Elbow	9.30	02.1	22.0	43.6
L MEDIAN - Abductor Pollicis Brevis				
Wrist	3.35	13.4		
Elbow	6.95	12.4	21.0	58.3
L ULNAR - Abductor Digiti Minimi				
Wrist	2.95	11.9		
Elbow	7.55	11.3	23.5	10.4
R ULNAR - First Dorsal Interosseous				
Wrist	4.65	8.0		
Elbow	9.65	8.0	23.0	46.0
R ULNAR - Abductor Digiti Minimi (Segmental)				
Wrist	**3.65**	**2.0**		
Below Elbow	7.65	**1.9**	18.5	46.3
Above Elbow	9.85	**1.7**	12.0	54.5
Axilla	11.55	**1.7**	10.0	58.8

F - WAVE	
NERVE - RECORDING SITE	MIN F LAT (ms)
R MEDIAN - Abductor Pollicis Brevis	27.30
R ULNAR - Abductor Digiti Minimi	32.80
R COMM PERONEAL - Extensor Digitorum Brevis	26.00
R TIBIAL - Abductor Hallucis	26.70

NEEDLE ELECTROMYOGRAPHY								
MUSCLE	IA	Spontaneous			MUAP			Interference Pattern
		FIB	PSW	CRD/ FASC	AMP	DUR	PPP	
R Flexor Carpi Radialis	Nl	N	N	N	Nl	Nl	Nl	Full
R Flexor Carpi Ulnaris	**Inc**	**3+**	**3+**	N	**Inc**	**Inc**	**Inc**	**Single**
R First Dorsal Interosseous	**Inc**	**3+**	**3+**	N		**No activiity**		
R Abductor Pollicis Brevis	Nl	N	N	N	Nl	Nl	Nl	**Reduced**
R Abductor Digiti Minimi (Hand)	**Inc**	**3+**	**3+**	N	**Inc**	**Inc**	**Inc**	**Single**
R Extensor Carpi Radialis Longus	Nl	N	N	N	Nl	Nl	Nl	Full
R Extensor Digitorum Communis	**Inc**	**3+**	**3+**	N	**Inc**	**Inc**	**Inc**	**Discrete**
R Extensor Indicis Proprius	**Inc**	**3+**	**3+**	N	**Inc**	**Inc**	**Inc**	**Single**
R Biceps Brachii	Nl	N	N	N	Nl	Nl	Nl	Full
R Triceps	Nl	N	N	N	Nl	Nl	Nl	Full
R Deltoid	Nl	N	N	N	Nl	Nl	Nl	Full
R Cervical Paraspinals (Lower)	Nl	N	N	N	Nl	Nl	Nl	Full
R Pectoralis Major	Nl	N	N	N	Nl	Nl	Nl	Full
L Pectoralis Major	Nl	N	N	N	Nl	Nl	Nl	Full

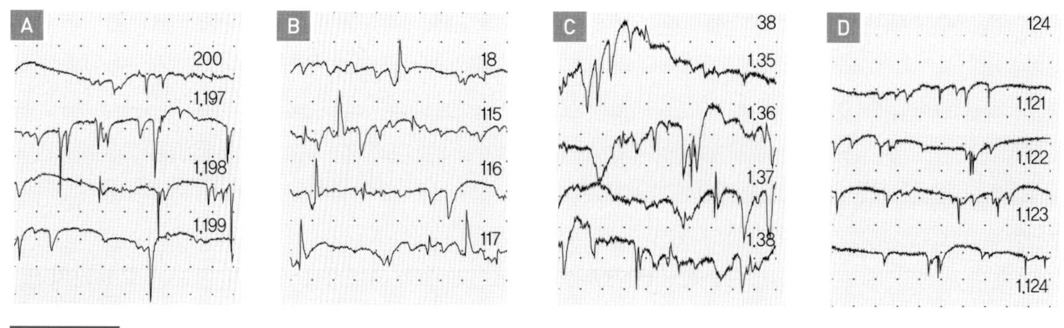

그림 06-2

침근전도검사 파형. 높은 진폭을 동반한 양성예파(positive sharp waves)가 중등도 정도로 우측 첫째 등쪽골간근(first dorsal interosseous, A), 요측수굴근(flexor carpi ulnaris, B), 총수지신근(extensor digitorum communis, C), 인지신근(extensor indicis proprius, D)에서 관찰됨. [민감도(sensitivity), 100 μV/div; 스윕 속도(sweep speed), 100 msec]

전기진단검사 결과 요약

신경전도검사에서 우측 척골운동반응의 감소가 관찰된다. 손목에서 팔꿈치 아래부위 사이에 신경전도 속도가 감소되었다. 우측 척골신경의 감각신경활동전위에서 진폭은 감소되어 있었다. 우측 척골 F파의 잠시가 지연되어 있었다. 침근전도검사에서는 척골신경 지배근육(요측수굴근, 첫째 등쪽골간근, 소지외전근(abductor digiti minimi))과 후방골간신경(posterior interosseous nerve)의 지배 근육(총수지신근, 인지신근)에서 비정상자발전위(abnormal spontaneous activity, ASA)가 확인되었다. 이 근육들에서는 진폭과 주기가 증가되어 있었고, 다상성운동단위활동전위가 관찰되었다. 또한 이 근육들의 간섭양상(interference pattern)이 감소되어 있었다. 삼각근(deltoid), 상완이두근(biceps brachii), 삼두근(triceps brachii)을 포함한 상완근에서 이상 소견은 없었다.

1. 상기 전기진단학적 이상은 척골신경과 후방골간신경에 중증 신경절단을 동반한 원인불명의 우측 다발성단일신경병증(idiopathic multiple mononeuropathy, right)에 부합한다.
2. 상기 소견은 임상적으로 다발성 단일신경염으로 표현된 신경통근위축증(neuralgic amyotrophy)에 부합한다.

추가적으로 필요한 검사는?

우측 상완신경총 자기공명영상 검사를 고려해 볼 수 있다.

전기진단검사 결론

1. 상기 전기진단학적 이상은 척골신경과 후방골간신경에 중증 신경절단을 동반한 원인불명의 우측 다발성단일신경병증에 부합한다.
2. 상기 소견은 임상적으로 다발성 단일신경염으로 표현된 신경통근위축증(neuralgic amyotrophy)에 부합한다.

임상 경과

보존적 치료를 시행하였고, 우측 손의 저린 감각은 완전히 호전되었으나 신근의 위약은 회복되지 않았다.

고찰

신경통근위축증(neuralgic amyotrophy)는 흔하지 않은 신경학적증후군으로 원인이 분명하지 않고 상완신경총에 침범하며, 어깨와 팔의 통증, 위약, 감각 상실과 같은 증상이 나타난다.

침근전도검사를 바탕으로 한 3가지 손상의 주요 범위에 따라 (1) 단일신경병증(mononeuropathy), (2) 신경총병증(plexopathy), (3) 단일신경병증과 신경총병증이 모두 나타나는 형태로 나눌 수 있다. 각각의 신경이 독립적으로 또는 여러 개의 신경에 영향을 준 "다발성단일신경염(mononeuritis multiplex)"과 유사한 형태로 나타난다. 신경통근위축증과 관련된 위약은 6~41% 환자에서 단일신경병증 형태로 나타나며,[1,2] 신경통근위축증의 가장 일반적인 패턴은 견갑상신경(suprascapular nerve), 장흉신경(long thoracic nerve), 액와신경(axillary nerve) 또는 전방골간신경(anterior interosseous nerve) 단일 또는 다발성단일신경병증 형태이다.[3-11] 이번 사례에서 이야기된 후방골간신경과 척골신경은 신경통근위축증에서 우선적으로 영향을 받는 신경들은 아니다. 이번 사례를 통하여 근위축증의 다양한 형태를 살펴볼 수 있다.

참고문헌

1. Tsairis P, Dyck, PJ, Mulder DW. Natural history of brachial plexus neuropathy. Arch Neurol 1972;27:109-17.
2. Schady W, Meara RJ. Brachial plexus neuropathy. Muscle Nerve 1989;12:156-8.
3. Parsonage MJ, Turner JW. Neuralgic amyotrophy: the shoulder-girdle syndrome. Lancet 1948;1:973-8.
4. Tsairis P, Dyck, PJ, Mulder DW. Natural history of brachial plexus neuropathy. Arch Neurol 1972;27:109-17.
5. England JD, Sumner AJ. Neuralgic amyotrophy: an increasingly diverse entity. Muscle Nerve 1987;10:60-8.
6. Misamore GW, Lehman DE. Parsonage-Turner syndrome (acute brachial neuritis). J Bone Joint Surg 1996;78:1405-8.
7. Turner JWA, Parsonage MJ. Neuralgic amyotrophy (paralytic brachial neuritis) with special reference to prognosis. Lancet 1957;2:20912.
8. Rennels GD, Ochoa J. Neuralgic amyotrophy manifesting as anterior interosseus nerve palsy. Muscle Nerve 1980;3:160-4.
9. Carmant L, Veilleux M. Anterior interosseus neuropathy in the postpartum period. Can J Neurol Sci 1993;20:56-8.
10. Kiloh LG, Nevin S. Isolated neuritis of the anterior interosseus nerve. BMJ 1952;1:850-1.
11. Gaitzsch G, Chamay A. Paralytic brachial neuritis or Parsonage-Turner syndrome: anterior interosseus nerve involvement. Ann Chir Main 1986;5:288-94.

증례
07

양쪽 손끝이 바늘로 찌르는 듯 따끔하고 저린 증상을 주소로 내원한 여자 환자

병력

48세 여자 환자가 양손의 손끝이 바늘로 찌르는 듯 따끔거리고 저린 증상을 주소로 내원하였다. 환자는 증상 발현 수개월 전, 등산하다가 넘어지면서 우측 요골(radius) 골절을 당하였다. 환자는 부목을 이용한 보존적 치료를 받았으며, 당시에는 양측 수부에 별다른 증상을 호소하지 않았다. 수상 6개월 후부터 양쪽 손가락 끝, 특히 요골 쪽 손가락 네 개에서 저린 증상이 발생하였다. 상기 증상은 시간이 지날수록 심해졌으며, 왼쪽에 비해 오른쪽이 더 심했다. 최근에는 일상생활을 하는 데 어려움을 겪을 정도로 심해졌다. 증상은 사용할수록 심해지고, 사용하지 않으면 나아졌으며, 환자의 수면까지 방해할 정도로 심했다.

저린 증상 외에, 환자는 수년 전부터 시작된 중등도 이상의 뒷목 통증을 호소하였다. 상기 증상 외에 다른 건강상의 문제는 없었으며, 환자의 과거력과 가족력에서도 특이점은 관찰되지 않았다. 환자는 선물가게에서 일하고 있었고, 육체적으로 그다지 힘들지는 않다고 응답하였다.

이 시점에서 감별진단은?

1. 양측 수근관증후군(bilateral carpal tunnel syndrome)
2. 양측 경추 6-7번 신경근병증(bilateral C6-7 radiculopathy)
3. 우측 수근부 정중신경 손상(median nerve injury around the wrist, post traumatic, right)
4. 다발성 말초감각운동신경병증(peripheral sensorimotor polyneuropathy)
5. 감각신경절병증(sensory ganglionopathy)

환자의 감각 증상 분포에서 병변 위치를 추정할 수 있다. 환자는 정중신경의 신경분절 또는 척수 6-7번의 신경분절에 해당하는, 요골 쪽 손가락 네 개의 저린 증상을 호소하였다.

수근관증후군은 저린 증상의 흔한 원인이므로 상기 증례에 적합한 진단으로 고려해야 한다. 또한 사용 빈도가 증가할수록 증상이 심해지는 양상은 상지의 포착신경병증(entrapment neuropathy)을 시사한다. 양측 대칭으로 발생하는 경추 신경근병증은 드물지만, 오랜 기간 동안 지속된 경부 통증의 병력을 고려하면 이에 대한 추가 검사가 필요하다.

요골 원위부의 골절 병력은 외상으로 인한 정중신경병증의 가능성을 시사한다. 하지만, 골절 발생 후 7개월 동안 증상이 발생하지 않았다는 점은 외상과 환자가 호소하는 증상이 연관되었을 가능성이 낮음을 시사한다. 게다가 편측 외상성신경병증으로는 양측에서 발생한 감각 증상을 설명할 수 없다. 그럼에도 불구하고 외상은 기존에 있던 병변을 악화시키는 요인으로 작용할 수 있다.

앞서 언급된 진단명 외에 다발성감각운동말초신경병증 또는 감각신경절병증의 가능성에 대해서도 고려해야 한다. 다발성말초신경병증의 축삭변성은 주로 길이 의존적(length-dependent)인 양상을 보이는데, 상기 증례는 상지에 국한되어 감각 증상이 발생하여서 가능성은 낮다. 상기 증례의 임상양상은 감각신경절병증의 양상과 일치하지 않는다.

신체 검진

관찰

무지구근육(thenar muscles)은 약간 위축되었다. 전완(forearm)이나 수부 내재근(hand intrinsic muscles)에서 이상 소견은 관찰되지 않았다.

감각

양측 소지를 제외한 나머지 손가락의 손바닥 면에서 감각 저하 소견이 관찰되었다.

특수 검사

스펄링 검사(Spurling's test)에서 양쪽 팔의 통증이나 이상감각 소견은 관찰되지 않았다. 티넬 징후(Tinel's sign)는 양쪽 손목에서 양성이었으나 아래팔이나 팔꿈치에서는 음성이었다. 팔렌 징후(Phalen's sign)는 양측 모두 음성이었다.

반사

근신전반사는 양측 이두근(biceps brachii), 삼두근(triceps brachii), 그리고 상완요골근(brachioradialis)에서 2+로 측정되었다. 호프만 징후(Hoffman's sign)와 바빈스키 징후(Babinski's sign)는 양측 모두 음성이었다.

도수근력검사

	Shoulder abductor	Elbow flexor	Elbow extensor	Wrist dorsiflexor	Finger flexor	Knee extensor
Right	5	5	5	5	5	5
Left	5	5	5	5	5	5

혈액검사 결과

전혈구계산(complete blood count) 검사와 혈중요소질소(blood urea nitrogen), 크레아티닌(serum creatinine), 전해질(electrolytes), 적혈구침강속도(erythrocyte sedimentation rate), 류마티스 인자(rheumatoid factor), 형광항핵항체(fluorescent antinuclear antibody)가 포함된 일반화학검사(routine chemistry profile) 결과는 모두 정상이었다. 경추 X선 촬영에서 경추 5번과 6번 사이의 추간판 공간이 좁아져 있었다(그림 07-1).

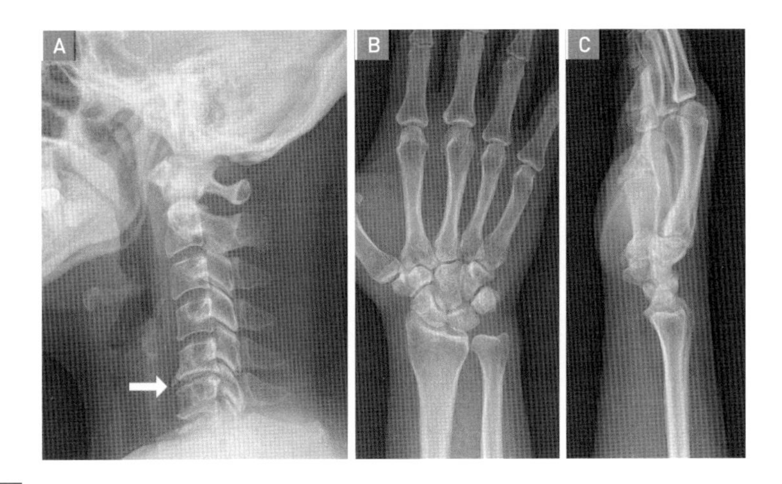

그림 07-1

경추와 우측 수부 X선 촬영. 환자의 경추 측면 영상에서 경추 5번과 6번 사이의 추간판 공간이 좁아져 있다(A, 화살표). 우측 수부의 전후면 영상과 측면 영상에서 이상 소견이 관찰되지 않았다. 과거 골절과 관련된 구조적 이상은 관찰되지 않았다.

이 시점에서 감별진단은?

상기 신체검사 결과에서 양측 수근관증후군이 가장 유력한 진단으로 의심된다. 정중신경을 따라서 관찰되는 감각 저하 소견과 손목에서 관찰되는 티넬 징후의 양성 반응, 그리고 무지구근육 위축 소견은 모두 수근관증후군을 시사하는 소견들이다. 비전형적 양상을 보이는 양측 경추 6-7번 신경근병증의 가능성도 고려되어야 한다. 비록 수근부(wrist)의 정중신경 또는 척골신경 손상은 주된 이상 소견이 될 수 없지만 동반되었을 수 있다. 보행 불안정성이 동반되지 않고 저린 증상이 대칭적으로 발생한 경우는 감각신경절병증의 전형적인 양상과 일치하지 않는다. 하지에서 감각 이상 소견이 관찰되지 않으므로 다발성 말초신경병증의 가능성은 낮다.

전기진단검사 결과

SENSORY NERVE CONDUCTION STUDIES			
NERVE - RECORDING SITE	Onset LAT (ms)	Base-peak AMP (μV)	Peak-peak AMP (μV)
R MEDIAN - Digit II	**3.60**	**14.1**	30.1
R ULNAR - Digit V	2.00	45.3	95.5
L MEDIAN - Digit II	**3.50**	**15.5**	28.1
L ULNAR - Digit V	2.15	52.5	82.4
R MEDIAN vs ULNAR - Digit IV			
R MEDIAN		No response	
R ULNAR	2.95	9.8	17.7
L MEDIAN vs ULNAR - Digit IV			
L MEDIAN	**4.35**	6.9	8.6
L ULNAR	2.60	38.0	61.4

MOTOR NERVE CONDUCTION STUDIES				
NERVE - RECORDING SITE	LAT (ms)	AMP (mV)	Distance (cm)	NCV (m/s)
R MEDIAN - Abductor Pollicis Brevis				
Wrist	**5.40**	7.5		
Elbow	8.95	7.0	19.6	55.2
R ULNAR - Abductor Digiti Minimi				
Wrist	2.05	10.4		
Elbow	5.15	10.4	21.5	69.4
L MEDIAN - Abductor Pollicis Brevis				
Wrist	**4.95**	12.8		
Elbow	8.45	12.6	19.8	56.6
L ULNAR - Abductor Digiti Minimi				
Wrist	2.35	11.7		
Elbow	5.25	11.5	21.0	72.4

F - WAVE	
NERVE - RECORDING SITE	MIN F LAT (ms)
R MEDIAN - Abductor Pollicis Brevis	23.15
L MEDIAN - Abductor Pollicis Brevis	23.30

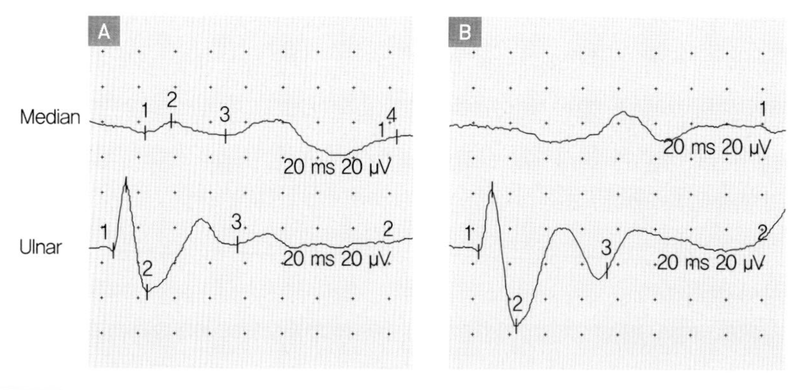

그림 07–2

약지에서 시행한 정중신경과 척골신경의 감각신경전도검사. (A) 좌측 수부에서 정중신경과 척골신경의 잠시가 1.75 msec로 유의한 차이를 보였다. (B) 우측 약지에서 정중신경의 감각신경활동전위는 일관성 있게 관찰되지 않았다. [민감도(sensitivity), 20 μV (micro–volt); 스윕 속도(sweep speed), 20 ms]

NEEDLE ELECTROMYOGRAPHY								
MUSCLE	IA	Spontaneous			MUAP			Interference Pattern
		FIB	PSW	CRD/FASC	AMP	DUR	PPP	
R Abductor Pollicis Brevis	Nl	N	N	N	**Inc**	**Nl/Inc**	**Nl/Inc**	**Reduced**
R First Dorsal Interosseus	Nl	N	N	N	Nl	Nl	Nl	Complete
R Flexor Carpi Radialis	Nl	3+	3+	N	**Inc**	**Long**	**Inc**	**Reduced**
R Extensor Digitorum Communis	Nl	N	N	N	**Giant**	**Long**	**Inc**	**Reduced**
R Abductor Digiti Minimi	Nl	N	N	N	Nl	Nl	Nl	Complete
R Biceps Brachii	Nl	N	N	N	Nl	Nl	Nl	Complete
R Flexor Carpi Ulnaris	Nl	N	N	N	Nl	Nl	Nl	Complete
R Pronator Teres	Nl	2+	2+	N	**Inc**	**Long**	**Inc**	**Reduced**
R Extensor carpi Radialis Longus	Nl	N	N	N	**Inc**	**Long**	**Inc**	**Reduced**
R Triceps	Nl	N	N	N	**Giant**	**Long**	**Inc**	**Reduced**
L Abductor Pollicis Brevis	Nl	N	N	N	Nl	Nl	Nl	Complete
L First Dorsal Inerosseous	Nl	N	N	N	Nl	Nl	Nl	Complete
L Flexor Carpi Radialis	Nl	N	N	N	Nl	Nl	Nl	Complete
R C7 paraspinals	Nl	N	N	N				

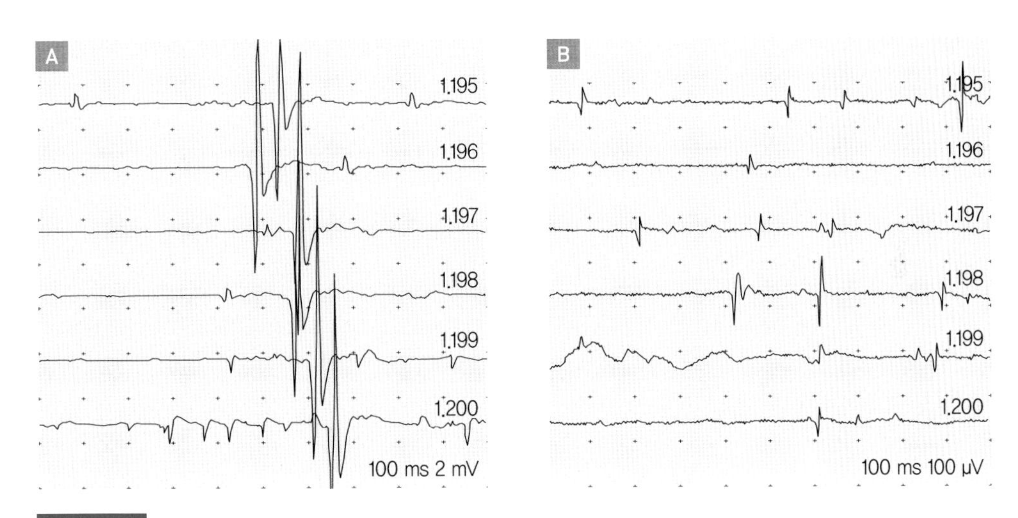

그림 07-3

침근전도 파형. (A) 우측 삼두근에서 운동단위활동전위의 진폭이 커지고 기간이 길어져 있다. (B) 우측 척측수근굴근(flexor carpi ulnaris)에서 비정상자발전위가 관찰되었다. [민감도(sensitivity)와 스윕 속도(sweep speed); A. 2 mV/div와 100 ms; B. 100 μV (micro-volt)/div와 100 ms] 상기 소견은 오래된 운동단위의 재형성(remodeling)을 의미한다.

전기진단검사 결과 요약

정중신경의 원위부 운동 잠시와 감각 잠시는 양측에서 모두 지연되었다. 정중신경의 원위부 감각신경 진폭은 척골신경의 진폭에 비해 30% 작았다. 하지만, 정중신경의 신경전도속도는 양측 모두 정상 범위였다. 좌측 약지에서 측정된 정중신경과 척골신경의 잠시 차이는 1.75 msec(정상범위: <0.6 msec)인 반면, 우측 약지에서 정중신경의 감각신경활동전위는 관찰되지 않았다(그림 07-2).

침근전도검사 결과, 우측 요측수근굴근(flexor carpi radialis)과 원회내근(pronator teres)에서 비정상적 자발 전위, 진폭이 증가되고 지속시간이 연장된 다상성운동단위활동전위(polyphasic motor unit action potential, MUAP), 그리고 신경병성 동원양상(neurogenic recruitment pattern)이 관찰되었다. 오래된 운동단위 형성의 증거인 운동단위활동전위의 진폭 증가와 기간 지속시간이 우측 장요측수근신근(extensor carpi radialis longus), 총지신근(extensor digitorum communis), 그리고 삼두근에서 관찰되었다. 하지만 우측 단무지외전근(abductor pollicis brevis)에서는 다상성운동단위활동전위가 약간 증가된 소견이었다. 좌측 상지 근육의 침근전도검사에서는 이상 소견이 확인되지 않았다.

1. 손목에서 발생한 양측 정중신경병증의 탈수초화 소견과
2. 오래된 우측 경추 7번 신경근병증의 동반

추가적으로 필요한 검사는?

경추 신경근병증 여부를 확인하기 위해 경추 부위에 엑스선 촬영과 자기공명영상 검사를 시행할 수 있겠다. 하지만 환자는 X선 촬영만 시행했다(그림 07-1).

전기진단검사 결론

상기 전기진단 검사는

1. 손목에서 발생한 양측 정중신경병증(우측: 경미한 운동신경 축삭 손상과 탈수초화, 좌측: 주로 탈수초화)을 시사하며, 이는 양측 수근관증후군에 합당한 소견이다.
2. 우측 경추 7번 신경근의 경미한 축삭변성도 함께 동반된 것으로 의심된다.

전기진단검사 결과는 우측 수근관증후군과 경추 7번 신경근병증이 동시에 존재하는 이중분쇄증후군(double crush syndrome)에 합당한 소견이다.

임상 경과

환자는 양측 수근관 감압술(carpal tunnel release surgery)을 시행 받았다. 수술 전에, 정형외과 의사는 오른쪽 손에 발생한 감각 증상은 손목 수술을 받은 후에도 남을 수 있다고 설명하였다. 다행히 양쪽 손의 증상은 수술 후에 호전되었다.

고찰

이 증례는 동일 부위의 감각영역을 지배하는 만성 경추 신경근병증과 말초의 단일신경병증이 병발한 경우이다. 증상과 관련된 주 문제는 양측 수근관증후군이다. 하지만 동반된 신경근병증 때문에 임상 경과가 복잡해졌다. 상기 환자의 상태는 이중분쇄증후군이라고도 불린다. 이중분쇄증후군에 의한 증상을 해결하기 위해서 두 가지 병변을 모두 치료해야 한다는 점이 임상적으로 중요하다.

이중분쇄증후군은 하나의 신경과 그 신경다발의 경로에 두 개의 포착신경병증이 존재한다는 점이 특징적이다.[1] 이중분쇄증후군의 대표적인 예는 다음과 같다: 상기 증례와 같은 경추 6-7번 신경근병증과 손목 부위의 정중신경병증이 병발한 경우, 경추 8번-흉추 1번 신경근병증과 팔꿈치 부위의 척골신경병증(ulnar neuropathy)이 병발한 경우. 병리 기전에 대해서는 축삭 근위부 병변에 의해 발생한 축삭운반의 손상이 원위부 병변을 악화시킨다는 이론이 제시되었다.[2] 상기 병변에 대한 신경생리학적 증거와 함께 스크리닝 목적으로 침근전도검사를 해야 되는가에 대해서는 여전히 논란 중이다.[3] 수근관증후군 환자의 6~14%에서 이중분쇄증후군이 발견되었다는 보고를 고려하면, 선택적으로 몇몇 근육에 대해서 침근전도검사를 시행하는 것이 병변의 정도를 파악하는 데 도움이 될 것이다. 이 증례에서도 확인할 수 있었듯이 원회내근 또는 요측수근굴근에 대한 검사는 이중분쇄증후군의 동반 여부를 확인하는 데 유용한 검사다.

이중분쇄 손상의 독립적인 위험인자에 대한 연구에서 남성과 고령이 유의한 인자로 확인되었다.[1] 따라서, 전기진단 검사자는 고령의 남자 환자에서 수근관증후군이 의심되는 감각 증상을 발견했을 때, 반드시 또 다른 병변이 동반되어 있을 가능성을 염두에 두어야 할 것이다.

참고문헌

1. Moghtaderi A, Izadi S. Double crush syndrome: an analysis of age, gender and body mass index. Clin Neurol Neurosurg 2008;110:25-9.
2. Dumitru D, Zwarts MJ. Focal Peripheral Neuropathies. In: Dumitru D, Zwarts MJ, eds. Electrodiagnostic medicine. 2nd ed. Philadelphia: Hanley & Belfus; 2002:1043-126.
3. Gnatz SM, Conway RR. The role of needle electromyography in the evaluation of patients with carpal tunnel syndrome. Muscle Nerve 1999;22:282-6.

증례 08

양측 상지의 위약을 호소하는 남성

병력

41세 남성이 10년간 지속된 양측 상지 위약을 주소로 내원하였다. 10년 전 환자는 상의를 입을 때 우측 어깨 통증이 있었다. 이후 환자는 양측 상지의 위약을 호소하였으며, 무거운 물건을 들기 어려웠다. 상기도 감염의 병력은 없었다. 위약은 점차 진행하여 6~7년 전부터는 더 이상 팔을 들 수도 없었다. 대학병원을 방문하여 근육병의 가능성이 있다고 들었으나, 추가적인 검사나 치료는 받지 않았다. 2년 전부터는 손가락을 펼 수 없었으며, 음식을 먹는 것도 어려워졌다.

가족력

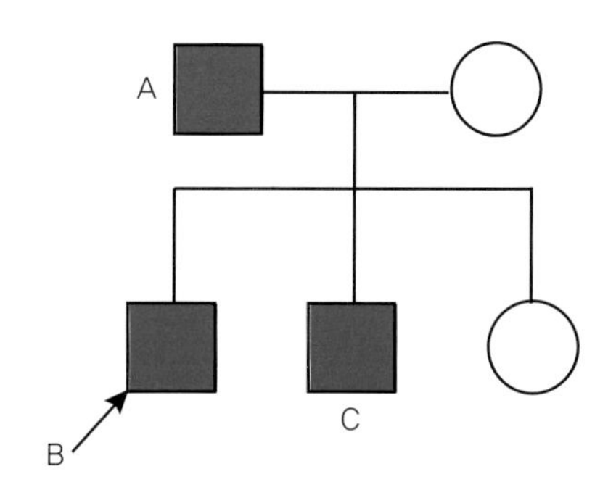

그림 08-1

환자의 가계도. 환자(B)는 한 명의 형과 한 명의 여동생이 있었다. 환자의 아버지(A)와 형(B)은 환자와 유사한 증상을 가지고 있었다.

신체 검진

시진

환자는 능형근(rhomboid), 상완이두근(biceps brachii), 상완삼두근(triceps brachii), 삼각근(deltoid), 사각근(scalene), 흉쇄유돌근(sternocleidomastoid) 등의 상지근위부 근육에 심한 근위축이 있었다. 대퇴사두근(quadriceps)을 포함한 다리 근육의 위약은 관찰되지 않았다.

감각

모든 감각 평가는 정상이었다.

반사

상지의 심부건반사는 감소하였으며, 하지의 심부건반사는 정상이었다. 바빈스키 징후는 음성이었으며, 발목간대(ankle clonus)는 없었다.

도수근력검사

	Shoulder abductor	Elbow flexor	Elbow extensor	Wrist dorsiflexor	Finger extensor	Finger flexor	Lower extremity
Right	3-	2	3	3	3-	5	5
Left	3-	2	4	4	3-	5	5

혼자 힘으로 발끝으로 설 수 없었다.

혈액검사 결과

혈청 크레아틴키나아제(creatine kinase, CK)는 294 IU/L(정상범위, 20~270 IU/L)로 상승하였으며, 젖산탈수소효소(lactated dehydrogenase, LDH)는 178 IU/L(정상범위, 100~225 IU/L)로 정상이었다. 심전도를 포함한 일반혈액검사(complete blood cell count)와 혈액요소질소(blood urea nitrogen), 크레아티닌(creatinine), 전해질, 적혈구침강속도(erythrocyte sedimentation rate), 혈당, 알부민(albumin), 간효소 등의 검사는 모두 정상이었다.

이 시점에서 감별진단은?

1. 안면견갑상완척수근위축증(facioscapulohumeral spinal muscular atrophy)
2. 안면견갑상완근디스트로피(facioscapulohumeral muscular dystrophy)
3. 신경통근위축증(neuralgic amyotrophy)
4. 히라야마병(Hirayama's disease)
5. 양측 상완신경총병증(bilateral brachial plexopathy)
6. 양측 경추 신경근병증(bilateral cervical radiculopathy)

전기진단검사 결과

SENSORY NERVE CONDUCTION STUDIES		
NERVE - RECORDING SITE	Onset LAT (ms)	Base-peak AMP (μV)
R MEDIAN - Digit II		
Wrist	2.20	39.2
Elbow	5.63	21.0
R ULNAR - Digit IV		
Wrist	2.26	28.4
Elbow	5.48	14.4
R SUPERFICIAL PERONEAL - Foot	2.64	9.2
R SURAL - Lateral Malleolus	2.34	13.7

MOTOR NERVE CONDUCTION STUDIES				
NERVE - RECORDING SITE	LAT (ms)	AMP (mV)	Distance (cm)	NCV (m/s)
R MEDIAN - Abductor Pollicis Brevis				
Wrist	3.26	7.6		
Elbow	6.70	7.2	21.0	61.0
R ULNAR - Abductor Digiti Minimi				
Wrist	2.24	16.4		
Elbow	5.70	16.1	22.5	65.0
R COMMON PERONEAL - Extensor Digitorum Brevis				
Ankle	4.12	9.6		
Fibular Head	9.92	8.1	28.5	49.1
R TIBIAL - Abductor Hallucis				
Ankle	3.42	14.1		
Knee	10.20	13.9	35.5	52.2

F - WAVE	
NERVE - RECORDING SITE	MIN F LAT (ms)
R MEDIAN - Abductor Pollicis Brevis	19.3
R ULNAR - Abductor Digiti Minimi	23.2
R COMMON PERONEAL - Extensor Digitorum Brevis	45.5
R TIBIAL (KNEE) - Abductor Hallucis	42.9

NEEDLE ELECTROMYOGRAPHY								
MUSCLE	IA	Spontaneous			Distance (cm)			Interference Pattern (Recruitment)
		FIB	PSW	CRD/FASC	AMP	DUR	PPP	
R Deltoid	Nl	N	N	N	Nl	Nl	**Nl/Inc**	**Reduced to complete**
R Biceps Brachii	Nl	N	N	+	**Small**	**Short**	**Inc**	**Reduced to complete (Early)**
R Triceps	Nl	+	N	N	**Small**	**Short**	**Inc**	**Reduced to complete**
R First Dorsal Interosseous	Nl	N	N	N	Nl	Nl	Nl	Complete
R Abductor Policis Brevis	Nl	N	N	N	Nl	Nl	**Nl/Inc**	Complete
R Flexor Carpi Radialis	Nl	N	N	N	Nl	**Long**	**Inc**	**Reduced to complete**
R Extensor Carpi Radialis	Nl	N	N	+	**Small**	**Long**	**Inc**	**Reduced (Early)**
R Tibialis Anterior	Nl	N	N	N	Nl	Nl	Nl	Complete
R Gasctrocnemius	Nl	N	N	N	Nl	Nl	Nl	Complete
R Vastus Medialis	Nl	N	N	N	Nl	Nl	**Nl/Inc**	Complete
R Tensor Fascia Lata	Nl	N	N	N	Nl	Nl	Nl	Complete
R Iliopsoas	Nl	N	N	N	Nl	Nl	Nl	Complete
R Sternocleidomastoid	Nl	+	N	N	Nl	**Long**	**Inc**	**Reduced to complete**
R Orbicularis Oris (Upper)	Nl	N	N	N	Nl	Nl	Nl	**Reduced to complete**
R Frontalis	Nl	N	N	N	Nl	Nl	**Nl/Inc**	**Reduced to complete**

전기진단검사 결과 요약

신경전도검사에서 상지와 하지의 감각 및 운동신경의 이상 소견은 관찰되지 않았다.

침근전도검사에서 소량의 비정상자발전위가 우측 상완삼두근과 흉쇄유돌근에서 관찰되었다. 작은 진폭의 다상성운동단위활동전위(polyphasic motor unit action potential)가 우측 상지 근육에서 전반적으로 관찰되었다. 운동단위조기동원(early recruitment pattern)은 우측 상완이두근과 요측수근신근(extensor carpi radialis)에서 관찰되었다.

추가적으로 필요한 검사는?

근생검과 유전자 검사는 안면견갑상완근디스트로피 진단을 위해서 반드시 필요하다. 이 환자의 근생검 소견에서 비후나 위축성 근섬유 등의 근섬유의 크기 변형, 핵응괴(nuclear clumping) 여부가 확인되어야 한다.

이 환자에서는 염색체 4q35에서 EcoRI 다형태(polymorphism)의 크기감소가 관찰되었다.

전기진단검사 결론

전기진단학적 검사 소견은 안면견갑상완근디스트로피(facioscapulohumeral muscular dystrophy)에 가장 부합하는 소견이었다.

임상 경과

환자는 3개월 뒤 외래에 방문하였다. 위약은 지속되었으며 얼굴과 하지로 진행하였다. 환자는 얼굴 움직임이 어려워졌다. 전경골근(tibialis anterior)의 위약으로 보행 중 족하수(foot drop)가 관찰되었다. 보행 중 단하지보조기(ankle foot orthosis)를 사용하도록 권유하였으나 환자의 위약은 점차 진행하여 다음 예약된 외래에 방문하지 못하였다.

고찰

안면견갑상완근디스트로피는 염색체 4q35의 부분결손과 연관된 상염색체 우성질환이다. 유병률은 15만 명에서 20만 명 중 1명으로 지역에 따른 차이가 있으나,[1, 2] 최근 북동부 이탈리아에서의 유병률은 1/21,780(871,190의 지역 주민 중 40명의 환자)로 보고되었다.[3]

안면견갑상완근디스트로피의 유전적인 결함은 D4Z4로 알려진 염색체 4q35의 반복요소의 결손과 관련이 있다. 정상인에서 D4Z4가 11~100회 반복되는 것과는 달리, 안면견갑상완근디스트로피 환자에서 반복 횟수가 감소되어 있고, 반복 횟수의 감소 정도와 임상증상의 중등도는 비례한다.[4]

안면견갑상완근디스트로피의 진단은 임상증상, 상염색체 우성의 가족력, 전기진단학적 소견, 그리고 근생검을 통해 이뤄진다. 진료환경에서는 거의 시행되지 않고 있으나 유전자 검사가 확진 검사이다.

안면견갑상완근디스트로피의 임상양상은 무증상에서부터 휠체어를 통한 이동이 필요한 환자까지 다양하다. 증상은 보통 안면근육의 위약으로 시작되며, 견갑골의 고정 및 상지의 위약 그리고 하지 근위부의 위약이 뒤따른다. 가장 흔한 주소는 어깨 위쪽으로 팔을 들어올리기 힘들다는 것이다. 비버 징후가 상대적으로 안면견갑상완근디스트로피에 특이적인 검사이다. 청각소실과 망막모세혈관확장증(retinal telangiectasia)이 빈번하게 동반된다. 그러나 최근의 다기관 연구에 따르면 전형적인 안면견갑상완근디스트로피에서 청각소실 빈도는 정상인구와 차이가 없었다.[5]

일부 연구에서 안면견갑상완근디스트로피 환자에서 운동이 단기적인 효과가 있는 것으로 보고하였지만 아직까지 명확한 근거는 없는 실정이다.[6,7] 후향적인 연구에 따르면 견갑골의 외과적인 고정은 팔의 움직임을 강화하는데 도움이 되는 것으로 보인다.[8] 안면견갑상완근디스트로피 환자에서 살부타몰(salbutamol)이나 베타 2 아드레날린작용제(beta2-adrenergic agonist)의 병용이 근력강화 훈련에 도움이 되는 것으로 알려져 있다.[9,10]

참고문헌

1. Flanigan KM, Coffeen CM, Sexton L, et al. Genetic characterization of a large, historically significant Utah kindred with facioscapulohumeral dystrophy. Neuromuscul Disord 2001;11:525-9.
2. Mills KA, Buetow KH, Xu Y, et al. Genetic and physical mapping on chromosome 4 narrows the localization of the gene for facioscapulohumeral muscular dystrophy (FSHD). Am J Hum Genet 1992;51:432-9.
3. Mostacciuolo ML, Pastorello E, Vazza G, et al. Facioscapulohumeral muscular dystrophy: epidemiological and molecular study in a north-east Italian population sample. Clin Genet 2009;75:550-5.
4. Greenberg SA, Padberg GW. Pushing the genetic frontier with facioscapulohumeral muscular dystrophy. Neurology 2007;68:544-5.
5. Trevisan CP, Pastorello E, Ermani M, et al. Facioscapulohumeral muscular dystrophy: a multicenter study on hearing function. Audiol Neurootol 2008;13:1-6.
6. Olsen DB, Orngreen MC, Vissing J. Aerobic training improves exercise performance in facioscapulohumeral muscular dystrophy. Neurology 2005;64:1064-6.
7. McCartney N, Moroz D, Garner SH, et al. The effects of strength training in patients with selected neuromuscular disorders. Med Sci Sports Exerc 1988;20:362-8.
8. Bunch WH, Siegel IM. Scapulothoracic arthrodesis in facioscapulohumeral muscular dystrophy. Review of seventeen procedures with three to twenty-one-year follow-up. J Bone Joint Surg Am 1993;75:372-6.
9. Payan CA, Hogrel JY, Hammouda EH, et al. Periodic salbutamol in facioscapulohumeral muscular dystrophy: a randomized controlled trial. Arch Phys Med Rehabil 2009;90:1094-101.
10. van der Kooi EL, Vogels OJ, van Asseldonk RJ, et al. Strength training and albuterol in facioscapulohumeral muscular dystrophy. Neurology 2004;63:702-8.

증례 09

우측 손과 아래팔 저린 감각을 호소하는 남성

병력

59세 남성이 3개월 전 시작된 아래팔과 손의 저린 증상으로 방문하였다. 환자가 호소하는 저린 부분은 우측 외측 팔꿈치에서부터 손까지였다. 손에서는 엄지와 2, 3번째 손가락에 저린 감각이 있었다. 환자가 병원에 내원할 때는 증상이 호전된 상태였다고 한다. 환자는 당뇨병을 진단받은 후 20년 정도 지났고 합병증으로 망막병증이 발생한 상태였으며, 5년 전부터 인슐린으로 혈당을 조절 중이었다. 추가적으로 환자는 5년 전 심근경색이 발생했었고 이후 aspirin, ramipril, metformin을 복용하고 있었으며 30년 넘게 공사현장 노동자로 일했다.

이 시점에서 감별진단은?

1. 수근관증후군 같은 정중신경병증(median neuropathy, such as carpal tunnel syndrome)
2. 6–7번 경추 신경근병증(C6–7 radiculopathy)
3. 당뇨병성다발성말초신경병증(diabetic peripheral polyneuropathy)

엄지손가락부터 3번째 손가락까지의 피부 감각은 정중신경의 의해 지배받는다. 수근관증후군은 정중신경병증의 가장 흔한 유형으로 일반적으로 정중신경에 지배받는 부위에 마비, 이상감각, 통증이 발생한다. 통증은 팔꿈치 부위나 심지어 어깨까지 방사될 수 있다. 이번 사례에서 나타난 증상은 수근관증후군에 적합하나 더 근위부의 정중신경병증을 배제해야만 한다.

당뇨병성 망막병증을 동반한 20년의 당뇨병 병력은 당뇨병성다발성말초신경병증을 의심하게 한다. 당뇨병성신경병증의 가장 흔한 형태는 원위부에 대칭적으로 발생하는 다발성 감각신경병증인데 발가락의 감각 저하부터 시작하여 손이나 다리로 점차 진행하는 임상양상을 보인다. 그러나 이번 사례에서는 전형적인 특징이 관찰되지 않았고 증상도 오른쪽에만 국한되어 있다. 따라서 당뇨병에 의한 신경병증이 증상의 원인인지는 불분명하다. 경추 신경병증은 손에 저린 감각을 유발하는 흔한 질환이기 때문에 감별진단이 필요하다.

신체 검진

시진

근위축이나 손의 내재근 약화 관찰되지 않았다. 손가락은 두껍고 피부가 거칠었다.

상지 가동범위

상지 움직임은 정상이었다.

감각

이상감각이나 감각 저하는 호소하지 않았다.

스펄링 징후(Spurling's sign)

양측 모두에서 음성이었다.

보행

정상적이었다.

도수근력검사

	Shoulder abductor	Elbow flexor	Elbow extensor	Wrist dorsiflexor	Finger abductor	Lower extremity
Right	5	5	5	5	5	5
Left	5	5	5	5	5	5

혈액검사 결과

초기 혈액검사에서 전혈구계산(complete blood cell count, CBC) 검사와 기본화학검사(routine chemistry profile)에서 혈중 포도당(glucose) 농도 190 mg/dL(정상범위, 70~110 mg/dL)를 제외하고는 모두 정상이었다. 당화혈색소(glycated hemoglobin, HbA1c) 검사는 7.7%(정상범위 4.0~6.0%)로 증가되어 있었다. 공복혈당(fasting blood sugar, FBS)은 143 mg/dL(정상범위 70~110 mg/dL), 식후 2시간 뒤 혈당(2 hour post prandial, PP2)은 269 mg/dL(정상범위 70~110 mg/dL)로 증가되어 있었다.

이 시점에서 감별진단은?

우측 손과 아래팔의 저린 감각을 제외하고는 다른 신체검진에서 이상 소견은 없었다. 오랫동안 무거운 연장을 사용한 경력과 두꺼워진 손가락은 수근관증후군의 가능성을 높이는 소견이다. 조절되지 않은 혈중 포도당 농도는 당뇨병성신경병증에서 흔한 소견이다. 상기 검사소견으로는 경추 신경병증을 여전히 배제할 수 없다.

전기진단검사 결과

SENSORY NERVE CONDUCTION STUDIES			
NERVE - RECORDING SITE	Onset LAT (ms)	Base-peak AMP (μV)	Peak-peak AMP (μV)
R MEDIAN - Digit II	**4.05**	**5.0**	9.0
R ULNAR - Digit V	2.95	**7.0**	9.3
L MEDIAN - Digit II	**3.75**	**5.4**	10.7
L ULNAR - Digit V	2.95	**10.4**	10.9
R MEDIAN vs ULNAR - Digit IV			
MEDIAN	**4.00**	**4.0**	7.1
ULNAR	2.85	**5.7**	6.5
L MEDIAN vs ULNAR - Digit IV			
MEDIAN	3.75	**5.6**	9.2
ULNAR	2.75	**4.8**	9.8
R SUPERFICIAL PERONEAL - Foot	**3.70**	**3.6**	3.9
R SURAL - Lateral Malleolus	**3.45**	13.6	13.5
L SUPERFICIAL PERONEAL - Foot	**3.30**	**3.0**	5.1
L SURAL - Lateral Malleolus	**3.50**	13.0	14.4

MOTOR NERVE CONDUCTION STUDIES				
NERVE - RECORDING SITE	LAT (ms)	AMP (mV)	Distance (cm)	NCV (m/s)
R MEDIAN - Abductor Pollicis Brevis				
Wrist	**5.50**	10.9		
Elbow	10.00	10.6	21.0	**46.7**
R ULNAR - Abductor Digiti Minimi				
Wrist	**3.80**	9.8		
Elbow	7.55	9.2	21.0	56.0
L MEDIAN - Abductor Pollicis Brevis				
Wrist	**4.75**	14.3		
Elbow	9.20	13.1	21.0	**47.2**
L ULNAR - Abductor Digiti Minimi				
Wrist	**3.45**	13.1		
Elbow	7.35	12.4	22.0	56.4
R COMMON PERONEAL - Tibialis Anterior				
Fibular Head	4.25	7.3		
L COMMON PERONEAL - Tibialis Anterior				
Fibular Head	4.85	6.6		
R COMMON PERONEAL - Extensor Digitorum Brevis				
Ankle	4.70	2.0		
Fibular Head	12.10	1.5	31.5	42.6
L COMMON PERONEAL - Extensor Digitorum Brevis				
Ankle	**6.15**	1.5		
Fibular Head	13.85	1.4	32.0	41.6
R TIBIAL - Abductor Hallucis				
Ankle	**6.95**	7.8		
Knee	15.80	6.0	36.5	41.2
L TIBIAL - Abductor Hallucis				
Ankle	**6.90**	8.3		
Knee	16.10	6.4	36.0	**39.1**

F - WAVE	
NERVE - RECORDING SITE	MIN F LAT (ms)
R MEDIAN - Abductor Pollicis Brevis	30.95
R ULNAR - Abductor Digiti Minimi	28.15
R COMMON PERONEAL - Extensor Digitorum Brevis	**57.45**
R TIBIAL - Abductor Hallucis	**54.60**
L MEDIAN - Abductor Pollicis Brevis	31.60
L ULNAR - Abductor Digiti Minimi	29.45
L COMMON PERONEAL - Extensor Digitorum Brevis	**No response**
L TIBIAL - Abductor Hallucis	56.50

H - REFLEX	
NERVE - RECORDING SITE	MIN H LAT (ms)
R TIBIAL (KNEE) - Soleus	**No response**
L TIBIAL (KNEE) - Soleus	**No response**

NEEDLE ELECTROMYOGRAPHY								
MUSCLE	IA	Spontaneous			MUAP			Interference Pattern
		FIB	PSW	CRD/ FASC	AMP	DUR	PPP	
R Abductor Digiti Minimi	Nl	N	N	N	Nl	Nl	Nl	Complete
R First Dorsal Interosseous	Nl	N	N	N	Nl	Nl	Nl	Complete
R Abductor Pollicis Brevis	Nl	N	N	N	Nl	Nl	Nl	Complete
R Flexor Carpi Radialis	Nl	N	N	N	Nl	Nl	Nl	Complete
R Extensor Carpi Radialis Longus	Nl	N	N	N	Nl	Nl	Nl	Complete
R Biceps Brachii	Nl	N	N	N	Nl	Nl	Nl	Complete
R Deltoid	Nl	N	N	N	Nl	Nl	Nl	Complete
R C7 Paraspinals	Nl	N	N	N	Nl	Nl	Nl	Complete

전기진단검사 결과 요약

신경전도검사에서 양측 천비골신경(superficial peroneal nerve), 비복신경(sural nerve), 정중신경(median nerve)에서 원위부 감각 잠시(distal sensory latency)가 지연되어 있었다. 정중신경, 척골신경(ulnar nerve), 천비골신경의 감각반응이 양측에서 저하되어 있었다. 약지검사(ring finger test)에서 특히 우측 정중신경과 척골신경의 원위부 잠시의 차이가 분명하게 나타났다. 운동신경전도검사는 양측 정중신경과 좌측 경골신경(tibial nerve)의 신경전도속도가 다소 느려져 있는 것이 확인되었다. 운동반응은 좌측 총비골신경(common peroneal nerve)에서 경도로 감소되어 있었다. 또한 좌측 총비골신경과 양측 경골신경의 원위부 운동 잠시가 지연되어 있는 것이 관찰되었다.

F파 검사상 좌측 총비골신경에서 반응이 없었고, 우측 총비골 및 경골신경에서 최소 F 잠시(minimal F latency)가 다소 지연되어 있는 것이 관찰되었다. H반사는 양측 경골에서 나타나지 않았다. 우측 소지외전근(abductor digiti minimi), 첫째 등쪽골간근(first dorsal interosseous)에서 시행한 침근전도검사에서 이상 소견 관찰되지 않았다.

1. 정중신경과 척골신경의 원위부 잠시 차이는 손목부위에서의 정중신경병증을 시사한다. 특히 우측 정중신경에서 원위부 운동 및 감각잠시가 눈에 띄게 지연되어 있다.
2. 위와 같이 상하지에서 관찰되는 전기진단학적 이상 소견은 전신의 다발성말초신경병증을 시사한다. 그러나 비복신경에 비해 정중신경과 척골신경에서 반응이 더욱 감소되어 있었다. 이와 같은 소견은 원위부의 대칭적 감각 또는 감각운동다발성신경병증에서 일반적이지 않은 소견이며, 오히려 당뇨병성신경병증에서 일반적인 소견이다.
3. 정중신경과 척골신경의 감각신경활동전위 저하는 손가락이 두꺼워져 있기 때문일 수도 있다. 이번 사례가 이와 같다면, 상기 전기진단검사 소견은 경도 축삭 손상 형태의 길이 의존적 다발성신경병증에 합당하다.
4. 상기 전기진단검사 소견으로 6번-7번 경추 신경병증은 배제되었다.

추가적으로 필요한 검사는?

정량적 감각검사(Quantitative sensory testing)

정량적 감각검사에서는 양측 3번째 손가락과 우측 엄지발가락에서 심한 감각손상이 나타났고 좌측 엄지발가락에서는 경도의 신경과민 상태(hyperesthetic condition)가 확인되었다.

전기진단검사 결론

1. 이번 전기진단검사 소견과 임상양상은 우측 수근관증후군에 합당하다. 좌측도 무증상의 수근관증후군(carpal tunnel syndrome)에 부합할 것으로 판단된다.
2. 전기진단검사 소견과 정량적 감각 검사 결과를 바탕으로 볼 때, 당뇨병성다발성말초신경병증을 기저 질환으로 가지고 있었을 것으로 예상된다.

임상 경과

검사 이후 좌측 손 또한 저린 증상이 발생하였다. 혈중 포도당 농도 조절 능력을 높이기 위해 인슐린 사용량을 증가시키고, thiotic acid를 추가로 처방하였다. 7개월 동안 경과 관찰하였을 때 증상은 여전히 지속되었다.

고찰

손가락의 둘레와 정중신경, 척골신경의 역방향성 감각전도 검사에서 활동전위 진폭은 음의 선형 상관관계(negative linear correlation)가 있다.[1] 신경자극기와 기록전극 사이의 거리를 증가시키면 진폭은 가파르게 감소한다.[2,3] 손가락 둘레가 증가되면(특히 피하조직) 전극의 위치가 신경으로부터 멀리 위치하게 된다. 이것은 손가락 둘레 증가가 감각반응 측정에 영향을 주었던 이번 사례와 연관된 내용이다.

수근관증후군을 유발하는 위험인자로써 당뇨병의 역할은 아직 논란의 여지가 있다.[4-6] 그러나 증상이 없는 단일 정중신경병증은 당뇨병을 진단받은 환자에서 22~29% 정도로 흔하게 나타난다.[7] 단일 정중신경병증과 당뇨병성다발성신경병증은 종종 같이 발생할 수 있으며, 전기진단학적으로 둘을 구분하는 것은 어려울 수 있다.[7-10]

참고문헌

1. Bolton CF, Carter KM. Human sensory nerve compound action potential amplitude: variation with sex and finger circumference. Journal of neurology, neurosurgery, and psychiatry 1980;43:925-8.
2. Lawler JC, Davis MJ, Everton CG. Electrical characteristics of of the skin. J Invest Derm 1960;34:301-8.
3. Swain ID, Wilson GR, Crook SC. A simple method of measuring the electrical resistance of the skin. Journal of hand surgery (Edinburgh, Scotland) 1985;10:319-23.
4. Becker J, Nora DB, Gomes I, et al. An evaluation of gender, obesity, age and diabetes mellitus as risk factors for carpal tunnel syndrome. Clin Neurophysiol 2002;113:1429-34.
5. de Krom MC, Kester AD, Knipschild PG, Spaans F. Risk factors for carpal tunnel syndrome. American journal of epidemiology 1990;132:1102-10.
6. Stamboulis E, Vassilopoulos D, Kalfakis N. Symptomatic focal mononeuropathies in diabetic patients: increased or not? Journal of neurology 2005;252:448-52.
7. Dyck PJ, Karnes JL, O'Brien PC, Litchy WJ, Low PA, Melton LJ, 3rd. The Rochester Diabetic Neuropathy Study: reassessment of tests and criteria for diagnosis and staged severity. Neurology 1992;42:1164-70.
8. Albers JW, Brown MB, Sima AA, Greene DA. Frequency of median mononeuropathy in patients with mild diabetic neuropathy in the early diabetes intervention trial (EDIT). Tolrestat Study Group For Edit (Early Diabetes Intervention Trial). Muscle & nerve 1996;19:140-6.
9. Johnson EW. Sixteenth annual AAEM Edward H. Lambert Lecture. Electrodiagnostic aspects of diabetic neuropathies: entrapments. American Association of Electrodiagnostic Medicine. Muscle & nerve 1993;16:127-34.
10. Perkins BA, Olaleye D, Bril V. Carpal tunnel syndrome in patients with diabetic polyneuropathy. Diabetes care 2002;25:565-9.

증례
10

왼쪽 소지(little finger)에 발생한 저린 증상을 주소로 내원한 남자 환자

병력

65세 남자 환자가 특별한 외상 병력 없이 2개월 전부터 발생한 수부의 저린 증상을 주소로 내원하였다. 저린 증상은 좌측 소지의 손바닥 면에서 심하였고, 우측 중지에서는 상대적으로 약했다. 환자는 좌측 수부의 위약도 호소하였다. 환자는 경부 통증에 대해서는 부인하였으나 25년 전에 좌측으로 넘어진 이후로는 좌측 손 부위에 간헐적으로 통증이 있어왔다고 하였다.

환자는 과거에 협심증(angina pectoris), 심방세동(atrial fibrillation), 고지혈증(hypercholesterolemia), 고혈압, 그리고 신장세포암종(renal cell carcinoma)을 앓았다. 내원 14년 전에 신장세포암종을 진단 받고 왼쪽 신장절제술을 시행 받은 상태였다. 항암 화학치료나 방사선 치료를 받지 않았으며, 재발하지 않았다. 환자의 가족력에서 특이한 점은 발견되지 않았다.

이 시점에서 감별진단은?

1. 좌측 척골신경병증(ulnar neuropathy)과 우측 정중신경병증
   a. 손목
   b. 팔꿈치
2. 양측 경부 신경근병증(cervical radiculopathy)(우측 경부 6-7번과 좌측 경부 8번-흉추 1번)
3. 상완신경총병증(brachial plexopathy)
   a. 좌측 하부(lower trunk) 또는 내측다발(medial cord)
   b. 우측 중부(middle trunk) 또는 외측다발(lateral cord)
4. 다발성단일신경병증(mononeuropathy multiplex)

좌측 소지의 통증과 좌측 수부의 위약 증상은 좌측 척골신경병증 또는 경추 8번-흉추 1번 신경병증을 시사한다. 우측 중지의 통증은 우측 정중신경병증 또는 경추 7번 신경근병증을 시사한다. 하지만 양쪽의 다른 부위에서 동시에 발생한 감각 증상의 원인이 각각 다른 신경병증 또는 신경근병증의 병발인 경우는 드물다.

왼쪽 손의 증상은 좌측 하부(lower trunk) 또는 내측다발에서 발생한 상완신경총병증과 다발성말초신경병증에 의한 증상일 가능성이 있다. 우측 중지에서 관찰되는, 위약을 동반하지 않은 저린 증상은 감각 신경다발에 주로 영향을 주는 병변이거나 경미한 신경 손상일 수 있다. 대사증후군을 시사하는 임상 양상을 고려하면 다발성말초신경병증의 가능성도 고려해야 한다.

신체 검진

관찰

왼쪽 손의 첫 번째 지간에서 근육 위축이 관찰되었다.

감각

왼쪽 척골신경 영역에서 감각 저하가 관찰되었다. 우측 상지의 감각 저하는 관찰되지 않았다. 환자는 하지만 우측 중지의 감각 이상을 호소하였다.

도수근력검사

	Shoulder abductor	Elbow flexor	Elbow extensor flexor	Wrist volar flexor	Wrist dorsal flexor	Thumb abductor	Little finger abductor
Right	5	5	5	5	5	5	5
Left	5	5	5	5	5	5	4

반사

양측 이두근, 삼두근, 상완요골근(brachioradialis)의 근신전반사는 2+였다. 호프만 징후와 바빈스키 징후는 양측에서 모두 관찰되지 않았다.

특수 검사

스펄링 검사에서 이상 소견은 관찰되지 않았다. 비록 왼쪽 손목에서 티넬 징후(Tinel sign)는 음성이었으나 양쪽 팔꿈치에서는 양성이었다. 프로멘트 징후(Froment sign)는 왼쪽에서 양성이었으며, OK 징후는 양쪽 모두 관찰되지 않았다.

방사선 검사

왼쪽 손목 X선 촬영에서 불유합 상태의 오래된 골절이 관찰되었다(그림 10-1).

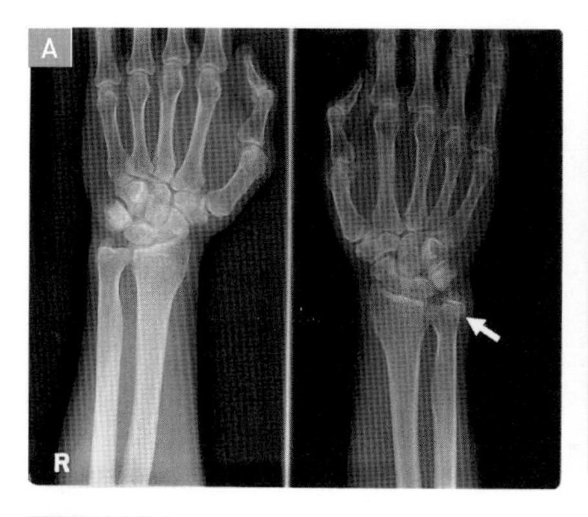

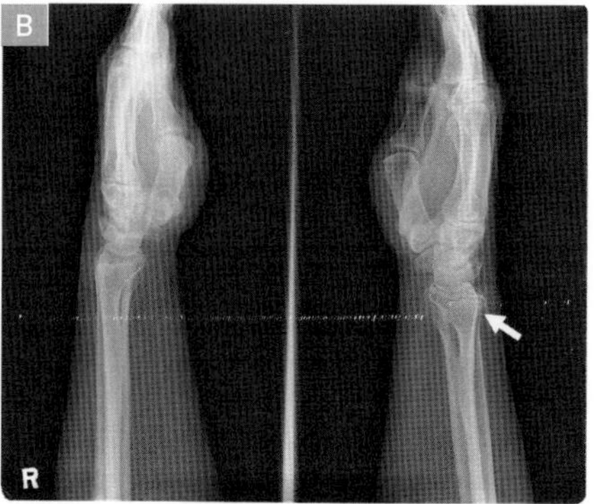

그림 10-1

손목 X선 촬영. 양측 손목의 후전면(A)과 측면(B) 촬영 중 좌측 척골 경상돌기(styloid process)에서 불유합 상태의 오래된 골절(화살표)이 확인됨.

이 시점에서 감별진단은?

국소적으로 관찰되는 위약과 감각 증상이 이 증례의 주된 양상이며, 반면에 근신전반사는 양측에서 정상이었다.

첫 번째 의문점은 '양쪽 손에 발생한 증상이 동일한 병인(pathophysiology)에 의한 것인가?'이다. 양쪽 손에서 발생한 문제는 각각 다른 원인에 의해 기인한 것으로 보이는데, 감각 증상 발생 부위가 다르고, 위약증상도 비대칭적이기 때문이다. 왼쪽 손에서 감각 증상 발생 영역은 척골신경 또는 경추 8번-흉추 1번 신경근의 지배영역과 일치하며, 이는 척골신경병증 또는 경추 8번-흉추 1번 신경근병증의 가능성을 시사한다. 왼손에서 척골신경이 지배하는 수부 내재근의 위약 증상과 위축 소견은 상기 진단을 뒷받침한다. 오른쪽 손의 중지에서 운동 증상 없이 발생한 감각 증상의 원인은 정중신경병증 또는 경추 7번 신경근병증으로 생각된다.

병변의 위치를 결정하는 데 있어서 경부 통증이 없고 스펄링 징후가 음성인 소견은 신경근병증보다는 척골신경병증을 시사한다. 앞서 언급한 바와 같이 팔꿈치의 티넬 징후(Tinel sign) 양성 소견은 병변 위치가 팔꿈치 또는 그 주위임을 시사한다. 하지만 티넬 징후 양성 소견이 양측에서 관찰되었다는 점은 병변과 무관한 외부 자극에 대한 신경의 비특이적 민감도 때문일 수 있다. 상기 진단 외에도 좌측 경추 8번-흉추 1번 신경근병증 또는 하부줄기(lower trunk)나 내측다발의 신경총병증도 고려되어야 한다.

환자의 양측 수부에서 발생한 증상이 같은 문제에 의해 나타난 것인지에 대해서 답하기 전에, 상기 증상을 단일 질병으로 온전히 설명할 수 없다는 것을 기억해야 한다. 다발성단일신경병증으로 알려져 있는, 말초성감각운동다발신경병증에 의해 여러 부위에서 비대칭적으로 증상이 나타났을 수는 있다.

요약하면, 가장 가능성 있는 진단명은 팔꿈치에서 발생한 좌측 척골신경병증과 이에 동반된 우측 정중신경병증이다.

전기진단검사 결과

SENSORY NERVE CONDUCTION STUDIES			
NERVE-RECORDING SITE	Onset LAT (ms)	Base-peak AMP (μV)	Peak-peak AMP (μV)
R MEDIAN - Digit II	**3.20**	**14.6**	16.3
L MEDIAN - Digit II	**3.05**	22.1	29.8
R ULNAR - Digit V	2.85	16.5	36.0
L ULNAR - Digit V	**3.55**	**6.0**	11.8
R ULNAR vs MEDIAN - Digit IV			
Median	**3.30**	8.8	12.3
Ulnar	**2.85**	8.9	9.4
L ULNAR vs MEDIAN - Digit IV			
Median	**3.25**	8.5	12.8
Ulnar	**4.05**	4.9	6.8
R ULNAR - Dorsal Cutaneous	1.10	19.0	20.8
L ULNAR - Dorsal Cutaneous	1.05	**6.8**	6.9

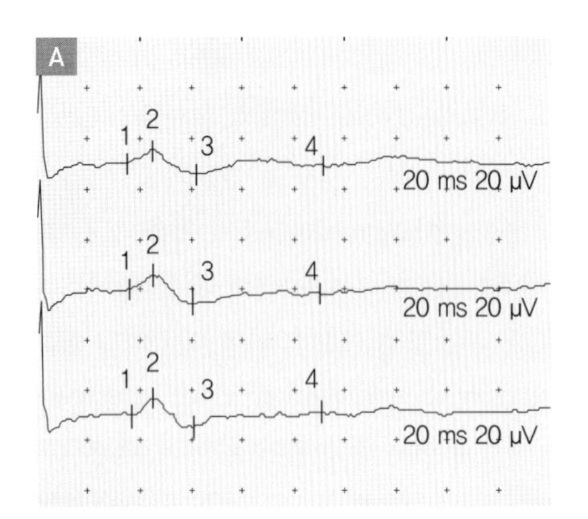

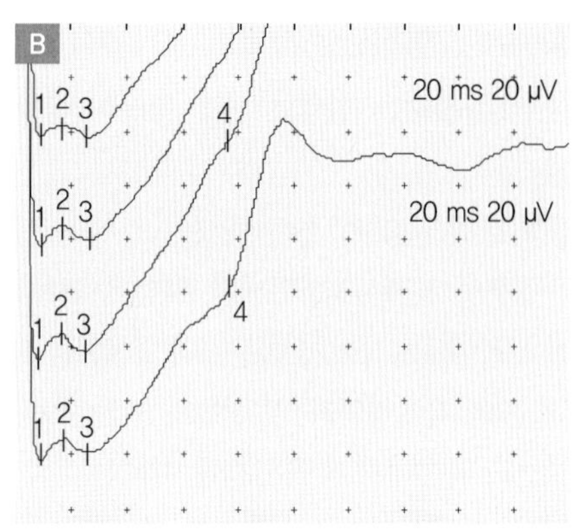

그림 10-2

좌측 척골신경과 등쪽피부척골신경의 감각신경전도검사. 좌측 척골신경(A)과 등쪽피부척골신경(B)의 감각신경 활동전위 진폭의 현저한 감소 소견. [민감도(sensitivity), 20 uV/div; 스윕 속도(sweep speed), 20 ms]

MOTOR NERVE CONDUCTION STUDIES				
NERVE - RECORDING SITE	LAT (ms)	AMP (mV)	Distance (cm)	NCV (m/s)
R MEDIAN - Abductor Pollicis Brevis				
Wrist	**4.00**	11.6		
Elbow	7.85	11.3	21.5	55.8
L MEDIAN - Abductor Pollicis Brevis				
Wrist	3.50	11.4		
Elbow	7.35	11.2	21.3	55.3
R ULNAR - Abductor Digiti Minimi				
Wrist	2.90	11.4		
Below Elbow	5.95	10.9	21.0	68.9
Above Elbow	7.25	10.6	9.0	69.2
L ULNAR - Abductor Digiti Minimi				
Wrist	**4.75**	**0.9**		
Below Elbow	8.20	**0.9**	20.0	58.0
Above Elbow	10.00	**0.9**	11.0	61.1
R ULNAR - First Dorsal Interosseous				
Wrist	4.20	17.1		
Below Elbow	7.65	16.0	21.0	60.9
Above Elbow	9.05	14.1	9.0	64.3
L ULNAR - First Dorsal Interosseous				
Wrist	**5.80**	**0.4**		
Below Elbow	9.65	**0.3**	22.7	59.0
Above Elbow	11.25	**0.3**	9.5	59.4
L ULNAR - First Dorsal Interosseous				
Wrist	**5.35**	**0.4**		
Palm	4.00	**3.7**		

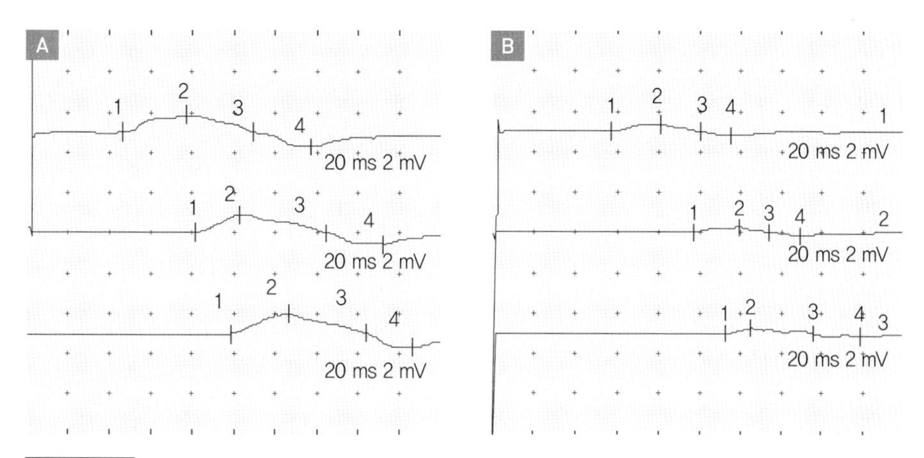

그림 10-3

좌측 척골신경 지배를 받는 소지외전근(A)과 첫째 등쪽골간근(B)의 운동신경전도검사. 좌측 척골신경을 자극하였을 때, 복합운동활동전위 진폭의 유의한 감소가 관찰되며, 팔꿈치 주위에서 분절 지연(segmental slowing)은 관찰되지 않음. [민감도(sensitivity), 20 uV/div; 스윕 속도(sweep speed), 20 ms]

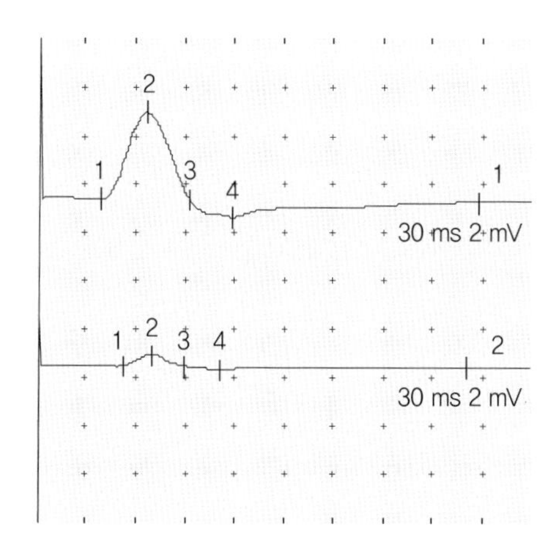

그림 10-4

좌측 척골신경 지배를 받는 첫째 등쪽골간근의 운동신경전도검사 결과(손목 원위부와 근위부에서 자극함). 손목의 원위부에서 자극했을 때(위)가 근위부(아래)에서 자극했을 때보다 진폭이 큰 것으로 관찰됨. [민감도(sensitivity), 2 mV/div; 스윕 속도(sweep speed), 30 ms]

F - WAVE	
NERVE - RECORDING SITE	MIN F LAT (ms)
R MEDIAN - APB	28.55
L MEDIAN - APB	26.50

NEEDLE ELECTROMYOGRAPHY								
MUSCLE	IA	Spontaneous			MUAP			Interference Pattern
		FIB	PSW	CRD/ FASC	AMP	DUR	PPP	
R Abductor pollicis Brevis	Nl	N	N	N	**Nl/Inc**	Nl	Nl	Complete
L Abductor Digiti Minimi	**Inc**	N	N	N	Nl	Nl	Nl	**Discrete**
L First Dorsal Interosseous	Nl	N	N	N	**Nl/Inc**	Nl	Nl	**Single**
L Flexor Carpi Ulnaris	Nl	N	N	N	Nl	Nl	Nl	Complete
L Flexor Digitorum Profundus IV	Nl	N	N	N	Nl	Nl	Nl	Complete

전기진단검사 결과

좌측 상지에 시행한 운동신경전도검사에서 척골신경의 복합운동활동전위 진폭이 감소되었고(소지외전근: 0.9 mV) 운동신경 원위 잠시가 연장되었다. 하지만 척골신경의 팔꿈치와 전완에서 신경전도속도는 정상범위였다(그림 10-3). 왼쪽 척골신경과 등쪽피부척골신경의 감각신경활동전위의 진폭은 감소되었다(그림 10-2).

우리는 병변의 위치를 찾기 위하여 손목 주름(wrist crease)을 기준으로 근위부와 원위부의 복합운동활동전위 진폭을 비교하였다. 손목의 원위부에서 척골신경을 자극했을 때 복합운동활동전위 진폭이 손목의 근위부에서 발생한 진폭에 비해 9배 큰 것으로 확인되었다. 이는 두 자극 지점 사이의 어딘가에서 전도차단이 발생하였음을 시사한다(그림 10-4).

양측 정중운동신경전도검사에서 원위부 잠시는 정상 수치와 이상 수치의 경계였다. 우측 정중신경의 감각신경활동전위 진폭의 크기는 정상보다 작았다. 또한 우측 정중감각신경 원위부 잠시는 약간 연장되었다. 우측 약지에서 정중신경과 척골신경의 잠시를 비교했을 때, 정중신경의 잠시가 지연되어 있었다.

침근전도검사에서 소지외전근의 삽입전위가 증가된 소견 외에 운동 축삭 손상의 증거는 명백하지 않았다. 하지만 첫째 등쪽골간근과 소지외전근에서 동원양상은 뚜렷하게 감소하였다.

요약하면 척골신경의 전도차단이 손목 주위에서 뚜렷이 관찰되었다. 척골신경이 지배하는 수부 내재근은 수축 시 운동단위활동전위의 동원양상이 유의하게 감소하였으나, 심수지굴근(flexor digitorum profundus)에서는 이상 소견이 관찰되지 않았다. 상기 소견은 손목 주위에서 발생한 신경차단과 경미한 축삭 손상을 동반한 좌측 척골신경병증을 강력히 시사한다. 그럼에도 불구하고 좌측 등쪽피부척골신경의 감각신경활동전위 진폭의 감소는 손목 부위 척골신경병증 소견에는 적합하지 않으며, 팔꿈치 부위의 신경병증이 동반했을 것으로 생각된다.

우측 정중신경의 감각신경활동전위와 복합운동활동전위의 원위부 잠시 연장 소견과 약지의 검사 결과는 손목 부위에서 발생한 정중신경병증의 탈수초화 상태를 시사한다.

전기진단검사 결과에서 신경근병증이나 신경총병증을 시사하는 소견은 관찰되지 않았다.

1. 왼쪽 손목 부위에서 발생한 척골신경병증의 전도차단과 축삭 손상과 팔꿈치 부위에서 발생한 척골신경병증
2. 오른쪽 손목 부위에서 발생한 정중신경병증의 탈수초화

추가적으로 필요한 검사는?

앞서 언급한 바와 같이 좌측 등쪽피부척골신경의 감각신경활동전위 감소는 손목 주위의 척골신경병증과는 무관한 소견이다. 따라서 우리는 좌측 척골신경에 대해 초음파 검사를 시행하였고 오래된 골절 부위에서 척골신경이 부어 있는 소견을 확인하였다(그림 10-1, 10-5). 척골신경이 부은 소견은 경상돌기의 근위부 3 cm까지 관찰되었다.

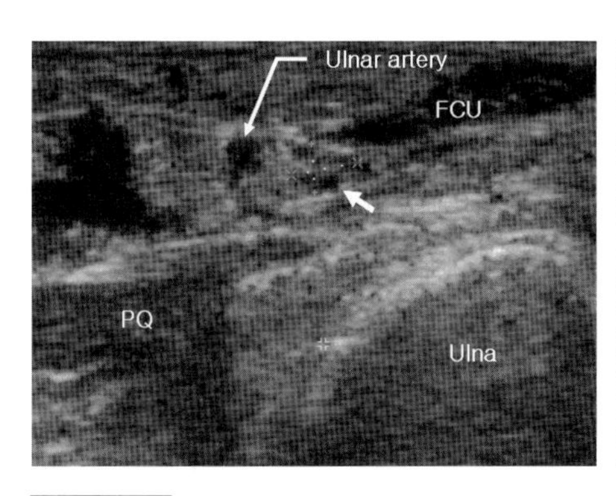

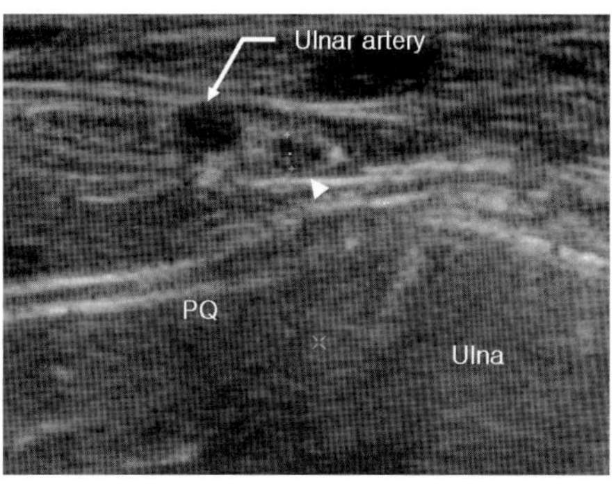

그림 10-5

양쪽 손목 부위의 초음파 소견. 좌측 척골신경(좌측, 짧은 화살표)이 우측 척골신경(우측, 화살표 머리)에 비해 부어 있음(척측수근굴근, 방형회내근).

전기진단검사 결론

임상적, 전기생리학적, 그리고 초음파 검사 소견을 종합했을 때, 왼쪽 손목 부위의 척골신경병증(ulnar neuropathy at the wrist)과 이에 동반된 오른쪽 손목 부위의 정중신경병증이 가장 합당한 진단이다.

임상 경과

환자는 정형외과로 의뢰되었고, 정형외과에서는 척골신경 감압술을 권유하였다. 환자는 수술보다 덜 침습적인 치료를 받기를 원하였기 때문에 수개월 경과 관찰을 해보기로 하였다.

고찰

팔꿈치와 손목 부위, 특히 귀욘관(Guyon's canal)에서 발생하는 척골신경병증에 관해서는 일찍이 여러 문헌에서 잘 소개되었다. 척골신경은 전완에서 잘 손상되지 않지만, 열상, 골절, 총상에 의해서는 손상될 수 있다.[1] 상기 증례는 오래된 골절 부위를 지나는 척골신경이 손상된 경우이다. 손목 근위부에서 척골신경전도검사를 세밀하게 시행함으로써 척골신경병증의 병변 위치를 찾을 수 있었다.

하지만 등쪽피부척골신경의 감각신경활동전위 이상 소견은 병변의 위치를 판단하는데 혼란을 주었다. 등쪽피부척골신경은 전완 중간 또는 하위 1/3 지점에서 척골신경으로부터 분지한다.[2-4] 등쪽피부척골신경은 경상돌기의 근위부 4.8~10.0 cm에서 척골신경으로부터 분지한다고도 알려져 있다.[1,5,6] 따라서 등쪽피부척골신경의 감각신경활동전위 이상 소견은 병변의 위치가 손목보다 근위부에 존재하거나 팔꿈치 근처일 가능성을 시사한다.[7]

이 증례에서 관찰된 감각신경활동전위의 이상 소견으로는 척골신경의 손상이 오직 손목 부위에서만 존재한다고 결론 내리기 어렵다. 따라서 저자는 초음파 검사를 시행하여 오래된 골절 부위에서 척골신경이 부어 있는 소견을 확인하였다. 척골신경의 주행경로를 따라 초음파 검사를 시행함으로써 경상돌기의 근위부 3 cm 지점까지 척골신경이 부어 있는 소견을 확인하였다(그림 10-5). 척골신경의 부종은 그 이상의 부위에서는 잘 관찰되지 않았다. 상기 소견은 골절 부위보다 더 근위부에 위치하는 척골신경에도 문제를 일으킬 수 있다는 점을 시사한다. 또는 등쪽피부척골신경이 불유합된 과거 골절에 의해 손상되었을 가능성이 있다. 하지만 이 두 가지 가능성을 구별하는 것은 불가능하다. 이론적으로 전기진단검사는 병변 위치를 확인하는 데 논리적인 근거를 제시하지만 언제나 그것이 가능하지는 않다. 때때로 병변 위치에 대한 애매모호한 이상 소견과 혼란스러운 결과는 전기진단검사자의 판단에 어려움을 준다. 이번 증례는 영상 검사가 전기진단검사 결과에 대한 결론을 내리는데 중요한 역할을 할 수 있음을 보여준다. 초음파 검사 결과는 좌측 등쪽피부척골신경의 이상 소견에 대한 합당한 설명을 가능하게 했다. 이번 증례에서 확인한 바와 같이 의심스러운 부위에 대한 초음파 검사는 말초신경의 병변 위치를 확인하는데 도움을 주며 전기진단검사를 보완하는데 이용될 수 있다.

참고문헌

1. Sunderland S. The ulnar nerve. Anatomical and physiological features. In: Nerves and nerve injuries. 2nd ed. Edinburg: Churchill Livingstone, 1978:728-49.
2. Testut L, Latarjet A. Nervios raquideos. In: Tratado de anatomia humana. 9th ed. Barcelona: Salvat, 1959:197-356.
3. Gray H. Sistema nervoso periférico. In: Goss CM, ed. Gray anatomia. 29th ed. Rio de Janeiro: Guanabara Koogan, 1977:741-848.
4. Poirier P, Charpy A, Cunéo B. Nerfs rachidiens. In: Abrégé d' anatomie. Paris: Masson, 1908:970-1039.
5. Jabaley ME, Wallace WH, Heckler FR. Internal topography of major nerves of the forearm and hand: a current view. J Hand Surg 1980;5A:1-18.
6. Kaplan EB. Variation of the ulnar nerve at the wrist. Bull Hosp Joint Dis 1963;24:85-8.
7. Amato AA, Dumitru D. Acquired Neuropathies. In: Dumitru D, Zwarts MJ, eds. Electrodiagnostic medicine. 2nd ed. Philadelphia: Hanley& Belfus, 2002:937-1042.

증례
11

양측 상지 위약이 있는 남자

병력

58세 남자가 양측 근위부 상지 위약을 주소로 내원하였다. 직업은 건설 현장 인부였고 내원 6개월 전부터 어깨 근육의 위축을 알았다고 한다. 4개월 전에 팔을 들어 올리지 못해서 셔터를 내리지 못하게 되었고 팔꿈치를 편 채로 가벼운 아령도 들지 못하게 되었다. 위약은 진행하여 일을 못 할 정도로 심해졌다. 무감각이나 저린감은 호소하지 않았다.

추가 병력 청취상, 환자는 삼킴 곤란도 있어, 내원 1년 전부터 음식물이 목에 걸리고 식사마다 두어 번 사레가 들린다고 했다. 이 외에 성교불능(impotence)과 발기부전(erectile dysfuntion)이 있었지만 여성형유방증(gynecomastia)은 없었다. 5년 전 당뇨를 진단받았으며, 지난 6개월간 3 kg의 체중 감소가 있었다. 과거 병력상 5년간 당뇨병을 앓았다고 했다. 기타 전신 증상(systemic symptom), 감염원 접촉(infectious contact)력이나 약물 사용력은 없었다. 술과 담배를 하지 않았고 기타 독성 물질에 노출된 적 없었으며 외상을 입은 적도 없었다. 신경근육질환(neuromuscular disease)의 가족력도 없었다.

이 시점에서 감별진단은?

1. 전각세포질환(anterior horn cell disease)
2. 후천성 혹은 유전성 근병증(myopathy)
3. 양측 경추 5–6번 신경근병증(bilateral C5–6 radiculopathy)
4. 경추증에 의한 근위축증(cervical spondylotic amyotrophy)
5. 양측 상완신경총병증(bilateral brachial plexopathy)
6. 양측 액와신경병증(bilateral axillary neuropathy)

상기 병력은 운동 신경계의 비교적 국소적이고 진행성인 질환을 시사한다. 뚜렷한 감각 증상이 없는 국소적인 위약은 주로 근위축측삭경화증(amyotrophic lateral sclerosis), 척수근위축증(spinal muscular atrophy)과 같은 운동신경원병(motor neuron disease)이나 근병증에서 나타난다. 봉입체근염(inclusion body myositis)과 같은 근병증에서도 연수 증상(bulbar symptom)이 있기는 하지만 연수 증상은 일반적으로 운동신경원병에서 더 흔하다. 근위부 위약을 동반한 당뇨병과 성교 불능의 병력 및 발병 시기와 진행 양상을 함께 고려하면 연수척수근위축증(bulbospinal muscular atrophy, Kennedy's disease)을 의심해야 한다. 안면견갑상완근디스트로피(facioscapulohumeral muscular dystrophy)는 근육 위약과 위축이 나타나는 부위(안면과 상지 근위부)가 본 증례의 임상양상과 유사하지만, 가족력이 없다는 점에서 안면견갑상완근디스트로피나 선천성 근병증(congenital myopathy)과 같은 유전성 근병증의 가능성은 낮다. 이 환자는 주로 운동 증상을 보이기 때문에 경추 신경근병증의 전형적인 양상과는 맞지 않다. 하지만 감각 증상이 없는 신경근병증이 드물지는 않기 때문에 신체 검진과 전기진단검사를 하기 전까지는 이를 완전히 배제할 수는 없다. 환자의 연령을 고려했을 때 퇴행성경추증(degenerative cervical spondylosis)에 의해 발생한 위약의 가능성도 생각해야 한다. 경추증에 의한 근위축증은 감각 결손이 적거나 없는 심한 근위축이 특징적이다.[1-3] 경추증에 의한 근위축증은 외측후주(lateral posterior column)의 손상 없이 전근(ventral root)이나 회색질(gray matter)에 선택적으로 병변이 있어서 발생하는 것으로 생각되고 있다. 외측후주 병변이 없기 때문에 감각 기능은 보존된다.[1-3] 따라서 경추증에 의한 근위축증의 질병 발현은 운동신경원병과 매우 유사하여 감별이 어렵다. 외상력이 없고 선행하는 통증도 없었으므로 상완신경총병증의 가능성은 높지 않으나 감별진단에 포함되어야 하며 추가로 액와신경병증과 같은 국소신경병증도 역시 포함되어야 한다.

신체 검진

시진

양측 극상근(supraspinatus), 극하근(infraspinatus), 삼각근(deltoid)에서 위축이 관찰되었다. 좌측 승모근(trapezius)에도 위축이 있었다. 날개견갑골(Scapular winging) 소견은 없었다(그림 11-1). 혀나 사지 근육에 명백한 근섬유다발수축(fasciculation)은 관찰되지 않았다.

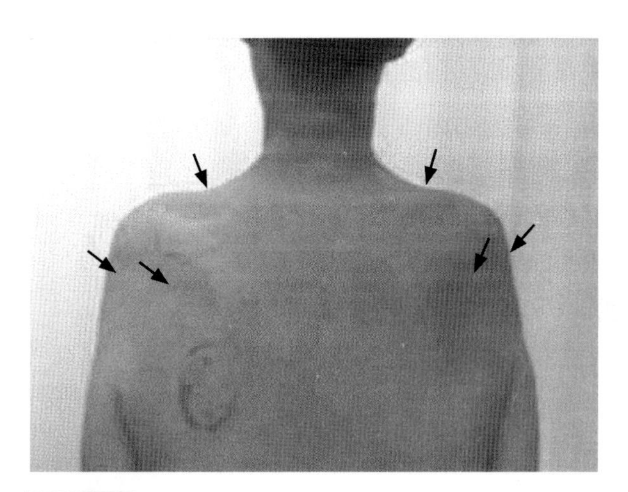

그림 11-1

양측 극상근, 극하근, 삼각근의 심한 근위축(화살표).

견관절의 운동범위(range of motion)

PASSIVE	Abduction	Forward flexion	External rotation	Internal rotation
Right	95°	130°	90°	70°
Left	110	160°	90°	75°

ACTIVE	Abduction	Forward flexion
Right	40°	50°
Left	60°	85°

안면과 연수 근육(facial and bulbar muscles)

눈을 감고 입술을 오므리는 것은 가능하였으나 휘파람은 잘 불지 못했고 혀 움직임도 상당히 제한되었다. 구역반사(gag reflex)도 양측 모두 저하되어 있었다.

감각

이상감각(paresthesia)이나 감각 저하(hypesthesia)는 없었다.

스펄링 검사(Spurling's test)

양측 상지로 이상감각이 유발되지 않았다.

반사

심부건반사는 양측 이두근(biceps)에서 1+, 삼두근(triceps)과 상완요골근(brachioradialis), 슬관절 신전근에서는 2+였다. 양측에서 호프만 징후(Hoffman's sign)와 바빈스키 징후(Babinski sign)는 음성이었다.

보행

이상 소견이 없었다.

도수근력검사

	Shoulder abductor	Elbow flexor	Elbow extensor	Wrist dorsiflexor	Hand intrinsic	Lower extremity
Right	3-	5-	5	5	4	1
Left	3	5-	5-	5	5	5

혈액검사 결과

초기 혈액 검사는 전혈구계산(complete blood count)과 혈액요소질소(blood urea nitrogen), 크레아티닌(creatinine), 전해질(electrolytes), 적혈구침강속도(erythrocyte sedimentation rate), 류마티스 인자(rheumatoid factor), 형광항핵항체시험(fluorescent antinuclear antibody), 갑상선 기능검사, 비타민 B_{12}, 종양표지인자(tumor markers)를 포함한 일반화학검사(routine chemistry profile)를 시행하였고, 모두 정상이었다. 혈청 크레아틴키나아제(serum creatine kinase, CK)는 123 IU/L(정상치, 20~270 IU/L), 젖산탈수소효소(lactate dehydrogenase, LDH)는 174 IU/L(정상치, 100~225 IU/L)로 모두 정상범위 내에 있었다. 공복 시 혈당은 224 mg/dl(정상치, <110 mg/dl)로 상승되어 있었다.

이 시점에서 감별진단은?

병력과 신체 검진 소견을 정리하자면, 양측 어깨이음구조(shoulder girdle) 위약과 혀와 구강주위 근육 약화, 연하장애(dysphagia), 이두근 신장반사 저하가 있었으나 감각 이상은 없었다.

이두근 신장반사 저하는 척수전각세포질환, 경추 신경근병증, 근병증, 상완신경총병증에서 나타날 수 있다. 감각 이상이 없었기 때문에 국소신경병증은 가능성이 떨어진다. 혈청 CK 수치가 정상이라 해도 척수전각세포질환이나 혈청 크레아틴키나아제 수치가 정상인 근병증을 배제할 수는 없다. 이 시점에서 가능성이 높은 진단은: 1) 위축성측삭경화증이나 연수척수근위축증과 같은 척수전각세포질환, 2) 경추증에 의한 근위축증, 3) 안면견갑상완근디스트로피와 같은 근병증, 4) 양측 경추 신경근병증이 될 것이다.

전기진단검사 결과

SENSORY NERVE CONDUCTION STUDIES			
NERVE - RECORDING SITE	Onset LAT (ms)	Base-peak AMP (μV)	Peak-peak AMP (μV)
R MEDIAN - Digit II	**3.50**	11.3	14.7
R ULNAR - Digit V	2.70	20.0	23.8
L MEDIAN - Digit II	2.95	15.3	29.1
L ULNAR - Digit V	2.75	16.8	22.0
R MEDIAN vs ULNAR - Dig IV			
MEDIAN	**4.10**	6.9	7.1
ULNAR	2.95	11.8	20.3
L MEDIAN vs ULNAR - Digit IV			
MEDIAN	**3.20**	11.6	14.0
ULNAR	2.65	18.2	26.6
R SUPERFICIAL PERONEAL - Foot	2.15	12.0	4.0
R SURAL - Lateral Malleolus	2.45	16.4	9.5

MOTOR NERVE CONDUCTION STUDIES				
NERVE - RECORDING SITE	LAT (ms)	AMP (mV)	Distance (cm)	NCV (m/s)
R MEDIAN - Abductor Pollicis Brevis				
Wrist	**4.85**	9.1		
Elbow	8.25	9.3	18.5	54.4
R ULNAR - Abductor Digiti Minimi				
Wrist	3.00	10.0		
Elbow	6.65	9.1	19.5	53.4
L MEDIAN - Abductor Pollicis Brevis				
Wrist	**4.30**	10.8		
Elbow	8.00	10.7	21.0	54.4
L ULNAR - Abductor Digiti Minimi				
Wrist	2.85	10.6		
Elbow	**6.80**	9.6	22.0	55.7
L ULNAR - Deltoid				
Erb's Point	2.70	**0.3**		
R AXILLARY - Deltoid				
Erb's Point		**No response**		
L MUSCULOCUTANEOUS - Biceps				
Erb's Point	5.70	**3.7**		
R MUSCULOCUTANEOUS - Biceps				
Erb's Point	4.95	**4.4**		
R COMM PERONEAL - Extensor Digitorum Brevis				
Ankle	4.10	5.3		
Fibular Head	10.00	4.9	27.0	45.8
R TIBIAL - Abductor Hallucis				
Ankle	3.35	18.7		
Knee	11.05	14.3	35.5	46.1

NEEDLE ELECTROMYOGRAPHY								
MUSCLE	IA	Spontaneous			Distance (cm)			Interference Pattern
		FIB	PSW	CRD/ FASC	AMP	DUR	PPP	
L Deltoid	Nl	**2+**	**2+**	N	Nl	**Inc**	**Inc**	**Reduced**
L Supraspinatus	Nl	**2+**	**3+**	N	Nl	**Inc**	**Inc**	**Reduced**
L Biceps Brachii	Nl	**2+**	**2+**	N	Nl	**Inc**	**Inc**	**Reduced**
L Extensor Carpi Radialis Longus	Nl	N	**1+**	N	Nl	Nl	**Nl/Inc**	Complete
L Extensor Digitorum Communis	Nl	N	N	N	Nl	Nl	**Nl/Inc**	Complete
L Flexor Carpi Radialis	Nl	N	**1+**	N	Nl	Nl	Nl	Complete
L First Dorsal Interosseus	Nl	N	N	+	Nl	Nl	Nl	Complete
L Nasalis	Nl	**2+**	**2+**	N	Nl	Nl	Nl	**Reduced**
R Deltoid	Nl	**2+**	**2+**	N	Nl	**Inc**	**Inc**	**Reduced**
R Flexor Carpi Radialis	Nl	N	N	N	Nl	**Nl/Inc**	**Inc**	Complete
R First Dorsal Interosseus	Nl	**1+**	**2+**	N	Nl	Nl	**Nl/Inc**	Complete
B Tongue	Nl	N	N	N	Nl	Nl	Nl	Complete
B Cricothyroid	Nl	N	N	N	Nl	Nl	Nl	Complete

NEEDLE ELECTROMYOGRAPHY								
MUSCLE	IA	Spontaneous			Distance (cm)			Interference Pattern
		FIB	PSW	CRD/ FASC	AMP	DUR	PPP	
L Vastus Medialis	Nl	N	N	N	Nl	Nl	Nl	Complete
R Gastrocnemius	Nl	N	N	N	Nl	Nl	Nl	Complete
L C5 Paraspinals	Nl	N	**1+**	N				
L C6, 7 Paraspinals	Nl	N	N	N				
R C5 Paraspinals	Nl	N	**1+**	N				
R C6 Paraspinals	Nl	**2+**	**2+**	N				
R C8 Paraspinals	Nl	N	N	N				
R Thoracic Paraspinals (Middle)	Nl	N	N	N				
R Lumbar Paraspinals (Middle)	Nl	N	N	N				

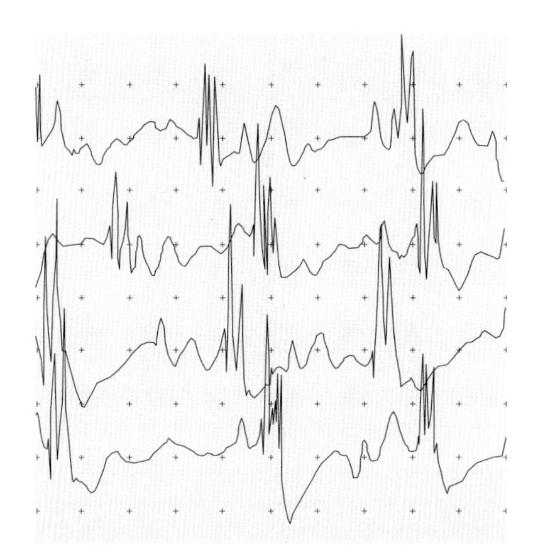

그림 11-2

삼각근의 침근전도검사(Needle EMG). 좌측 삼각근에서 다상성운동단위활동전위(polyphasic MUAP)가 관찰되었다. [민감도(sensitivity), 100 μV/div; 스윕 속도(sweep speed), 100 ms/div]

● 전기진단검사 결과 요약

신경전도검사(nerve conduction study)에서 좌측 액와 신경의 복합근육활동전위의 크기가 매우 감소해 있었고 우측에서는 유발되지 않았다. 양측 근피신경(musculocutaneous nerve)의 복합근육활동전위의 크기도 다소 감소해 있었다. 추가로 양측 정중신경(median nerve)에서 감각과 운동신경의 잠시(latency)가 증가되어 있었다. 약지에서 기록한 정중신경과 척골(ulnar)신경의 감각신경활동전위의 잠시가 양측에서 모두 의미 있는 차이를 보였다. 상하지의 감각신경활동전위는 전반적으로 경미한 진폭 감소가 있었다.

침근전도검사에서는 양측 삼각근, 좌측 극상근, 좌측 상완이두근(biceps brachii), 좌측 장요측수근신근(extensor carpi radialis longus), 좌측 요측수근굴근(flexor carpi radialis), 우측 첫째 등쪽골간근(dorsal interossei)에서 비정상자발전위(abnormal spontaneous activity)가 관찰되었다. 좌측 비근(nasalis)에서도 비징상자발전위가 있었지만 혀와 후두(laryngeal) 근육에서는 없었다. 일부 경추 척추주위(paraspinal) 근육에서도 탈신경 전위(denervation potential)가 관찰되었다. 상기한 근육들에서 지속시간(duration)이 긴 다상성운동단위활동전위가 관찰되었다(그림 11–2). 간섭양상(interference pattern)은 어깨와 위팔 근육에서 저하되어 있었다. 근섬유다발수축전위(fasciculation potential)는 관찰되지 않았다. 운동단위 조기점증양상(early recruitment)은 관찰되지 않았다. 흉추 척추주위근과 하지의 근육에서는 이상 소견이 없었다.

1. 전기진단학적 이상 소견은 양측 경추 5–6번 신경근(root)을 주로 침범하는 척수전각세포질환에 가장 부합한다.
2. 신경전도검사에서 양측 수근(wrist) 부위에서 탈수초성(demyelinating) 정중신경병증이 관찰된다. 임상적으로 무증상(subclinical) 양측 수근관증후군(carpal tunnel syndrome)에 합당하다.
3. 상하지에서 감각신경활동전위의 크기가 감소된 소견은 당뇨병성다발성말초신경병증(diabetic peripheral polyneuropathy)에 기인했을 수 있지만 연수척수근위축증에서도 보일 수 있는 소견이다.
4. 전기생리학적 소견으로 상완신경총병증과 액와신경병증은 배제할 수 있다.

추가적으로 필요한 검사는?

비디오투시 연하검사(video fluoroscopic swallowing study)

기도 내 흡인(aspiration)이나 침습(penetration)은 보이지 않았지만 후두개계곡(valleculae)와 이상와(pyriform sinus)에서 잔여물이 중등도로 관찰되었다.

경추 자기공명영상

경추증에 의한 근위축증과 경추 신경근병증을 감별하기 위해 경추 자기공명영상을 시행하였다(그림 11–3). 경추 자기공명영상으로 경추 5–6번 신경근병증과 경추증에 의한 근위축증을 배제할 수 있다.

DNA 검사

연수척수근위축증은 X 염색체 장완 11~12에 있는 안드로겐수용체(androgen receptor) 유전자의 돌연변이에 의해 발생하며, 환자에서는 CAG 반복이 증가한다.[4] 연수척수근위축증을 확진하기 위해 DNA 검사를 하였으나 이 환자에서는 반복수가 26회로 정상이었다.

근생검(muscle biopsy)

우측 상완이두근에서 시행한 근생검에서 근섬유(myofiber) 크기의 변이(variation)가 증가되었고 각진 모양으로 위축된(angulated atrophic) 근섬유와 크고 작은 군집성 위축(group atrophy), 근내막 핵(endomyseal nuclei), 염증성 세포 침습이 없는 지방침윤(fatty ingrowth)이 관찰되었다. 이 결과는 탈

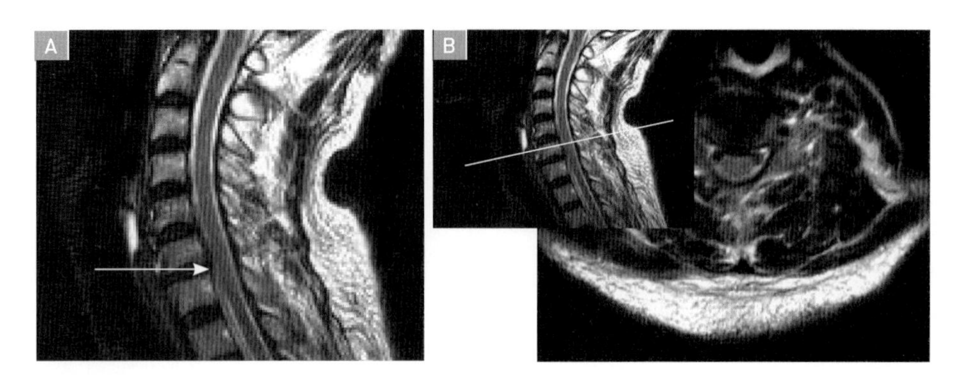

그림 11-3

경추의 자기공명영상. T2 강조 시상영상(T2-weighted sagittal image)에서 척수압박(cord compression)의 소견이 없는 척추증(spondylosis)과 섬유륜팽창(bulging disc)이 특히 경추 6-7번에서 관찰된다(화살표)(A). 그러나 이 환자의 위약과 관련이 있는 경추 5-6번의 축영상(axial view)을 보면 의미 있는 섬유륜팽창이나 전근 압박, 신경공협착(neural foraminal stenosis)의 소견은 없다(B).

신경의 조직학적 소견에 합당하며 사립체근병증(mitochondrial myopathy)이나 당원축적병(glycogen storage disease) 등을 배제할 수 있다.

전기진단검사 결론

이 환자의 전기진단학적 소견은 위팔근위축 양측마비(brachial amyotrophic digplegia, BAD)에 합당하다.

아울러 함께 관찰된 양측 수근 부위의 무증상탈수초성정중신경병증 및 원위부대칭성감각다발신경병증은 임상적으로 조기 당뇨병성다발성말초신경병증에 부합한다.

임상 경과

증상 발현 후 30개월까지 경과 관찰을 하였고 두 번의 추적 전기진단검사에서 질병 진행의 증거는 관찰할 수 없었다. 근육의 위약과 위축은 몇 개의 경추부 근분절(myotome)에 국한되었다. 하지의 진행성 위약은 없었다.

고찰

위팔근위축 양측마비는 하위운동신경원병(lower motor neuron disease)의 아형으로 주로 남성 성인에서 발병하고 하지 위약이나 추체로징후(pyramidal sign)가 없이 상지 근위부와 어깨이음구조 근육에 국한된 위약이 주증상이다.[5,6] 분절성근위척수근위축증(segmental proximal spinal muscular atrophy)으로 불리기도 한다.

결론적으로 이 환자의 임상, 전기진단학적 소견은 경추 5번과 6번 전근(ventral root)을 주로 침범하는 하위운동신경증후군(lower motor neuron syndrome)을 시사하며, 심한 상지 위약과 위축을 고려할 때 최종적으로 위팔근위축양측마비의 진단에 부합한다.

참고문헌

1. Kameyama T, Ando T, Yanagi T, Yasui K, Sobue G. Cervical spondylotic amyotrophy. Magnetic resonance imaging demonstration of intrinsic cord pathology. Spine 1998;23:448–52.
2. Kaneko K, Taguchi T, Toyoda K, Kato Y, Azuma Y, Kawai S. Distal–type cervical spondylotic amyotrophy: assessment of pathophysiology from radiological findings on magnetic resonance imaging and epidurally recorded spinal cord responses. Spine 2004;29:E185–8.
3. Shibuya R, Yonenobu K, Yamamoto K, Kuratsu S, Kanazawa M, Onoue K, Yoshikawa H. Acute arm paresis with cervical spondylosis: three case reports. Surg Neurol. 2005;63:220–8
4. La Spada AR, Wilson EM, Lubahn DB, et al. Androgen receptor gene mutations in X–linked spinal and bulbar muscular atrophy. Nature 1991;352:77–9.
5. Katz JS, Wolfe GI, Andersson PB, et al. Brachial amyotrophic diplegia. A slowly progressive motor neuron disorder. Neurology 1999;53:1071–6.
6. Van den Berg–Vos RM, Visser J, Franssen H, et al. Sporadic lower motor neuron disease with adult onset: classification of subtypes. Brain 2003;126:1036–47.

증례 12

출산 이후 우측 손과 손목 위약이 발생한 여성

● 병력

33세 여성이 4주 전부터 시작된 우측 손과 손목 위약으로 내원하였다. 증상은 출산 이후에 발생하였는데, 환자는 우측 손가락을 전혀 신전시킬 수 없었다. 증상은 발생 이후 다소 호전된 상태였고 우측 손과 팔에 사고 경력이나 다른 의학적인 문제는 없었다.

● 이 시점에서 감별진단은?

1. 우측 요골신경병증(radial neuropathy, right)
2. 우측 상완신경총병증, 중간줄기 또는 후방다발(brachial plexopathy at the middle trunk or posterior cord, right)
3. 우측 7번 경추 신경근병증(C7 radiculopathy, right)
4. 운동신경원병(motor neuron disease)
5. 원위부근병증(distal myopathy)

상기 병력을 바탕으로 볼 때 손목과 손의 위약, 특히 신근의 위약을 유발하면서 급성으로 발병하고 국소적이며 진행하지 않는 질환을 감별해야 한다. 아래팔의 요골신경병증은 가능한 질환으로 요골의 신경가지인 후방골간신경병증(posterior interosseous neuropathy)은 감각 증상 없이 운동 기능의 약화를 유발한다. 상완신경총병증과 7번 경추 신경근병증 또한 가능한 질환들이나 이들은 보통 통증과 감각 증상을 각각 또는 함께 동반한다. 히라야마병(Hirayama's disease)은 일반적으로 편측 원위부 상지의 위약으로 시작한다. 이번 사례에서 묘사된 바에 따르면, 급성 발병과 위약의 부분적인 호전은 전형적인 히라야마병의 소견에 부합되지는 않는다. 일부 원위부근병증 또한 손목과 손가락 신근의 위약으로 시작될 수 있으나 매우 희귀한 질환이기 때문에 가능성이 높지는 않다.

● 신체 검진

시진

우측 아래팔과 손에 뚜렷한 위축은 보이지 않았다.

감각

감각 저하는 없었고, 아래팔의 통증 때문에 손목을 등쪽으로 구부리는데 지장이 있었다.

반사

심부건반사는 양측 상완이두근(Biceps brachii), 상완삼두근(Triceps brachii), 완요골근(Brachioradialis)에서 모두 정상적이었다.

도수근력검사

	Elbow flexor	Elbow extensor	Wrist dorsiflexor	Finger flexor	Finger extensor
Right	5	5	**4**	5	**3**
Left	5	5	5	5	5

이 시점에서 감별진단은?

상기 병력과 신체검진에서 우측 손목의 손등 굽근과 손가락 신근에 급격하게 발생한 국소적 위약이 확인되었고 감각 이상은 없었다. 가장 가능성 있는 진단은 후방골간신경병증(posterior interosseous neuropathy)이다. 그러나 현재 시점에서 상완신경총병증, 경추 신경근병증, 운동신경세포병, 원위부근병증(distal myopathy)을 제외할 수는 없다.

전기진단검사 결과

SENSORY NERVE CONDUCTION STUDIES			
NERVE - RECORDING SITE	Onset LAT (ms)	Base-peak AMP (μV)	Peak-peak AMP (μV)
R MEDIAN - Digit II	2.80	45.0	74.9
R ULNAR - Digit V	2.70	33.2	52.7
R RADIAL - Thumb	1.35	45.4	45.8
L RADIAL - Thumb	1.30	37.7	41.7

MOTOR NERVE CONDUCTION STUDIES				
NERVE - RECORDING SITE	LAT (ms)	AMP (mV)	Distance (cm)	NCV (m/s)
R MEDIAN - Abductor Pollicis Brevis				
Wrist	2.80	16.4		
Elbow	6.50	15.2	21.6	58.4
R ULNAR - Abductor Digiti Minimi				
Wrist	2.80	17.7		
Below Elbow	6.85	16.3	24.2	59.8
R RADIAL Extensor Indicis Proprius				
Forearm	1.90	**1.2**		
Elbow		**No response**		
L RADIAL -Extensor Indicis Proprius				
Forearm	1.85	10.5		
Elbow	3.95	10.0	14.0	66.7

F - WAVE	
NERVE - RECORDING SITE	MIN F LAT (ms)
R MEDIAN - Abductor Pollicis Brevis	24.15
R ULNAR - Abductor Digiti Minimi	24.90

NEEDLE ELECTROMYOGRAPHY								
MUSCLE	IA	Spontaneous			MUAP			Interference Pattern
		FIB	PSW	CRD/ FASC	AMP	DUR	PPP	
R Biceps Brachii	NI	N	N	N	NI	NI	NI	Complete
R Flexor Carpi Radialis	NI	N	N	N	NI	NI	NI	Complete
R First Dorsal Interosseous	NI	N	N	N	NI	NI	NI	Complete
R Triceps	NI	N	N	N	NI	NI	NI	Complete
R Extensor Carpi Radialis Brevis	NI	N	N	N	NI	NI	NI	Complete
R Supinator	NI	2+	2+	N	NI	NI	Inc	Reduced
R Extensor Digitorum Communis	NI	4+	4+	N	No activity			
R Extensor Indicis Proprius	NI	3+	3+	N	No activity			
R Flexor Pollicis Longus	NI	N	N	N	NI	NI	NI	Complete
R Pronator Quadratus	NI	N	N	N	NI	NI	NI	Complete
R Brachioradialis	NI	N	N	N	NI	NI	NI	Complete

전기진단검사 결과 요약

신경전도검사에서 우측 시지신근(extensor indicis muscle)의 운동반응이 심하게 감소되어 있는 것을 제외하고는 모든 소견이 정상이었다. 양측 표피요골감각신경(superficial radial sensory nerve) 반응은 대칭적이었다. 침근전도검사에서는 비정상자발전위(abnormal spontaneous activity, ASA)가 우측 회외근(supinator), 총수지신근(extensor digitorum communis), 시지신근(extensor indicis)에서 관찰되었다. 우측 회외근에서 다상성 운동단위의 동원양상이 감소된 소견을 관찰할 수 있었다. 우측 총수지신근(extensor digitorum communis), 인지신근(extensor indicis)에서 운동단위가 관찰되지 않았다.

상기 전기진단검사의 이상은 회외근(supinator) 부위의 심한 축삭절단을 동반한 우측 후방골간신경병증(posterior interosseous neuropathy)에 가장 부합한다.

추가적으로 필요한 검사는?

단순 방사선 사진

우측 팔꿈치, 아래팔, 손 단순 방사선검사 사진에서 뼈의 이상은 관찰되지 않았다.

전기진단검사 결론

상기 전기진단검사 소견은 회외근(supinator) 부위의 심한 축삭절단을 동반한 우측 후방골간신경병증(posterior interosseous neuropathy)을 시사한다.

임상 경과

전기진단검사 결과 후, 팔꿈치 자기공명영상 검사를 추천하였으나 환자가 원하지 않았다. 특별한 치료 없이 상기 증상은 점차 호전되었다.

고찰

후방골간신경병증(posterior interosseous neuropathy)은 회외근(supinator)의 건 근위부 가장자리에 의해 눌려서 발생하는 것이 가장 흔하다.[1,2] 회외근은 병변의 위치에 따라 신경병증에 영향을 줄 수도 있고 주지 않을 수도 있다. 후방골간신경병증은 종양이나 특정 해부학적 구조물 같은 마비의 원인이 있어 영상검사로 확인될 수도 있지만, 특징적인 임상양상을 가지고 있어 진단을 위해 영상검사가 반드시 필요하지는 않다. 후방골간신경마비의 자기공명영상 소견은 신경절단에 의해 유발된 연관근육들의 위축을 포함하여 기타 신경 손상에 연관된 흔한 2차적 변화로 나타난다.[3] 신경을 압박하는 종괴가 관찰되지 않으면 휴식, 행동변화, 비스테로이드성 진통제, 스테로이드 주사와 같은 보존적인 치료법이 먼저 추천된다. 그러나 대부분의 환자에서 수술을 필요로 한다.[1]

이번 사례에서 후방골간신경병증의 원인은 출산이었다. 산모의 양측 요골신경마비는 건강한 여성과 압박마비유전신경병증(Hereditary Neuropathy with Liability to Pressure Palsy, HNPP)을 가지고 있는 여성 모두에서 보고되고 있다.[4] 이런 사례에서 요골신경 손상은 출산 때 이용하는 산모용 침대 팔걸이의 부적절한 사용, 출산 중 너무 오랫동안 특정자세를 유지하거나 지속되는 근육 사용에 의해 발생할 수 있다고 하였다. 어떤 보고에서는 위약이 출산 후 1년까지 지속된다고 한다.[5]

참고문헌

1. Arle JE, Zager EL. Surgical treatment of common entrapment neuropathies in the upper limbs. Muscle nerve 2000;23:1160-74.
2. Hashizume H, Nishida K, Nanba Y, Shigeyama Y, Inoue H, Morito Y. Non-traumatic paralysis of the posterior interosseous nerve. The J Bone Joint Surg 1996;78:771-6.
3. Kim S, Choi JY, Huh YM, et al. Role of magnetic resonance imaging in entrapment and compressive neuropathy--what, where, and how to see the peripheral nerves on the musculoskeletal magnetic resonance image: part 2. Upper extremity. Eur Radiol 2007;17:509-22.
4. Molloy FM, Raynor EM, Rutkove SB. Maternal Bilateral Radial Neuropathy During Childbirth in Hereditary Neuropathy With a Predisposition to Pressure Palsies (HNPP). J cLIN nEUROMUSCUL Dis 2000;1:131-3.
5. Roubal PJ, Chavinson AH, LaGrandeur RM. Bilateral radial nerve palsies from use of the standard birthing bar. Obstet Gynecol 1996;87:820-1.

증례 13

우측 상지의 위약을 주소로 내원한 남자 환자

병력

38세 남자 환자가 우측 상지의 위약을 주소로 내원하였다. 33일 전에 환자는 차 사고로 신체 왼쪽을 자동차에 부딪히고 오른쪽 어깨를 지면에 충돌하였다. 환자는 좌측 상완골 골절로 수술을 받았다. 하지만 우측 상지에서는 골절이 관찰되지 않았다. 환자는 우측 상지의 위약에 대한 평가를 위해 전기진단검사실로 의뢰되었다. 위약은 어깨 외전근에서 가장 심하게 나타났으며, 우측 주관절 굴곡근에서도 관찰되었다. 환자는 오른쪽 손가락을 사용하는데 아무런 불편이 없다고 하였다.

이 시점에서 감별진단은?

우측 상지에 대해:

1. 경추 5-6번, 뿌리 수준의 상완신경총 손상(brachial plexus injury, root level, C5-6)
2. 경추 5-6번 신경근병증(cervical radiculopathy, C5-6)
3. 상부줄기 상완신경총 손상(brachial plexus injury, upper trunk level)
4. 액와 신경과 근피 신경 손상(axillary and musculocutaneous nerve injury)

상기 병력은 우측 상지의 국소적인 신경학적 병변을 시사한다. 어깨 외전근과 주관절 굴곡근의 위약은 경추 5-6번에 발생한 신경근병증 또는 상완신경총병증에 의한 것일 수 있다. 외상 후에 위약이 발생하였기 때문에 증상의 원인은 외상으로 생각된다. 하지만 병변의 위치는 외상을 당한 부위의 반대쪽인데, 이러한 부분을 어떻게 설명할 수 있는가? 환자는 신체 좌측을 자동차와 충돌하고 우측은 지면과 부딪혔는데, 지면에 부딪히는 순간 머리가 심하게 외측 굴곡되었을 가능성이 있다. 이로 인해 신경근 박리(root avulsion)가 유발될 수 있다.[1] 경추 추간판탈출증(cervical herniated intervertebral disc disease)은 상기 외상으로 발생할 수 있으며, 경추 신경근병증으로 진행할 수 있다. 하지만 신경근 통증과 같은 감각 증상이 관찰되지 않는 것은 상기 병변의 가능성을 낮춘다. 상완신경총의 상부 손상 또는 액와신경과 근피신경의 손상의 가능성도 고려해야 한다.

신체 검진

관찰

우측 견대(shoulder girdle) 근육의 경미한 위축이 관찰된다. 우측의 날개견갑골(scapular winging)이 관찰된다.

도수근력검사

	Shoulder abductor	Elbow flexor	Elbow extensor	Wrist dorsiflexor	Finger abductor
Right	1	3	5	5	5

감각

통증과 촉각검사에서 이상 소견은 관찰되지 않았다.

반사

우측 이두근 반사가 저하되어 있었다.

이 시점에서 감별진단은?

이 증례에서 가장 특징적인 임상양상은 경추 5–6번 근분절의 근력 소실과 감각 기능의 보존이다. 비록 감각 기능은 정상이지만, 경추 5–6번 병변은 환자의 위약의 원인이 될 수 있다. 경추 5–6번의 전각세포 병변도 상기 환자의 증상의 원인이 될 수 있다. 이러한 전각세포 병변은 상위 경추의 추간판 돌출에 의해 발생한다. 경추 5–6번 신경절 이전 부위에서 발생한 부분 박리(partial avulsion)병변 역시 감각 기능은 보존되나 운동 기능은 소실되는 양상이 관찰된다. 신경절 이후 부위에서 발생한 부분 파열 역시 비슷한 소견을 보인다. 경추 추간판탈출 질환에 의해 발생한 경추 신경근 병변도 원인이 될 수 있다. 따라서 전기진단검사를 시행하는 것이 병변의 위치(신경절 이전 또는 신경절 이후)를 확인하는데 필요하다.

전기진단검사 결과

SENSORY NERVE CONDUCTION STUDIES			
NERVE - RECORDING SITE	Onset LAT (ms)	Base-peak AMP (μV)	Peak-peak AMP (μV)
R MEDIAN - Digit II	2.75	25.4	40.9
R ULNAR - Digit V	2.70	22.4	52.2
R RADIAL - Thumb	2.00	25.0	22.3
L RADIAL - Thumb	2.05	20.1	22.0
R MUSCULOCUTANEOUS - Lateral Antebrachial	1.80	5.0	5.3
L MUSCULOCUTANEOUS - Lateral Antebrachial	1.40	4.1	5.4

MOTOR NERVE CONDUCTION STUDIES				
NERVE - RECORDING SITE	LAT (ms)	AMP (mV)	Distance (cm)	NCV (m/s)
R MEDIAN - Abductor Pollicis Brevis				
Wrist	3.20	13.3		
Elbow	7.00	12.4	23.0	60.5
R ULNAR - Abductor Digiti Minimi				
Wrist	2.95	15.8		
Elbow	6.70	15.3	21.5	57.3
R AXILLARY - Deltoid				
Erb's point		No response		
L AXILLARY - Deltoid				
Erb's point	4.05	3.6		
R MUSCULOCUTANEOUS - Biceps Brachii				
Axilla	2.60	**1.0**		
Erb's point	8.00	**0.1**		
L MUSCULOCUTANEOUS - Biceps Brachii				
Erb's point	5.30	3.1		

F - WAVE	
NERVE - RECORDING SITE	MIN F LAT (ms)
R MEDIAN - Abductor Pollicis Brevis	27.20

NEEDLE ELECTROMYOGRAPHY								
MUSCLE	IA	Spontaneous			MUAP			Interference Pattern
		FIB	PSW	CRD/FASC	AMP	DUR	PPP	
R Biceps Brachii	Nl	**3+**	**3+**	N	Nl	Nl	**Inc**	**Reduced**
R Brachioradialis	Nl	**3+**	**3+**	N	Nl	Nl	**Inc**	**Reduced**
R Pronator Teres	Nl	N	**1+**	N	Nl	Nl	Nl	Complete
R Flexor Carpi Radialis	Nl	N	N	N	Nl	Nl	Nl	Complete
R Extensor Carpi Radialis Longus	Nl	**3+**	**3+**	N	Nl	Nl	Nl	Complete
R Triceps	Nl	N	N	N	Nl	Nl	Nl	Complete
R Deltoid	Nl	**3+**	**3+**	N	**No activity**			
R Infraspinatus	Nl	**2+**	**2+**	N	Nl	Nl	Nl	Complete
R Teres Minor	Nl	**2+**	**2+**	N	Nl	Nl	**Inc**	Complete
R Extensor Digitorum Communis	Nl	N	N	N	Nl	Nl	Nl	Complete
R Extensor Carpi Ulnaris	Nl	N	N	N	Nl	Nl	Nl	Complete
R Serratus anterior	Nl	**2+**	**2+**	N	**No activity**			
R Rhomboid Major	Nl	**2+**	**2+**	N	**No activity**			
R C5 Paraspinals	Nl	N	N	N				
R C6 Paraspinals	Nl	N	N	N				
R C7 Paraspinals	Nl	N	N	N				

전기진단검사 결과 요약

감각신경전도검사 결과는 모두 정상이었다. 우측 액와신경의 복합운동활동전위는 측정되지 않았다. 우측 근피신경의 복합운동활동전위의 진폭은 반대쪽에 비해서 32.3%로 감소되었다. 침근전도검사에서 비정상자발전위가 경추 5번과 6번의 근분절에서 관찰되었다. 척추주위근에서 막불안정성은 관찰되지 않았다.

상기 소견은 신경절 이전 부위에서 심한 우측 신경총병증의 심한 축삭 손상이 경추 5-6번 신경근까지 영향을 주는 상태임을 시사한다. 경추 5번 신경근은 거의 축삭절단에 가까운 상태이다. 경추주위근에서 비정상자발전위는 관찰되지 않았다는 점은 신경절 이전 부위에 병변이 위치하는 소견에 적합하지 않는다. 하지만 이 부분을 제외한 나머지 소견은 신경절 이전 부위에 병변이 발생했을 경우에 관찰된다. 척추 주위근에서 이상 소견을 보이지 않는 신경절 이전 부위 병변에 대해서는 이후에 추가로 설명하겠다.

추가적으로 필요한 검사는?

경추 추간판탈출 질환의 가능성을 평가하기 위하여 자기공명영상 검사를 시행하였다(그림 13-1).

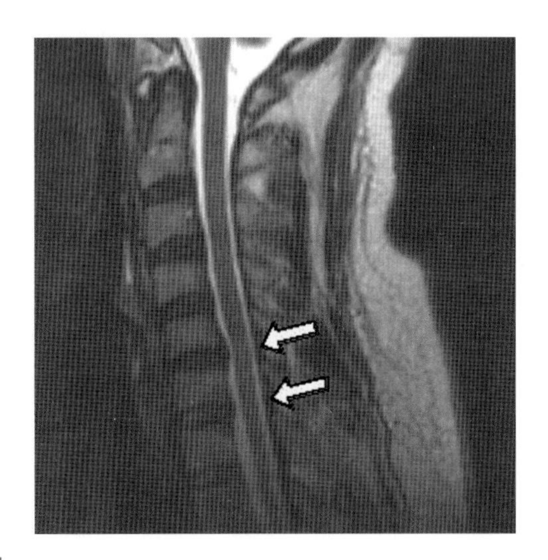

그림 13-1

경추 자기공명영상의 정중시상면. T2증강 정중시상면 영상에서 경추 5-6번과 경추 6-7번 추간판의 경미한 돌출이 관찰되었다(화살표). 이외 이상 소견은 관찰되지 않았다.

전기진단검사 결론

상기 전기진단검사는 신경절 이전 부위의 경추 5번과 6번 신경근을 침범하는 우측 상완신경총 손상(brachial plexopathy)에 합당한 소견이다. 경추 5번 신경근은 완전 축삭절단 상태이고 경추 6번 신경근은 부분 축삭절단 상태이다.

임상 경과

2개월 후에 시행한 전기진단검사에서 환자의 우측 어깨 외전근의 근력은 3단계로 향상되었다. 검사 결과 다음과 같은 소견이 확인되었다.

1) 각각 액와신경과 근피신경이 지배하는 삼각근과 이두근의 복합운동활동전위의 진폭이 약간 증가되었고

2) 다른 침근전도 소견은 이전 검사와 비슷한 결과를 보였다.

고찰

상완신경총 손상의 병리해부학 위치는 쇄골상부(supraclavicular)나 쇄골하부(infraclavicular)로 추정된다. 쇄골상부 손상은 신경절 이전 손상 또는 이후 손상으로 구분된다. 신경절 이전 손상은 신경근의 박리로 발생하는 반면, 신경절 이후 손상은 원위부 파열에 의해 발생한다.[2] 대부분 손상은 폐쇄견인손상이다.

신경절 이전 손상과 이후 손상의 구별은 수술치료 계획을 세울 때 중요한 요소이다. 척추주위근에 대한 침근전도검사가 병변의 위치를 구별하는데 도움된다. 막불안정성이 관찰되면 신경절 이전 손상을 시사한다.[3] 상기 증례의 경우, 비록 임상양상(손상 병력, 날개견갑골)과 신경전도검사(감각신경전도검사는 정상, 운동신경전도검사는 이상)는 신경절 이전 손상에 합당했지만, 척추주위근 침근전도검사 소견은 그렇지 않았다.[4] 과연 척추주위근 침근전도의 정상소견 때문에 신경절 이전 손상의 가능성을 배제하는 것은 타당한가?

40여개의 신경총 손상 증례에 관한 연구에서 척추주위근 침근전도검사의 예측 정확도(predictive accuracy)는 67%에 불과하였다. 날개견갑골과 같은 임상징후, 상지에 대한 근전도 검사, 그리고 척추주위근에 대한 침근전도검사를 모두 종합했을 때, 예측 정확도는 80%에 달하였다.[2] 따라서 임상양상과 근전도 검사 소견을 모두 종합하여 판단하는 것이 척추주위근 침근전도검사 결과만으로 감별진단을 하는 것보다 더 정확하다.

참고문헌

1. M M, H S, eds. Peripheral nerve lesions. 1st ed. New York: Thieme Medical Publishers Inc.; 1991.
2. Balakrishnan G, Kadadi BK. Clinical examination versus routine and paraspinal electromyographic studies in predicting the site of lesion in brachial plexus injury. J Hand Surg Am 2004;29:140-3.
3. Bufalini C, Pescatori G. Posterior cervical electromyography in the diagnosis and prognosis of brachial plexus injuries. J Bone Joint Surg Br 1969;51:627-31.
4. D D, MJ Z, eds. Brachial plexopathies and proximal mononeuropathies. 2nd ed. Philadelphia: Hanley & Belfus; 2002.

증례 14

목 뒤쪽과 왼팔 바깥쪽 부위 통증을 주소로 내원한 여자 환자

◎ 병력

30세 여자 환자가 목 뒤쪽과 왼팔 바깥쪽 부위에서 18개월 간 지속된 통증을 주소로 내원하였다. 환자는 개인 의원에서 경추 신경근병증을 진단받은 후, 수개월간 약물 치료와 견인을 포함한 물리치료를 받았으나, 통증이 호전되지 않았다. 환자는 대학병원 정형외과 외래를 방문하여 경추 자기공명영상 검사를 시행 받았고, 검사에서 경추 5-6번 추간판 돌출 소견이 확인되었다(그림 14-1). 추간판 탈출 소견은 우측이 심했으나, 환자는 우측 상지에서 특별한 불편감을 호소하지 않았다. 좌측 경추 6번 신경근에 시행한 경추간공경막외스테로이드 주사(transforaminal steroid injection)는 아무런 효과를 보지 못했다. 상기 치료로도 환자의 증상 호전이 없었던 관계로 환자는 전기진단검사실로 의뢰되었다.

환자는 과거나 현재에 상지 위약을 경험한 적이 없다고 하였다. 환자의 과거 병력과 가족력에서 특이한 점은 발견되지 않았다.

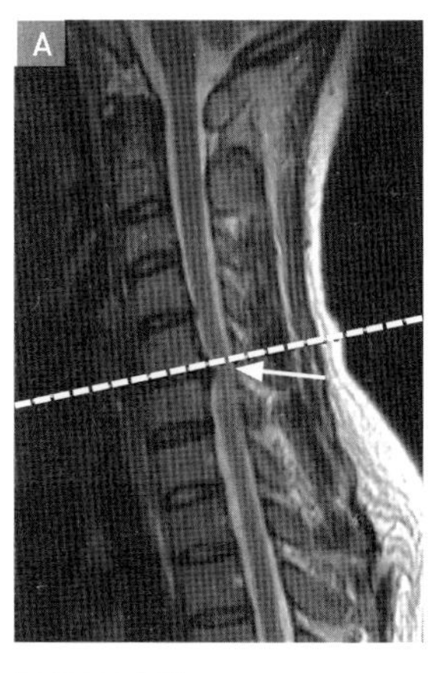

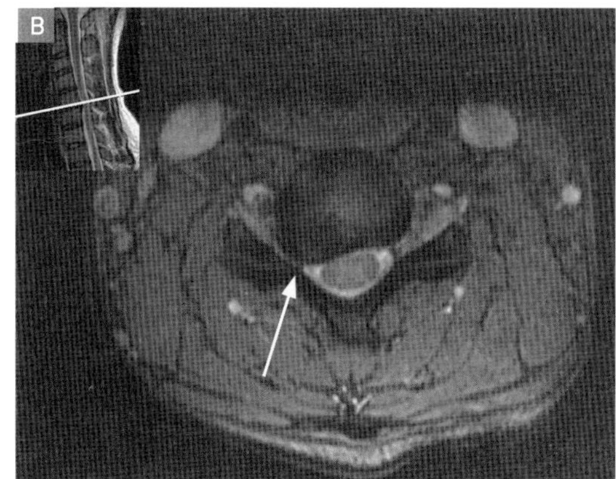

그림 14-1

경추 자기공명영상. (A) T2강조 정중시상 영상에서 경추 5-6번 추간판 돌출 소견이 관찰됨(화살표). (B) 경추 5-6번 추간판(small box)의 횡단 영상에서 우측으로 추간판 돌출 소견이 확인됨. 또한 추간판이 척수로 만입(indentation)되고 우측 신경공(neural foramen)으로 침범하는 양상이 관찰됨.

◎ 이 시점에서 감별진단은?

1. 좌측 경추 5-6번 신경근병증(cervical radiculopathy, C5-6, left)
2. 좌측 상완신경총병증, 상부 또는 외측다발 손상(brachial plexopathy, the upper trunk or lateral cord, left)

3. 좌측 요골신경병증 또는 좌측 근피신경병증(individual neuropathies such as left radial and/or musculocutaneous neuropathy)
4. 다발성말초감각신경병증(peripheral sensory polyneuropathy)

환자의 목과 팔의 바깥쪽 부위 통증은 경추 5-6번 신경근병증을 시사한다. 이 증례의 특징적인 점은 환자가 증상을 호소하는 부위와 자기공명영상에서 확인된 병변 위치가 일치하지 않는 점, 그리고 적절한 치료에도 불구하고 통증이 호전되지 않았다는 점이다.

상부(upper trunk)와 가쪽 신경다발을 포함하는 상완신경총병증의 증상은 상지 바깥쪽의 불편감으로 나타날 수 있다. 또한 좌측 요골신경병증과 다발성말초감각신경병증도 가능한 진단명이다.

신체 검진

관찰

근위축, 피부병변, 날개견갑골(winged scapula)과 같은 이상 소견은 관찰되지 않았다.

감각

신체 검진에서 왼쪽 팔의 바깥쪽 부위와 엄지와 검지의 감각 저하가 관찰되었다. 환자는 가벼운 촉각의 경우, 오른쪽과 비교하면 60~70% 정도로 느껴진다고 응답하였다.

도수근력검사

	Shoulder abductor	Elbow flexor	Elbow extensor	Wrist volar flexor	Wrist dorsiflexor	Hand intrinsics
Right	5	5	5	5	5	5
Left	5	5	5	5	5	5

반사

근신전반사는 양측 상지의 이두근, 삼두근, 상완요골근(brachioradialis)에서 2+로 측정되었고 호프만 징후와 바빈스키 징후는 관찰되지 않았다.

특수 검사

스펄링 검사(spurling test)에서 이상 소견은 관찰되지 않았다.

이 시점에서 감별진단은?

감각 증상은 이 증례에서 두드러진 이상 소견이나, 근력이나 근신전반사는 양쪽에서 모두 정상이었다. 감각 증상의 피부분절 분포를 고려하면 경추 5-6번 신경근병증에 합당한 소견이다. 위약이 없으므로 단일신경병증이나 신경총병증의 가능성은 낮다.

전기진단검사 결과

SENSORY NERVE CONDUCTION STUDIES			
NERVE - RECORDING SITE	Onset LAT (ms)	Base-peak AMP (μV)	Peak-peak AMP (μV)
R MEDIAN - Digit II	2.85	**3.8**	9.1
L MEDIAN - Digit II	3.15	**7.1**	13.3
R ULNAR - Digit V	2.30	21.0	30.7
L ULNAR - Digit V	2.55	**9.8**	16.8
R SUPERFICIAL RADIAL - Snuff Box		No response	
L SUPERFICIAL RADIAL - Snuff Box		No response	
R SUPERFICIAL PERONEAL - Foot	3.05	5.3	8.3
R SURAL - Lateral Malleolus	2.70	**9.1**	10.8

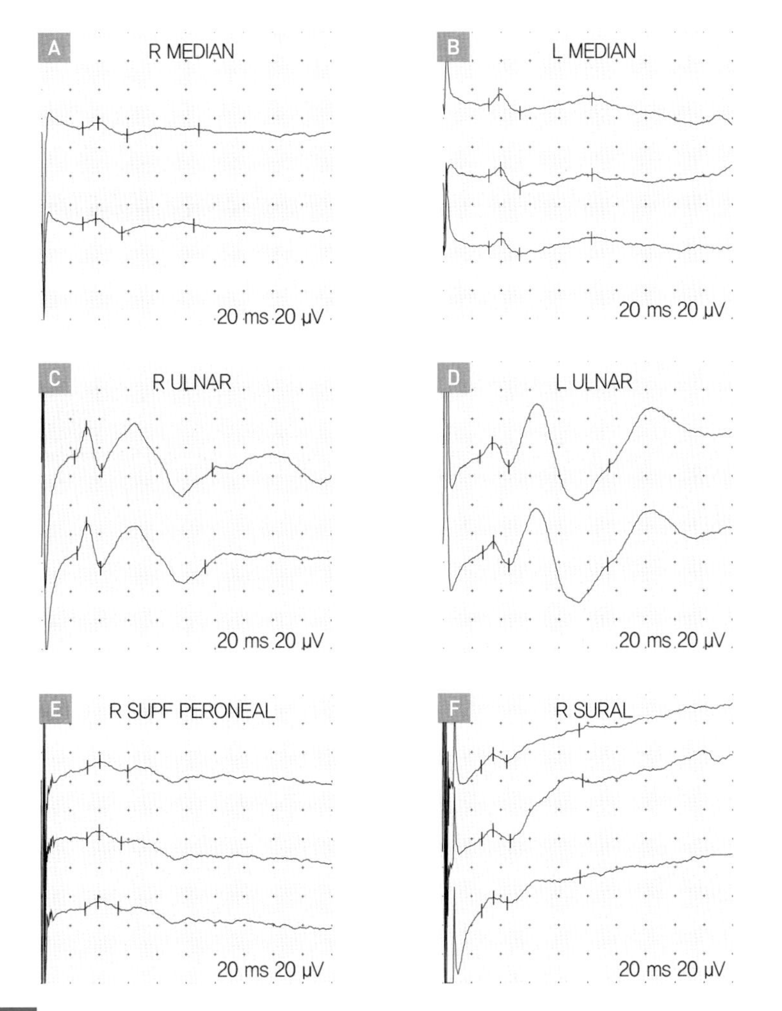

그림 14-2

양측 정중신경(A와 B), 척골신경(C와 D), 그리고 우측 표재비골신경(sperificial peroneal nerve, E), 비복신경(sural nerve, F)의 감각신경전도검사. 우측 척골신경을 제외한 나머지 신경에서 감각신경활동전위 진폭이 감소함. [민감도(sensitivity), 20 μV/div; 스윕 속도(sweep speed), 20 msec]

MOTOR NERVE CONDUCTION STUDIES				
NERVE - RECORDING SITE	LAT (ms)	AMP (mV)	Distance (cm)	NCV (m/s)
R MEDIAN - Abductor Pollicis Brevis				
Wrist	3.55	16.5		
Elbow	7.50	16.3	20.3	51.4
L MEDIAN - Abductor Pollicis Brevis				
Wrist	**3.00**	15.8		
Elbow	**6.90**	15.1	21.0	53.8
R ULNAR - Abductor Digiti Minimi				
Wrist	2.95	11.8		
Elbow	6.40	11.4	24.5	71.0
L ULNAR - Abductor Digiti Minimi				
Wrist	2.15	12.0		
Elbow	5.90	10.9	24.2	64.5
R COMMON PERONEAL - Extensor Digitorum Brevis				
Ankle	3.30	5.8		
Fibular Head	10.20	4.6	31.0	44.9

F - WAVE	
NERVE - RECORDING SITE	MIN F LAT (ms)
R MEDIAN - Abductor Pollicis Brevis	25.90
R ULNAR - Abductor Digiti Minimi	25.05
L MEDIAN - Abductor Pollicis Brevis	26.15
L ULNAR - Abductor Digiti Minimi	25.55

NEEDLE ELECTROMYOGRAPHY								
MUSCLE	IA	Spontaneous			MUAP			Interference Pattern
		FIB	PSW	CRD/ FASC	AMP	DUR	PPP	
L Flexor Carpi Radialis	Nl	N	N	N	Nl	Nl	Nl	Complete
L Extensor Carpi Radialis Longus	Nl	N	N	N	Nl	Nl	**Nl/Inc**	Complete
L Biceps Brachii	Nl	N	N	N	Nl	Nl	Nl	Complete
L First Dorsal Interosseous	Nl	N	N	N	**Nl/Inc**	Nl	**Nl**	**Complete**
L Abductor Pollicis Brevis	Nl	N	N	N	Nl	Nl	**Inc**	**Complete**
L Extensor Indicis	Nl	N	N	N	Nl	Nl	**Inc**	Complete
L Flexor Carpi Ulnaris	Nl	N	N	N	Nl	Nl	Nl	Complete
L C7 Paraspinals	Nl	N	N	N	Nl	Nl	Nl	Complete
L C6 Paraspinals	Nl	N	N	N	Nl	Nl	Nl	Complete
R First Dorsal Interosseous	Nl	N	N	N	Nl	Nl	Nl	Complete
R Flexor Carpi Radialis	Nl	N	N	N	Nl	Nl	Nl	Complete
R Extensor Carpi Radialis Longus	Nl	N	N	N	Nl	Nl	Nl	Complete
R Extensor Indicis Proprius	Nl	N	N	N	Nl	Nl	Nl	Complete
R Biceps Brachii	Nl	N	N	N	Nl	Nl	Nl	Complete

전기진단검사 결과 요약

운동신경전도검사에서 양측 정중신경의 전도속도가 약간 감소한 것 외에 다른 이상 소견은 관찰되지 않았다. 양측 정중신경과 좌측 척골신경의 감각신경활동전위의 진폭은 정상 크기에 비해 감소하였으며, 반면에 우측 척골감각신경 진폭은 정상 범위의 하한선이었다. 표재비골신경과 비복신경의 감각신경활동전위의 진폭도 감소하였다. 양측 표재요골신경(superficial radial nerve)의 감각신경활동전위는 관찰되지 않았다. 양측 정중신경과 척골신경의 F파의 잠시는 정상이었다.

침근전도검사에서 좌측 장요측수신근(extensor carpi radialis longus), 단무지외전근(abductor pollicis brevis), 고유시지신근(extensor indicis)의 다상성운동단위활동전위의 비율이 약간 증가되어 있었다.

요약하면 감각신경의 이상 소견과 하지에 비해 상지의 증상이 심한 점이 다발성감각신경병증의 축삭손상에서 보기 드문 소견이다. 신경근병증이나 신경총병증 중 어느 것도 전기진단검사 결과로 설명하기 어렵다.

상기 전기진단검사는 감각신경절병증(ganglionopathy)을 시사한다.

추가적으로 필요한 검사는?

감각신경절병증(ganglionopathy) 또는 신경세포병증(neuronopathy)은 부종양성증후군(paraneoplastic syndrome), 쇼그렌증후군(sjögren syndrome), 독성 물질, 약물, 그리고 감염질환 등의 자가면역 질환에 의해 발생한다. 추가적인 문진을 통해서 눈과 입이 마르는 증상이 최근부터 시작했음을 밝혀냈다. 또한 쇼그렌증후군과 특발성감각신경세포병증을 배제하기 위하여 각각 anti-Ro/SS-A와 anti-La/SS-B 항체 검사, 그리고 anti-GD1b 항체 검사를 의뢰하였다. IgG, IgM anti-GD1b 항체와 anti_LA/SS-B 항체는 음성이었으나, anti-Ro/SS-A 항체는 양성이었다.

전기진단검사 결론

임상양상, 전기진단학 검사, 그리고 실험실 검사 결과를 종합하면 감각신경세포병증 또는 신경절병증이 가장 합당한 진단으로 생각된다. Anti-Ro/SS-A 항체와 감각신경절병증(ganglionopathy)의 소견은 쇼그렌증후군(sjögren syndrome)의 초기 상태로 여겨진다.

임상 경과

정형외과 의사는 이 환자를 류마티스 내과에 의뢰하였다. 환자의 증상은 정기적인 외래 추적관찰 동안 별다른 변화 없이 유지되었다.

고찰

의료진은 영상검사에서 발견된 이상 소견이 환자에게 나타나는 증상의 원인일 것이라는 성급한 결론을 종종 내린다. 그러나 임상적으로 중요한 판단을 내리기 전에 영상검사 결과 외에도 병력청취와 신체검진 소견에 대해서도 주의 깊은 고려가 필요하다. 상기 증례는 주의 깊은 고려가 필요한 대표적 사례이다. 임상의사는 영상 검사에서 보이는 추간판 돌출 병변이 환자가 호소하는 통증 부위와 일치하지 않았음에도 불구하고 통증의 원인이 추간판 돌출에 의한 것이라고 성급한 결론을 내렸다. 하지만 경막외스테로이드 주사는 올바른 진단을 내리는 데 실마리로 이용되었다는 점에서 의미 있는 시도였다. 결국 이 환자는 정확한 진단은 전기진단검사를 시행함으로써 얻게 되었다.

감각신경세포병증 또는 신경절병증은 부종양성 증후군이나 약물의 독성 등과 같은 다양한 원인에 의해 발생한다. 만약 명백한 원인을 찾지 못한다면, 원인 불명으로 분류된다. 감각신경절병증의 병태생리는 후근신경절(dorsal root ganglia)에 대한 자가면역반응에 의한 것으로 생각된다.[1] 초기에 경험하는 흔한 증상은 날카로운 통증과 무감각 증상이 비대칭적으로 발생하고 상지가 하지에 비해 증상이 심하다는 것이다.[1] 만약 감각신경절병증이 의심되면, 의사는 원인을 찾기 위해서 감별진단을 시행해야 한다. 부종양신경병증, 쇼그렌증후군, 독성물질, 약물에 의한 독성, 그리고 감염이 배제되어야 한다. 이 증례에서 구강건조, 안구건조, 그리고 anti-Ro/SS-A 항체 양성 소견이 나타났다는 점을 고려하면, 쇼그렌증후군이 가장 적합한 원인으로 추정된다.

쇼그렌증후군과 연관된 신경학적증후군에 축삭성감각운동신경병증, 감각신경병증, 다발성단일신경병증, 그리고 감각신경절병증이 포함된다.[2] 신경병증은 구강건조와 안구건조 증상이 나타나기 전에 발생하므로 주의 깊은 임상 관찰이 필요하다.[1-2] 쇼그렌증후군과 관련된 신경병증에 의해 발생하는 다양한 임상 양상에 대한 리뷰가 최근에 출판되었다.[3] 게다가 구강건조와 안구건조를 동반하는 건조 복합체(isolated sicca complex)도 신경병증과 관련된 것으로 보고되었다.[4]

상기 증례 외에도 최근에 출판된 증례보고서에서 쇼그렌과 관련된 신경절병증이 경추 신경근병증이나 수근관증후군과 같은 신경근질환과 유사한 양상을 보인다고 보고하였다.[5]

증상이 최근에 발생하였고, 정도가 심하며 전기진단 검사에서 이상 소견을 보였기 때문에 규칙적인 외래 방문과 자세한 검진이 필요하다. 또한 부종양증후군의 초기 가능성을 배제할 수 없으므로 이에 대한 주의 깊은 관찰이 필요하다. 정기적인 흉부 X선검사, 컴퓨터단층촬영 또는 양전자방출 단층촬영까지도 필요한 경우에 시행할 수 있다.[6]

참고문헌

1. Amato AA, Dumitru D. Acquired Neuropathies. In: Dumitru D, Zwarts MJ, eds. Electrodiagnostic medicine. 2nd ed. Philadelphia: Hanley & Belfus; 2002:937–1042.
2. Moutsopoulos HM. Sjögren's syndrome. In: Kasper DL, Harrison TR, eds. Harrison's principles of internal medicine. 16th ed. New York: McGraw–Hill, Medical Pub. Division; 2005:1990–3.
3. Mori K, Iijima M, Koike H, et al. The wide spectrum of clinical manifestations in Sjögren's syndrome–associated neuropathy. Brain 2005;128:2518–34.
4. Grant IA, Hunder GG, Homburger HA, Dyck PJ. Peripheral neuropathy associated with sicca complex. Neurology 1997;48:855–62.
5. Lin CC, Chiu MJ. Teaching NeuroImage: Cervical cord atrophy with dorsal root ganglionopathy in Sjögren syndrome. Neurology 2008;70:e27.
6. Honnorat J, Antoine JC. Paraneoplastic neurological syndromes. Orphanet J Rare Dis 2007;2:22.

증례 15

우측 손의 위약을 호소하는 남성

병력

7년 전부터 우측 손의 위약이 발생한 62세 남성이 방문하였다. 외상이나 당뇨병 등의 병력은 없었다. 환자는 10년 전부터 우측 손이 매우 차가웠으며, 7년 전부터 손톱을 자르는 것이 어려워졌다고 한다. 5년 전부터는 젓가락을 사용하기 어려웠다. 목의 통증은 호소하지 않았다.

이 시점에서 감별진단은?

1. 우측 경추 신경근병증(right cervical radiculopathy)
2. 팔꿈치나 손목 주변의 정중신경병증이나 척골신경병증 우측 국소신경병증(right focal neuropathies such as median or ulnar neuropathy around the elbow or wrist)
3. 우측 상완신경총병증(right brachial plexopathy)
4. 전각세포를 포함하는 병변(lesions involving the anterior horn cells)
5. 근병증(myopathy)

위의 병력은 천천히 진행하는 만성질병을 시사한다. 온도 변화를 고려했을 때, 경추 신경근병증은 감별 진단되어야 한다. 손톱을 자를 때, 손의 내전근력이 필요하다. 그러므로 상완신경총(brachial plexus)이나 말초신경들의 국소신경병증이 의심된다. 주된 증상이 위약이므로 경추 전각세포병변(cervical anterior horn cell lesion)이나 근병증(myopathy)은 반드시 감별진단 되어야 한다.

신체 검진

시진

첫 번째 수지간 위축은 없었다.

도수근력검사

	Wrist volar flexor	Thumb abductor	Little finger abductor	Index finger extensor	Middle finger extensor
Right	5	4	4	4	4
Left	5	5	5	5	5

감각

우측 상지 감각 저하는 없었다.

반사

이두건반사와 손목반사는 양쪽에서 대칭적이며 정상이었다.

촉진

프로만 징후(Froment's sign)와 에가와 징후(Egawa's sign)는 우측에서 양성이었다. 우측 척골신경구(cubital tunnel)에서의 티넬 징후(Tinel's sign)는 음성이었다.

● 이 시점에서 감별진단은?

수부 내재근의 위축을 고려할 때, 국소 척골신경병증이 의심된다. 감각 이상이 두드러지지 않으므로 전각세포병변이나 근병증이 가능성 있는 진단으로 생각된다.

이 시점에서, 가장 가능성이 있는 진단명들은 1) 팔꿈치나 손목의 척골신경병증, 2) 경추 8번이나 흉추 1번의 신경근병증, 3) 상완신경총 손상, 주로 아래줄기(brachial plexus injury, mainly lower trunk), 4) 경추 8번이나 흉추 1번의 전각세포를 포함하는 병변, 그리고 혹은 5) 근병증이다.

● 전기진단검사 결과

MOTOR NERVE CONDUCTION STUDIES				
NERVE - RECORDING SITE	LAT (ms)	AMP (mV)	Distance (cm)	NCV (m/s)
R MEDIAN - Abductor Pollicis Brevis				
Wrist	3.85	7.8		
Elbow	7.60	7.6	20.5	54.7
L MEDIAN - Abductor Pollicis Brevis				
Wrist	3.55	12.6		
Elbow	7.15	11.6	19.0	52.8
R ULNAR - Abductor Digiti Minimi				
Wrist	3.35	7.1		
Below Elbow	6.35	6.7	16.4	54.7
Above Elbow	8.05	6.7	9.0	52.9
Axilla	10.20	6.1	12.5	58.1
L ULNAR - Abductor Digiti Minimi				
Wrist	3.20	7.4		
R ULNAR - First Dorsal Interosseous				
Wrist	3.70	6.5		
Below Elbow	6.75	6.6	16.4	53.8
Above Elbow	8.50	6.2	9.0	51.4
L ULNAR - First Dorsal Interosseous				
Wrist	3.45	12.1		
R RADIAL - Extensor Indicis Proprius				
Forearm	2.75	4.7		
Elbow	5.55	4.2	16.0	57.1
L RADIAL - Extensor Indicis Proprius				
Forearm	2.20	4.8		
Elbow	4.60	5.1		

SENSORY NERVE CONDUCTION STUDIES			
NERVE-RECORDING SITE	Onset LAT (ms)	Base-peak AMP (µV)	Peak-peak AMP (µV)
R MEDIAN - Digit II	2.65	33.4	46.1
	2.65	31.7	49.1
L MEDIAN - Digit II	2.70	36.5	50.2
	2.55	33.2	55.3
R ULNAR - Dorsal	1.75	9.0	14.5
	1.85	7.8	15.8
L ULNAR - Dorsal	1.45	13.0	25.6
	1.55	15.3	24.9
R RADIAL - Snuff Box	1.75	30.0	30.9
L RADIAL - Snuff Box	1.60	28.8	32.7

F - WAVE	
NERVE - RECORDING SITE	MIN F LAT (ms)
R MEDIAN - Abductor Pollicis Brevis	26.25
R ULNAR - Abductor Digiti Minimi	27.80

NEEDLE ELECTROMYOGRAPHY IA Spontaneous MUAP									
MUSCLE	IA	Spontaneous				MUAP			Interference Pattern
		FIB	PSW	CRD/	FASC	AMP	DUR	PPP	
R First Dorsal Interosseous	Nl	N	N	N	N	**Giant**	Nl	Nl	**Reduced**
R Abductor Pollicis Brevis	**Inc**	N	N	N	N	**N/Inc**	Nl	Nl	**Reduced**
R Extensor Indicis Proprius	Nl	N	N	N	N	**Giant**	Nl	Nl	**Reduced**
R Flexor Carpi Radialis	Nl	N	N	N	N	Nl	Nl	Nl	Complete
R Extensor Digitorum Communis	Nl	N	**1+**	N	N	**Giant**	Nl	Nl	**Reduced**
R Brachioradialis	Nl	N	N	N	N	Nl	Nl	Nl	Complete
R Biceps Brachii	Nl	N	N	N	N	Nl	Nl	Nl	Complete
R Deltoid	Nl	N	N	N	N	Nl	Nl	Nl	Complete
R C8 Paraspinals	Nl	N	N	N	N				
L C8 Paraspinals	Nl	N	N	N	N				
L First Dorsal Interosseous	Nl	N	N	N	N	Nl	Nl	**N/Inc**	Complete
L Extensor Indicis Proprius	Nl	N	N	N	N	Nl	Nl	Nl	Complete
L Tibialis Anterior	Nl	N	N	N	N	Nl	Nl	Nl	Complete

● 전기진단검사 결과 요약

우측 정중신경과 척골신경에서 운동신경전도검사의 진폭이 감소되었다. 소지외전근(abductor digiti minimi)과 첫째 등쪽골간근(first dorsal interosseus)에서 측정한 척골신경의 운동신경 전도 속도는 정상이었다. 감각신경전도검사는 정상이었다.

침근전도검사에서, 비정상자발전위(abnormal spontaneous activity)가 지신근(extensor digitorum communis)과 단무지외전근(abductor pollicis brevis)에서 관찰되었다. 거대 운동단위전위(giant motor unit potential)는 경추 8번-흉추 1번의 신경지배를 받는 근육에서 관찰되었다.

이러한 전기진단학적 검사 소견은 우측 경추 8번-흉추 1번 등쪽 신경근(ventral root), 전각세포에 발생하는 척수병에 의한 근위축증(spondylotic amyotrophy)나 신경근병증과 같은 질환을 시사한다.

● 추가적으로 필요한 검사는?

혈액검사

비록 급성질환의 가능성은 낮았지만, 감염질환을 배제하기 위해 혈액검사가 시행되었다. 항연쇄구균 용혈소 O 항체검정(Antistreptolysin O), 류마티스인자(Rheumatoid factor)는 음성이었고, 적혈구침강속도(Erythrocyte sedimentation rate), C반응단백질(C-reactive protein)과 혈당수치는 정상이었다.

● 영상검사

경추 단순방사선검사와 자기공명검사는 다음과 같은 소견을 보여준다(그림 15-1, 15-2).

1) 경추 5-6번 추간판탈출과 경추 6번의 국소적 척수 신호이상을 보이는 척수 압박소견, 압박성 척수병증(compressive myelopathy)을 시사함
2) 경추 6-7번 추간판 돌출과 척수 만입(spinal cord indentation)
3) 양측 신경공협착(neural foramen stenosis)

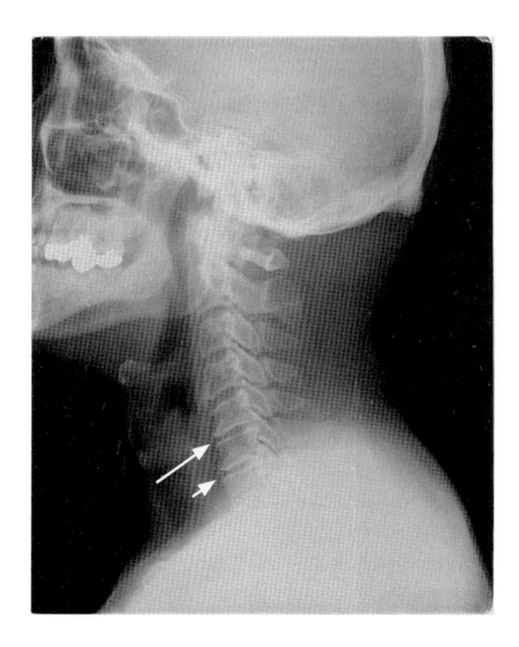

그림 15-1

경추 단순방사선 측면영상. 좁아진 추간판공간이 경추5/6(화살표)와 경추6/7(화살촉)이 보인다.

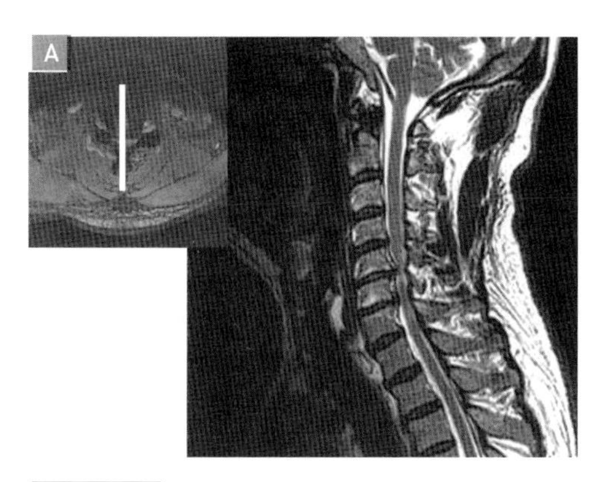
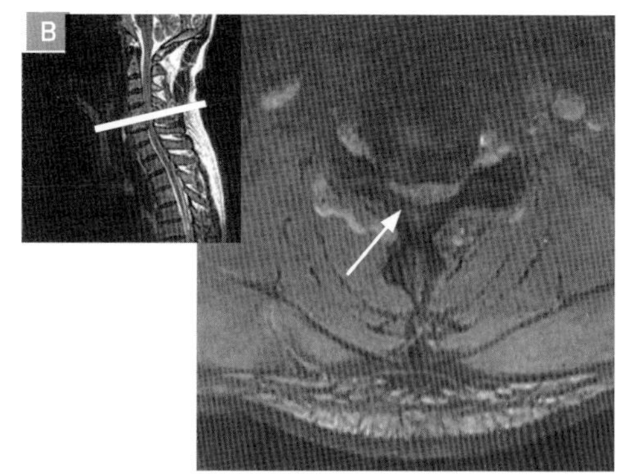

그림 15-2
경추 자기공명영상. 우측 정중옆 시상면 영상(A)과 척추5/6 축상면(B)는 추간판탈출과 척수 압박이 관찰된다(화살표).

전기진단검사 결론

임상소견, 전기진단학적 검사 및 영상검사 결과를 고려할 때, 일차적으로 경추 8번-흉추 1번 분절의 운동신경세포(motor neuron) 손상이 강하게 의심된다. 전반적인 양상이 경추증성근위축증(cervical spondylotic amyotrophy)의 진단에 해당한다.

임상 경과

환자는 척추 외과로 의뢰되었다. 자기공명영상에서 관찰된 추간판 탈출과 척추 압박소견에 대해 척추 외과의는 수술을 권유하였다.

고찰

경추척수근위축증(cervical spinal amyotrophy, CSA)는 경추부 척수증에 동반된 상지의 운동능력 소실을 특징으로 한다.[1] 경추부 척수증 또는 추간판 탈출증은 전각세포나 배쪽신경근(ventral nerve root)에 선택적으로 압력을 가한다. 경추척수근위축증은 중증의 근위축 및 상지 위약을 보인다. 그러나 상지의 심각한 감각손상이나 척수병증은 흔히 동반하지 않는다. 경추척수근위축증은 고령의 남성에서 흔하며, 보통 일측성 증상으로 나타난다.

경추척수근위축증은 2가지 유형이 있다.[2] 근위부 유형의 경추척수근위축증은 경추 5번과 경추 6번 분절을 침범하며, 견갑골, 삼각근 및 상완이두근의 근위축을 보인다. 원위부 유형은 경추 7번, 경추8번, 흉추 1번 분절을 침범하며, 척측수근굴근(flexor carpi ulnaris), 단무지외전근(abductor pollicis brevis) 및 골간근의 위약이 나타난다.

경추척수근위축증에서는 척추후궁성형술(laminoplasty), 추간공절개술(foramonotomy), 또는 전방감압(anterior decompression) 등의 수술적 방법이 추천된다.[3-5] Fujiwara 등이 경추척수근위축증에서 척추후궁성형술과 추간공절개술의 수술 결과를 보고한 바에 따르면, 근위부 유형의 환자 93%가 수술 후 호전된 반면에, 원위부 유형에서는 단지 38%의 환자에서만 호전되었다고 한다. 전각세포와 배측신경근이 동시에 압박된 경우 수술 후 보다 나쁜 예후를 보였다.

참고문헌

1. Lehman LB. Cervical spondylotic myelopathy. A diagnostic challenge in aging patients. Postgrad Med 1990;88:240-3.
2. Srinivasa Rao NV, Rajshekhar V. Distal-type cervical spondylotic amyotrophy: incidence and outcome after central corpectomy. J Neurosurg Spine 2009;10:374-9.
3. Fujiwara Y, Tanaka N, Fujimoto Y, Nakanishi K, Kamei N, Ochi M. Surgical outcome of posterior decompression for cervical spondylosis with unilateral upper extremity amyotrophy. Spine (Phila Pa 1976) 2006;31:E728-32.
4. Liu XY, Li CD, Yi XD, Li H, Yu ZR. [Surgical treatment of cervical spondylotic amyotrophy]. Zhonghua Yi Xue Za Zhi 2007;87:3339-42.
5. Mori K, Yamamoto T, Nakao Y, Maeda M. Cervical spondylotic amyotrophy treated by anterior decompression. Three case reports. Neurol Med Chir (Tokyo) 2006;46:366-70.

증례 16

우측 손에 저린감을 호소하는 남자

병력

53세 남자가 오른쪽 손의 저린감과 경추부 통증을 주소로 재활의학과 외래에 내원하였다. 저린감은 2년 10개월 전에 시작하였고 수면을 방해할 정도였다. 감각 이상은 우측 새끼손가락과 소지구(hypothenar), 내측 아래팔에 국한되어 있었고 경구 약물로 조절되지 않았다. 장갑을 끼면 이상감각이 완화되어서 환자는 여름에도 장갑을 낄 정도로 증상이 심했다. 고개를 숙일 때 심해지는 경추부 통증은 2개월 전에 시작하였다.

이 시점에서 감별진단은?

1. 경추 8번–흉추 1번 신경근병증(C8–T1 radiculopathy)
2. 척골신경병증(ulnar neuropathy at different levels through its course)
3. 흉곽출구증후군(thoracic outlet syndrome)을 포함해서 상완신경총(brachial plexus)의 아래 줄기(lower trunk)나 내측 다발(medial cord)의 손상

척골신경/내측 다발/아래 줄기/경추 8번–흉추 1번 신경근 영역에 이상감각이 있기 때문에 상기 해부학적 구조물을 침범하는 모든 병변이 고려되어야 한다. 빈도 순으로 본다면 척골신경병증이 가장 가능성이 높다. 하지만 동반된 경추부 통증은 경추 8번–흉추 1번 부위의 신경근병증에 무게를 더한다. 하지만 경추부 통증이 저린감보다 한참 후에 발생했다는 점에 주목할 필요가 있겠다.

신체 검진

시진

근육의 위축은 관찰되지 않았다.

감각

저린 증상이 있는 부위에서 촉각이 감소되어 있었다.

도수근력검사

도수근력검사상, 사지의 근력은 정상이었다.

반사

심부건반사(deep tendon reflexes)는 양측에서 정상이었다.

특수 검사

스펄링 검사(Spurlig's test)는 음성이었다. 우측위팔의 내측, 내상과에 인접한 근위부에서 티넬 징후(Tinnel sign)가 나타났다.

이 시점에서 감별진단은?

스펄링 검사 음성과 위팔 내측에서 티넬 징후가 양성인 소견은 척골신경병증을 시사한다. 감각 저하가 새끼손가락과 소지구뿐만 아니라 아래팔 내측에도 있었기 때문에 병변의 위치는 손목보다는 팔꿈치 부위가 더 가능성이 높다. 하지만 신경근병증과 흉곽출구증후군은 아직 감별진단에 포함되어야 한다.

전기진단검사 결과

SENSORY NERVE CONDUCTION STUDIES			
NERVE - RECORDING SITE	Onset LAT (ms)	Base-peak AMP (μV)	Peak-peak AMP (μV)
R MEDIAN - Digit II			
Wrist	2.25	26.4	33.2
Elbow	5.75	12.2	17.3
R ULNAR - Digit V			
Wrist	2.15	**4.9**	**4.1**
Below Elbow	6.00	**4.4**	**4.3**
L ULNAR - Digit V			
Wrist	2.1	26.6	40.8
Below Elbow	5.8	11.7	19.1
R ULNAR - Dorsal cutaneous			
Wrist		No response	
L ULNAR - Dorsal cutaneous			
Wrist	1.1	30.2	29.5
R MEDIAL - ANTEBRACHIAL CUTANEOUS			
Medial Forearm	1.74	6.8	8.0
L MEDIAL - ANTEBRACHIAL CUTANEOUS			
Medial Forearm	1.62	5.4	5.5

MOTOR NERVE CONDUCTION STUDIES				
NERVE - RECORDING SITE	LAT (ms)	AMP (mV)	Distance (cm)	NCV (m/s)
R MEDIAN - Abductor Pollicis Brevis				
Wrist	2.65	15.2		
Elbow	6.85	14.3	25	59.5
R ULNAR - Abductor Digiti Minimi (segmental)				
Wrist	2.15	10.2		
Below Elbow	5.65	7.5	21	60.0
Above Elbow	7.50	8.9	11	59.5
Axilla	10.65	9.7	18	57.1
R ULNAR - Abductor Digiti Minimi (Inching)				
Epicondyle	5.95	9.4	2	
2 cm Proximal to Epicondyle	6.30	9.3	2	57.1
4 cm Proximal to Epicondyle	6.65	8.9	2	57.1
6 cm Proximal to Epicondyle	7.15	8.8	2	**40.0**
8 cm Proximal to Epicondyle	7.55	8.8	2	50.0
L ULNAR - Abductor Digiti Minimi				
Wrist	2.10	11.9		
Below Elbow	5.85	10.8	24.0	64.0

NEEDLE ELECTROMYOGRAPHY								
MUSCLE	IA	Spontaneous			MUAP			Interference Pattern
		FIB	PSW	CRD/FASC	AMP	DUR	PPP	
R First Dorsal Interosseous	Nl	N	N	N	Nl	Nl	**N/Inc**	Complete
R Flexor Carpi Ulnaris	Nl	N	N	N	Nl	Nl	Nl	Complete

● 전기진단검사 결과 요약

새끼손가락에서 측정한 척골신경 감각신경활동전위(SNAP)는 진폭이 매우 감소되어 있었다. 그리고 등쪽 피부 척골신경(dorsal cutaneous ulnar)의 감각신경활동전위는 유발되지 않았다. 이러한 감각신경전도검사 소견은 이 환자의 주 호소 증상과 합치한다. 우측 소지외전근(abductor digiti minimi)의 복합근육활동전위(CMAP)는 정상범위 내에 있었고 양측의 차이도 병적인 수준이 아니었다. 침근전도(needle EMG) 역시 특별한 이상 소견을 보이지 않았다. 일반적인 척골신경 신경전도검사나 침근전도검사는 병소의 규명에 별 도움이 되지 못했다. 이 시점에서 감각신경활동전위가 감소하였거나 유발되지 않았기 때문에 신경절 이전(preganglionic)의 신경근병증은 가능성이 떨어진다. 흉곽출구증후군도 우측 내측 전완피신경(medial antebrachial cutaneous nerve)의 감각신경활동전위와 우측 단무지외전근(abductor pollicis brevis)의 복합근육활동전위가 정상이었기 때문에 가능성이 떨어진다. 척골신경에서 팔꿈치 부위에서 2 cm 간격으로 구간 전도검사를 시행하였고 내상과에서 위쪽으로 4 cm에서 6 cm 사이에서 전도속도가 의미있게 감소였다. 이로 인해 비교적 정확하게 병변을 국소화할 수 있었다.

추가적으로 필요한 검사는?

경추 자기공명영상

저린감이 발생하고 2개월 경과한 시점에 타 병원에서 시행한 경추부 자기공명영상에서는 환자의 증상을 설명할 만한 소견이 없었다(그림 16-1).

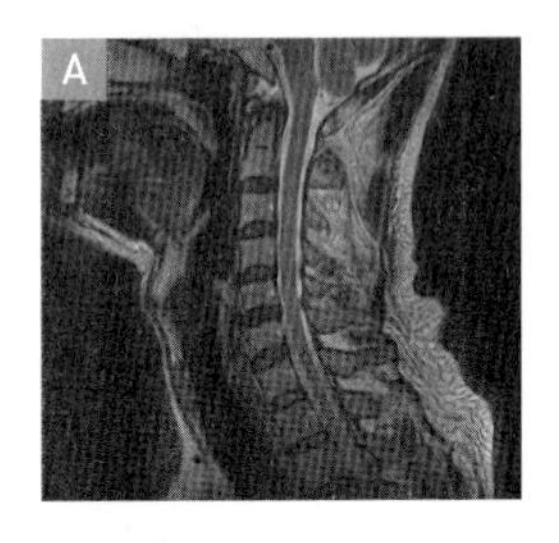

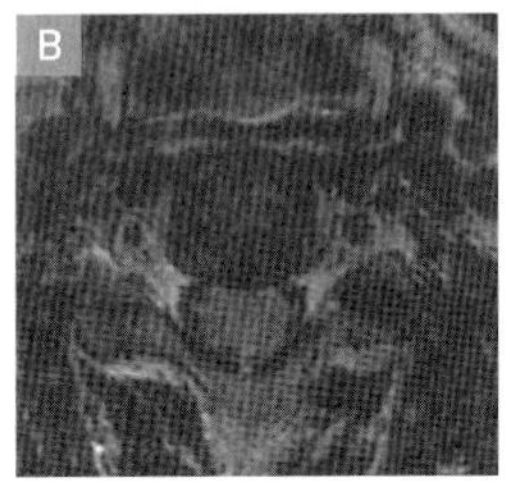

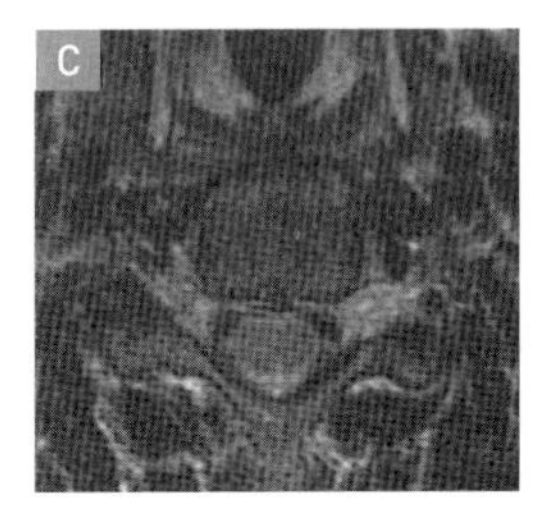

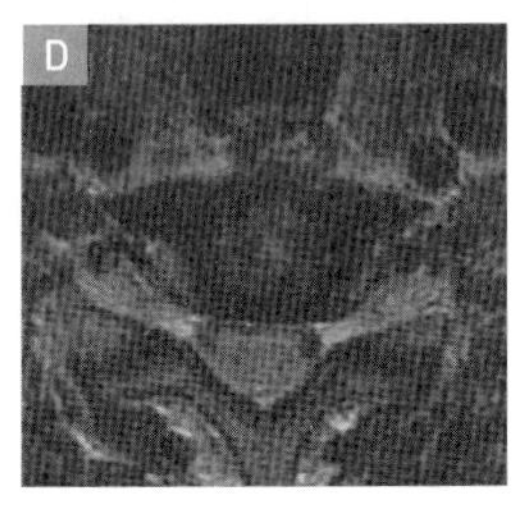

그림 16-1

경추의 자기공명영상. T2 강조 시상(sagittal) 영상 (A) T2 강조 축면(axial) 영상에서 경한 경추증은 있지만 경추 4-5번(B), 경추 5-6번(C), 경추 6-7번(D)에서 명백한 추간판 탈출, 척추관이나 신경공의 협착 소견이 없다.

전기진단검사 결론

상기 전기진단학적 검사 결과는 우측 내상과에서 근위부로 4 cm에서 6 cm 사이에서 척골신경병증을 시사한다. 임상적으로 스트러더아케이드(arcade of Struthers)에서의 포착신경병증(entrapment neuropathy)이 의심된다.

임상 경과

초음파 유도하 스테로이드 주사

전기생리학적인 진단 3일 후에 초음파 유도하에 트리암시놀론 10 mg 용액을 스트러더아케이드 안에 주사하였다(그림 16-2). 환자는 2주 후 외래에서 불편감이 70%가량 줄었고 더 이상 장갑을 낄 필요가 없다고 하였다. 한 달 후, 잔존하는 통증과 저린감을 완화하기 위해 같은 부위에 초음파 유도하 스테로이드 주사를 재차 시행하였고 증상은 거의 완전히 호전되었다.

고찰

척골 신경 분포 영역의 감각 이상은 다양한 부위(경추 8번-흉추 1번 신경근, 상완신경총, 위팔, 팔꿈치 주위, 손목에서 포착이나 압박에 의해 발생할 수 있다. 팔꿈치 주위의 척골신경병증은 상지의 국소신경병증 중에서 두 번째로 흔하다. 이 사례가 흥미로운 이유는 스트러더아케이드에서 포착이 일어나는 경우가 흔하지 않기 때문이다. 이 환자는 내상과에서 근위부 4 cm에서 6 cm 사이 구간에 신경전도 속도

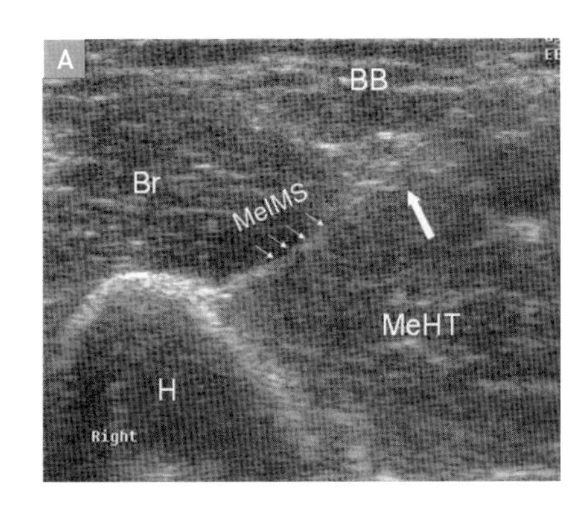

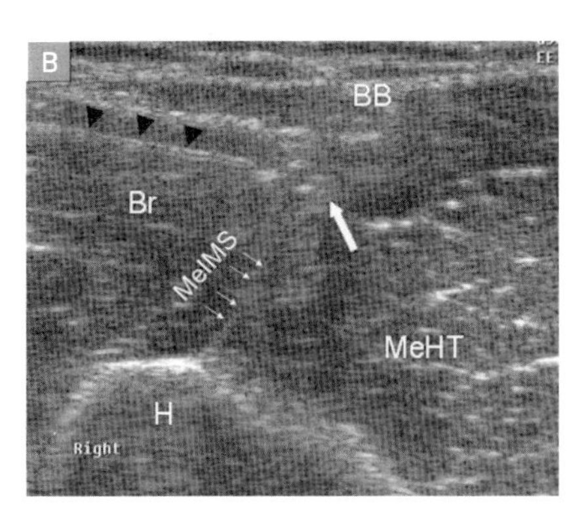

그림 16-2

바늘이 없는 상완 내측의 초음파 사진(A)과 바늘이 들어가 있는 사진(B). 바늘 끝은 티넬 징후가 있고 구간 전도 속도가 가장 느린 부위에서 척골 신경(굵은 흰 화살표)을 찌르지 않으면서 인접한 곳에 위치시키고 약물을 주사하였다. Br=상완요골근(brachioradialis); BB=상완이두근(Biceps brachii)의 원위부 힘줄; MeHT=삼두근(triceps)의 내측 갈래; H=상완골(humerus); MeIMS=내측 근간중격(medial intermuscular septum); 흰 화살표=척골 신경; 검은 화살촉=바늘.

가 지연되어 있었다. 그리고 이 구간을 타진하였을 때 원위부로 저린감이 발생하였고(티넬 징후) 초음파로 봤을 때 명확한 섬유 띠가 관찰되지는 않았지만 척골 신경이 근간중격과 인접해 있었다. 두 번의 초음파 유도하 신경 주위 스테로이드 주사로 증상이 극적으로 호전된 것으로 상기 부위가 병소임을 간접적으로 확인할 수 있었다.

1854년에 John Struthers는 내상과 근위부에 서로 구별되는 띠 같은 두 섬유조직에 대해 기술하였는데 이것이 내측 근간중격과 내상완인대(internal brachial ligament)이다.[1] 스트러더아케이드의 개념은 1973년 Kane 일동에 의해 제시되었다.[2] 그들은 20구의 시체 중 14구(70%)에서 삼두근 내측두의 표재 세포와 두꺼운 깊은 감싸는 근막 사이의 폭이 2 cm인 구조물을 확인했다. 앞쪽 경계는 두꺼워진 내측 근간중격이었고 바깥쪽 경계는 삼두근 내측두의 근섬유였다. 스트러더아케이드에서 척골 신경 포착이 발생했다는 임상 보고가 몇몇 있기는 하지만,[3,4] 그 발생률이나 실제로 스트러더아케이드가 주관절 주위에서 신경 압박을 일으키는 구조물인지에 대해서는 논란이 많이 있다. Bartels 일동은 10개의 상지를 해부한 결과 상기 구조물을 발견하지 못했다.[5] Wehrli 일동은 내상완인대를 찾기 위해 22구의 시체에서 30개의 상지를 해부하였으나 상완 근막이 국소적으로 비후된 소견을 관찰하지 못하였고 이는 스트러더아케이드는 존재하지 않음을 의미한다고 주장하였다.[1] 반면에 Siqueira 일동은 60개의 상지를 해부해본 결과, 아케이드가 기존 보고보다 큰 것을 발견했고(2.5~5.0 cm, 중앙값 3.75 cm) 아케이드의 원위부 끝과 내측 상완 상과와의 거리는 3~10 cm(중앙값 6.82 cm)로 보고하였다.[6] 상기 논란과 관련해서 이 사례의 근전도와 초음파 소견은 새끼손가락에 저린감, 무딘감이 있는 환자에서 팔꿈치 위쪽에서의 척골신경 포착을 감별해야 하는 당위성을 뒷받침한다. 통상적인 신경근전도 검사로 척골신경 손상의 위치를 알 수 없는 경우 일부는 팔꿈치보다 근위부에서 더 넓은 범위를 정밀하게 구간 검사를 한다면 병소 규명에 도움이 될 수 있을 것이다.

참고문헌

1. Wehrli L, Oberlin C. The internal brachial ligament versus the arcade of Struthers: an anatomical study. Plast Reconstr Surg 2005;115:471-7.
2. Kane E, Kaplan EB, Spinner M. [Observations of the course of the ulnar nerve in the arm]. Ann Chir 1973;27:487-96.
3. Ochiai N, Honmo J, Tsujino A, Nisiura Y. Electrodiagnosis in entrapment neuropathy by the arcade of Struthers. Clin Orthop Relat Res 2000;378:129-35.
4. Kim PT, Jeon IH, Min WK, Kim JS. High Ulnar Nerve Palsy by the Arcade of Struthers in the Elbow, Report of 2 Cases. J Korean Orthop Assoc 2005;40:372-5.
5. Bartels RH, Grotenhuis JA, Kauer JM. The arcade of Struthers: an anatomical study. Acta Neurochir (Wien) 2003;145:295-300;discussion 300.
6. Siqueira MG, Martins RS. The controversial arcade of Struthers. Surg Neurol 2005;64 Suppl 1:S1:17-20; discussion S1:20-1.

증례 17

오토바이 사고 후 팔의 위약을 호소하는 남성

병력

19세 남성이 오토바이 사고 후 8주간 지속된 우측 상지의 위약을 호소하였다. 그는 교통사고 당시 우측 어깨로 바닥에 떨어졌으며, 우측 쇄골 아래 피부찰과상을 입었다. 응급실에서 시행한 단순방사선검사와 자기공명영상검사상 좌측 6번 경추 다리(pedicle), 판(lamina)과 극돌기(spinal process) 및 경추 5-7번의 횡돌기(transverse process) 골절이 확인되었다.

환자는 지속되는 우측 상지의 위약 및 감각 이상 평가를 위해 의뢰되었으며, 의학적으로 다른 특이한 병력은 없었다.

이 시점에서 감별진단은?

1. 다발성단일신경병증(multiple individual neuropathies)
2. 우측 상완신경총병증(right brachial plexus injury)
3. 우측 경추 신경근병증(right cervical radiculopathy)
4. 경추 척수병증(cervical myelopathy) 또는 척수신경근병증(myeloradiculopathy)
5. 뇌손상(brain injury)

손상기전과 위약 및 감각 이상의 분포에 대한 자세한 정보가 없어, 손상 부위에 대한 대략적인 추정만 가능하였다. 위의 감별진단 목록들은 말초신경과 중추신경의 손상 중 가능한 모든 부위를 포함하고 있다. 감별진단을 위한 가장 중요한 단서는 영상검사에서 확인된 경추 골절이며, 이는 경추 신경병증이나 경추 척수병증을 의심하는 근거가 된다. 게다가 우측 쇄골 주변의 찰과상을 고려할 때, 우측 상완신경총병증도 가능성이 있다.

신체 검진

시진

삼각근(deltoid)의 근위축과 어깨관절의 아탈구가 관찰됨

감각

환자는 우측 경추 6번 피부분절을 따라 통증을 호소하였다. 신체 검진상 경추 4-6번 피부분절에서 감각 저하가 관찰되었다. 그는 가벼운 촉각(light touch)에서 반대측 경추 4, 5, 6번 피부분절에 대비해 50%, 0%, 30% 정도의 감각을 보였다.

도수근력검사

	Shoulder abductor	Elbow flexor	Elbow extensor	Wrist dorsiflexor	Wrist volar flexor	Finger flexor
Right	0	0	3	3	4	4
Left	5	5	5	5	5	5

반사

우측 이두건반사과 삼두건반사 그리고 위팔노근반사는 나타나지 않았다. 좌측 팔과 양다리에서는 비정상적인 심부건반사 병적반사는 관찰되지 않았다.

영상검사

오토바이 사고 당일 시행한 뇌 컴퓨터 단층촬영검사에서 뇌실질의 손상 및 두개골 골절은 관찰되지 않았다.

이 시점에서 감별진단은?

뇌 컴퓨터단층촬영 검사에서 이상 소견이 없다는 것을 고려할 때, 뇌손상이 환자의 운동, 감각 증상의 원인일 가능성은 낮다. 좌측 팔과 양측다리에서 심부건반사는 정상이었고, 병적반사는 관찰되지 않아 단독으로 발생한 경추 척수병증이나 신경병증이나 신경근병증과 동반된 경추 척수병증의 가능성은 매우 낮다.

그러므로 감별진단은 이와 같이 변경할 수 있다. 1) 다발성단일신경병증(multiple individual neuropathies), 2) 우측 상완신경총병증(right brachial plexus injury), 3) 우측 경추 신경근병증(right cervical radiculopathy)

신체 검진에서의 감각과 운동 이상은 다발성단일신경병증보다는 신경근병증이나 상완신경총병증과 일치하는 소견이다. 상완신경총의 위줄기(upper trunk)나 경추 5-6번 신경근(root)이 1차 손상 부위로 생각해 볼 수 있다. 그러므로, 다음으로 시행할 전기진단검사에서 핵심은 질환의 1차적 병태생리가 신경근병증[보통 신경절 이전(preganglionic)]인지 상완신경총병증[신경절 이후(postganglionic)]인지를 확인하는 것이며, 이를 위해 주의 깊게 감각신경전도검사를 시행해야 한다. 경추 주위 근육의 침근전도검사도 병변의 위치를 확인하는데 추가적인 정보를 줄 수 있다.

전기진단검사 결과

전기진단학적 검사는 사고 2개월 후에 시행되었다.

SENSORY NERVE CONDUCTION STUDIES			
NERVE - RECORDING SITE	Onset LAT (ms)	Base-peak AMP (μV)	Peak-peak AMP (μV)
L MEDIAN - Digit II	2.60	47.6	77.7
R MEDIAN - Digit II	2.60	**23.8**	**28.1**
L ULNAR - Digit V	2.75	22.5	44.0
R ULNAR - Digit V	2.35	21.9	42.8
L RADIAL - Thumb	1.20	49.5	45.7
R RADIAL - Thumb	1.20	**22.9**	**27.4**
L LATERAL ANTEBRACHIAL CUTANEOUS - Lateral Forearm	1.50	32.9	39.5
R LATERAL ANTEBRACHIAL CUTANEOUS - Lateral Forearm		No response	

MOTOR NERVE CONDUCTION STUDIES				
NERVE - RECORDING SITE	LAT (ms)	AMP (mV)	Distance (cm)	NCV (m/s)
L MEDIAN - Abductor Pollicis Brevis				
Wrist	3.15	13.8		
Elbow	7.10	13.7	23.0	58.2
R MEDIAN - Abductor Pollicis Brevis				
Wrist	3.35	10.0		
Elbow	7.55	9.0	23.0	54.8
L ULNAR - Abductor Digiti Minimi				
Wrist	2.45	15.5		
Elbow	7.25	14.7	26.0	54.2
R ULNAR - Abductor Digiti Minimi				
Wrist	2.50	10.1		
Elbow	7.20	9.0	26.0	55.3
L RADIAL - Extensor Indicis Proprius				
Forearm	1.95	4.9		
Elbow	4.20	4.6	15.0	66.7
R RADIAL - Extensor Indicis Proprius				
Forearm	2.40	2.6		
Elbow	5.10	2.4	15.0	55.6
L AXILLARY - Deltoid				
Erb's Point	2.70	7.3		
R AXILLARY - Deltoid				
Erb's Point	**8.25**	**0.7**		
L MUSCULOCUTANEOUS - Biceps Brachii				
Axilla	4.60	10.7		
R MUSCULOCUTANEOUS - Biceps Brachii				
Axilla		No response		

F - WAVE	
NERVE - RECORDING SITE	MIN F LAT (ms)
L MEDIAN - Abductor Pollicis Brevis	25.85
L ULNAR - Abductor Digiti Minimi	25.50
R MEDIAN - Abductor Pollicis Brevis	26.80
R ULNAR - Abductor Digiti Minimi	27.90

NEEDLE ELECTROMYOGRAPHY								
MUSCLE	IA	Spontaneous			MUAP			Interference Pattern
		FIB	PSW	CRD/ FASC	AMP	DUR	PPP	
R Abductor Pollicis Brevis	Nl	2+	2+	N	Nl	Nl	Nl	Complete
R First Dorsal Interosseous	Nl	N	N	N	Nl	Nl	Nl	Complete
R Flexor Carpi Ulnaris	Nl	3+	3+	N	Nl	Nl	Nl	Discrete
R Flexor Carpi Radialis	Nl	4+	4+	N	Nl	Nl	Nl	Discrete
R Extensor Carpi Radialis Longus	Nl	1+	3+	N	Inc	Inc	Inc	Reduced
R Abductor Pollicis Longus	Nl	1+	1+	N	Nl	Nl	Nl	Complete
R Triceps	Nl	2+	2+	N	Nl	Nl	Inc	Reduced
R Biceps Brachii	Nl	3+	3+	N	No activity			
R Deltoid	Nl	3+	3+	N	No activity			
R Supraspinatus	Nl	3+	3+	N	Nl	Inc	Inc	Discrete
R Serratus Anterior	Nl	3+	3+	N	No activity			
R C6 Paraspinals	Nl	2+	2+	N				
R C7 Paraspinals	Nl	N	N	N				

● 전기진단검사 결과 요약

이 검사에서 감각신경전도검사 결과가 가장 중요하다. 우외측 전완표피신경(lateral antebrachial cutanenoius nerve)의 감각신경활동전위(sensory nerve action potential)는 유발되지 않았다. 우측 정중신경과 요골신경의 감각신경활동전위의 진폭은 좌측 대비 50%가량 감소되었다. 감각신경전도검사에서 현저한 이상 소견은 신경근병증보다는 상완신경총병증의 진단을 시사한다.

운동신경전도검사에서 우측 근피신경(musculocutaneous nerve)의 복합근육활동전위(compound muscle action potential)는 유발되지 않았으며, 우측 액와신경(axillary nerve)의 복합근육활동전위의 진폭은 상당히 감소되었다. 우측 요골신경의 복합근육신경전위의 진폭 역시 감소되었다. 우측 정중신경과 척골신경의 복합근육신경전위의 진폭은 좌측대비 감소되었으나 정상범위였다.

침근전도검사에서 상당한 정도의 비정상자발전위가 경추 5-6번 신경근의 지배를 받는 상완이두근(biceps brachii), 삼각근(deltoid), 전거근(serratus anterior), 상부 경추 주위근(upper cervical paraspinal muscle)에서 관찰되었다. 뿐만 아니라 전거근, 상완이두근, 삼각근에서는 환자에게 힘을 주게 하였을 때, 운동단위활동전위(motor unit action potential)도 관찰되지 않았다. 이산간섭양상(discrete interference pattern)과 긴 지속시간의 다상성운동단위활동전위가 극상근(supraspinatus)에서 관찰되었다.

희박하거나 풍부한(scanty to abundant) 비정상자발전위가 경추 7번 혹은 중간 줄기(middle trunk)의 지배를 받는 삼두근(triceps), 장요측수근신근(extensor carpi radialis longus), 요측수근굴근(flexor carpi radialis)와 장무지외전근(abductor pollicis longus)근육 관찰되었다. 힘을 주게 하였을 때, 감소간섭양상(reduced interference pattern)과 다상성운동단위활동전위가 삼두근, 장요측수근신근에서 관찰되었으며, 이산간섭양상이 요측수근굴근(flexor carpi radialis)에서 관찰되었다.

비정상자발전위는 경추 8번-흉추 1번 또는 하부 줄기(lower trunk)의 지배를 받는 단무지외전근(abductor pollicis brevis), 척측수근굴근(flexor carpi ulnaris)에서도 관찰되었다. 그러나 첫째 등쪽골간근(first dorsal interosseus)에서는 비정상자발전위가 관찰되지 않았다. 힘을 주었을 때, 척측수근굴근(flexor carpi ulnaris)을 제외한 경추 8번-흉추 1번의 지배를 받는 근육에서는 완전간섭양상(complete interference pattern)이 관찰되었다.

1. 위, 중간, 아래 줄기 순으로 심각한 축삭의 손상을 가진 축삭절단 상태의 전완유형의 상완신경총병증[Brachial plexus injury, whole arm type, with axonotmesis state (severity of axonal damage upper>middle>lower trunks)]과
2. 동반하여 경추 5-7번 경추 신경근병증 역시 가능성이 있다.

추가적으로 필요한 검사는?

경추 자기공명영상(MRI)검사와 컴퓨터단층촬영 척수조영술(CT myelography)

상완신경총 및 경추 신경근의 구조적이니 짜임새를 평가하기 위해 컴퓨터단층촬영 척수조영술과 경추 자기공명영상을 시행하였다.

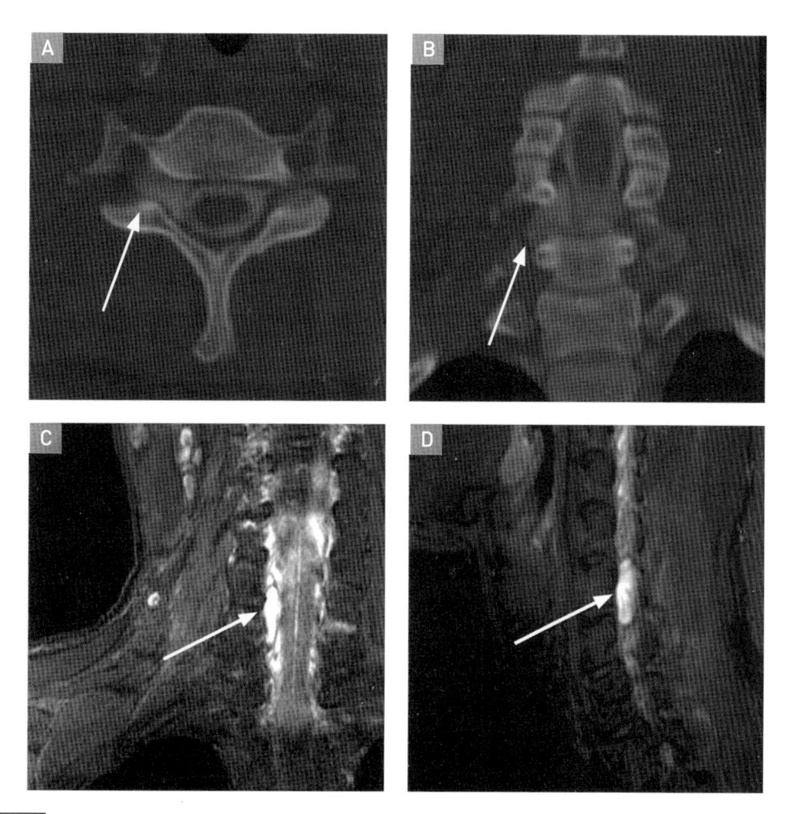

그림 17-1

경추 3차원 컴퓨터단층촬영 척수조영술과 자기공명영상. 이 컴퓨터단층촬영 영상(경추 6-7번간 축상면 A, 관상면 B)에서 경추 6번 위치에서 가수막류(pseudomeningocele, 화살표)가 우측 신경공(foraminal)과 신경공외(extraforaminal)에서 보인다. 자기공명영상은 T2지연영상의 관상면(C)와 시상면(D) 영상에서 가수막류 형성이(C와 D, 화살표) 관찰된다.

전기진단검사 결론

전기진단학적 검사는 상완신경총병증과 신경근병증이 혼합된 결과를 보여준다. 외측 전완표피신경의 감각신경활동전위의 소실 및 다른 감각신경에서 감각신경활동전위의 진폭이 상당히 감소된 소견은 신경절 이후 손상을 강력하게 시사한다. 반면에, 전거근(serratus anterior)과 경추 주위근(cervical paraspinal muscle)의 비정상자발전위는 신경근 손상이 있다는 것을 뒷받침하는 소견이다.

흥미롭게도, 전기진단학적 검사와 거의 일치하게 나온 컴퓨터단층촬영 척수조영술과 경추 자기공명영상에서 관찰된 경추 6-7번간 위치의 가수막은 근전도검사에서 경추 6번이나 경추 7번의 신경근 박리를 시사한다.

임상 경과

경과관찰기간 동안 근력 회복은 없었다. 그래서 환자는 요골신경을 삼각근으로, 척추부신경(spinal accessory nerve)을 극상근으로, 그리고 척골신경을 근피신경신경으로 신경이식술(neurotization surgery)을 시행 받았다. 수술 소견에서 경추 5번 신경근의 완전 박리와 경추 6번 신경근의 반흔형성이 관찰되었다. 뒤이은 경과관찰에서 근력은 팔꿈치 굽힘근은 4단계, 어깨 외전근은 3단계 정도로 호전되었다. 추가적인 어깨근육 전이술도 고려되었다.

고찰

근전도검사는 외상성 상완신경총병증에서 손상의 위치와 정도를 파악하는데 도움을 줄 수 있다.[1,2] 자기공명영상검사도 신경 손상의 위치를 확인하기 위해 고려할 수 있지만, 상완신경총 자기공명영상이 작은 병변의 경우 이상 여부를 확인 할 만큼 민감하지 못할 수 있어, 영상결과와 전기진단학적 검사 결과가 상이하게 나올 수 있다.[3]

다행히도 이번 증례의 경우 경추 6-7번의 가수막(syrinx)이 발견되어 영상소견이 근전도 소견과 일치하였다. 게다가 수술 중 확인된 경추 5번 신경근 박리와 경추 6번 뿌리의 반흔도 근전도 소견과 일치하였다. 그러므로 이 증례는 근전도검사와 자기공명영상검사가 상완신경총병증을 진단하는데 상호보완적인 역할을 하는 것을 보여준다.[3]

참고문헌

1. Chuang T, Chiou-Tan F, Vennix M. Brachial plexopathy in gunshot wounds and motor vehicle accidents: comparison of electrophysiologic findings. Arch Phys Med Rehabil 1998;79:201-4.
2. Vargas M, Beaulieu J, Magistris M, Della Santa D, Delavelle J. Clinical findings, electroneuromyography and MRI in trauma of the brachial plexus. J Neuroradiol 2007;34:236-42.
3. Tsai P, Chuang T, Cheng H, Wu H, Chang Y, Wang C. Concordance and discrepancy between electrodiagnosis and magnetic resonance imaging in cervical root avulsion injuries. J Neurotrauma 2006;23:1274-81.

증례
18

좌측 4수지와 5수지에 저린 증상을 호소하는 남성

병력

48세 남성이 일을 하다가 좌측 상완에 외상을 당해서 9개월 동안 지속된 좌측 4, 5수지의 저린감을 주소로 내원하였다. 외상 후에 좌측 위팔에 부종이 발생하였으며, 좌측 팔꿈치 관절의 움직임에도 제한이 발생하였다. 환자는 지난 5년간 좌측 어깨, 상완, 양측 다리에도 통증을 호소하였다. 저린 증상은 좌측 겨드랑이에서 상완 및 전완의 내측을 거쳐 4, 5번째 손가락까지 퍼지는 양상이었다. 증상은 서서히 진행되었으며, 당뇨의 병력은 없었다.

이 시점에서 감별진단은?

1. 좌측 팔의 척골신경병증(left ulnar neuropathy at the arm)
2. 좌측 경추 8번–흉추 1번의 신경근병증(left C8–T1 radiculopathy)
3. 상완신경총병증, 아래 줄기 또는 내측 다발(brachial plexus injury, lower trunk or medial cord)
4. 다발성말초신경병증(peripheral polyneuropathy)

병력을 고려할 때 상대적으로 감각신경에 영향을 주는 국소적으로 천천히 진행하는 질병을 시사한다. 외상력과 저린 부위, 팔꿈치 관절의 변형과 관절가동범위 제한은 팔꿈치나 위팔 주변의 국소적인 척골신경병증의 좀 더 시사한다. 어깨 통증을 호소하고 있어 경추 신경근병증이나 상완신경총병증 역시 고려할 수 있다. 환자의 연령이나 다리 통증은 농약에 기인한 전신성 다발성신경병증의 가능성도 있다.

신체 검진

시진

좌측 손의 골간근에서 근위축이 관찰되었다. 위팔과 아래팔에서 명확한 근위축은 없었다.

도수근력검사

	Shoulder abductor	Elbow flexor	Elbow extensor	Wrist dorsiflexor	Wrist volar flexor	3rd finger flexor	5th finger abductor	Lower extremity
Right	5	5	5	5	5	5	5	5
Left	5	5	5	5	4	5	4	5

감각

그는 좌측 위팔과 아래팔의 내측과 4, 5번째 손가락, 종아리, 발등에 감각 저하를 호소하였다.

특수 검사

스펄링 검사는 양측 상지에 감각 이상을 발생시키지 않아 음성이었다.

반사

근신전반사는 양측 이두근, 좌측 위팔노근, 좌측 삼두근 에서 1+였으며, 무릎과 발목에서 2+였다.

이 시점에서 감별진단은?

병력과 신체검사는 저린 감각이 좌측 겨드랑이에서 위팔과 아래팔의 내측을 거쳐 4, 5번째 손가락까지 있으며, 좌측어깨, 위팔, 양측 다리의 통증과 좌측 팔꿈치의 변형 및 관절가동범위 제한이 있다는 사실을 포함한다.

감소된 이두건반사는 말초신경계의 손상을 시사한다. 근위축은 국소적인 척골신경병증, 경추8번이나 흉추1번의 신경근병증, 또는 상완신경총병증과 같은 말초신경계 이상의 징후이다. 스펄링(Spurling) 징후가 음성이라 경추 신경근병증의 가능성은 낮지만, 모든 신경근병증에서 스펄링 징후가 양성은 아니라서 완전히 배제할 수는 없다. 하지의 감각변화는 전신성 다발신경병증의 존재를 나타내는 것일 수 있다. 그러나 이러한 변화는 단지 좌측 하지에 국한되어 있어 전신성 다발신경병증의 가능성은 낮아 보인다.

이 시점에서 가장 가능성 있는 진단은: 1) 좌측 위팔과 팔꿈치의 척골신경병증, 2) 경추 8번이나 흉추 1번의 경추 신경근병증, 3) 상완신경총병증, 4) 다발신경병증이다.

전기진단검사 결과

SENSORY NERVE CONDUCTION STUDIES			
NERVE - RECORDING SITE	Onset LAT (ms)	Base-peak AMP (μV)	Peak-peak AMP (μV)
R MEDIAN - Digit II	2.74	22.7	25.9
R ULNAR - Digit V	2.80	22.2	25.5
L MEDIAN - Digit II	2.84	22.8	38.5
L UINAR - Digit V	**4.62**	**2.3**	**7.4**
R DORSAL ULNAR CUTANEOUS - Dorsum of Hand	1.90	10.1	21.6
L DORSAL ULNAR CUTANEOUS - Dorsum of Hand	2.10	10.5	21.3
R MEDIAL ANTEBRACHIAL - Medial Side of Forearm	2.30	10.2	12.4
L MEDIAL ANTEBRACHIAL - Medial Side of Forearm	2.22	9.8	11.8
R SUPERFICIAL PERONEAL - Foot	3.36	16.9	17.2
L SUPERFICIAL PERONEAL - Foot	3.62	19.5	19.7
R SURAL - Lateral Malleolus	3.02	15.4	19.0
L SURAL - Lateral Malleolus	3.62	10.6	16.6

MOTOR NERVE CONDUCTION STUDIES				
NERVE - RECORDING SITE	LAT (ms)	AMP (mV)	Distance (cm)	NCV (m/s)
L MEDIAN - Abductor Pollicis Brevis				
Wrist	3.48	**4.8**		
Elbow	7.06	**3.8**	19.0	53.1
L ULNAR - Abductor Digiti Minimi				
Wrist	3.15	**2.6**		
Below Elbow	6.20	**2.5**	18.4	60.3
Above Elbow		No response		
R ULNAR - Abductor Digiti Minimi				
Wrist	2.94	8.5		
Elbow	6.10	7.9	20.5	64.9
L COMMON PERONEAL - Extensor Digitorum Brevis				
Ankle	5.12	3.7		
Fibural head	11.32	3.6	29.0	47.2
R COMMON PERONEAL - Extensor Digitorum Brevis				
Ankle	5.16	**3.0**		
L TIBIAL - Abductor Hallucis				
Ankle	4.34	5.7		
Knee	12.06	4.4	33.5	44.0
R TIBIAL - Abductor Hallucis				
Ankle	4.28	6.7		

NEEDLE ELECTROMYOGRAPHY IA Spontaneous MUAP								
MUSCLE	IA	Spontaneous			MUAP			Interference Pattern
		FIB	PSW	CRD/ FASC	AMP	DUR	PPP	
L First Dorsal Interosseous	Nl	**3+**	**3+**	N	**Nl**	Nl	Nl	**Reduced**
L Abductor Pollicis Brevis	**Nl**	**3+**	**3+**	N	**Nl**	Nl	Nl	**Reduced**
L Extensor Indicis Proprius	Nl	N	N	N	Nl	Nl	Nl	Complete
L Flexor Carpi Ulnaris	Nl	N	N	N	Nl	Nl	Nl	Complete
L Flexor Digitorum Profundus IV	Nl	N	N	N	Nl	Nl	Nl	Complete
L Biceps Brachii	Nl	N	N	N	Nl	Nl	Nl	Complete
L Triceps	Nl	N	N	N	Nl	Nl	Nl	Complete
L Abductor Pollicis Brevis	Nl	**2+**	**2+**	N	**Inc**	Nl	**Inc**	**Reduced**
L C7 Paraspinals	Nl	N	N	N				
L C8 Paraspinals	Nl	N	N	N				
L T1 Paraspinals	Nl	N	N	N				
L Tibialis Anterior	Nl	N	N	N	Nl	Nl	Nl	Complete
L Extensor Digitorum Brevis	Nl	N	N	N	Nl	Nl	Nl	Complete
L Gastrocnemius (Medial)	Nl	N	N	N	Nl	Nl	Nl	Complete
L Abductor Hallucis	Nl	N	N	N	Nl	Nl	Nl	Complete
L Vastus Medialis	Nl	N	N	N	Nl	Nl	Nl	Complete
L Tensor Fascia Lata	Nl	N	N	N	Nl	Nl	Nl	Complete
L C8 Paraspinals	Nl	N	N	N				
L T1 Paraspinals	Nl	N	N	N				

전기진단검사 결과 요약

신경전도검사에서 좌측 척골신경의 진폭이 매우 감소되어 있었으며, 팔꿈치부근에서 전도장애(conduction block)가 관찰된다(팔꿈치 위에서 자극 시 전혀 반응 없음). 비록 좌측 척골신경의 감각신경전도검사의 진폭이 상당히 감소되어 있지만, 양측 등쪽 척골 표피신경(dorsal cutaneous nerve of ulnar)는 대칭적인 파형을 보였다. 내측 다발에서 분지한 내측전완표피신경(antebrachial cutaneous nerve)은 정상적인 반응을 보였으며, 양측 하지의 신경전도검사 결과는 정상범위 내였다.

침근전도검사에서 첫째 등쪽골간근(first dorsal interossei), 단무지외전근(abductor policis brevis), 소지외전근(abductor digiti minimi)에서 비정상자발전위가 관찰되었다. 이 세 근육에서는 동원양상도 감소되어 있었다. 경추 주위근(cervical paraspinal muscle)은 휴식기에 정상적인 자발전위를 보였다. 이외의 상하지의 근육에서 이상 소견은 관찰되지 않았다.

1. 신경전도검사에서 탈수초와 축삭 손상이 포함된 좌측 팔꿈치 부근의 척골신경병증이 보였다.
2. 위의 소견은 주로 좌측 경추 8번-흉추 1번의 경추 신경근병변의 가능성이 있다.

추가적으로 필요한 검사는?

경추 신경근병증의 가능성을 배제하기 위해 경추 단순방사선검사가 시행되었다(그림 18-1).

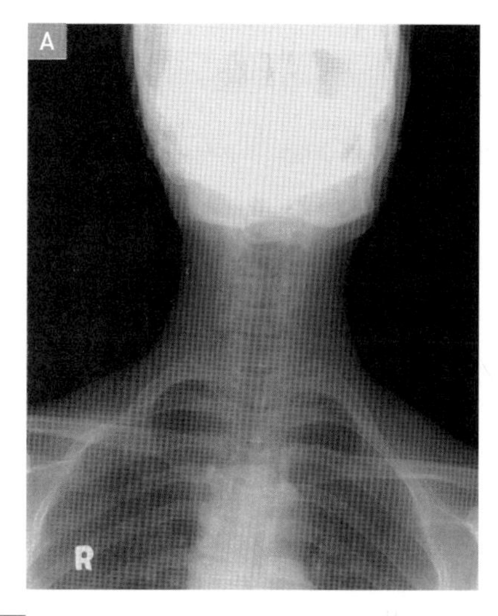

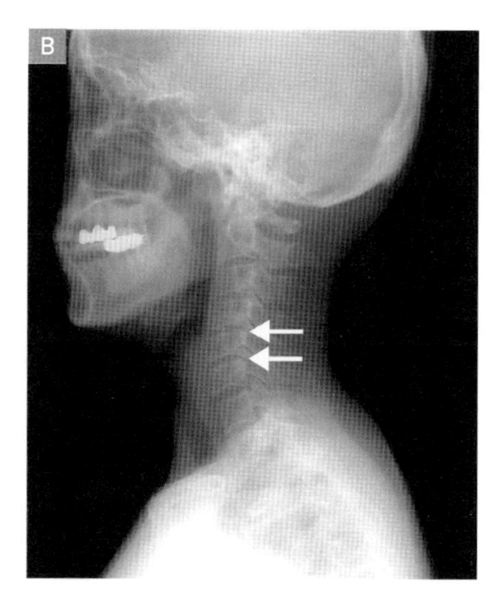

그림 18-1

경추의 전후영상(A)과 측면영상(b). 척추증 변화와 약간의 추간판 간격의 감소가 경추 4-5번과 경추 5-6번에서 관찰된다(화살표).

팔꿈치 단순방사선검사

구조적인 상태를 평가하기 위해 팔꿈치 단순방사선검사를 시행함(그림 18-2)

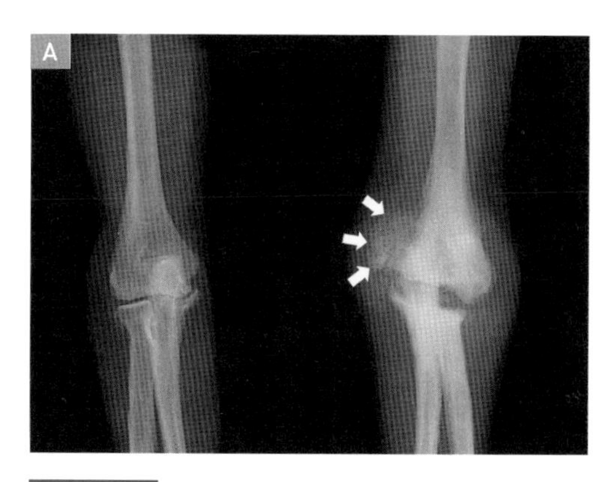

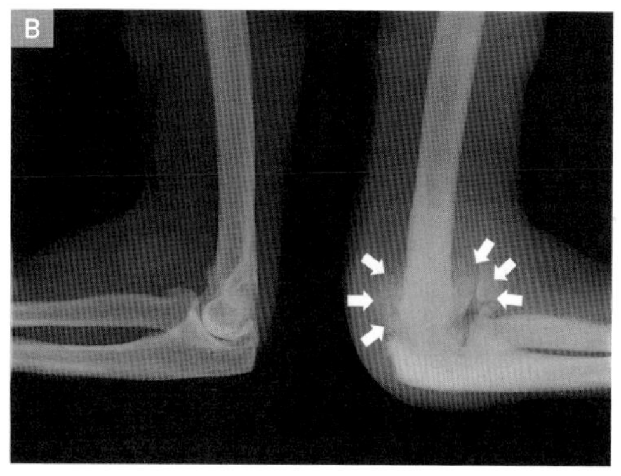

그림 18-2

팔꿈치의 전후영상(A)과 측면영상(B). 다수의 골극과 이소성 골화가 의심되는 변화(화살표)가 좌측 팔꿈치에 척골의 변형과 동반되어 관찰됨. 우측 대비 증가된 골밀도와 좌측 팔꿈치의 관절 부종. 경추와 팔꿈치의 자기공명영상은 시행하지 않음

전기진단검사 결론

위의 전기진단학적 소견은 좌측 경추 8번-흉추 1번 신경근병증과 팔꿈치 부위의 척골신경병증에 가장 부합한다.

임상경과 및 추적근전도 검사

11개월 뒤, 좌측 4, 5번째 손가락의 저린감이 악화되어 근전도 검사를 다시 시행하였다.

SENSORY NERVE CONDUCTION STUDIES			
NERVE-RECORDING SITE	Onset LAT (ms)	Base-peak AMP (μV)	Peak-peak AMP (μV)
L MEDIAN - Digit II	2.80	36.8	54.4
L ULNAR - Digit V	**5.70**	**5.1**	**8.5**

MOTOR NERVE CONDUCTION STUDIES				
NERVE-RECORDING SITE	LAT (ms)	AMP (mV)	Distance (cm)	NCV (m/s)
L MEDIAN - Abductor Pollicis Brevis				
Wrist	3.70	6.2		
Elbow	7.35	5.1	19.5	53.4
ULNAR - Abductor Digiti Minimi				
Wrist	3.80	**3.2**		
Below Elbow	7.00	**3.0**	14.8	46.3
Above Elbow	8.70	**2.8**	5.4	**31.8**
Axilla	10.55	**2.8**	7.8	42.2
Erb's Point	12.40	**2.8**	10.6	57.3
R MEDIAN - Abductor Pollicis Brevis				
Wrist	3.05	7.6		
Elbow	6.30	6.4		
R ULNAR - Abductor Digiti Minimi				
Wrist	4.05	5.3		
Elbow	7.40	**5.2**	18.6	55.5

NEEDLE ELECTROMYOGRAPHY IA Spontaneous MUAP								
MUSCLE	IA	Spontaneous			MUAP			Interference Pattern
		FIB	PSW	CRD/ FASC	AMP	DUR	PPP	
L Extensor Indicis	Nl	N	N	N	Nl	Nl	Nl	Complete
L Abductor Pollicis Brevis	Nl	N	N	N	Nl	Nl	Nl	Complete
L First Dorsal Interosseous	Nl	2+	3+	N	Nl	Nl	Nl/Inc	Reduced
L Flexor Carpi Radialis	Nl	N	N	N	Nl	Nl	Nl	Complete

추적검사에서 좌측 척골신경의 운동신경을 팔꿈치 위에서 자극 시 반응이 관찰되었다. 그러나 전도속도는 느렸으며, 진폭은 감소되어 있었다. 척골의 감각, 운동신경의 진폭은 이전검사와 비교 시 증가하였지만, 변화는 작았다. 눈에 띄는 변화는 좌측 단무지외전근에서 비정상자발전위가 없었다는 것이다. 그러나 약간의 양성예파(positive sharp wave)와 섬유자발전위(fibrillation potential)이 첫째 등쪽골간근(first dorsal interossei)에서 관찰되었다. 근전도 추적검사에서 팔꿈치 주변의 척골신경병증은 큰 변화가 없는 것으로 나타났다. 경추 신경근병증의 가능성은 낮았다.

○ 고찰

이 증례에서는 두 개의 눈에 띌만한 소견이 있다. 첫 번째는 전기생리학적 검사상 등쪽 척골 표피신경(dorsal cutanenous nerve of ulnar)이 정상이었다는 것이다. 게다가 자쪽손목굽힘근(flexor carpi ulnaris)의 운동단위활동전위도 정상이었다. 만약 분절검사(segmental study)를 시행하지 않았다면, 근전도 검사자는 척골신경의 손목에 병변이 있다고 결론을 내렸을 수도 있다. Venkatesh 등[1]은 팔꿈치 척골신경병증 환자에서 축삭 손상이 전기생리학적으로 나타났다 하더라도 척골신경의 등쪽표피신경(dorsal cutaneous nerve of ulnar)이 정상적인 감각전도검사 결과를 보일 수 있다고 보고하였다(그림 18-3).

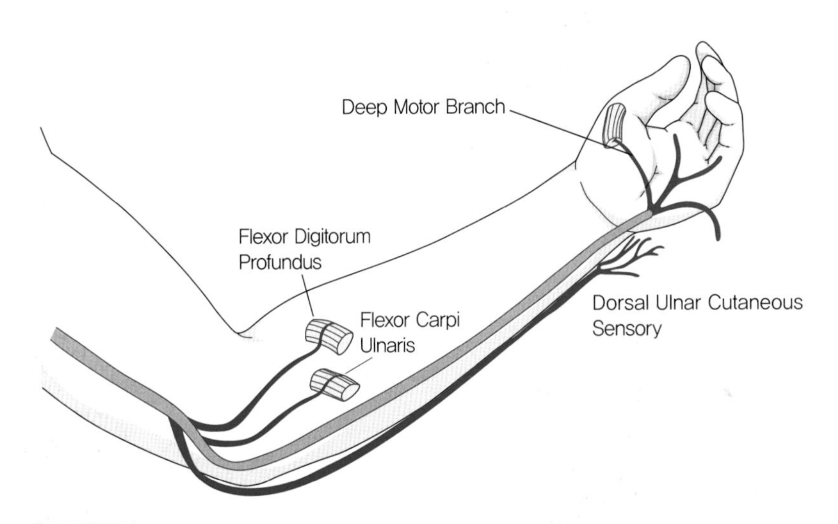

그림 18-3

척골신경으로부터 척골신경의 등쪽표피신경이 분지하는 지점의 변이. 척골신경의 등쪽표피신경이 주관절터널 상부에서 척골신경으로부터 분지한다.

그러므로, 척골신경의 등쪽표피신경의 감각신경에 대한 전기생리학적인 측정이 추천되었지만, 검사 결과가 비정상으로 측정된 증례에서는 병변이 보다 근위부에 위치했다.

두 번째는 "중복충돌증후군(double crush syndrome)"이다. Upton과 McComas[2]가 척골신경병증과 경추 신경근병증이 동시에 발생한 첫 번째 증례를 보고하였다. 그들은 같은 신경을 통한 두 곳 이상에서 축색원형질의 흐름이 차단되는 것을 중복증후군이라고 제안하였다. 몇몇의 중복충돌증후군이 있는 증례들이 보고되었다.[3,4] 이 증례에서 추적 시행한 검사에서 경추 8번-흉추 1번의 신경근병증의 가능성은 낮으나 여전히 있었다.

참고문헌

1. Venkatesh S, Kothari MJ, Preston DC. The limitations of the dorsal ulnar cutaneous sensory response in patients with ulnar neuropathy at the elbow. Muscle Nerve 1995;18:345-7.
2. Upton AR, McComas AJ. The double crush in nerve entrapment syndromes. Lancet 1973;2:359-62.
3. Monacelli G, Spagnoli AM, Pardi M, Valesini L, Rizzo MI, Irace S. Double compression of the ulnar nerve at the elbow and at the wrist (double-crush syndrome). Case report and review of the literature. G Chir 2006;27:101-4.
4. Zahir KS, Zahir FS, Thomas JG, Dudrick SJ. The double-crush phenomenon--an unusual presentation and literature review. Conn Med 1999;63:535-8.

증례 19

양측 하지의 감각소실과 위약을 주소로 내원한 여자 환자

병력

84세 여자 환자가 의식 변화를 주소로 3차병원 응급실을 내원하였다. 환자는 자살 시도 목적으로 benzodiazepine 제제를 수시간 전에 복용한 후, 앉은 자세 그대로 발견되었다. 환자는 고혈압과 협심증으로 투약 중이었다. 환자는 당뇨병을 포함한 다른 의학적인 문제에 대해서는 부인하였다. 외상의 증거는 관찰되지 않았고 뇌 컴퓨터 단층촬영과 자기공명영상에서 이상 소견은 발견되지 않았다. 혈청 크레아티닌키나아제 수치는 5985 IU/L였다(정상수치, 30~350 IU/L). benzodiazepine 중독과 횡문근융해(rhabdomyolysis)가 의심되어 환자는 내과 중환자실에 입원하였다. 단독수액요법과 소변의 알칼리화 병행요법을 시행한 후로 크레아티닌키나아제 수치는 급격히 내려갔다. 입원 이틀 후에 우측 대퇴부, 슬관절, 그리고 다리의 위쪽 부위에서 부종과 긴장이 관찰되었다. 저린 증상은 양쪽 하지에서 모두 관찰되었고, 우측이 더 심하였다. D-dimer는 15.89로 증가하여(정상수치, <0.4 μg/mL), 심부정맥혈전증이 의심되었다. 하지 컴퓨터단층 조영술에서 우측 비복 정맥혈관의 심부정맥혈전증과 폐혈전색전증이 관찰되어, 이에 대해 저분자량 헤파린을 이용한 항응고치료를 시작하였다. 그 당시에 환자는 흡인성 폐렴도 진단받았다. 입원 8일 후에 우측 대퇴부의 부종은 호전되었으나, 양측 족하수와 하퇴의 감각소실이 발견되었다. 의학적인 상태가 안정되기까지 환자는 거의 한 달 간 침대에서 누워있었다.

이 시점에서 감별진단은?

1. 다발성말초신경병증, 국소성 또는 전신성(peripheral polyneuropathy, generalized or focal)
2. 양측성 요천추 다발성신경근병증(bilateral lumbosacral polyradiculopathy)
3. 후천성 근병증(acquired myopathy)

하퇴의 위약과 감각 소실은 말초신경병증과 관련된 소견이다. 전신성, 독성물질 또는 치명적 질병에 관련된 다발성신경병증을 감별진단으로 고려할 수 있다. 양측 대퇴부의 부종에 따른 위약과 감각소실 증상은 좌골신경병증의 가능성을 시사한다. 하지만, 양측 좌골신경을 동시에 침범하는 경우는 드물기 때문에 다른 진단의 가능성을 고려해야 한다. 비록 임상 양상이 척수신경근통(radicular pain)에서 관찰되는 증상과 일치하지 않지만, 환자의 연령대에서 높은 유병률을 보이는 퇴행성 척추질환을 고려할때 요천추 다발성신경근병증의 가능성이 있다. 또한 후천성 근병증 역시 감별진단에 포함될 수 있다. 하지만 크레아티닌 키나아제의 상승(>5000 IU/L)은 횡문근융해증의 전형적인 특징이며, 감각소실 증상은 근육질환에서는 관찰되지 않는다.

신체 검진

감각

양측 요추 5번과 천추 1번의 피부분절에서 감각 이상과 감각소실 소견이 관찰되었다.

반사

근신전반사는 양측 이두근, 삼두근, 무릎, 발목에서 1로 측정되었다.

보행

검사 당시에 환자는 스스로 걷지 못하였다.

도수근력검사

	Hip flexor	Knee extensor	Ankle dorsiflexor	Big toe extensor	Ankle plantar flexor
Right	4	4	1	0	1
Left	5	5	3	2	2

전기진단검사 결과

SENSORY NERVE CONDUCTION STUDIES			
NERVE - RECORDING SITE	Onset LAT (ms)	Base-peak AMP (μV)	Peak-peak AMP (μV)
R SUPERFICIAL PERONEAL - Foot		No response	
R SURAL - Lateral Malleolus		No response	
L SUPERFICIAL PERONEAL - Foot		No response	
L SURAL - Lateral Malleolus		No response	

MOTOR NERVE CONDUCTION STUDIES				
NERVE-RECORDING SITE	LAT (ms)	AMP (mV)	Distance (cm)	NCV (m/s)
R COMMON PERONEAL - Extensor Digitorum Brevis				
Ankle			No response	
Fibular Head			No response	
R TIBIAL - Abductor Hallucis				
Ankle			No response	
Knee			No response	
L COMMON PERONEAL - Extensor Digitorum Brevis				
Ankle			No response	
Fibular Head			No response	
L TIBIAL - Abductor Hallucis				
Ankle			No response	
Knee			No response	

F - WAVE	
NERVE - RECORDING SITE	MIN F LAT (ms)
R COMMON PERONEAL - Extensor Digitorum Brevis	No response
R TIBIAL - Abductor Hallucis	No response
L COMMON PERONEAL - Extensor Digitorum Brevis	No response
L TIBIAL - Abductor Hallucis	No response

NEEDLE ELECTROMYOGRAPHY IA Spontaneous MUAP								
MUSCLE	IA	Spontaneous			MUAP			Interference Pattern
		FIB	PSW	CRD/FASC	AMP	DUR	PPP	
R Tibialis Anterior	Nl	2+	2+	N	No activity			
R Gastrocnemius (Medial)	Nl	3+	3+	N	No activity			
R Vastus Medialis	Nl	N	N	N	Nl	Nl	Nl	Complete
L Tibialis Anterior	Nl	3+	3+	N	Nl	Nl	Inc	Reduced
L Gastrocnemius (Medial)	Nl	3+	3+	N	Nl	Nl	Inc	Reduced
L Vastus Medialis	Nl	N	N	N	Nl	Nl	Nl	Complete
R Tensor Fascia Lata	Nl	N	N	N	Nl	Nl	Nl	Complete
L Tensor Fascia Lata	Nl	N	N	N	Nl	Nl	Nl	Complete
R Biceps Femoris (Short Head)	Nl	3+	3+	N	No activity			
R Biceps Femoirs (Long Head)	Nl	3+	3+	N	Nl	Nl	Nl	Single
L Biceps Femoris (Short Head)	Nl	2+	2+	N	Nl	Nl	Nl	Reduced
L Biceps Femoris (Long Head)	Nl	1+	2+	N	Nl	Nl	Inc	Reduced
R Gluteus Maximus	Nl	N	N	N	Nl	Nl	Nl	Complete
L Gluteus Maximus	Nl	N	N	N	Nl	Nl	Inc	Complete
R Lumbar Paraspinals (Lower)	Nl	N	N	1+				
L Lumbar Paraspinals (Lower)	Nl	N	N	1+				
R Lumbar Paraspinals (Upper)	Nl	N	N	N				
L Lumbar Paraspinals (Upper)	Nl	N	N	1+				

● 전기진단검사 결과 요약

양측 표재비골신경과 비복신경의 감각신경전도검사와 경골신경과 총비골신경의 운동신경전도검사 결과는 무반응이었다. F파는 양측 총비골신경과 경골신경에서 관찰되지 않았다.

침근전도검사에서 비정상자발전위가 양측 전경골근, 비복근, 그리고 대퇴이두근의 장두(long head)와 단두(short head)에서 관찰되었다. 복합연속방전(complex repetitive discharge)은 양측 하부요추와 좌측 상부요추 주위근에서 일부 관찰되었다. 우측 전경골근, 비복근, 그리고 우측 대퇴이두근의 단두에서는 운동단위활동전위의 동원양상이 관찰되지 않았다. 우측 대퇴이두근의 장두에서 운동단위활동전위의 단일 동원양상(single recruitment pattern)이 관찰되었다. 좌측 전경골근, 비복근, 그리고 좌측 대퇴이두근의 단두와 장두에서 운동단위활동전위의 동원양상이 감소되었다. 다상성운동단위활동전위가 좌측 전경골근, 비복근, 대퇴이두근의 장두와 대둔근에서 관찰되었다.

이 전기진단검사 결과는 엉치와 대퇴 중간 높이의 사이에서 발생한 양측 좌골신경병증의 심한 축삭침범 상태(우측이 좌측보다 심함)를 시사한다.

● 추가적으로 필요한 검사는?

대퇴부 자기공명영상

좌골신경의 병변 위치를 확인하기 위하여 가돌리늄 조영제를 사용한 대퇴부 자기공명영상을 시행하였다(그림 19–1). T1강조 자기공명영상에서 우측 대퇴부의 후내측면에 위치한 근육이 광범위하게 부어 있는 소견이 관찰되었다. 이 병변은 좌골신경을 둘러싸고 있었으며, 신경 일부를 압박하였다. 우측 좌골신경의 부기를 따라 조영증강된 부분은 좌골극의 바깥쪽에서부터 좌골결절의 5 cm 아래와 대퇴근막긴장근, 외폐쇄근, 대퇴방형근, 중둔근 주위에 달하였다(그림 19–1).

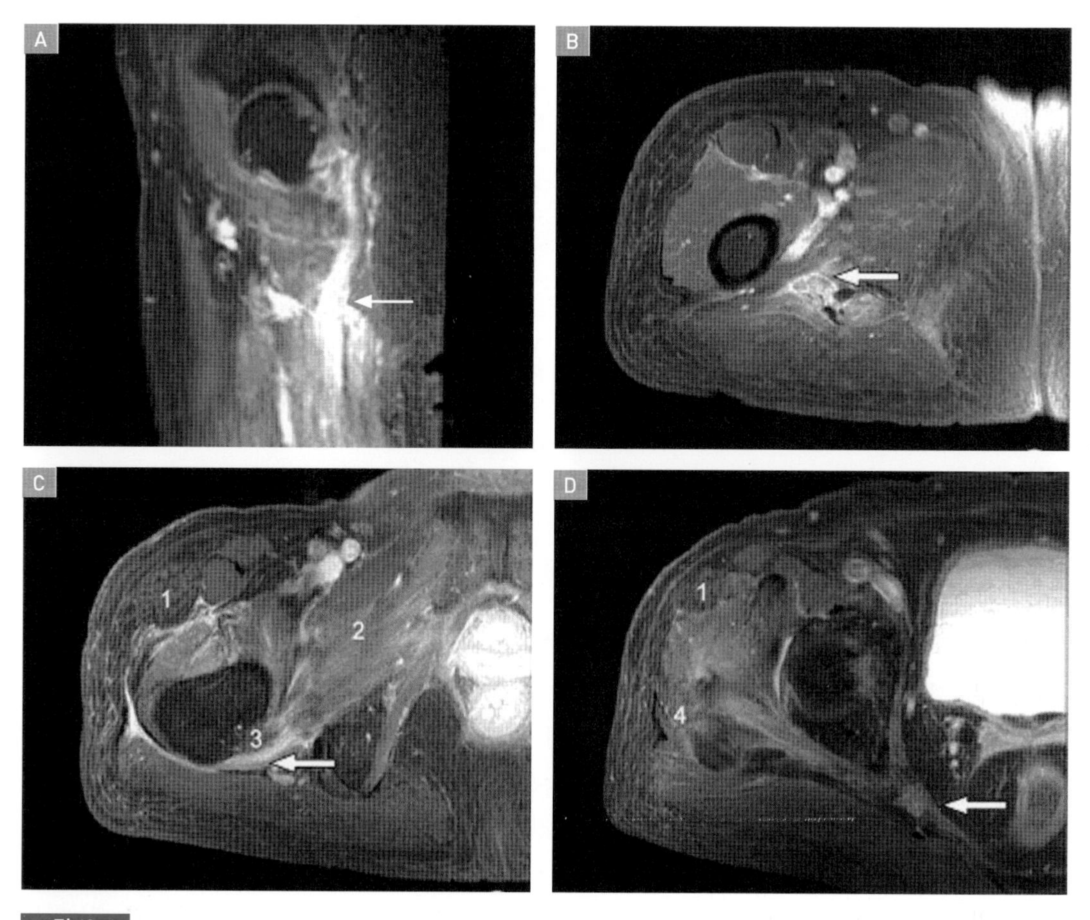

그림 19–1

조영증강 T1강조 자기공명영상. 관상면(A)과 횡단면(B, C, D) 영상에서 우측 대퇴부의 후내면에 위치하는 근육이 광범위하게 부어 있고 좌골신경이 압박된 소견(화살표)가 관찰됨. 좌골극(ischial spine)부터 좌골결절 5 cm 아래까지 좌골신경이 부어있고, 그리고 대퇴근막장근(tensor fasica lata)(1), 외폐쇄근(obturator externus)(2), 대퇴방형근(quadrates femoris)(3), 그리고 중둔근(gluteus medius)(4) 근처에도 부어 있어 조영증강된 소견이 관찰됨.

전기진단검사 결론

환자의 병력과 신체 검진, 전기진단검사와 자기공명영상 결과를 종합하면 양측 좌골신경병증(bilateral sciatic neuropathy)의 심한 축삭침범 상태(우측이 좌측보다 심함)에 합당한 소견이며, 위약과 감각소실의 원인 부위는 엉덩이와 허벅지 중간 높이의 사이로 추정된다. 양측 좌골신경병증의 원인은 좌골신경의 염증으로 생각된다.

임상 경과

환자는 입원 37일이 지난 시점에서 재활병동으로 전과되어 재활치료를 받았다. 신경원성 통증을 해결하기 위해 gabapentin을 처방하였고 보행 중에 나타나는 우측 족하수를 방지하기 위해 단하지보조기를 처방하였다. 퇴원 당시, 환자는 보조기와 우측 단하지보조기를 이용하여 걸을 수 있었다. 환자는 퇴원 후 3개월 후에 외래를 방문하였으며, 하지의 위약은 약간 호전되었으나, 보행능력은 거의 호전되지 않은 상태였다.

고찰

횡문근융해증의 흔한 원인은 외상으로 인한 근육 압박, 과도한 근긴장 또는 활동, 심각한 감염, 그리고 약물 독성이다. 특히 고령 환자가 부동 상태로 장기간 지내면, 근육압박이 되어 이로 인해 횡문근융해증이 발생할 수 있다.[1] 횡문근융해증은 근육다발이 손상되면서 독성을 띤 세포물질과 마이오글로빈이 체내로 누출되어 순환하게 되는 질환이다.[2] 횡문근융해증을 진단하기 위해서는 고도의 주의를 필요로 한다. 횡문근융해증은 혈액 검사 결과로 확진한다. 가장 유용한 방법은 혈청 크레아틴키나아제이다. 이 방법은 민감도가 높고 널리 사용된다. 횡문근융해증은 전형적인 증상과 위험인자를 가진 환자의 크레아틴키나아제 수치가 정상 수치보다 5~10배 증가하는 경우에 진단할 수 있다.[3,4]

대부분의 좌골신경병증은 외부 또는 내부의 압박에 의해 발생한다. 외부 압박은 약물이나 알콜 중독으로 환자의 의식이 떨어진 상태, 외상으로 인한 혼수, 전신 마취 상태에서 수술대 위에서 부적절한 자세가 지속될 때 발생한다. 내부 압박은 종양, 대퇴골과 고관절 골절로 인한 혈종, 수술, 항응고제, 혈우병, 동맥류, 자궁내막증과 같은 내부 종괴에 의해 발생한다.[5]

상기 환자의 경우, 횡문근융해증은 약물 독성에 의한 장기간 부동상태에서 발생한 것으로 생각된다. 달리 말하면, 고관절과 대퇴근육에서 발생한 횡문근융해증과 좌골신경의 신경주위말이집에서 발생한 염증이 동반되었다. 고령 환자의 근육과 신경은 부동상태가 장기간 지속되면 손상 받기 쉽다.[6] 부동 상태, 고령, 그리고 염증은 근육 손상의 위험을 높인다.[7]

참고문헌

1. Polderman KH. Acute renal failure and rhabdomyolysis. Int J Artif Organs 2004;27:1030-3.
2. Knochel JP. Mechanisms of rhabdomyolysis. Curr Opin Rheumatol 1993;5:725-31.
3. Poels PJ, Gabreels FJ. Rhabdomyolysis: a review of the literature. Clin Neurol Neurosurg 1993;95:175-92.
4. Bagley WH, Yang H, Shah KH. Rhabdomyolysis. Intern Emerg Med 2007;2:210-8.
5. Dumitru D, Amato AA, Zwarts MJ. Electrodiagnostic Medicine, 2nd ed. Philadelphia: Hanley & Belfus;2002;871-4.
6. Lee SA, Lim JY. Bilateral Sciatic Neuropathy associated with rhabdomyolysis in an Immobilized Patient: a case report. J Korean Acad Rehabil Med. 2009;33:127-30.
7. Degens H, Always SE. Control of muscle size during disuse, disease, and aging. Int J Sports Med 2006;27:94-9.

증례
20

양측 족하수(foot drop)가 있는 젊은 남자

병력

31세 남자가 1달 전에 당뇨병으로 생긴 족부 궤양 수술 후 장기간 침상 가료에 따른 탈조건화(deconditioning)로 인해 보행훈련을 받기 위해 재활의학과로 의뢰되었다. 당뇨병은 7년 전에 진단받았는데 혈당 조절은 잘 되지 않았고 외래 방문도 규칙적으로 하지 않았다. 환자는 양반다리 자세로 오래 앉는 습관이 있었고 1년 전부터 좌측 외측 복사(lateral malleolus)에 당뇨병성 궤양이 생겼다. 1년 전에 좌측 외측 복사 절개배농술을 받았고 2개월 전에 백내장 수술을 받았으며, 양안에 매우 심한 비증식성 당뇨성 망막병증이 있었다. 그리고 우측 외측 복사에 당뇨병성 궤양이 생겨서 3주간 항생제 치료를 받고 결국 1개월 전에 절개배농술을 받았다. 보행 시 양측 족하수가 관찰되었다. 환자는 최근에 받은 절개배농술 이전에는 족하수가 없었다고 했다. 외상력은 없었고 다리에 무딘감이나 저린감을 호소하지는 않았다.

이 시점에서 감별진단은?

1. 당뇨병성다발신경병증(diabetic polyneuropathy)
2. 무통성당뇨병성 다발신경근병증(painless diabetic polyradiculopathy)
3. 다발성단일신경병증(multiple mononeuropathies)
4. 운동신경원병(motor neuron disease)
5. 근병증(myopathy)

잘 조절되지 않는 당뇨병을 7년간 앓았다는 사실은 당뇨병성신경병증의 가능성을 높인다. 통증이 없는 다발신경병증도 가능하지만 당뇨병에서 오는 다발신경병증은 일반적으로 감각 이상과 감각 저하를 동반한다. 운동 증상이 주였기 때문에 운동신경원병과 근병증도 감별해야 한다.

신체 검진

시진

환자의 얼굴은 야위었고 경미한 안검하수(ptosis)가 있었다(그림 20-1A). 말은 느리고 어눌하였다. 그리고 양측 외측 복사의 홍반(erythema) 주변으로 피부궤양이 있었다. 우측 하퇴에(lower leg)는 단하지석고붕대(short leg cast)를 하고 있었다. 양측 사두근(quadriceps)과 전경골근(tibialis anterior), 장비골근(peroneus longus), 비복근(gastrocnemius) 위축이 있었다(그림 20-1B와 C). 이에 더해, 양측 수부 내재근과 전완 근육도 위축되어 있었다(그림 20-1B). 섬유속자발전위(fasciculation potential)는 관찰

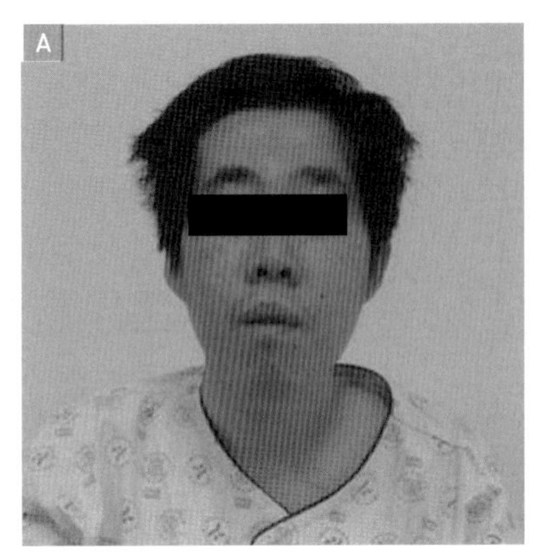
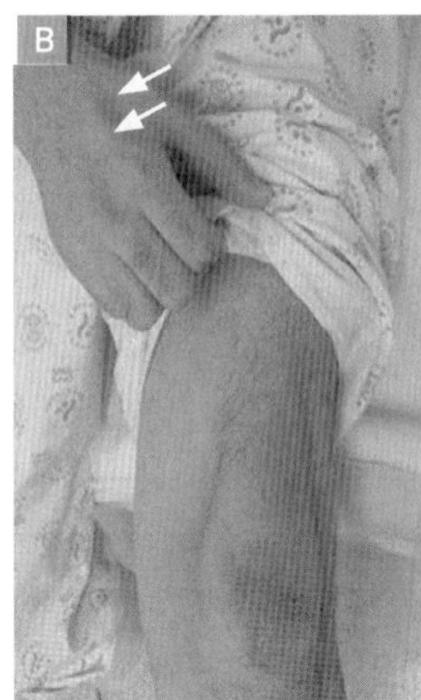
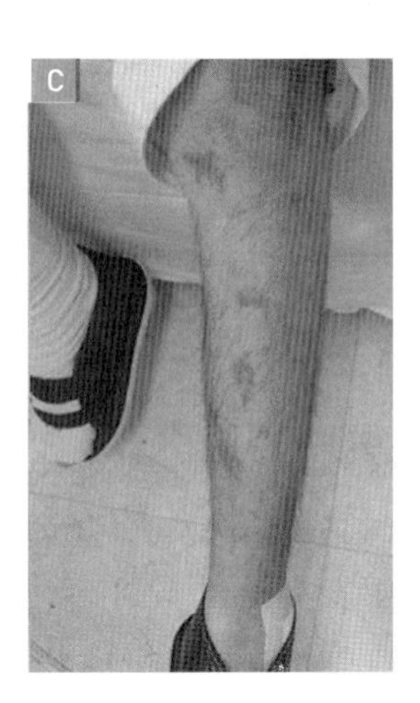

그림 20-1

특징적인 얼굴 모양. 얼굴 근육의 위축(A). 수부 내재근 및 대퇴사두근의 위축(B, 화살표), 하퇴의 근위축(C).

되지 않았다.

감각

감각 이상이나 감각 저하는 없었다.

반사

심부건반사는 양측 이두근(biceps), 삼두근(triceps), 슬관절 신전근(knee extensor), 족저굴곡근(ankle plantar flexor)에서 1+이었다.

도수근력검사

	Hip flexor	Knee extensor	Knee flexor	Ankle dorsiflexor	Ankle plantar flexor
Right	5	5	5	**2-**	**2-**
Left	5	5	5	**2-**	**2-**

	Shoulder abductor	Shoulder forward flexor	Elbow flexor	Elbow extensor	Wrist dorsiflexor	Wrist volar flexor	Finger abductor
Right	5	5	5	5	5	5	5
Left	5	5	5	5	5	5	5

혈액검사 결과

전혈구계산(complete blood count)에서 경미한 백혈구증가(백혈구 10,290/μL, 정상범위 4,000~10,000/μL)를 보였고 당화혈색소(Hemoglobin A1c)는 11.9%(정상범위 4.0~6.4%), 공복 혈당(fasting glucose)은 189 mg/dL(정상범위, 70~110 mg/dL), C-반응단백질(C-reactive protein) 3.28 mg/dL(정상범위 <0.5 mg/dL), 알칼리인산분해효소 248 IU/L(정상범위 30~115 IU/L), 젖산탈수소효소(lactate dehydrogenase) 475 IU/L(정상범위 100~225 IU/L)로 증가되어 있었다. 그 외 혈중 요소질소(blood urea nitrogen), 크레아티닌(creatinine), 전해질(electrolytes), 비타민 B_{12}를 포함한 모든 일반화학 검사는 정상범위였다.

족관절 자기공명영상

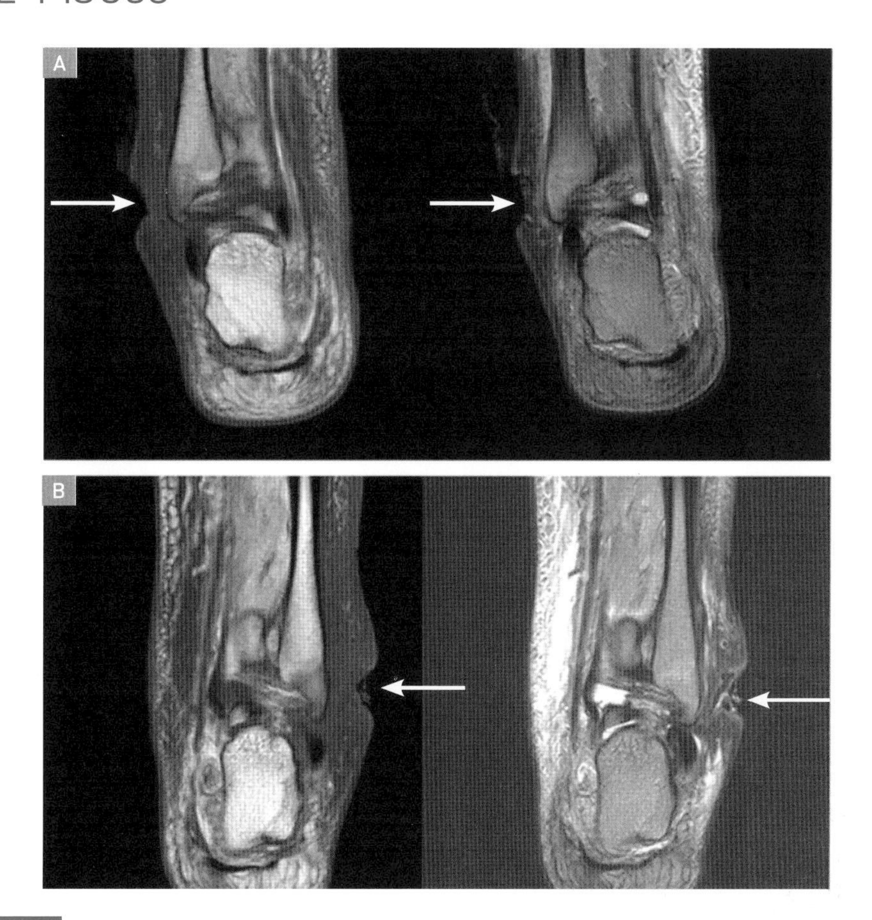

그림 20-2

족관절의 자기공명영상. T1(좌측)과 T2(우측) 관상영상(coronal image)에서 우측 비골(fibula) 원위부에 피부 결손이 있고(화살표)과 낮은 신호강도의 병변이 보인다(A). 좌측 족관절에서도 비슷한 병변이 T1(좌측)과 T2(우측) 관상영상에서 보인다(B). 이 병변들은 궤양(ulceration)과 연부조직(soft tissue) 부종(edema)을 동반한 연조직염(cellulitis)의 소견이다. 양측 골수(bone marrow)에서 낮은 T1과 높은 T2 신호강도를 보여 골수염(osteomyelitis)이 있음을 알 수 있다.

전기진단검사 결과

SENSORY NERVE CONDUCTION STUDIES		
NERVE - RECORDING SITE	Onset LAT (ms)	Base-peak AMP (μV)
R MEDIAN - Digit II	**No response**	
R ULNAR - Digit V	**No response**	
R RADIAL - Thumb	2.7	14.8
L MEDIAN - Digit II	2.9	34.5
L ULNAR - Digit V	**3.65**	**6.5**
L RADIAL - Thumb	2.35	14.5
L SUPERFICIAL PERONEAL	**No response**	
L SURAL	**No response**	

MOTOR NERVE CONDUCTION STUDIES				
NERVE - RECORDING SITE	LAT (ms)	AMP (mV)	Distance (cm)	NCV (m/s)
R MEDIAN - Abductor Pollicis Brevis				
Wrist	**4.20**	**5.5**		
Elbow	**9.20**	**5.4**	22.7	45.4
R ULNAR - Abductor Digiti Minimi				
Wrist	**5.3**	**1.6**		
Elbow	**11.4**	**0.7**	22	**35.9**
R RADIAL - Extensor Indicis Proprius				
Forearm	3.2	**2.0**		
Elbow	8.05	**1.8**	21.5	44.3
L MEDIAN - Abductor Pollicis Brevis				
Wrist	**5.20**	**2.4**		
Elbow	**8.80**	**2.2**	22.3	61.9
L ULNAR - Abductor Digiti Minimi				
Wrist	**4.65**	**2.7**		
Elbow	**11.05**	**2.1**	23	35.9
L RADIAL - Extensor Indicis Proprius				
Forearm	3.5	**2.2**		
Elbow	7.5	**2.0**	18	45
L TIBIAL - Abductor Hallucis				
Ankle		**No response**		
L COMMON PERONEAL - Extensor Digitorum Brevis				
Ankle		**No response**		
L COMMON PERONEAL - Tibialis Anterior				
Fibular Head		**No response**		

F - WAVE	
NERVE - RECORDING SITE	MIN F LAT (ms)
R MEDIAN - Abductor Pollicis Brevis	26.2
R ULNAR - Abductor Digiti Minimi	**No response**
L MEDIAN - Abductor Pollicis Brevis	31.75
L ULNAR - Abductor Digiti Minimi	25.25
L TIBIAL - Abductor Hallucis	**No response**

감각신경전도검사에서 우측 정중신경, 척골신경, 좌측 표재비골신경(superficial peroneal nerve), 비복신경에서 감각신경활동전위가 유발되지 않았다. 좌측 척골신경의 감각신경활동전위는 잠시가 지연되어 있었고 진폭은 작았다. 운동신경전도검사에서는 양측 정중신경과 척골신경에서 잠시가 길어져 있었다. 척골 신경은 양측 다 전도 속도 감소가 있었다. 단무지외전근과 첫째 등쪽골간근(first dorsal interosseous)에서 측정한 복합근육활동전위의 진폭이 작았다. 좌측 경골신경(tibial nerve)과 비골신경(peroneal nerve)을 자극하였을 때 복합근육활동전위가 유발되지 않았다. 좌측 총비골신경(common peroneal nerve)을 자극하여 전경골근(tibialis anterior)에서 기록하였을 때에도 활동전위는 나오지 않았다. 우측 척골신경과 좌측 경골신경에서 F파(F-response)가 없었다. 신경전도검사와 후기 반응(late response)은 하지를 더 많이 침범하는 탈수초화(demyelination)와 축삭변성(axonal degeneration)을 동반한 전반적인 운동감각다발신경병증을 나타낸다. 상기 결과와 임상적인 소견으로 당뇨병성감각운동다발신경병증을 확진할 수 있다. 총비골신경병증이 수반되어 있을 수 있으나 신경전도검사로 단정할 수는 없다. 이후 침근전도를 시행하였고 다음과 같은 결과를 얻었다.

NEEDLE ELECTROMYOGRAPHY									
MUSCLE	IA	Spontaneous				MUAP			Interference Pattern
		FIB	PSW	CRD/ FASC	MYOTONIC POTENTIAL	AMP	DUR	PPP	
L Tibialis Anterior	Nl	**2+**	N	N	+	Nl	Nl	Nl	**Discrete**
L Gastrocnemius (Medial)	Nl	**1+**	N	N	+	Nl	Nl	Nl	Complete
L Vastus Medialis	Nl	N	N	N	+	Nl	Nl	Nl	Complete
L Abductor Pollicis Brevis	Nl	N	N	N	+	Nl	Nl	Nl	Complete
L Flexor Carpi Radialis	Nl	N	N	N	+	Nl	Nl	Nl	Complete

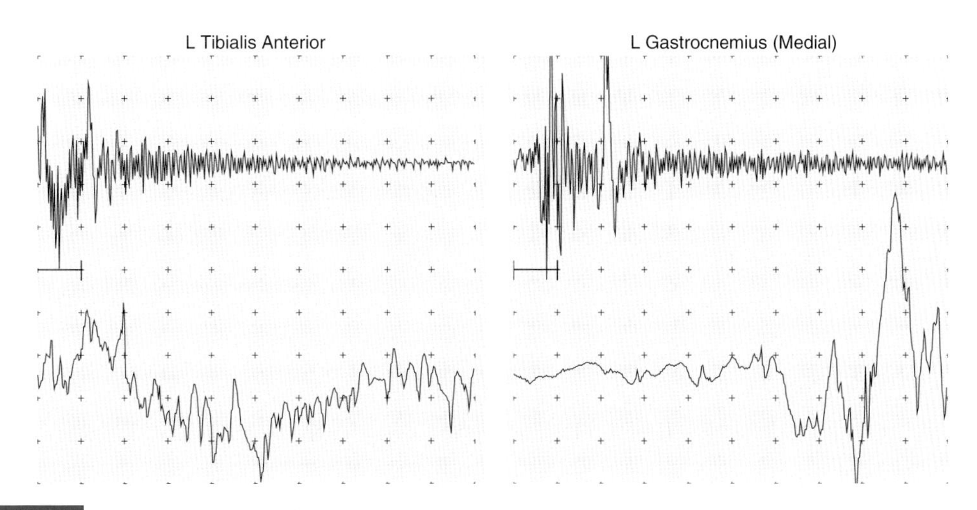

그림 20-3

침근전도 결과. 증감을 반복하는 근긴장전위(Myotonic potential)가 좌측 전경골근(좌)과 비복근 내측두(우)에서 관찰되었다. [민감도(sensitivity)와 스윕 속도(sweep speed); 위, 100 μv/div와 1 sec; 아래, 100 μV/div와 100 msec]

전기진단검사 결과 요약

좌측 전경골근, 비복근, 내측광근(vastus medialis), 요측수근굴근(flexor carpi radialis), 단무지외전근을 포함한 모든 근육에서 근긴장전위를 볼 수 있었다. 좌측 전경골근과 비복근에서 섬유자발전위(fibrillation potential)가 발견되었으나 진폭이 작아서 총비골신경에 최근에 축삭 병변이 생겼을 가능성은 낮다.

1. 이 검사는 근긴장디스트로피(myotonic dystrophy)의 전기생리학적인 소견을 보인다.
2. 전신감각운동다발신경병증이 동반되어 있다. 이는 임상적으로 당뇨병성다발신경병증에 합당하다.

추가적으로 필요한 검사는?

근긴장디스트로피와 관련해서 추가적인 병력 청취와 신체 검진을 시행하였다.

신체 검진

근긴장증

양측 손에 타진 근긴장증(percussion myotonia)과 파악 근긴장증(grip myotonia) 소견이 분명하게 관찰되었다. 장기간 추위에 노출되면 근긴장증은 더 심해졌다.

연수와 안면 증상(Bulbar and facial symptoms)

연하곤란(dysphagia)이나 흡인(aspiration)증상은 없었다. 침흘림(drooling)은 없었고 이마가 벗겨지지(frontal balding) 않았다.

추가 병력

환자는 본인이 100미터를 14초에 달린다고 했다. 환자 모친은 환자의 족하수(foot drop)는 대략 7년 전부터 있었다고 하여 이는 갑자기 발생한 증상은 아닌 것으로 보인다. 임신 당시 태동 감소나 양수 과다(polyhydramnios)는 없었다고 한다. 분만 손상(birth injury)이나 주산기(perinatal) 문제, 발달 지연(developlmental delay)은 없었다. 환자는 고등학교를 졸업하였으나 지능 검사에서 낮은 점수를 받았고 환자의 진술과는 달리 환자 모친은 환자가 잘 달리지 못한다고 하였다. 가족 중에서는 환자 부친이 명백한 근위약이 있었다. 그는 원위부 근육 약화가 있었고 젊었을 때부터 계단을 오르거나 등산을 잘 하지 못하였다. 환자 고모들은 모두 당뇨병을 앓았다. 모친 쪽은 근위약이나 안면부 위약이 없었다. 그림 20-4가 환자의 가계도이다.

전기진단검사 결론

상기 결과는 근긴장디스트로피(myotonic dystrophy)와 당뇨병성감각운동다발신경병증에 합당하다.

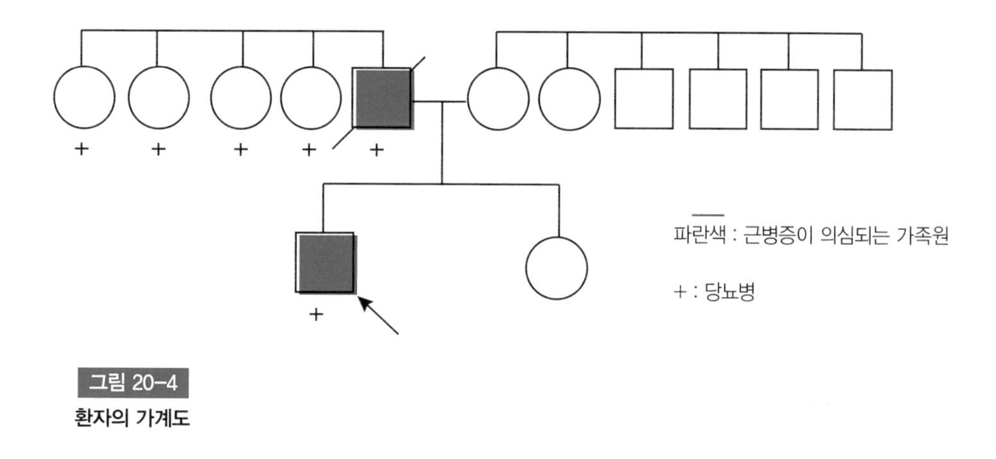

그림 20-4
환자의 가계도

○ 임상 경과

근긴장디스트로피를 확진하기 위해 추가 검사를 시행하였다. 크레아틴키나아제(creatine kinase)는 300 IU/L(정상범위, 20~270 IU/L)로 약간 증가해 있었다. 심전도에서는 특이 소견이 없었고 24시간 홀터 검사(24 hour-holter monitoring)에서도 드물게 보이는 무증상 심실조기박동(ventricular permature beat) 말고는 정상이었다. 폐기능 검사(pulmonary function test)는 강제폐활량(FVC) 1.86 L(예측치; 4.60 L), 1초간 강제호기량(FEV1) 1.56 L(예측치; 3.73 L)로 중증의 제한성 양상(restrictive pattern)이었다. DNA 분석에서는 근긴장디스트로피 단백질키나아제(protein kinase) 유전자의 CTG 반복이 700회(정상범위, 35회 미만)로 증가되어 근긴장디스트로피로 확진되었다.

○ 고찰

근긴장디스트로피는 염색체(chromosome) 19q13.3에 위치한 근긴장디스트로피 단백질키나아제의 3' 비해독부위(3' untranslated region)에 불안정한 삼뉴클레오디트(trinucleotide, CTG) 반복이 증폭되는 상염색체우성(autosomal dominant) 질환이다. 근긴장디스트로피 환자는 CTG 반복이 50개를 초과하여 수백개까지 증폭되어 있다. 임상적으로는 근긴장증, 점진적인 근위축, 고혈당 혹은 당뇨병, 백내장, 정신지체(mental retardation), 심장 전도 이상(cardiac conduction defect), 불임 등이 나타난다. 대부분의 선천성 근긴장디스트로피가 모계 유전이지만 부계 유전의 증례도 보고된 바 있다.[1,2] 이 환자의 부친은 이미 사망하였기 때문에 유전자 검사를 통해서 부계 유전을 확인할 수 없었지만 부친이 환자와 비슷한 신경근육(neuromuscular) 증상을 보였고 고모들이 젊었을 적 당뇨병을 진단받았다는 가족력으로 미루어 짐작하면 환자의 부친 역시 CTG 증폭이 있었을 것으로 짐작할 수 있다. 인지 장애는 근긴장디스트로피에서 매우 흔하다.[3] 이 증례에서는 병력이나 현재 증상에 대한 환자의 진술은 신빙성이 없었다. 부정확한 병력 청취로 인해 침근전도를 시행하기 전까지는 근긴장디스트로피는 감별진단에 있지 않았다. 조절이 잘 되지 않는 당뇨병 환자에서 포착신경병증(entrapment neuropathy)이 잘 발생하고 근위축 역시 당뇨병 환자에서 흔히 있기 때문에 처음에는 당뇨병과 관련된 신경병증이 더 가능성이 많아 보였다. 그러나 근긴장디스트로피의 전형적인 얼굴 모양과 정신 반응이 느려져 있었던 점, 당뇨 등은 근긴장디스트로피를 의심해야 할 소견이다. 발생 기전은 확실하게 알 수 없으나 근긴장디스트로피에서 말초신경병증도 병발하는 것으로 알려져 있으며,[4] 당뇨병이 없는 근긴장디스트로피 환자에서도 축삭형 신경병증과 같은 말초신경병증이 생길 수 있다. 이 환자는 탈수초화와 축삭변성이 혼합된 전신 감각운동다발신경병증이 있었다. 오랜 기간 당뇨병을 앓았고 혈당 조절이 불량했기 때문에 이 환자의 말초신경병증은 당뇨병성다발신경병증에 합당하다고 봐야 할 것이다.

참고문헌

1. de Die-Smulders CE, Smeets HJ, Loots W, Anten HB, Mirandolle JF, Geraedts JP, Howeler CJ. Paternal transmission of congenital myotonic dystrophy. J Med Genet. 1997;34:930-3.
2. Zeesman S, Carson N, Whelan DT. Paternal transmission of the congenital form of myotonic dystrophy type 1: a new case and review of the literature. Am J Med Genet. 2002;107:222-6.
3. Angeard N, Gargiulo M, Jacquette A, Radvanyi H, Eymard B, Heron D. Cognitive profile in childhood myotonic dystrophy type 1: is there a global impairment? Neuromuscul Disord. 2007;17:451-8.
4. Bae JS, Kim OK, Kim SJ, Kim BJ. Abnormalities of nerve conduction studies in myotonic dystrophy type 1: primary involvement of nerves or incidental coexistence? Clin Neurosci. 2008;15:1120-4.

증례
21

우측 하지의 위약을 호소하는 남자

● 병력

58세 남자가 12개월간 지속된 우측 하지의 위약감을 주소로 내원하였다. 그는 25년 전에 2층에서 떨어진 후 요추 1번과 2번에 압박 골절(compression fracture)을 당했던 병력이 있었다. 수상 직후 하지 위약과 심한 요통, 배뇨 곤란이 있었다. 요추부 감압 수술(lumbar decompression surgery) 후 근력은 서서히 회복되었다. 수술 후 1년이 지났을 때 양측 둔부와 족무지, 족저에 저린감이 남아 있었지만 독립적으로 걸을 수 있었다. 그 당시, 양측 하지의 운동과 감각 기능은 비슷했고 저린감만 우측에 다소 더 심하였다. 빈뇨(urinay frequency), 잔뇨(residual urine), 야간뇨(nocturia)와 같은 배뇨 곤란이 있어서 간헐적 도뇨(intermittent catheterization)를 하였고 배변에도 문제가 있어서 수지 관장(finger enema)을 해야 하는 경우도 있었다. 하지만 그의 신경학적 결손은 오랜 기간 변화가 없었다. 20년 이상 큰 변화없이 지내던 중 1년쯤 전부터 우측 하지에 점차 진행하는 위약이 있어서 정형외과를 방문하였고 정형외과에서 근전도를 의뢰하였다.

● 이 시점에서 감별진단은?

1. 기존의 골절과 관련 있는 혹은 없는 요천추부신경근병증(lumbosacral radiculopathy)
2. 기존의 골절과 관련 있는 혹은 없는 척수원추(conus medullaris) 병변
3. 국소신경병증(focal neuropathy)
4. 운동신경원병(motor neuron disease)
5. 다발성말초신경병증(peripheral polyneuropathy)
6. 천천히 진행하는 성인발병의 근병증(myopathy)
7. 신경근육질환(neuromuscular disorder), 가능성이 낮음.

환자는 상당한 신경학적인 후유증을 남긴 사고를 당했기 때문에 기존 손상과 연관된 신경학적 문제와 관련이 없는 문제 두 가지 상황을 고려하여 감별진단을 해야 한다. 이 시점에서 환자의 최근 악화된 증상은 천천히 진행하는 우측 하지 위약뿐이었기 때문에 더 이상 자세한 감별진단 목록을 만들 수 없었다.

신체 검진

도수근력검사

	Upper extrem-ities	Hip flexor	Knee extensor	Ankle dorsiflexor	Big toe extensor	Ankle plantar flexor
Right	5	5	5	-3	1	-3
Left	5	5	5	4	3	4

감각

우측 발등과 항문 주위부에 중등도의 표재감각 소실이 있었고 우측 족무지, 족저, 둔부에 저린감을 호소하였다.

반사

슬관절 신전근과 족관절 족저굴곡근의 심부건반사(deep tendon reflexe) 등급은 양측에서 1+이었다.

기타 검진

하지직거상(straight leg raising) 검사는 통증 때문에 우측에서 50도, 좌측에서 60도로 제한되어 있었다. 의미 있는 요통(back pain)이나 압통(tenderness)은 없었다. 항문괄약근의 자발적 수축은 정상인에 비해 저하되어 있었다.

보행

우측 하지를 저는 파행(limping)으로 보였다.

영상검사 결과

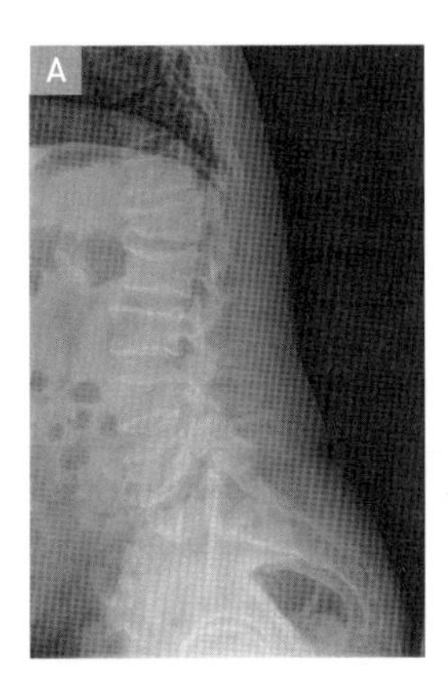

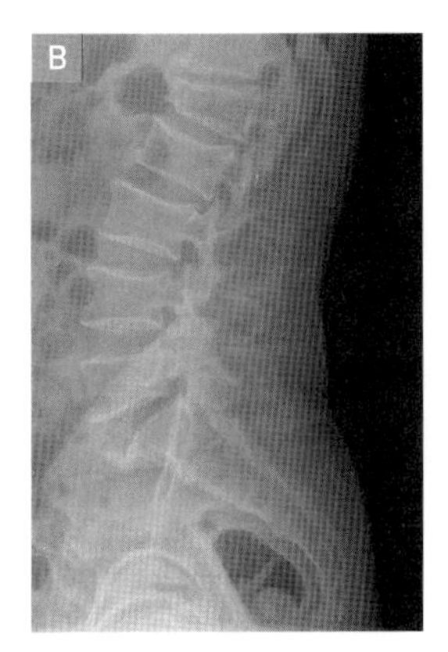

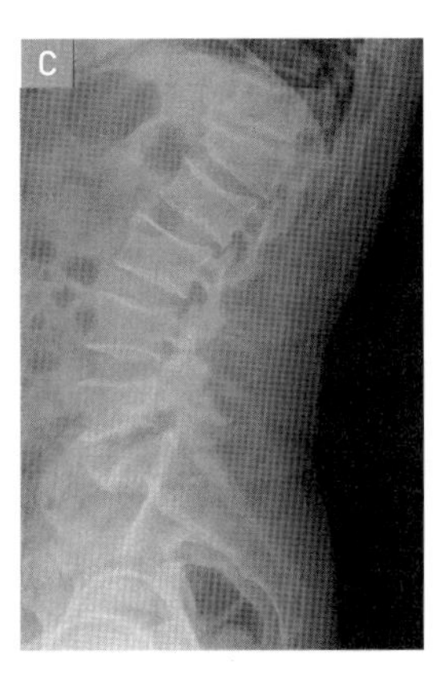

그림 21-1

요천골(lumbosacral) 측면 단순촬영. 직립-굴곡 체위(A), 직립-중립 체위(B), 직립-신전 체위(C)

이 시점에서 감별진단은?

증상이 발생하기 전에 이미 환자가 갖고 있었던 신경학적인 결손에 대한 정확한 정보가 없었기 때문에 현재의 신경학적 소견을 해석하기 어려웠다. 도수근력검사에서 우측 하지가 좌측에 비해 현저하게 약했다는 점을 주목하였다. 환자에 의하면 양측 하지의 운동 기능은 비슷했었는데 새롭게 우측 족관절의 족저/족배 굴곡근과 무지 신전근에 약화가 발생한 것으로 보인다. 이는 우측 족관절과 관련된 원위부 근육 약화가 환자의 현재 증상임을 의미한다. 이 시점에서 요천추부 신경근병증과 척수원추병변이 가능성이 높고 국소신경병증도 가능하다. 하지만 근병증이나 신경근접합부질환(neuromuscular junction disorder)은 가능성이 떨어진다.

전기진단검사 결과

SENSORY NERVE CONDUCTION STUDIES			
NERVE - RECORDING SITE	Onset LAT (ms)	Base-peak AMP (μV)	Peak-peak AMP (μV)
R SUPERFICAL PERONEAL - Foot		No response	
L SUPERFICAL PERONEAL - Foot	2.6	15.3	7.5
R SURAL - Lateral Malleolus	3.5	11.3	5.8
L SURAL - Lateral Malleolus	3.6	10.4	6.8

MOTOR NERVE CONDUCTION STUDIES				
NERVE - RECORDING SITE	LAT (ms)	AMP (mV)	Distance (cm)	NCV (m/s)
R COMMON PERONEAL - Extensor Digitorum Brevis				
Ankle		No response		
L COMMON PERONEAL - Extensor Digitorum Brevis				
Ankle	4.65	6.2		
Fibular Head	9.95	5.9	27	50.9
R TIBIAL - Abductor Hallucis				
Ankle	6.05	**9.8**		
Knee	14.3	**8.1**	33	40
L TIBIAL - Abductor Hallucis				
Ankle	6.2	22.8		
Knee	13.7	19.2	31	41.3
R COMMON PERONEAL - Tibialis Anterior				
Ankle	3.65	5.2		
Fibular Head	5.65	5.4	11	55
L COMMON PERONEAL - Tibialis Anterior				
Ankle	2.95	6.7		
Fibular Head	4.75	7.1	9	50

F - WAVE	
NERVE - RECORDING SITE	MIN F LAT (ms)
R TIBIAL - Abductor Hallucis	50.5
L TIBIAL - Abductor Hallucis	48.1

H - REFLEX	
NERVE - RECORDING SITE	H LAT (ms)
R TIBIAL - Soleus	**No response**
L TIBIAL - Soleus	**No response**

NEEDLE ELECTROMYOGRAPHY								
MUSCLE	IA	Spontaneous			MUAP			Interference Pattern
		FIB	PSW	CRD/FASC	AMP	DUR	PPP	
R Tibialis Anterior	Nl	2+	2+	N	Inc	Nl	Nl	**Single**
R Gastrocnemius (Medial)	**Dec**	N	N	N			**No activity**	
R Tensor Fascia Lata	**Inc**	N	N	N	Inc	Nl	Nl	**Discrete**
L Tibialis Anterior	Nl	N	N	N	Inc	Nl	Nl	**Discrete**
L Gastrocnemius (Medial)	**Dec**	N	N	N			**No activity**	
L Gluteus Maximus	Nl	N	N	N	**Giant**	Nl	Nl	**Reduced**
R Gluteus Maximus	**Dec**	**3+**	**3+**	N	Nl	Nl	Nl	**Discrete**

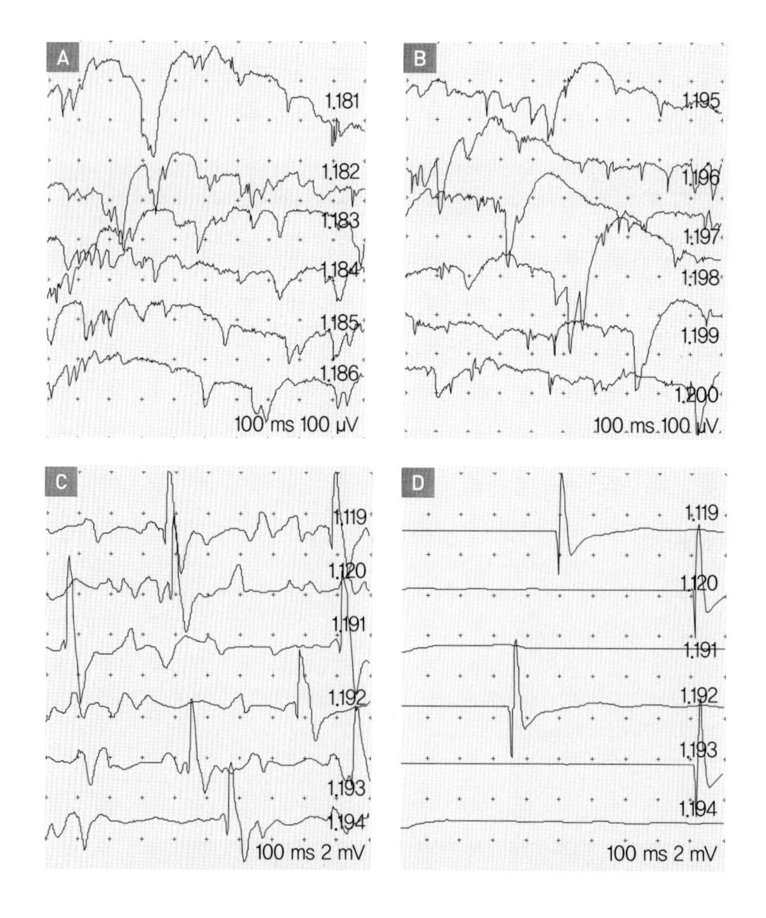

그림 21-2

침근전도 파형. 비정상자발전위(abnormal spontaneous activity)가 우측 대둔근(gluteus maximus)(A), 전경골근(tibialis anterior)(B)에서 관찰된다. 우측 전경골근(C)과 좌측 대둔근(D)에서는 진폭(amplitude)이 크고 지속시간(duration)이 긴 운동단위활동전위(MUAP)가 보인다. [민감도(sensitivity)와 스윕 속도(sweep speed); A와 B. 100 μV/div와 100 ms; C. 2 mV/div와 100 ms; D. 5 mV/div와 100 ms]

전기진단검사 결과 요약

감각신경전도검사에서는 우측 표재비골신경(superficial peroneal nerve)에서 전위가 유발되지않은 것 이외에는 정상이었다. 우측 족부 내재근(foot intrinsic muscles)에서의 복합근육활동전위(CMAP)는 단족지신근(extensor digitorum brevis)에서는 유발되지 않았고 족무지외전근(abductor hallucis)에서는 진폭이 감소되어 있었다. 우측 전경골근의 복합근육활동전위의 진폭은 반대측보다 다소 작았다. 침근전도에서는 우측 전경골근과 대둔근에서 탈신경 전위(denervation potential)가 관찰되었고 대퇴근막장근(tensor fascia lata)에서 삽입전위(insertional activity)가 증가되어 있었다. 좌측의 근육에서는 탈신경 전위가 관찰되지 않았다. 양측 비복근(gastrocnemius)은 어느 정도의 섬유화 소견을 보였다. 이 검사에서는 천추 2번에서 4번 신경근 레벨은 평가하지 않았다. 신경전도검사로 다발신경병증은 배제할 수 있다. 우측 비골신경에서 감각신경활동전위(SNAP)와 복합근육활동전위가 나오지 않았기 때문에 우측 비골신경병증은 진단할 수 있다. 단족지신근에서 반응이 없었더라도 전경골근에서 복합근육활동전위가 나왔기 때문에 슬관절 높이에서의 비골신경병증은 아니다. 진폭이 큰 복합근육활동전위가 있기 때문에 근병증이나 신경근접합부질환도 배제할 수 있다. 불안정한 막 전위가 우측 전경골근, 대둔근, 대퇴근막장근에서 관찰되었는데 이들은 근분절(myotome)이 합치한다. 우측 전경골근과 대둔근에서 관찰된 세동전위(fibrillation potential)와 양성예파(positive sharp wave)의 진폭이 커서 비교적 최근에 탈신경이 일어났음을 짐작할 수 있었다. 요컨대, 상기 전기생리학적인 자료는 양측 요추 5번, 천추 1번 신경근, 혹은 전각세포(anterior horn cell) 병변을 시사한다. 우측에서는 활동성의 탈신경이 있는 반면 좌측에서는 장기간 지속된 만성적인 탈신경만 있다. 임상적으로 이 환자는 기존에 오래된 마미(cauda equine)나 척수원추병변에 더해 새로이 우측 요추 5번, 천추 1번 근분절 근육들에 탈신경이 생겼다.

추가적으로 필요한 검사는?

근전도 검사에서 분명하게 드러난 우측 요추 5번과 천추 1번 신경근이나 전각세포의 탈신경이 무엇 때문에 발생하였는지 확인하기 위해 검사 시행 2일째에 조영 증강(contrast enhancement)을 하지 않은 요추 자기공명영상(MRI)검사를 시행하였다. 척수원추 안에 0.7×1×4 cm의 다중격(multiseptated)의 낭성(cystic) 병변이 있었다. 이것은 외상 후 발생하는 척수공동증(syringomyelia)의 전형적인 소견이다(그림 21-3).

전기진단검사 결론

상기 임상적, 전기진단학적, 영상의학적 소견은 외상후척수공동증에 의해 운동신경세포에 새로이 손상이 발생하였음을 의미한다.

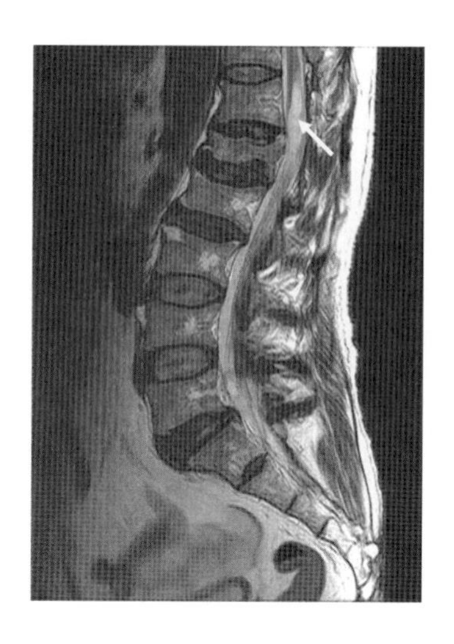

그림 21-3

요추의 T2 강조(T2-weighted) 시상(sagittal) 자기공명영상. 오래된 압박골절(compression fracture)과 요추 1번과 2번 사이에 작은 후방돌출(retropulsion), 요추 5번의 천추 1번에 대한 척추분리성척추전방전위증(spondylolytic spondylolisthesis), 요추 2번-3번 추간판돌출(disc bulging), 흉추 12번-요추 1번에서의 경미한 중심관척추협착(central canal stenosis)이 보인다. 골성 척주(bony vertebral column)의 구조적 변화 외에 중격이 여럿 있는 대략적으로 0.7×1×4 cm 크기의 낭성 부위가 관찰된다. 이는 외상 후 척수공동증의 전형적인 모습이다.

○ 고찰

자기공명영상으로 우측 요추 5번, 천추 1번 근분절에 근래에 발생한 신경학적 결손과 탈신경의 원인이 외상후 척수공동증이라는 것과 신경학적 문제가 마미가 아닌 척수원추에 있음을 확인할 수 있었다. 외상후 척수공동증은 척수 손상 후에 발생하는 척수공동증이다. 20년 이후에도 발생할 수 있는 만기장해(late complication)로서 이에 대해 알고 의심하고 있어야 진단이 용이한 질환이다. 척수 손상 환자에서의 척수공동증 발생률은 영상적으로는 22% 정도이고 임상적으로는 1.1%에서 3.2% 사이로 알려져 있다. 위험요인은 다음과 같다: 불완전 척수 손상보다는 완전 손상, 동반된 지주막염(arachnoiditis), 고령, 요천추부보다는 경흉추부 손상, 전위(dislocation)를 동반한 척추 골절, 감압술(decompression)을 하지 않은 기구고정술(instrumentation)[1].

흔한 발현증상(presenting symptom)으로는 척수신경근통(radicular pain), 경직(spasticity), 감각결손, 다한증(hyperhidrosis), 근위약이 있다[2]. 양성(benign)적인 임상증상에 대해서는 보존적인 치료만 시행해도 되지만[3] 진행하는 신경학적인 증상 악화는 감압술이 필요하다[4]. 이 사례의 환자는 척수 손상 후 24년이 지나서 외상후 척수공동증으로 인한 임상증상(우측 족관절 위약)을 나타냈다. 전기생리학적 소견 상 기존의 만성적인 탈신경 상태에 중복하여 새로운 탈신경 소견이 관찰되었기 때문에 외상후 척수공동증을 진단하는데 결정적인 단서가 되었다. 환자는 감압수술을 위해 신경외과로 의뢰되었으나, 후에 수술 및 추적관찰을 받지 않았음이 확인되었다.

참고문헌

1. Vannemreddy SS, Rowed DW, Bharatwal N. Posttraumatic syringomyelia: predisposing factors. Br J Neurosurg 2002;16:276-83.
2. Kramer KM, Levine AM. Posttraumatic syringomyelia: a review of 21 cases. Clin Orthop Relat Res 1997:190-9."
3. Mariani C, Cislaghi MG, Barbieri S, et al. The natural history and results of surgery in 50 cases of syringomyelia. J Neurol 1991;238:433-8.
4. Holly LT, Johnson JP, Masciopinto JE, Batzdorf U. Treatment of posttraumatic syringomyelia with extradural decompressive surgery. Neurosurg Focus 2000;8:E8.

증례 22

좌측 엄지발가락, 발바닥 통증과 이상감각을 호소하는 여성

병력

40세 여성이 수년 전부터 발생한 좌측 엄지발가락, 발바닥 통증 및 이상감각을 주소로 내원하였다. 환자는 20년전부터 내측 복사뼈 주위에 간헐적인 통증도 있었다고 한다. 통증의 형태는 저린 느낌이 좌측 엄지발가락과 발바닥 내측 부위로 급격하게 퍼져나가는 양상이었다. 통증 발생 1년 정도 앞서 좌측 엄지발가락에 감각 저하(hypesthesia)가 발생하였고, 발바닥 내측 부위로 진행하였다. 증상은 걸을 때 심해졌는데, 내측 복사뼈 주위로 방사되는 통증 양상이었다. 하지 위약 및 다른 부위 통증은 호소하지 않았다. 환자는 가정주부로 활동량은 중간 정도였으며 운동은 하지 않았다. 허리 통증은 없었으며, 당뇨나 허리디스크를 포함한 특이 과거 병력은 없었다.

이 시점에서 감별진단은?

1. 좌측 5번 요추-1번 천추 신경근병증(L5-S1 radiculopathy, left)
2. 좌내측 발바닥신경병증(medial plantar neuropathy, left)
3. 다발성말초신경병증(peripheral polyneuropathy)

근위약 없는 위와 같은 감각 증상에서는 감별진단 3가지 모두가 가능하다. 좌측 발과 발목에 국한된 국소적 증상에 대한 병력은 다발성말초신경병증 보다는 국소신경병증을 더 시사한다. 그러나 다발성말초신경병증의 초기 증상이 국소적 감각 증상으로 나타날 수 있기 때문에, 다발성말초신경병증은 반드시 감별진단 해야 한다. 통증이 있는 엄지발가락과 내측 발바닥은 척추신경근병증이나 발바닥신경병증에서 모두 나타날 수 있다.

신체 검진

시진

양측 하지의 근위축은 관찰되지 않았다.

발목관절 가동범위

양측발목의 움직임 제한은 관찰되지 않았다. (정상범위: 발목 등쪽굴곡 20도, 발목 배쪽굴곡 50도)

감각

좌내측 복사뼈 부위와 엄지발가락, 내측발바닥에 감각 이상 및 통증감각의 저하(우측의 10% 정도로 감소)가 관찰되었다.

티넬 징후(Tinel's sign)

좌측발목의 내측, 내측 복사뼈 후하방 티넬 징후 양성이었다. (감각 이상이 발바닥으로 방사되는 양상)

반사

양측 무릎과 발목의 심부건반사는 정상이었다.

보행

보행에는 이상 없었다.

도수근력검사

위약소견 관찰되지 않았다.

혈액검사 결과

전혈구계산(complete blood cell count, CBC) 검사와 혈중요소질소(blood urea nitrogen, BUN), 크레아티닌(creatinine, Cr), 전해질(electrolyte), 혈당(glucose), 간효소(liver enzyme)를 포함한 기본 화학검사(routine chemistry profile)는 모두 정상범위였다.

영상검사 결과

요천추 단순 방사선검사에서 이상 소견은 관찰되지 않았다. 양측 발과 발목 단순 방사선검사를 시행

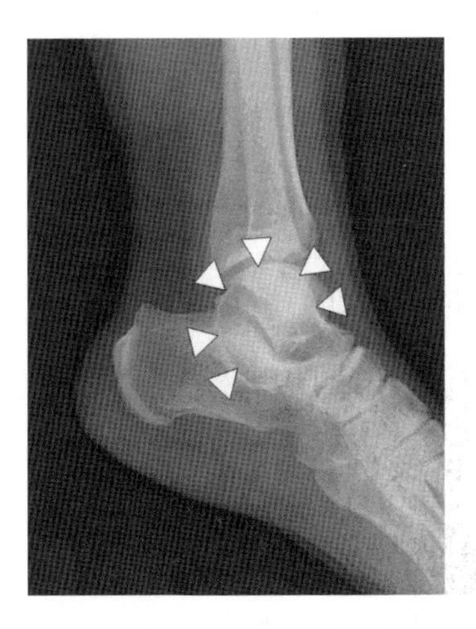

그림 22-1

좌측발목의 외측 단순 방사선검사. 거종골결합증(Talo-calcaneal coalition)이 확인됨.

하였고 결과는 그림 22-1과 같았다.

이 시점에서 감별진단은?

상기 병력과 신체 검진에서 좌측 엄지발가락과 내측 발바닥의 감각 저하가 주소견이다. 정상 요천추 단순방사선검사 소견과 발목관절 단순방사선검사에서의 거종골결합증 소견은 5번 요추-1번 천추 신경근병증보다는 발바닥신경병증의 가능성을 더 시사한다. 과거 병력, 신체검진, 혈액검사를 바탕으로 다발성말초신경병증은 제외할 수 있다.

전기진단검사 결과

SENSORY NERVE CONDUCTION STUDIES

NERVE - RECORDING SITE	Onest LAT (ms)	Base- peak AMP (μV)	Peak-peak AMP (μV)
L SUPERFICIAL PERONEAL - Foot	2.15	3.05	16.9
L SURAL - Lateral Malleolus	2.05	2.70	28.4
L MEDIAL PLANTAR - Sole		No response	
L LATERAL PLANTAR - Sole	2.75	4.7	4.3
R MEDIAL PLANTAR - Sole	1.75	6.7	8.2
R LATERAL PLANTAR - Sole	2.20	6.0	4.2

MOTOR NERVE CONDUCTION STUDIES

NERVE - RECORDING SITE	Onset LAT (ms)	AMP (mV)	Distance (cm)	NCV (m/s)
L COMMON PERONEAL - Extensor Digitorum Brevis				
Ankle	2.80	7.6		
Fibular Head	7.90	6.7	27.5	53.9
L TIBIAL - Abductor Hallucis				
Ankle	4.80	14.6		
Knee	11.75	9.9	34.2	49.2
R TIBIAL - Abductor Hallucis				
Ankle	3.40	21.3		
L TIBIAL - Abductor Digiti Minimi				
Ankle	4.40	8.5		
R TIBIAL - Abductor Digiti Minimi				
Ankle	4.30	10.0		

F - WAVE

NERVE - RECORDING SITE	MIN F LAT (ms)
L TIBIAL - Abductor Hallucis	42.30

H - REFLEX

NERVE - RECORDING SITE	H LAT (ms)	H AMP (mV)	H/M AMP (%)
R TIBIAL - Soleus	27.20	2.3	45.3%
L TIBIAL - Soleus	27.40	1.1	13.3%

NEEDLE ELECTROMYOGRAPHY								
MUSCLE	IA	Spontaneous			MUAP			Interference Pattern
		FIB	SW	CRD/ FASC	AMP	DUR	PPP	
L Abductor Hallucis	Nl	**1+**	**1+**	N	Nl	Nl	Nl	Complete
L Abductor Digiti Minimi	Nl	N	N	N	Nl	Nl	Nl	Complete
L Gastrocnemius	Nl	N	N	N	Nl	Nl	Nl	Complete

전기진단검사 결과 요약

신경전도검사는 좌내측 발바닥 신경의 반응이 없는 것을 제외하고는 모두 정상이었다. 내측 발바닥 복합근육활동전위(compound muscle action potential, CMAP)의 시작잠시(onset latency)는 4.8 ms 미만으로 알려져 있으나 4.8 ms로 기록되어 이 경우에는 경계 정도의 이상을 보였다. 침근전도검사에서는 좌측 엄지외전근(abductor hallucis)에서 비정상자발전위(abnormal spontaneous activity, ASA)가 관찰되었다. 소지외전근(abductor digiti minimi)과 비복근(gastrocnemius)에서는 정상이었으므로 5번 요추-1번 천추 신경근병증의 가능성은 낮다. 전기진단학적 검사의 이상 소견의 결과는 부분적인 축삭절단을 동반한 좌외측 발바닥신경병증을 강력하게 시사하는 소견이다.

추가적으로 필요한 검사는?

좌측 발목 자기공명영상검사(magnetic resonance imaging, MRI)

뼈와 인대의 이상을 확인하고 종양과 같은 구조물에 의해 눌린 부분은 없는지 찾고자 좌측 발목 자기공명영상검사를 시행하였다(그림 22-2).

전기진단검사 결론

전기진단검사 결과는 좌내측 발바닥신경병증을 시사한다. 이 소견은 임상적으로 족근관증후군(tarsal tunnel syndrome)에 합당한 소견이다.

임상 경과

좁아진 족근관을 넓히기 위해 정형외과에 의뢰하였다. 주로 굴근지대(flexor retinarculum)의 아래와 외전근막(abductor hallucis fascia)의 기시부에 의해 경골신경(tibial nerve)이 눌리고 있으므로 재거돌기(sustentaculum tali)의 뒷부분에 두드러지게 튀어나온 뼈를 수술을 통해 확인하였다. 경골신경의 눌린 부위는 가늘어져 있었고, 바로 인접한 근위부는 두꺼워져 있었다. 수술 이후 급성기 부작용 없이 퇴원하였다.

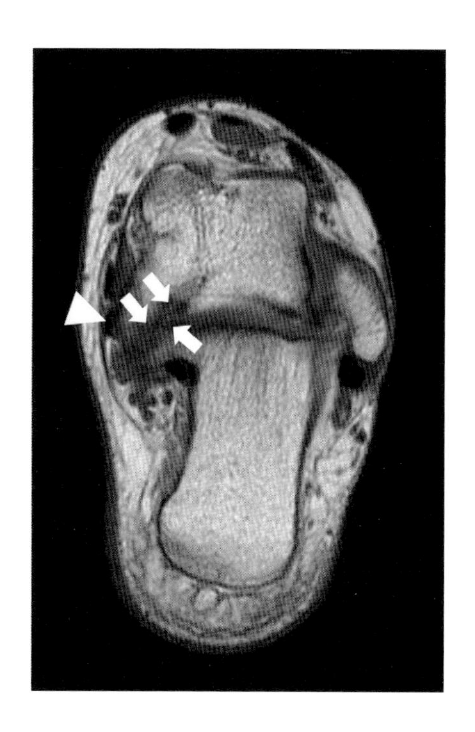

그림 22-2

좌측 발목 자기공명영상의 횡 절단면. T1 영상을 통해 섬유성 유합을 동반한 거종골결합증(화살표)과 내측 발바닥 신경의 부기(swelling, 화살표 머리)를 확인할 수 있다.

고찰

임상진단인 족근관증후군은 병력과 신체검사로 진단된다.[2,3] 족근관증후군을 배제하기 위한 전기진단학적 검사의 유용성에 대해서는 여전히 논란이 많다. AANEM(America & Association of Neuromuscular and Electrodiagnostic Medicine)에서 최근 추천하고 있는 내용은 다음과 같다.

1) 내측 발바닥 신경으로부터 지배받는 엄지외전근(abductor hallucis, AH)과 외측 발바닥신경으로부터 지배받는 족부소지외전근(abductor digiti minimi pedis, ADMP) 위쪽의 경골신경에서 전도검사
2) 내외측 발바닥 복합신경전도검사
3) 내외측 발바닥 감각신경검사

그러나 침근전도검사의 유용성은 불분명하다.[4] 침근전도검사는 엄지외전근과 족부소지외전근에 추가하여 하종골신경(inferior calcaneal nerve)에 지배를 받는 넷째 등쪽골간근(4th dorsal interosseous)에 시행하는 것 또한 추천된다. 이번 사례에서는 추천되는 모든 검사를 시행하지 않았음에도 불구하고 임상증상과 전기진단학적 검사 결과는 족근관증후군을 진단하는데 충분하였다. 만약 진단이 불분명했다면 위의 추천된 모든 검사들을 시행하는 것이 도움이 되었을 것이다.

족근관증후군(tarsal tunnel syndrome, TTS)은 족근관 위로 지나가는 후경골신경의 압박신경병증이다. 족근골결합증(tarsal coalition)[5,6]은 족근관증후군의 흔하지 않은 원인 중 하나다.[7] 거종골결합증은 족근골 결합 중 족근골의 섬유화, 연골화, 골화에 의한 결합으로 만들어질 수 있는 결합증의 흔한 종류 중 하나이다. 족근골의 상태는 선천적인 경우도 있으나 사고나 염증, 퇴행성 관절 질환에 의해 2차적으로 생긴 경우도 있다.[8] 기존에 거종골결합증에 의한 족근관증후군 사례가 한차례 보고된 적이 있는데[7] 섬유연골조직으로 연결된 거종골결합증에 의해 유발된 족근관증후군이라는 부분에서 이번 사례와 유사하다. 거종골결합에 이웃한 내측 발바닥 신경은 부어있었고, 발목 통증과 발바닥 저린 증상은 수술 이후에 호전되었다.

이번에 소개된 사례는 임상적으로 족근관증후군을 시사했으며, 단순 방사선검사와 자기공명영상 검사에서 거종골결합증이 확인되었다. 단순 방사선 검사에서는 측면사진에서 "C-sign"이라고 불리는 재거돌기(sustentaculum tali)와 거골 피질(talar cortex)사이에서 연결된 원호형태로 나타난다. 발목 자기공명영상에서는 거골과 종골사이에 섬유연골화된 연결을 보여준다.

참고문헌

1. J.Magee D. Orthopedic Physical Assessment. 5th ed. St, Louis : Saunders Elsevier ; 2008.
2. Bailie DS, Kelikian AS. Tarsal tunnel syndrome : diagnosis, surgical technique, and functional outcome. Foot Ankle Int 1998;19:65-72.
3. Mumenthaler M. [Tarsal tunnel syndrome. Diagnosis and differential diagnosis]. Wien Klin Wochenschr 1993;105:459-61.
4. Patel AT, Gaines K, Malamut R, Park TA, Toro DR, Holland N. Usefulness of electrodiagnostic techniques in the evaluation of suspected tarsal tunnel syndrome : an evidence-based review. Muscle Nerve 2005;32:236-40.
5. Linklater J, Hayter CL, Vu D, Tse K. Anatomy of the subtalar joint and imaging of talo-calcaneal coalition. Skeletal Radiol 2009;38:437-49.
6. Kernbach KJ, Blitz NM. The presence of calcaneal fibular remodeling associated with middle facet talocalcaneal coalition : a retrospective CT review of 35 feet. Investigations involving middle facet coalitions-Part II. J Foot Ankle Surg 2008;47:288-94.
7. Lee MF, Chan PT, Chau LF, Yu KS. Tarsal tunnel syndrome caused by talocalcaneal coalition. Clin Imaging 2002;26:140-3.
8. Bohne WH. Tarsal coalition. Curr Opin Pediatr 2001;13:29-35.

증례 23

까치발로 걷는 여성

병력

30세 여성 환자가 유년시절부터 있었던 까치발 보행을 주소로 내원하였다. 환자의 임신과 출산기간에 특별한 문제는 없었으나 유소년기에 경도의 위약이 있었다고 하였다. 환자는 18개월에 독립적으로 걸을 수 있었고, 8세 경에 까치발로 걷기 시작하였다. 팔다리 저린 증상이나 다른 감각장애는 없었다. 또한 환자는 육상경기를 해본 적이 없고 또래 친구들보다 빨리 달려본 적도 없지만 다른 위약이나 기능적인 장애를 느껴본 적은 없다고 하였다.

전기진단검사실로 의뢰되기 전, 환자는 까치발 보행 교정을 위하여 아킬레스건 연장술을 시행하였다. 수술 전 시행한 심전도 검사상 무증상의 심방조동(atrial flutter)을 발견하였다. 질병이나 어떤 알려진 돌연사의 가족력은 없었고 부모가 동성결혼과 같은 문제도 없었다.

이 시점에서 감별진단은?

1. 근병증(myopathy)
2. 운동신경원병(motor neuron disease)
3. 신경근 접합부 전달 질환(neuromuscular junction transmission disorder)
4. 탈수초성 운동신경병증(demyelinating motor neuropathy)
5. 선천성 다발성말초신경병증(hereditary peripheral polyneuropathy)
6. 상부운동신경원 병변(upper motor neuron lesion)

신체 검진

시진

상하지 근육들에 분명한 위축이 관찰되었다.

감각

진동감각, 가벼운 촉각, 위치감각, 온도감각과 같은 감각검사에서 상하지 모두 정상적이었다.

반사

팔과 무릎, 발목에서 시행한 심부건반사는 유발되지 않았다.

	Biceps Jerk	Triceps Jerk	Knee Jerk	Ankle Jerk
Right	0	0	0	0
Left	0	0	0	0

도수근력검사

	Shoulder abductor	Elbow flexor	Elbow extensor	Wrist dorsi-flexor	5th finger abductor	Hip flexor	Knee extensor	Ankle dorsi-flexor	Ankle plantar flexor
Right	4	4	4	5	5	4	3	3	3
Left	4	4	4	5	5	4	3	3	3

관절 가동범위와 구축

상하지에 양측 대칭적인 관절구축이 관찰되었다. 양측 팔꿈치에 약 30도 정도의 굴곡구축이 있고, 양측 무릎에는 10도 정도의 굴곡구축이 관찰되었으며, 양측 발목에는 40도 정도의 족저 굴곡 구축이 관찰되었다(그림 23-1). 좌측에서 토마스 검사(Thomas test)가 양성으로 나타났다.

기타 검진

가우어 징후(Gowers' sign)가 확실하게 나타났다.

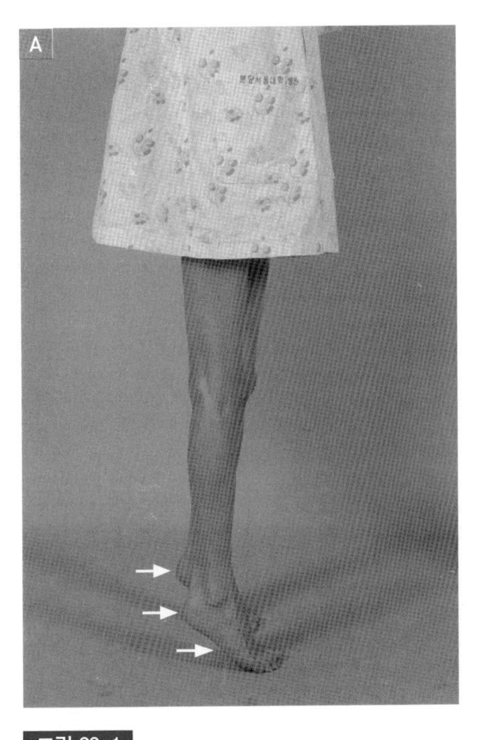

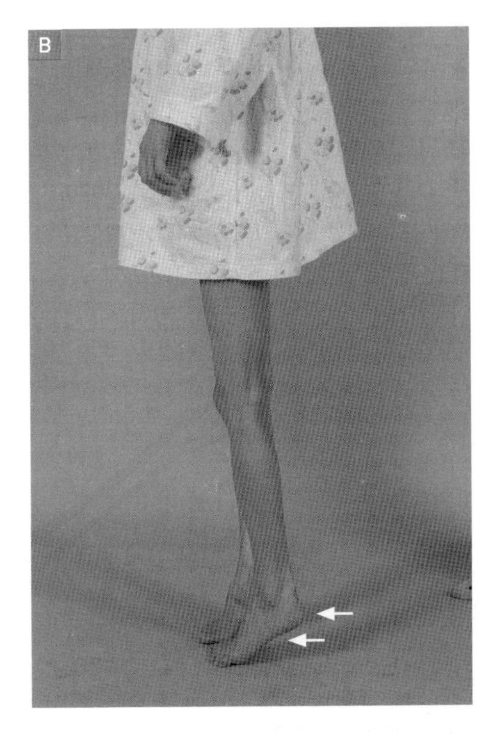

그림 23-1
이 사진은 발목의 족저 굴곡 구축을 보여준다(화살표).

혈액검사 결과

초기 혈액검사에서 전혈구계산(complete blood cell count, CBC) 검사와 혈중요소질소(blood urea nitrogen, BUN), 크레아티닌(creatinine, Cr), 전해질(electrolyte), 적혈구침강속도(erythrocyte sedimentation rate, ESR), 혈중 포도당(glucose), 알부민(albumin), 간효소(liver enzyme), 류마티스 인자(rheumatoid factor, RF)를 포함한 기본 화학검사(routine chemistry profile)는 모두 정상범위였다. 혈중 크레아틴키나아제(creatine kinase, CK)는 증가되어 있지 않았고(174 IU/L; 정상범위, 20~270 IU/L), 젖산탈수소효소(lactate dehydrogenase, LDH)는 경도로 증가되어 있었다. (234 IU/L; 정상범위, 100~225 IU/L)

이 시점에서 감별진단은?

팔꿈치 구축, 근육의 단축, 유소년기에 친구들의 발달을 따라잡기 어려웠던 점은 유전적인 문제로 추정되는 만성 질환을 시사하는 소견이다.

근위약 양상을 통해 감별진단의 범위를 좁힐 수 있다. 대부분의 근병증은 말단보다는 근위부 근육들에 먼저 영향을 미치지만, 특정 근병증은 사지 말단 위약을 먼저 유발하거나 특정부위부터 위약이 발생하도록 한다. 이번 사례에서 위약이 발생한 근육은 상완이두근(biceps brachii), 상완삼두근(triceps brachii), 전경골근(tibialis anterior), 비골근(peroneal muscles) 등이었는데 이런 특징은 다른 디스트로피(dystrophy)의 형태로부터 이번 사례를 구별하는 데 도움이 된다. 현재 말단부위는 정상적이면서 골반과 어깨에 영향을 준 사지연결 형태(limb-girdle pattern)의 위약과 다른 부위(상완이두근)에 특별히 발생한 위약이 동반되었을 때, 선천적이면서 디스트로피거나 디스트로피와 유사한 질병 과정을 피할 수 없다는 것이 결론이다. 신경근 접합부 전달 질환에서 보이는 명확한 증상의 다양성은 없지만, 그 또한 가능한 질환이다. 일부의 선천성 다발성말초신경병증의 경우 환자에게서 근육 단축, 까치발 걸음, 발의 기형 등이 관찰될 수 있다. 뇌성마비(cerebral palsy)나 경직성 양측마비(spastic diplegia)와 같은 상부운동신경원 병변 또한 이와 같이 나타날 수 있다.

전기진단검사 결과

SENSORY NERVE CONDUCTION STUDIES			
NERVE - RECORDING SITE	Onset LAT (ms)	Base-peak AMP (μV)	Peak-peak AMP (μV)
R MEDIAN - Digit II	2.45	40.5	67.3
R ULNAR - Digit V	2.45	45.3	85.3
R MEDIAN vs ULNAR - Digit IV			
MEDIAN	2.55	41.4	63.0
ULNAR	2.60	35.8	45.7
R SUPERFICIAL PERONEAL - Foot	2.75	21.3	24.1
R SURAL - Lateral Malleolus	2.30	38.6	41.3
L SUPERFICIAL PERONEAL - Foot	2.25	22.1	26.8
L SURAL - Lateral Malleolus	2.40	36.5	34.1

MOTOR NERVE CONDUCTION STUDIES				
NERVE - RECORDING SITE	LAT (ms)	AMP (mV)	Distance (cm)	NCV (m/s)
R MEDIAN - Abductor Pollicis Brevis				
Wrist	2.95	10.3		
Elbow	6.15	10.2	18.0	56.3
R ULNAR - Abductor Digiti Minimi				
Wrist	2.60	15.1		
Elbow	5.95	15.0	20.0	59.7
R COMMON PERONEAL - Extensor Digitorum Brevis				
Ankle	4.50	3.5		
Fibular Head	8.95	3.0	26.5	59.6
L COMMON PERONEAL - Extensor Digitorum Brevis				
Ankle	3.90	4.9		
Fibular Head	9.65	3.7	26.0	45.2
R TIBIAL - Abductor Hallucis				
Ankle	2.95	11.7		
Knee	8.40	10.7	37.0	49.5
L TIBIAL - Abductor Hallucis				
Ankle	2.95	15.9		
Knee	8.85	12.8	27.0	45.8

F - WAVE	
NERVE - RECORDING SITE	MIN F LAT (ms)
R MEDIAN - Abductor Pollicis Brevis	23.50
R ULNAR - Abductor Digiti Minimi	22.25
R COMMON PERONEAL - Extensor Digitorum Brevis	44.15
L COMMON PERONEAL - Extensor Digitorum Brevis	40.50
R TIBIAL - Abductor Hallucis	39.70
L TIBIAL - Abductor Hallucis	40.55

H - REFLEX	
NERVE - RECORDING SITE	MIN H LAT (ms)
R TIBIAL - Soleus	**No response**
L TIBIAL - Soleus	**No response**

NEEDLE ELECTROMYOGRAPHY								
MUSCLE	IA	Spontaneous			MUAP			Interference Pattern (Recruitment)
		FIB	PSW	CRD / FASC	AMP	DUR	PPP	
R Iliopsoas	Nl	N	N	N	Nl	**Inc**	**Inc**	Complete
R Vastus Medialis	Nl	N	N	N	**Nl/Dec**	**Dec**	Inc	**Discrete**
R Tibialis Anterior	**Dec**	N	N	N	Nl	Nl	Inc	**Discrete**
R Gastrocnemius (Medial)	**Dec**	N	N	N	Nl	Nl	**Inc**	**(Early)**
R Gluteus Medius	**Dec**	N	N	N	Nl	Nl	Inc	Complete
R Flexor Carpi Radialis	Nl	N	N	N	**Inc**	**Inc**	Inc	Complete
R Biceps	Nl	N	N	N	**Nl/Dec**	**Dec**	Inc	Complete
R Deltoid	Nl	N	N	N	Nl	**Dec**	Inc	**(Early)**

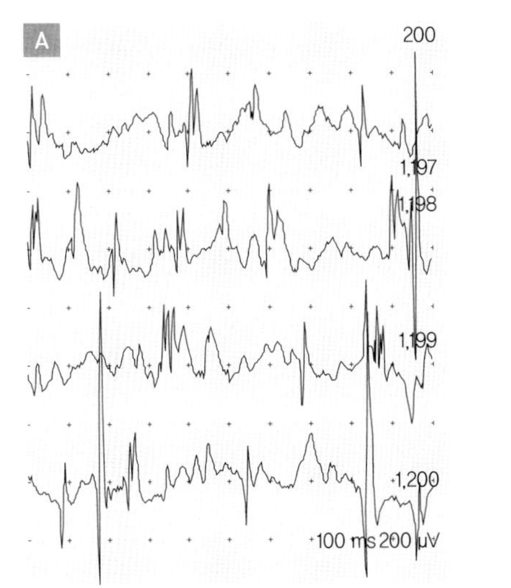

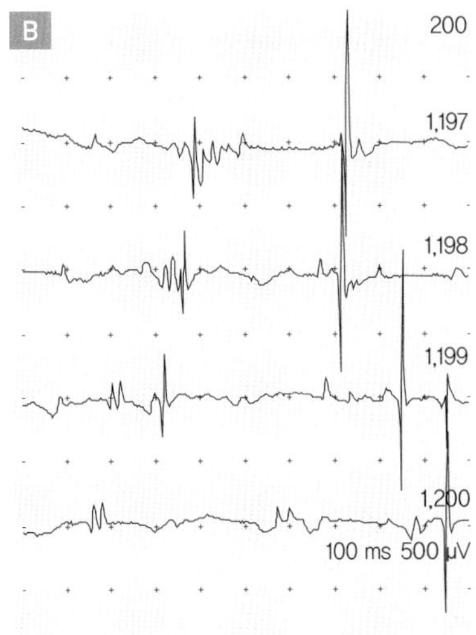

그림 23-2

침근전도검사 파형. 짧은 다상성운동단위활동전위들(motor unit action potentials, MUAPs)이 우측 상완이두근(biceps brachii)(A), 내광근(vastus medialis)(B)에서 관찰된다. [민감도(sensitivity)와 스윕 속도(sweep speed); A. 200 μV/div, 100 msec; B. 500 μV/div, 100 msec]

전기진단검사 결과 요약

신경전도검사에서 우측 정중신경, 척골신경, 양측 총비골신경, 경골신경의 복합근육활동전위(compound muscle action potentials, CMAP)는 정상이었다. 또한 정중신경, 척골신경, 양측 천비골신경과 비복신경의 감각신경활동전위(sensory nerve action potentials, SNAP)도 정상이었다. 상하지에서 확인한 F파도 정상이었다. 비장근에서 H반사를 시행하였으나 유발되지 않았다.

침근전도검사에서 전경골근(tibialis anterior), 비복근(gastrocnemius), 중둔근(gluteus medius)에서 삽입전위(insertional activity)가 뚜렷하게 감소되어 있었다. 검사한 모든 근육에서 비정상자발전위(abnormal spontaneous activity, ASA)는 발견되지 않았으나, 다상성운동단위활동전위들(motor unit action potentials, MUAPs)은 검사한 모든 근육에서 관찰되었다. 조기 동원된 운동단위활동전위들은 비복근과 삼각근(deltoid muscle)에서 관찰되었고, 이산간섭양상(discrete interference pattern)이 내광근과 전경골근에서 관찰되었다.

추가적으로 필요한 검사는?

유전자검사

에머린(Emerin), 라민 A/C(lamin A/C) 유전자 검사가 진단에 도움을 줄 수 있지만, 환자가 유전자 검사에 동의하지 않아서 시행하지 못하였다.

근육조직검사

자가분해를 통해 경도의 지방조직 성장이 나타난 비특이적인 결과가 관찰되었다. 신경원성이나 근병성 변화에 부합하는 소견은 아니었다.

심혈관검사

24시간 홀터 관찰 검사(24-hour Holter monitoring)를 통해 완전방실차단(complete atrioventricular block)을 동반한 심방조동(atrial flutter)을 발견하였고, 심장초음파를 통해 박출률(ejection fraction)이 63%이며 경도의 삼첨판(tricuspid valve) 역류가 있는 것을 확인하였다. 부정맥과 관련한 뚜렷한 증상이 없고 안정적인 심박동수를 유지하고 있었지만 약물 치료를 시작하여 아스피린(aspirin)이 추가되었다.

전기진단검사 결론

1. 상기 전기진단검사는 만성기의 근병증(myopathy)에 부합한다.
2. 임상적인 양상을 고려할 때, 에머리-드라이푸스 근디스트로피(Emery-Dreifuss muscular dystrophy)를 시사한다.

임상 경과

환자는 양측 아킬레스건 연장술과 Z성형술을 시행하였다. 수술하고 1개월 뒤 단하지보조기(ankle-foot orthosis, AFO)를 착용하고 보행 훈련을 시작하였다. 수술 이후 환자의 보행 형태는 호전되었다.

고찰

에머리-드라이푸스 근디스트로피(Emery-Dreifuss muscular dystrophy, EDMD)는 매우 드문 질환으로 특히 목과 팔꿈치, 발목에 나타나는 조기 구축, 서서히 상완과 비골 주위에 더 두드러져 나타나는 근위약, 5세에서 15세 사이의 발생시기, 영구적 심박조율기 사용이 필요하거나 일부 사례에서는 사망하기도 하는 특이한 심장 문제가 발생하는 특징을 가지고 있다.[1] 이 질환은 염색체 Xq28에 위치하고 에머린(emerin) 단백을 합성하는 에머리-드라이푸스 근디스트로피 유전자(EMD gene)의 변이로 인해 발생한다(OMIM 300384).[2] 에머린은 골격근의 내부 핵막에 집중되어 있으며 심장근육의 경계판(intercalated disks)과도 연관되어 있다.[3]

다양한 근디스트로피 중, 팔꿈치 구축은 에머리-드라이푸스 근디스트로피에서 두드러진다. 섬유성 관절 구축은 팔다리의 움직임이 감소될 때 나타나는데, 특히 임상적으로 늦게 발현되는 운동단위(motor unit)와 관련된 많은 질환에서 발견될 수 있다. 조기에 분명한 구축이 발생하는 질환에는 몇몇 종류가 있는데, 여러 종류의 디스트로피가 포함되며 특정 디스트로피병증(dystrophinopathies; limb girdle muscular dystrophy(LGMD) type 1B, 1G, 2A, some sarcoglycanopathies(LGMDs 2C-F), Bethlem myopathy, many of the congenital dystrophies, Emery-Dreifuss muscular dystrophies 등)도 포함된다.[4] 팔꿈치 구축은 특히 에머리-드라이푸스 근디스트로피에서 눈에 띄는 특징이다.

이번 사례의 진단에 있어서 도움이 된 것은 전신적(systemic)으로 연관된 질환이 발현됐는지 아니면 비근병성(non-myopathic)으로 발현됐는지에 대한 것이었다. 이번 환자는 심장에 연관된 질환이 발현되었다. 근병증에서 심장과 연관된 질환은 전도계 질환과 심근 이상으로 나눌 수 있다. 이번 사례에서 환자는 심방조동과 완전방실차단을 진단받았다. 혈중 크레아틴키나아제 수치는 질병의 과정에 따라 초기 정상범위에서 시작해 가장 높은 수치의 10배까지 증가했다가 시간이 지나면서 감소하게 된다.[5,6] 전기진단검사 시 근병증은 큰 다상성운동단위활동전위를 보이지만, 이것은 신경원성 질환(neurogenic disorder)의 잘못된 진단을 이끌어 낼 수도 있다.[5,7] 또한 근육조직 검사는 근병증에서 비특이적으로 나타날 수 있다.[4,5]

참고문헌

1. Muchir A, Worman HJ. Emery-Dreifuss muscular dystrophy. Curr Neurol Neurosci Rep 2007;7:78-83.
2. Bione S, Maestrini E, Rivella S, et al. Identification of a novel X-linked gene responsible for Emery-Dreifuss muscular dystrophy. Nat Genet 1994;8:323-7.
3. Sabatelli P, Squarzoni S, Petrini S, et al. Oral exfoliative cytology for the non-invasive diagnosis in X-linked Emery-Dreifuss muscular dystrophy patients and carriers. Neuromuscul Disord 1998;8:67-71.
4. Emery AE. Emery-Dreifuss muscular dystrophy - a 40 year retrospective. Neuromuscul Disord 2000;10:228-32.
5. Rowland LP, Fetell M, Olarte M, Hays A, Singh N, Wanat FE. Emery-Dreifuss muscular dystrophy. Ann Neurol 1979;5:111-7.
6. Emery AE. Emery-Dreifuss muscular dystrophy and other related disorders. Br Med Bull 1989;45:772-87.
7. Rowinska-Marcinska K, Szmidt-Salkowska E, Fidzianska A, et al. Atypical motor unit potentials in Emery-Dreifuss muscular dystrophy (EDMD). Clin Neurophysiol 2005;116:2520-7.

증례
24

양측 족부에 재발성 궤양이 있는 환자

● 병력

31세 남자가 20년 이상 양측 족부에 재발하는 궤양을 주소로 내원하였다. 그는 초등학생 시절에 우측 족부에 무혈성 괴사(avascular necrosis)를 앓았었다고 했다. 당시 의사는 말초신경병증(peripheral neuropathy) 때문이며 수술은 필요하지 않다고 했었다. 당시 맞춤형 의료용 신발(shoe modification)을 처방받고 족부 증상은 즉시 해결되었다. 그는 신체적 수행능력(physical performance)이 불량하였고 어둠에서 보행 장애가 있었다. 눈을 감고 걷지 못하는 것은 말할 것도 없었다. 컴퓨터 프로그래머임에도 불구하고 키보드를 보지 않고 타자를 치지 못하였다. 당뇨병, 고혈압, 외상 등 일체의 병력이 없었다고 했다. 첫째 누나가 비슷한 보행장애가 있었고 부모님은 특별한 건강 문제가 없었다고 했다. 그는 자신의 문제의 원인에 대해 진단을 받고 싶어서 재활의학과를 방문하였다.

● 이 시점에서 감별진단은?

1. 유전성 신경병증(hereditary neuropathy)
   a. 유전성 감각신경병증(hereditary sensory neuropathy)
   b. 유전성 운동감각신경병증(hereditary motor and sensory neuropathy)
2. 유전성 척수운동실조(hereditary spinal ataxia, Friedrich's ataxia)
3. 후천성 신경병증(acquired neuropathy)
4. 선천성 근병증(congenital myopathy)

비교적 이른 나이에 증상이 생긴 점, 반복적으로 발생하는 족부 궤양, 큰누나도 보행 장애가 있다는 점은 유전성 감각신경병증을 짐작하게 한다. 사지 운동실조와 보행 실조가 있었으며 감각 증상이 주였기 때문에 유전성 척수운동실조도 감별진단에 포함되어야 한다. 후천성 말초신경병증을 시사하는 병력은 없었지만 출생 후 알려지지 않은 원인에 의해서 발생한 감각 증상 위주(sensory dominant) 말초신경병증도 감별해야 한다. 감각 증상이 있었고 명백한 근위약은 없었기 때문에 근병증의 가능성은 떨어지지만 다발심(multicore) 근병증이나 근세관성(myotubular) 근병증과 같은 일부 선천성 근병증은 족부 변형을 동반하기 때문에 감별진단에 포함하였다.

● 신체 검진

시진

편평족(flat feet)과 족저면(plantar surfaces)에 압력 궤양(pressure ulcer)이 있었다. 추상족지(Hammer toe)와 신경 비대(nerve enlargement)는 없었다. 요천추부 측만증(scoliosis)도 있었다.

감각

사지에서 모든 종류의 감각이 저하되어 있었다. 양측 족부의 감각은 전무하였다. 고유감각 역시 부전 소견이 있었다. 롬베르크 징후(Romberg sign)는 양성이었다.

도수근력검사

사지에서 근력은 정상이었다.

반사

심부건반사(Deep tendon reflex)는 양측 상하지에서 나오지 않았다.

전기진단검사 결과

SENSORY NERVE CONDUCTION STUDIES			
NERVE - RECORDING SITE	Onset LAT (ms)	Base-peak AMP (μV)	Peak-peak AMP (μV)
R MEDIAN - Digit II		No response	
R ULNAR - Digit V		No response	
R SUPERFICIAL PERONEAL - Foot		No response	
L SUPERFICIAL PERONEAL - Foot		No response	
R SURAL - Lateral Malleolus		No response	
L SURAL - Lateral Malleolus		No response	

MOTOR NERVE CONDUCTION STUDIES				
NERVE - RECORDING SITE	LAT (ms)	AMP (mV)	Distance (cm)	NCV (m/s)
R MEDIAN - Abductor Pollicis Brevis				
Wrist	3.20	11.4		
Elbow	7.70	11.2	25	55.6
R ULNAR - Abductor Digiti Minimi				
Wrist	2.80	10.1		
Elbow	8.05	9.7	25	58.1
R COMMON PERONEAL - Extensor Digitorum Brevis				
Ankle	4.80	8.0		
Fibular Head	13.7	8.0	36	40.4
L COMMON PERONEAL - Extensor Digitorum Brevis				
Ankle	6.80	2.2		
Fibular Head	14.95	5.2	35	42.9
Accessory peroneal	4.60	4.1		
R TIBIAL - Abductor Hallucis				
Ankle	4.60	13.1		
Knee	14.40	10.4	41	41.8
L TIBIAL - Abductor Hallucis				
Ankle	5.45	12.8		
Knee	15.60	9.0	42	41.4

F - WAVE	
NERVE - RECORDING SITE	MIN F LAT (ms)
R ULNAR - Abductor Digiti Minimi	28.95
R TIBIAL - Abductor Hallucis	54.00
LTIBIAL - Abductor Hallucis	57.20

H - REFLEX	
NERVE - RECORDING SITE	Response
L Tibial - Soleus	No response
R Tibial - Soleus	No response

SEP	
NERVE	Response
R Median	No response
R Tibial	No response

NEEDLE ELECTROMYOGRAPHY								
MUSCLE	IA	Spontaneous			MUAP			Interference Pattern
		FIB	PSW	CRD/ FASC	AMP	DUR	PPP	
R First Dorsal Interosseous	Nl	N	N	N	Nl	Nl	Nl	Complete
L Biceps Brachii	Nl	N	N	N	Nl	Nl	Nl	Complete
R Tibialis Anterior	Nl	N	N	N	Nl	Nl	Nl	Complete
R Vastus Medialis	Nl	N	N	N	Nl	Nl	Nl	Complete

전기진단검사 결과 요약

운동신경전도검사(motor nerve conduction study)는 좌측 비골신경(peroneal nerve)의 해부학적 변이와 관련한 소견 외에는 정상이었다. 감각신경전도검사(sensory nerve conduction study)상 사지에서 활동전위가 유발되지 않았다. 가자미근(soleus)에서 측정된 H-반사나 상하지에서 기록한 체성감각유발전위검사(SEP)도 반응이 나오지 않았다. 침근전도(needle electromyography)는 정상이었다.

전기진단검사 결론

상기 전기진단학적 검사는 원위부 말초감각 다발신경병증을 시사한다. 임상 소견을 고려했을 때 유전성 감각자율신경병증(hereditary sensory and autonomic neuropathies, 이하 HSAN) 2형 혹은 1형, 감각신경을 심하게 침범한 샤르코-마리-투스병(Charcot-Marie-Tooth disease) 2B형과 같은 유전성 신경병증의 가능성이 높다.

추가적으로 필요한 검사는?

유전자 검사(genetic study)

유전성 신경병증을 확진하기 위해 HSAN 1형, HSAN 2형, 샤르코-마리-투스병 2형 각각의 확인된 유전자인 SPTLC1, HSN2, RAB7 유전자 검사를 시행하였다. 그러나 상기 검사에서는 모두 음성이었다.

혈액 검사(hematology laboratory)

혈중 요소질소(blood urea nitrogen), 크레아티닌(creatinine), 전해질, 적혈구침강속도(erythrocyte sedimentation rate), 비타민 B_{12}, 엽산(folate)을 포함한 일반 화학 검사(routine chemistry profile)와 전체혈구계산(complete blood cell count)은 정상이었다.

비복신경 생검(sural nerve biopsy)

HSAN에서 비복신경 생검을 하면 가는 섬유, 굵은 섬유 모두에서 축삭변성(axonoal degeneration)을 관찰할 수 있다. 하지만, 이러한 소견은 비특이적이고 진단에 별로 도움이 되지 않는다. 본 증례에서는 신경 생검을 시행하지 않았다.

고찰

HSAN은 초기증상(presentation), 자율 신경을 침범한 정도, 관련 유전자, 유전 양상에 따라 다섯 종류로 나뉜다[1]. 상염색체 우성(autosomal dominant) 유전하는 HSAN 1형이 가장 흔한 종류이다. 이 질환은 명백한 감각 소실을 동반하는 말단부 병발(distal limb involvement)이 특징적이다. 통증 감각이 소실되어서 환자는 손상에 더 취약하게 된다. 9번 염색체 장완 22.1에서 22.3.2 사이(9q22.1−q22.3)에 있는 세린팔미토일전달효소(serine palmitoyltransferase, SPT)의 점돌연변이(point mutation)로 인해 발생하는 것으로 알려져 있다[2].

HSAN 2형은 상염색체 열성(autosomal recessive)이나 산발적(sporadic)으로 발생하고 영아기(infancy)에서 초기 아동기(early childhood)에 발생하는 감각 신경과 자율 신경계의 병증이다. 이 질환은 모든 감각이 소실되고 이른 시기에 궤양이 발생하며 조직학적으로 유수섬유(myelinated fiber)와 무수섬유(unmyelinated fiber)가 소실된 소견을 보인다. 자율신경계 증상(autonomic features)으로는 발작적 다한증(episodic hyperhidrosis), 긴장동공(tonic pupils), 변비(constipation), 무호흡 삽화(apnoeic episodes) 등을 보이고 상지와 하지에서 영양성 변화(trophic changes)가 발생한다. 예전에는 무통성 표저(painless whitlow) 말단이영양성 신경병증(acrodystrophic neuropathy)을 처음으로 기술했던 의사의 이름을 따서 모르방씨 병(Morvan's disease)라고 불렸었다. HSAN 2형은 샤르코 관절(Charcot joint)뿐만 아니라 환자가 인식하지 못하는 손발과 사지의 부상과 골절을 일으킨다. 비복신경 생검에서는 굵기와 상관 없이 유수섬유가 소실되어 있고 무수섬유 수는 경미하게 감소된 소견을 보인다.

이 질환은 12번 염색체 단완 13.33(12p13.33)의 HSN2 유전자의 변이와 연관되어 있다.[1,2] 한 고립된 캐나다인 집단에서 HSN2의 좌위가 12번 염색제 단완 13.33(12p13.33)에 있고 세 가지 다른 변이가 있다는 것이 밝혀졌다.

HSN2 유전자는 WNK 라이신 결핍(lysine-deficient) 단백질 키나아제1(protein kinase 1) 유전자(PRKWNK1 gene)의 인트론 8(intron 8) 내에 위치한 단일 엑손(single-exon) 유전자로서 WNK1과 같은 가닥(strand)으로부터 전사(transcribe)된다. HSN2 유전자에 대한 첫 보고 이후에 뚜렷한 표현형(phenotype)과 비교적 균일한 임상 소견을 보이는 다른 인종(레바논, 프랑스, 오스트리아, 이탈리아, 벨기에)의 가계들이 보고되었다. 보고된 모든 돌연변이는 HSN2 단백질의 절단을 일으켰다. 이 단백질은 434개의 아미노산으로 이루어져 있을 것으로 생각되고 그 정확한 역할은 알려지지는 않았지만 말초 신경세포나 그 지지세포의 형성이나 유지와 관련된 것으로 추측된다[3]. 이 증례는 유전자 검사에서 HSN2 유전자에 점돌연변이가 없어서 HSAN 1형이나 2형 중에 어느 것인지 판명이 나지 않았지만 상염색체 우성 유전이 아닌 점, 조기 발병, 재발성 족부 궤양은 HSAN2를 의심케 하는 소견이다.

이 질환의 전기진단학적인 소견에 대해서 보고된 것은 거의 없다. 감각신경활동전위(sensory nerve action potential)는 유발되지 않는다. 운동신경전도검사는 비골신경을 제외하고 비교적 정상적인 복합운동활동전위(CMAP)를 보여준다. 비골신경은 유발 전위의 진폭이 감소될 수 있다. 신경전도속도는 정상치의 하한 근처이다. 침근전도에서는 운동단위활동전위(MUAP) 점증양상(recruitment pattern)이 저하되어 있고 지속시간(duration)이 긴 다상성(polyphasic) 운동단위활동전위가 자주 관찰된다. 때때로 양성예파(positive sharp wave)와 섬유자발전위(fibrillation potential)가 관찰되는데 특히 하지의 원위부 근육에서 관찰된다[4].

○ 참고문헌

1. Freeman R. Autonomic peripheral neuropathy. Lancet 2005;365:1259-70.
2. Axelrod FB, Gold-von Simson G. Hereditary sensory and autonomic neuropathies: types II, III, and IV. Orphanet J Rare Dis 2007;3:2:39.
3. Auer-Grumbach M, Mauko B, Auer-Grumbach P, Pieber TR. Molecular genetics of hereditary sensory neuropathies. Neuromolecular Med 2006;8:147-58.
4. Dumitru D, Amato AA, Zwarts MJ. Electrodiagnostic Medicine, 2nd ed. Philadelphia: Hanley & Belfus; 2002; 871-4.

증례 25

요통과 진행하는 하지 위약이 있는 남자

○ 병력

38세 남자가 요통과 함께 진행하는 하지위약 및 피로감을 주소로 근전도실을 방문하였다. 3세 때 고열이 1주일가량 있었다고 한다. 이후 좌측 하지 위약과 위축이 생겼고 보행시 절게 되었다. 그는 이것이 우리가 흔히 소아마비로 알고 있는 회색질척수염(poliomyelitis)의 후유증으로 알고 있었다. 34세 때부터 감각 증상 없이 하지의 위약과 피로감이 새로이 생겼다. 동네 의원에서는 이 증상이 고관절 골관절염(hip osteoarthritis)이나 기타 근골격계(musculoskeletal) 문제 때문일 수 있다고 하였다. 6개월 후 지팡이를 짚어야 걸을 수 있게 되었고 결국 38세 때부터 장거리 보행시에는 양측 전완 목발(forearm crutch)이 필요하게 되었다. 내원 3개월 전에 갑상선기능저하증(hypothyroidism)을 진단받고 갑상선 호르몬대체요법(hormonal replacement therapy)을 받아서 피로감과 하지가 무거운 느낌은 다소 호전되기는 하였으나 증상이 아직 남아 있었고 보행 장애도 여전히 있었다. 4년간 하지 위약과 피로감에 대한 치료를 받기 위해 여러 병원을 전전하다 본원 정형외과를 거쳐 전기진단학적 검사를 위해 본 검사실로 의뢰되었다.

○ 이 시점에서 감별진단은?

1. 운동신경원병(motor neuron disease) 혹은 척수전각세포병변(anterior horn cell lesion)
   a. 소아마비후증후군(post−polio syndrome)
   b. 원위부척수근위축증(distal spinal muscular atrophy)
   c. 진행척수성근위축증(progressive spinal muscular atrophy)
2. 후천성 근병증(acquired myopathy)
3. 요천추신경근병증(lumbosacral radiculopathy)

환자는 이전에 회색질척수염을 진단받았지만 하지 위약감은 새롭게 생긴 증상이다. 여기서 소아마비후증후군(post−polio syndrome)에서 발생하는 근위축과 다른 신경근육질환에서 발생하는 하지 위약을 구분하는 것이 중요하다. 따라서 몇 가지 가능한 운동신경원병과 근병증질환들을 감별해야 한다. 근위축측삭경화증(amyotrophic lateral sclerosis)과 같은 운동신경원병 중에 원위부척수근위축증도 역시 새롭게 생긴 위약을 설명할 수 있다. 요천추신경근병증도 반드시 감별해야 한다. 그러나 요통의 양상은 전형적인 신경근병증과 달랐고 방사통(radicular pain)이나 하지의 감각 저하는 없었다. 감각 증상이나 징후가 없는 하지 위약감의 원인으로 몇 가지 후천성 근병증들도 감별해야 한다.

신체 검진

시진

이마가 벗겨지지 않았고 안검하수(ptosis)나 안면근육 위약은 관찰되지 않았다. 양측 넓적다리와 장딴지에 근육 위축이 있었고 좌측에서 더 심했다(그림 25-1). 경미한 척주측만증(scoliosis)이 있었고 골반도 같이 기울어져 있었다. 이것이 파행(limping)보행에 일정부분 영향을 미칠 것이다.

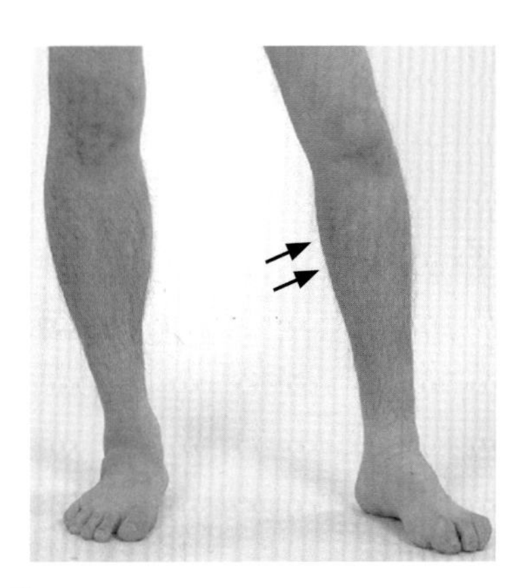

그림 25-1

환자의 전반적인 모습. 좌측 장딴지의 심한 근육 위축 소견(화살표)

연수 근육(Bulbar muscle)

구음장애(dysarthria)나 연하곤란(dysphagia)은 없었다.

감각

감각 검진은 정상이었다.

도수근력검사

	Upper extremity	Hip flexor	Knee extensor	Ankle dorsiflexor
Right	5	3	3	2
Left	5	2	2	2

반사

근긴장도(muscle tone)와 반사는 전반적으로 저하되어 있었다. 상부운동신경징후(upper motor neuron sign)는 없었다.

근긴장증(Myotonia)

손을 안 쓰고 있다가 처음 사용할 때 근긴장증이 항진되어 있고(action myotonia) 어느 정도 활동을 하고 나면 근긴장증은 감소하였다(warm-up phenomenon). 그리고 타진근긴장증(percussion myotonia)도 관찰되었다.

검사 결과

환자는 추가 검사와 치료를 위해 본원에 입원하였다. 혈청 크레아틴키나아제(serum creatine kinase)는 정상이었고 갑상선 기능검사에서 경미한 갑상선기능저하증(hypothyroidism) 소견이 있었다. 심전도(Electrocardiography)에서는 이상 소견이 없었다.

전기진단검사 결과

SENSORY NERVE CONDUCTION STUDIES			
NERVE - RECORDING SITE	Onset LAT (ms)	Base-peak AMP (μV)	Peak-peak AMP (μV)
R MEDIAN - Digit II	2.6	26.0	41.4
R ULNAR - Digit V	2.5	32.3	42.8
L SUPERFICIAL PERONEAL - Foot	2.4	15.9	22.9
L SURAL - Lateral malleolus	3.2	18.9	20.9

MOTOR NERVE CONDUCTION STUDIES				
NERVE - RECORDING SITE	LAT (ms)	AMP (mV)	Distance (cm)	NCV (m/s)
R MEDIAN - Abductor Pollicis Brevis				
Wrist	2.90	21.2		
Elbow	6.60	20.8	21.5	58.1
R ULNAR - Abductor Digiti Minimi				
Wrist	3.05	16.3		
Elbow	6.45	15.5	20.5	58.8
R TIBIAL - Abductor Hallucis				
Ankle	3.80	14.8		
Knee	10.75	10.8	35.5	50.4
L TIBIAL - Abductor Hallucis				
Ankle	5.00	**5.1**		
Knee	12.85	**4.2**	34.5	43.9

F - WAVE	
NERVE - RECORDING SITE	MIN F LAT (ms)
R MEDIAN - Abductor Pollicis Brevis	25.75
R ULNAR - Abductor Digiti Minimi	26.30
L TIBIAL - Abductor Hallucis	**No response**

H - REFLEX	
NERVE - RECORDING SITE	H LAT (ms)
L Tibial - soleus	No response
RTibial - soleus	No response

NEEDLE ELECTROMYOGRAPHY								
MUSCLE	IA	Spontaneous			MUAP			Interference Pattern
		FIB	PSW	CRD/ FASC	AMP	DUR	PPP	
L First Dorsal Interosseous	Dec	N	N	N	Nl	Nl	Inc	Single
L Biceps Brachii	Inc	3+	3+	N	Nl	Nl	Inc	Reduced
R Tibialis Anterior	Inc	2+	3+	N	Nl	Nl	N	Reduced
R Vastus Medialis	Dec	N	N	N	Nl	Nl	Inc	Single
L Tibilais Anterior	Inc	3+	3+	N	Inc	Inc	Inc	Discrete
L Vastus Medialis	Dec	N	N	N	Inc	Inc	Inc	Reduced
L Gastrocnemius (Medial)	Inc	3+	3+	N	Inc	Inc	Inc	Discrete
L Gluteus Medius	Inc	3+	3+	N	Inc	Inc	Inc	Reduced
L Lumbar Paraspinals (Upper)	Inc	3+	3+	N				
L Lumbar Paraspinals (Lower)	Inc	2+	3+	N				

○ 전기진단검사 결과 요약

족무지외전근(abductor hallucis)에서 측정한 경골신경(tibial nerve)의 운동신경전도검사에서 복합근육활동전위(compound muscle action potential)는 우측에서 14.8 mV인 것에 비해 좌측에서는 5.1 mV로 감소되어 있었다. 그 외 운동 혹은 감각신경전도검사에서 이상 소견은 없었다. 침근전도검사(needle electromyography)에서는 양측 하지와 요추부 척추주위근(paraspinal), 좌측 상지에서 검사를 시행한 모든 근육에서 근긴장전위(myotonic discharge)가 관찰되었다. 좌측 하지의 모든 근육에서 고진폭(high-amplitude), 긴 지속시간(duration)의 다상성(polyphasic) 운동단위활동전위(motor unit action potential)들이 저하된 점증양상(recruitment pattern)으로 관찰되었다. 좌측 상완이두근(biceps brachii muscle)에서는 짧은 지속시간의 다상성운동단위활동전위들이 조기 동원양상으로 관찰되었다. 이 전기진단학적 검사는 원발성(primary) 근긴장성 장애(myotonic disorder)를 시사한다. 임상양상을 고려할 때 근긴장디스트로피(myotonic dystrophy)에 합당하다. 이에 더해 회색질척수염의 후유증인 오래된 척수전각세포 병변을 시사하는 소견도 있다.

○ 추가적으로 필요한 검사는?

유전자 검사에서 19번 염색체 장완 13.3(19q13.3)의 근긴장성 이영양증 단백질 키나아제(dystrophia myotonica protein kinase)를 부호화(coding)하는 유전자에서 CTG 반복이 400으로 비정상적으로 증가되어 있었다(정상범위, <50). 우측 비복근(gastrocnemius muscle)에서 근육 조직을 생검하였다. 조직학적으로 근긴장디스트로피에서 보이는 핵내재화(nuclear internalization)와 핵사슬(nuclear chains)이 보였다(그림 25-2A). 이에 더해, 회색질척수염과 같이 장기간 탈신경된 근육에서 자주 보이는 농축된 핵응괴(pyknotic nuclear clump)(과다염색핵들(chyperchromatic nuclei)이 뭉쳐 있는 것)가 관찰되었다(그림 25-2B). 효소 조직화학검사(enzyme histochemical study)에서는 정상적인 모자이크 바둑판 양상(mosaic checkerboard pattern)이 소실되고 큰 1형 근세포(type1 fiber) 군집(cluster)이 관찰되었다

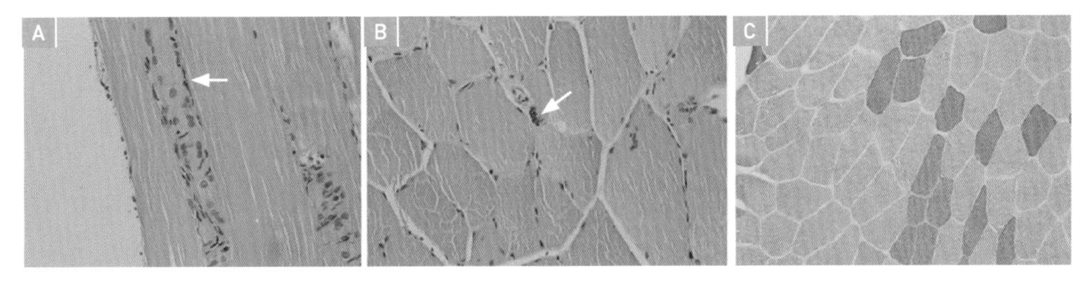

그림 25-2

근생검 소견은 근긴장디스트로피(A)와 운동단위 재구성(reorganization)과 2차적인 근섬유 유형변화가 있는 만성 탈신경(B와 C) 둘 다 보여준다. (A) 핵내재화와 핵사슬이 자주 보인다(화살표). (H&E, x400); (B) 농축된 핵 응괴(화살표). (H&E, x400); (C) 유형별로 군집을 이룬 근세포. 큰 1형 근섬유 군집(옅은 근섬유; ATPase, pH 9.4, x200). (임재영 외[1], 2009, 동의 하에 발췌함)

(그림 25-2C). 근섬유 유형별로 뭉치는 것(grouping)은 만성적인 탈신경과 연관되어 있고 아마도 살아남은 운동신경 축삭(axon)의 곁가지 재생(collateral sprouting)을 반영하는 소견일 것이다. 탈신경이 일어난 후 신경재분포(reinnervation)가 없을 때 생기는 군집성 위축(grouped atrophy)이나 근내막섬유화(endomysial fibrosis) 소견은 없었다.

전기진단검사 결론

임상소견과 검사 소견을 종합하여 생각했을 때 새롭게 발생한 근위약은 소아마비후증후군(post-polio syndrome)과 유사한 임상 경과를 보이는 진행성 근긴장디스트로피에 의한 것이다.

○ 임상 경과

진단이 된 후에 31세였던 환자의 남동생을 검사하였다. 회색질척수염의 병력은 없었으나 10년간 간질을 앓았다. 그는 최근에 계단 오르는 것이 어려워졌고 손과 발에 쥐가 간헐적으로 난다고 했다. 남동생도 전기진단학적 검사와 유전자 검사를 받았고 근긴장디스트로피가 확인되었다. 근생검을 좌측 외측광근(vastus lateralis)에서 실시하였고 핵내재화와 핵사슬이 다량 관찰되었다(그림 25-3A). 반면에 농축된 핵 응괴, 근섬유 유형별 군집화는 없었다(그림 25-3B).

○ 고찰

소아마비후증후군(post-polio syndrome)은 회색질척수염 환자를 보는 의사에게는 친숙한 개념이다. 이것은 근위약이 주 증상인 다른 질환들의 진단을 어렵게 만든다. 이 환자는 회색질척수염 병력 때문에 정확한 진단이 늦어진 사례이다. 환자는 선천성 근긴장디스트로피가 있었고 3세 때 회색질척수염을 앓아서 하지의 위약과 근위축이 있었다. 근긴장디스트로피의 증상은 30대가 되어서야 나타났고 회색질척수염의 후유증이 근긴장디스트로피의 진단을 어렵게 만들었다. 그는 비대칭적인 하지의 근위축

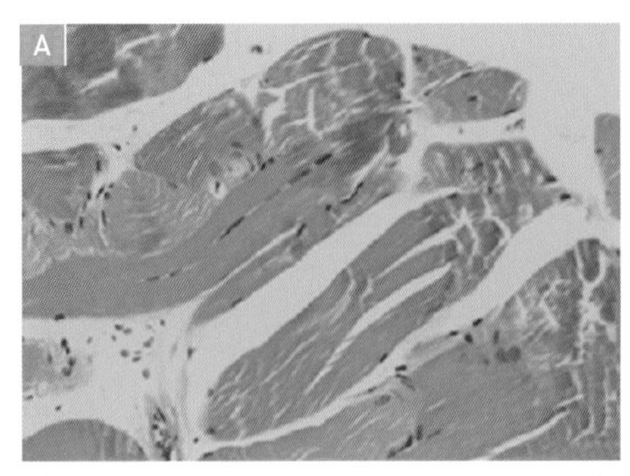

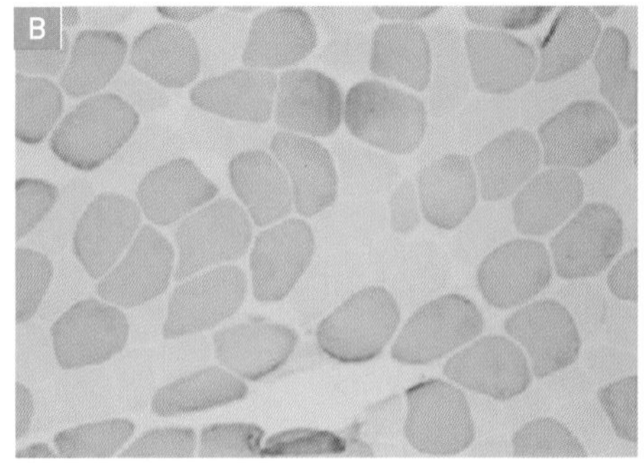

그림 25-3

환자의 형제의 근생검은 근긴장디스트로피 소견만 보인다. 다량의 핵내재화와 핵사슬이 보이고 농축된 핵 응괴는 관찰되지 않는다(H&E, x 400). (B) 옅은 1형 근섬유와 진한 2형 근섬유가 정상적인 모자이크 바둑판 양상을 보인다(ATPase, pH 9.4, x 200). (임재영 외[1], 2009, 동의 하에 발췌함)

을 갖고 살았고 이로 인한 척추 변형(예, 척주측만증)도 있었다. 이러한 소견들과 최근에 발생한 진행성 위약은 소아마비후증후군(post-polio syndrome)의 전형적인 증상들이어서 근긴장디스트로피와 같이 근위약을 초래하는 기타 질환은 고려되지 않았다. 소아마비후증후군(post-polio syndrome)을 감별할 때 회색질척수염 자체의 지연된 영향(late effect) 외에도 2차적인 후유증도 고려해야 한다. 회색질척수염 발생 후 기능악화(postpolio fuctional deterioration)를 겪는 환자들은 대부분 정형외과적, 신경학적 문제를 갖고 있고 이는 장애를 초래하기도 한다.[2] 근위약과 노화로 인한 생역학적(biomechanic)인 변화가 퇴행성 변화나 척주측만증을 일으키는 것과 나이가 들면서 운동신경이 소실되는 것 역시 회색질척수염의 지연 발병(late-onset) 후유증에 포함되어야 한다.[3,4] 회색질척수염의 후기 후유증으로 경추 혹은 요추 신경근병증과 척추관협착증(spinal stenosis)이 보고된 바 있다.[5] 이런 가능성을 염두에 두고 요천추 자기공명영상(magnetic resonance imaging)을 시행하였으나 특이 소견은 없었다. 소아마비후증후군(post-polio syndrome)은 회색질척수염의 병력이 없는 사람에게 나타나는 질환들과도 감별해야 한다. 회색질척수염을 앓았던 환자에서 후유증으로 남은 마비와 관련이 없는 봉입체근염(inclusion body myopathy),[6] 근위축측삭경화증,[7] 척수종양(cord tumor)에 의한 척수 압박[8]이 소아마비후증후군(post-polio syndrome)과 비슷한 양상으로 나타날 수 있다. 이러한 질환 중 일부는 치료가 가능하고 진단이 안되어 치료가 늦어지면 기능적 악화가 발생할 수 있기 때문에 소아마비후증후군(post-polio syndrome) 의심환자에서 감별이 매우 중요하다. 근긴장디스트로피는 치료가 가능한 예는 아니지만 소아마비후증후군(post-polio syndrome)과 감별해야 할 질환에 포함되어야 한다. 이 환자는 유전자 검사로 확인이 되었기 때문에 근긴장디스트로피 진단이 어렵지 않았다. 그러나 전기진단학적으로는 하지에서 회색질척수염 환자에서 보이는 만성 탈신경 소견이 있었기 때문에 현재의 진행성 위약이 소아마비후증후군(post-polio syndrome) 때문인지 근긴장디스트로피 때문인지 알기 어렵다. 전형적인 성인발병 근긴장디스트로피는 20~40세의 중년기에 발현하기 때문에[9] 환자의 위약도 근긴장디스트로피 증상이 처음 나타나고 진행하는 것과 관련 있을 가능성이 있다. 요컨대, 이 환자는 회색질척수염의 후유증을 갖고 있었고 새로이 근긴장디스트로피를 진단받았다. 소아마비후증후군(post-polio syndrome)을 진단할 수 있는 진단적 검사가 없기 때문에 유사 증상을 보일 수 있는 다른 질환의 가능성을 고려하고 배제하는 것이 특히 중요하다.

사사(acknowledgement)

이 증례 연구는 Lippincott Williams & Wilkins의 허가 하에 Lim JY et al., 2009[1]에서 발췌되었다. '이시점에서 감별진단은?', '신체 검진', '전기진단검사 결과'는 이 책의 형식에 맞게 원저논문에 추가된 내용이다.

참고문헌

1. Lim JY, Kim KE, Choe G. Myotonic dystrophy mimicking postpolio syndrome in a polio survivor. Am J Phys Med Rehabil 2009;88:161–4.
2. Howard RS. Poliomyelitis and the postpolio syndrome. BMJ 2005;330:1314–8.
3. Trojan DA, Cashman NR. Post–poliomyelitis syndrome. Muscle Nerve 2005;31:6–19.
4. Ivanyi B, Nollet F, Redekop WK, de Haan R, Wohlgemuht M, van Wijngaarden JK et al. Late onset polio sequelae: disabilities and handicaps in a population–based cohort of the 1956 poliomyelitis outbreak in The Netherlands. Arch Phys Med Rehabil 1999;80:687–90.
5. Drapkin AJ, Rose WS. Unilateral multilevel cervical radiculopathies as a late effect of poliomyelitis. A case report. Arch Phys Med Rehabil 1995;76:94–6.
6. Parissis D, Karkavelas G, Taskos N, Milonas I. Inclusion body myositis in a patient with a presumed diagnosis of post–polio syndrome. J Neurol 2003;250:619–21.
7. Terao S, Miura N, Noda A, Yoshida M, Hashizume Y, Ikeda H et al. Respiratory failure in a patient with antecedent poliomyelitis: amyotrophic lateral sclerosis or post–polio syndrome. Clin Neurol Neurosurg 2006;108:670–4.
8. Boulay C, Hamonet C, Galaup N, Djindjian M, Montagne A, Vivant R. Belated diagnosis of medullar compression in a case of post–polio syndrome. Ann Readapt Med Phys 2001;44:150–2.
9. de Die–Smulders CE, Howeler CJ, Thijs C, Mirandolle JF, Anten HB, Smeets HJ et al. Age and causes of death in adult–onset myotonic dystrophy. Brain 1998;121:1557–63.

증례 26

양측 하지 위약이 있는 여자

병력

20세 여자가 양측 하지의 위약감에 대한 진단을 받고자 본원 재활의학과 외래를 방문하였다. 그녀는 2년 전부터 이전만큼 빨리 걸을 수 없다는 것을 알게되었고 보행 시 골반이 안정되지 않고 균형이 흔들리는 것이 느껴졌다. 또한 요통도 자주 있었다. 최근에는 빠르게 뛰려고 할 때 발뒤꿈치를 들고 뛰는 것이 불가능해졌다. 그리고 조금만 빨리 걸어도 숨이 가빴다. 학생 때 빠른 편은 아니었지만 가장 느리지도 않았고 100 m를 20초에 달릴 수 있었다. 대소변 보는 것은 문제 없었다.

이 시점에서 감별진단은?

1. 근병증(myopathy)
2. 말초신경병증(peripheral neuropathy)
3. 척수전각세포질환(anterior horn cell disease)
4. 마미병변(cauda eqina lesion)을 포함한 요천추다발신경근병증(lumboscral polyradiculopathy)
5. 척수원추병변(conus medullaris lesion)
6. 신경근접합부질환(neuromuscular junction disorder)

그녀의 주 호소는 부지불식간에 서서히 진행하는 하지의 위약감이었다. 보행 시 골반 균형이 안 잡힌다고 한 것을 보면 근위부 근위약이 있고 최근에 뒤꿈치 들고 뛰는 것이나 까치발 서기가 불가능해진 것을 보면 원위부 근육도 분명히 문제가 있는 것이다. 현재 그녀의 근위약을 보면 불가능해 보이지만 그녀의 진술에 의하면 청소년기에는 또래와 비슷하게 달릴 수 있었다고 한다. 요컨대, 18세부터 서서히 진행하는 하지의 근위부와 원위부를 침범하는 근위약이 있는 여자 환자이다.

성인초기(early adulthood)에 근위부와 원위부 근육을 침범하는 몇 가지의 근병증이 가능할 것이다. 운동신경원병(motor neuron diseases) 중에 근위축측삭경화증(amyotrophic lateral sclerosis)은 발병 시기가 늦기 때문에 가능성이 떨어진다. 척수근위축증(Spinal muscular atrophy, 이하 SMA) 3형이나 말단부 SMA(distal spinal muscular atrophy)가 더 가능성이 높다. 후천성 탈수초성다발신경병증(acquired demyelinating polyneuropathy)은 병의 진행 속도가 만성염증성탈수초성다발신경병증(chronic inflammatory demyelinating polyneuropathy)으로 보기에도 너무 느리기 때문에 가능성이 떨어진다. 천천히 진행하는 선천성 다발신경병증(hereditary polyneuropathy)이 더 가능성이 있다. 요천추다발신경근병증, 마미증후군, 척수원추병변 역시 가능한 진단이다. 병의 진행이 느린 것은 마미증후군이나 척수원추의 병변을 시사하지만 대소변 문제가 없다는 것은 상기 질환보다 요추 5번, 천추 1번 다발신경근병증에 가깝다. 신경근접합부질환은 근위약이 변동이 없이 일정하기 때문에 가능성이 낮다.

가족력

환자는 언니가 있었으나 그녀는 일체의 위약이나 감각 문제가 없었다. 부모도 신경근육의 문제를 호소하지 않았다.

신체 검진

시진

안면부 근위약은 없었고 휘파람 부는 것도 가능했다. 양측 수부내재근과 척추주위근의 근육이 명백하게 위축되어 있었다. 비대해진(hypertrophy) 신경이나 척추의 변형은 관찰되지 않았다. 가우어스씨 징후(Gower's sign)도 없었다.

감각

그녀는 통증을 호소하지 않았다. 우측 하지의 외측전방과 내측후방에 경미한 감각 저하(hypesthesia)가 있다고 했다.

반사

심부건반사(deep tendon reflex)는 하지에서 나오지 않았고 상지에서는 저하되어 있었다. 바빈스키 징후(Babinski sign)나 족간대성경련(ankle clonus)도 없었다.

보행

병적인(pathologic) 뒤뚱걸음(waddling gait)을 보였고 골반 경사(pelvic obliquity)가 증가되어 있었다.

도수근력검사

	Shoulder abductor	Elbow flexor	Elbow extensor	Wrist dorsiflexor
Right	5	4+	4+	5
Left	5	4+	4+	5

	Hip flexor	Hip abductor	Knee extensor	Knee flexor	Ankle dorsiflexor	Big toe extensor	Ankle plantar flexor
Right	4+	-3	5	4+	-3	-2	4
Left	4+	-3	5	4+	3	-2	4

까치발 들고 서는 것이나 한쪽 다리로 서는 것은 불가능하였다.

혈액검사 결과

혈청 크레아틴키나아제(serum creatine kinase, CK)는 570 IU/L(정상범위, 20~270 IU/L)로 증가되어 있었고 젖산탈수소효소(lactate dehydrogenase, LDH)도 251 IU/L(정상범위, 100~225 IU/L)로 다소 상승되어 있었다. 폐기능 감소 소견이 있었고(FEV1, 2.72 L와 FVC, 3.03 L) 전혈구계산(complete blood count), 혈중요소질소(blood urea nitrogen), 크레아티닌, 전해질(electrolytes), 적혈구침강속도(erythrocyte sedimentation rate), 혈당, 알부민, 간효소(hepatic enzymes)를 포함한 일반화학검사(routine chemistry profile)는 모두 정상이었다.

이 시점에서 감별진단은?

신체 검진에서 이 질환이 감각보다는 운동 신경계, 상지보다는 하지, 근위부보다는 원위부 근육을 침범했다는 것을 알 수 있다. 연수(bulbar)나 피질척수로(corticospinal tract)가 침범된 징후는 보이지 않았다. 수부 내재근 위축이 있었다는 점은 이 질환이 원위부 근육을 우선적으로 침범한다는 것을 시사한다. 혈청 내 근효소(muscle enzyme) 수치가 다소 상승된 것은 근육의 손상이 있지만 전형적인 근육 이영양증(dystrophy)만큼 심하지는 않다는 것을 의미한다. 가족력을 보면 상염색체 열성(autosomal recessive)이거나 산발성(sporadic)으로 발생한 질환이다.

유전 형태나 족부 변형이나 비대해진 신경이 없는 것을 고려하면 샤르코-마리-투스병(Charcot-Marie-Tooth disease, 이하 CMT) 1형은 가능성이 떨어진다. 유전 양상을 보면 CMT 2형이나 말단부 SMA는 상염색체 우성 유전이기 때문에 가능성이 떨어지지만 SMA 3형은 가능성이 높다. 원위부 근육을 침범하는 내재근 질환은 원위부근병증/이영양증(distal myopathies/dystrophies), 근육 이영양증(muscular dystrophies), 근긴장디스트로피(myotonic dystrophies), 대사성(metabolic), 혹은 선천성(congenital) 근병증과 같은 질환을 시사한다. (Electrodiagnostic Medicine, 2판. Dumitru 외.[1] 1232쪽의 표 26-6을 참조하시오.) 이 시점에서 감별진단은 신경병증 혹은 근병증, 두 부류로 나뉠 수 있고 전기진단학적 검사가 이 둘을 감별하는 데 매우 중요하다.

전기진단검사 결과

SENSORY NERVE CONDUCTION STUDIES			
NERVE - RECORDING SITE	Onset LAT (ms)	Base-peak AMP (μV)	Peak-peak AMP (μV)
R MEDIAN - Digit II			
Wrist	2.20	39.2	73.8
Elbow	5.63	21.0	37.6
R ULNAR - Digit IV			
Wrist	2.26	28.4	75.9
Elbow	5.48	14.4	52.5
R SUPERFICIAL PERONEAL - Foot	2.64	9.20	7.3
R SURAL - Lateral Malleolus	2.34	13.7	7.1

MOTOR NERVE CONDUCTION STUDIES				
NERVE - RECORDING SITE	LAT (ms)	AMP (mV)	Distance (cm)	NCV (m/s)
R MEDIAN - Abductor Pollicis Brevis				
Wrist	3.06	7.6		
Elbow	6.70	7.2	21.0	61.0
R ULNAR - Abductor Digiti Minimi				
Wrist	2.24	16.4		
Elbow	5.70	16.1	22.5	65.0
R COMMON PERONEAL - Extensor Digitorum Brevis				
Ankle	4.12	9.6		
Fibular Head	9.92	8.1	28.5	49.1
R TIBIAL - Abductor Hallucis				
Ankle	3.42	14.1		
Knee	10.20	13.9	35.5	52.2

NEEDLE ELECTROMYOGRAPHY								
MUSCLE	IA	Spontaneous			MUAP			Interference Pattern
		FIB	PSW	CRD/FASC	AMP	DUR	PPP	
R Biceps Brachii	Nl	1+	1+	N	Nl	**Short**	**Inc**	Complete
R Tibialis Anterior	Nl	3+	3+	N	Nl	**Short**	**Inc**	Complete
R Gastrocnemius	Nl	3+	3+	N	Nl	**Short**	**Inc**	Complete
R Vastus Medialis	Nl	N	N	N	Nl	**Short**	**Nl/Inc**	Complete
R Tensor Fascia Lata	Nl	1+	1+	N	Nl	**Short**	**Inc**	Complete
R Iliopsoas	Nl	1+	1+	N	Nl	**Short**	**Inc**	Complete
R Rectus femoris	Nl	N	N	N	Nl	Nl	Nl	Complete

전기진단검사 결과 요약

신경전도검사는 정상이었다. 침근전도는 원위부, 근위부 근육에서 근병증의 양상을 보였는데 원위부에서 더 자명하였다. 흥미로운 사실 하나는 중간 부위 근육(내측광근(vastus medialis), 대퇴직근(rectus femoris))에서는 다른 근육만큼 이상 소견이 보이지 않았다는 점이다. 검사자는 검사 중에 이 사실을 인지하고 내측광근을 자세히 탐색하였고 몇 개의 다상성운동단위활동전위(polyphasic MUAP)를 관찰할 수 있었으나 막불안정성(membrane instability) 소견은 없었다. 근위부 근육을 검사한 후 대퇴사두근(quadriceps)만 보존되었나 확인하기 위해 대퇴직근도 검사하였고 역시 비정상자발전위(abnormal spontaneous activities)나 근병증 운동단위활동전위를 관찰할 수 없었다. 결론적으로 그녀는 근위부보다는 원위부를 우선적으로 침범하는데, 독특하게도 대퇴사두근은 보존하는 근병증 양상을 보였다.

추가적으로 필요한 검사는?

근생검(muscle biopsy)

좌측 비복근(gastrocnemius)에서 시행한 근생검에서 테를 두른 공포(rimmed vacuole)들이 있는 원

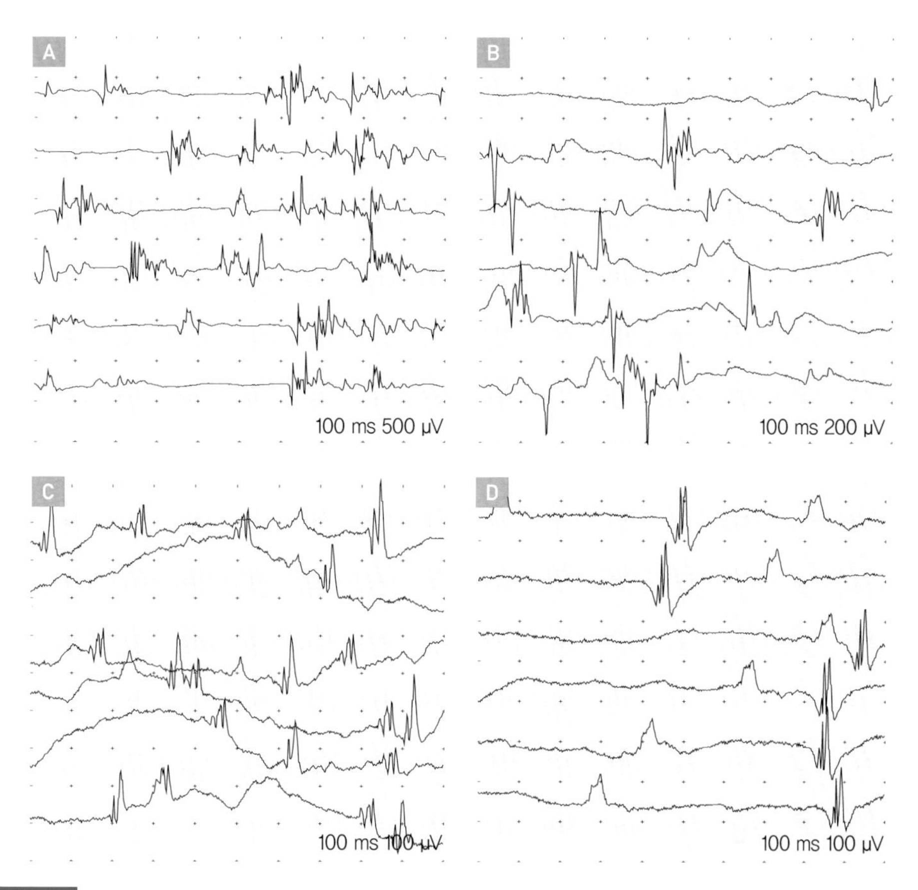

그림 26-1

침근전도 파형(Needle EMG waveforms). 지속시간이 짧은 작은 다상성운동단위활동전위들이 우측 전경골근(tibialis anterior) [A. 민감도(sensitivity), 500 μV/div; 스윕 속도(sweep speed), 100 ms], 상완이두근(biceps brachii) (B. 민감도, 200 μV/div; 스윕 속도, 100 ms)에서 보인다. 이에 반해, 내측광근(C. 민감도, 100 μV/div; 스윕 속도, 100 ms)에서는 다상성이 다소 증가된 운동단위활동전위, 대퇴직근(D. 민감도, 100 μV/div; 스윕 속도, 100 ms)에서는 정상적인 운동단위활동전위가 관찰된다.

위부근병증에 합당하게 나왔다. 이 조직병리학적(histopathologic) 소견은 다수의 테를 두른 공포 때문에 봉입체근염(inclusion body myositis)을 배제하지 못한다.

전기진단검사 결론

임상적 특징을 종합하면, 서서히 진행하는 원위부 근위약을 설명하기 위해서는 노나카원위부근병증(Nonaka distal myopathy, 초기 성인 발병, 1형)이 가장 가능성 높은 진단이다.

임상 경과

환자는 전기진단학적 검사 후 2년 동안 외래를 방문하였다. 혈청 크레아틴키나아제 수치는 다소 상승된 상태(300~500 IU/L)에서 비교적 안정적으로 유지되었다. 그녀는 근육 위약과 위축, 그리고 운동시 호흡곤란의 악화를 호소하였다. 보행은 가능하였으나 처음보다 뒤뚱걸음은 심해졌다.

고찰

이 증례의 요점은 전기진단학적인 검사가 두 가지 측면에서 진단에 중요한 역할을 하였다는 것이다. 첫째, 탈신경과 근병증 중 어느 것인지 구분하였고 둘째, 침범된 근육의 세부적인 분포를 규명하였다. 전형적인 근병증 근전도 소견이 나왔기 때문에 SMA, CMT, 다발신경근병증 및 다른 신경성(neurogenic) 원인을 배제할 수 있었다. 대퇴사두근이 보존된 것을 인지하고 다른 갈래를 추가적으로 검사한 것은 원위부근병증의 세부적인 유형을 규명하는 데에 도움이 되었다. 이 환자의 임상소견은 노나카 원위부근병증(초기 성인 발병, 1형)과 유전 양상(상염색체 열성), 발병시기(10대 혹은 20대), 진행 양상(느림), 침범 근육 분포(이른 시점에 전경골근을 침범하고 후기에는 원위부, 근위부 근육 모두 이환하지만 대퇴사두근은 보존됨), 혈청 크레아틴키나아제 수치(경한 상승), 병리 소견(붉은 테를 두른 공포) 면에서 합치한다.[2] 병리 의사는 봉입체(근병증이 아닌)근염도 고려해야 한다고 하였으나 환자의 임상 증상이 봉입체 근염과 맞지 않았다. 참고로 노나카원위부근병증은 유전성 봉입체근병증(hereditary inclusion body myopathy)으로 불린다.

참고문헌

1. Dumitru D, Amato AA, Zwarts M. Electrodiagnostic Medicine. 2nd ed. Philadelphia, USA : Hanley & Belfus, Inc, 2002 : 1292–5.
2. Pestronk A. NEUROMUSCULAR DISEASE CENTER In. St. Louis, Washington University, USA 1996–2009. (Accessed October 15, 2009, at http://neuromuscular.wustl.edu/musdist/distal.html)

증례 27

출산 이후 편측 족하수(foot drop)가 생긴 여자

병력

임신 41주에 분만한 38세 초임부가 출산 이후 발생한 우측 족하수를 주소로 내원하였다. 분만은 내원 3주 전에 경막외마취(epidural anesthesia) 하에 이루어졌다. 환자의 신장은 150 cm이었다. 7년 전 양측(좌측 우세) 하지로 방사통증이 있었던 병력이 있었다. 그 당시, 경막외 스테로이드 주사(epidural steroid injection)를 수 차례 시행받았으나 증상 경감에는 별 도움이 되지 않았다고 한다. 임신 5개월 때 방사통증이 악화되어 열 걸음을 못 걸을 정도였으나, 2주 후 이러한 증상은 저절로 없어졌다. 임신 26주에는 급성 충수염(appendicitis)으로 척추마취(spinal anesthesia)를 하고 충수절제술(appendectomy)을 시행받았다. 당뇨병의 병력은 부인하였다.

환자의 증상은 국소적인 신경병증(neuropathy), 신경총병증(plexopathy), 신경근병증(radiculopathy) 등을 시사한다. 근병증(myopathy)이나 척수전각세포질환(anterior horn cell disease)은 갑작스런 발병이나 시간 순서를 고려했을 때 가능성이 낮아 보인다. 위약은 분만이나 경막외마취와 관련이 있을 가능성이 높다. 그래서 더욱 상세한 산과 병력(obstetrical history)이 필요하다.

분만하는 데에는 총 11시간이 걸렸다. 환자는 진통 사이에는 좌측 측와위(left lateral decubitus)로 누워 있었다. 경막외마취는 요수 2번과 3번 사이의 공간에서 시행되었다. 7번의 시도 후에 경막외마취에 성공하였지만 통증 조절에는 효과가 없었다. 분만 동안 환자는 고관절과 슬관절을 굴곡한 상태로 1시간 이상 있었다. 환자는 쭈그린 자세로 있을 때 갑자기 우측 하지 전체가 저려졌다고 했다. 아기는 진공분만(vacuum extraction)을 사용해서 나왔고 출생시 체중은 3.8 kg였다. 회복실에서 환자는 우측 족관절의 족배굴곡(dorsiflex)이 전혀 되지 않는다는 것을 인지하였다.

이 시점에서 감별진단은?

1. 우측 요추 5번 신경근병증(right L5 radiculopathy)
2. 우측 요추 혹은 요천추신경총병증(right lumbar or lumbosacral plexopathy)
3. 우측 좌골신경병증(right sciatic neuropathy)
4. 우측 총비골신경병증(right common peroneal neuropathy)
5. 마미증후군(cauda equina syndrome) 혹은 척수원추증후군(conus medullaris syndrome)
6. 상부운동신경원 병변(upper motor neuron lesion)(예, 척수 경색, 척수 압박)

여기서 몇 가지 고려해야 할 점이 있다. 환자는 감각 증상, 운동 증상 둘 다 있기 때문에 근병증이나 척수전각세포질환과 같은 순수 운동 증상만 있는 질환은 배제할 수 있다. 분만 때 힘을 주던 중에 저린 감과 근위약이 갑자기 발생하였다고 했다. 따라서 출산 자체나 분만 중 자세가 근위약을 초래했을 가능성이 높다. 병력을 생각하면 신경근병증, 신경총병증, 국소신경병증이 가능하다. 이전에도 몇 번 방사통증이 있었다는 것은 신경근병증을 시사한다. 경막외마취가 근위약을 야기했을 가능성도 고려되어야 한다. 약물 주입에 의해서 신경근염(radiculitis)이 생겼을 수 있고 신경근(nerve root)에 직접적인 압박이나 손상이 가해졌을 수도 있다. 하지만 마취와 증상 발생과 시간적인 연관성은 적었다. 태아 하강(fetal descent) 중에 요천추 신경총이나 좌골 신경이 손상될 수 있기 때문에 신경총병증이나 좌골신경병증도 고려해야 한다. 쭈그린 자세에서는 총비골신경은 압박이나 견인에 취약해지는데 환자가 분만 시 쭈그린 자세를 취하면서 총비골신경에 손상이 생겼을 수 있다. 마미증후군이나 척수원추증후군도 감별진단에 포함되어야 한다. 증상이 편측에 국한되었기 때문에 척수원추증후군보다는 마미증후군이 더 가능성이 있다. 가능성은 낮지만 척수의 병변도 고려되어야 한다.

신체 검진

도수근력검사

	Hip flexor	Knee extensor	Ankle dorsiflexor	Big toe extensor	Ankle plantar flexor
Right	5	5	**3-**	**3-**	5
Left	5	5	5	5	5

감각

환자는 우측 요추 5번 피부분절(dermatome)에 감각 저하를 호소하였다. 우측 넓적다리 외측은 60%, 장딴지 외측은 50%로 저하되어 있었다. 이에 더해 우측 발등(foot dorsum)에도 감각 저하가 있었다.

반사

근신장반사(muscle stretch reflex)는 양측 슬관절 신전근, 족관절 족저굴곡근 모두 2+였다. 바빈스키 징후(Babinski's sign)는 양측 모두 나오지 않았다.

티넬 검사(Tinel test)

우측 비골두(fibular head)에서 티넬 검사 양성이었다.

하지직거상 검사(Straight leg raising test)

양측 모두 음성이었다.

하지 둘레

양 하지에 둘레 차이는 없었다.

전기진단검사 결과

SENSORY NERVE CONDUCTION STUDIES			
NERVE - RECORDING SITE	Onset LAT (ms)	Base-peak AMP (μV)	Peak-peak AMP (μV)
R SUPERFICIAL PERONEAL - Foot	2.25	**7.0**	**8.1**
L SUPERFICIAL PERONEAL - Foot	2.20	13.6	15.3
R SURAL - Lateral Malleolus	2.10	10.4	13
L SURAL - Lateral Malleolus	2.20	11.8	11.8

MOTOR NERVE CONDUCTION STUDIES				
NERVE - RECORDING SITE	LAT (ms)	AMP (mv)	Distance (cm)	NCV (m/s)
R COMMON PERONEAL - Extensor Digitorum Brevis				
Ankle	4.30	**1.1**		
Fibular Head	9.05	**0.8**	24.7	52.0
Knee	10.3	**0.9**	7.0	56.0
L COMMON PERONEAL - Extensor Digitorum Brevis				
Ankle	3.50	5.4		
Fibular Head	8.60	4.9	27.0	52.9
R COMMON PERONEAL - Tibialis Anterior				
Fibular Head	3.75	**0.5**		
L COMMON PERONEAL - Tibialis Anterior				
Fibular Head	3.05	5.6		
R TIBIAL - Abductor Hallucis				
Ankle	4.05	23.3		
Knee	10.00	14.8	30.0	50.4
L TIBIAL - Abductor Hallucis				
Ankle	3.15	21.9		
Knee	9.40	13.7	30.0	48.0

H - REFLEX	
NERVE - RECORDING SITE	H LAT (ms)
R TIBIAL - Soleus	25.20
L TIBIAL - Soleus	25.45

NEEDLE ELECTROMYOGRAPHY								
MUSCLE	IA	Spontaneous			MUAP			Interference Pattern
		FIB	PSW	CRD/FASC	AMP	DUR	PPP	
R Tibialis Anterior	Nl	**3+**	**3+**	N	Nl	**Nl/Inc**	**Inc**	**Reduced**
R Peroneus Longus	Nl	N	N	N	Nl	**Nl/Inc**	**Inc**	Complete
R Peroneus Tertius	Nl	**2+**	**2+**	N	Nl	**Nl/Inc**	**Inc**	Complete
R Extensor Digitorum Brevis	Nl	**2+**	**2+**	N	Nl	**Nl/Inc**	**Inc**	Complete
R Peroneus Brevis	Nl	**2+**	**2+**	N	Nl	**Nl/Inc**	**Nl/Inc**	Complete
R Gastrocnemius (Medial)	Nl	N	N	N	Nl	Nl	Nl	Complete
R Tibialis Posterior	Nl	**3+**	**3+**	N	Nl	Nl	Nl	Complete
R Flexor Digitorum Longus	Nl	**3+**	**3+**	N	Nl	Nl	Nl	Complete
R Gastrocnemius (Lateral)	Nl	N	N	N	Nl	Nl	Nl	Complete
R Biceps Femoris (Long Head)	Nl	N	N	N	Nl	Nl	Nl	Complete
R Biceps Femoris (Short Head)	Nl	N	N	N	Nl	Nl	Nl	Complete
R Vastus Medialis	Nl	N	N	N	Nl	Nl	Nl	Complete
R Gluteus Medius	Nl	N	N	N	Nl	Nl	Nl	Complete
R Tensor Fascia Lata	Nl	N	N	N	Nl	Nl	Nl	Complete
R L5 Paraspinals	Nl	N	**1+**	N				
L L5 Paraspinals	Nl	N	N	N				
R L4 Paraspinals	Nl	N	**1+**	N				
L L4 Paraspinals	Nl	N	**1+**	N				
R L3 Paraspinals	Nl	N	N	N				

전기진단검사 결과 요약

우측 단족지신근(extensor digitorum brevis)과 전경골근(tibialis anterior)에서 기록한 총비골신경의 복합근육활동전위는 반대측에 비해 각각 20.4%와 8.9%로 감소되어 있었다. 비골두 주변에서 전도 차단(conduction block)은 없었다. 우측 표재비골신경(superficial peroneal nerve)의 감각신경활동전위는 반대측의 51.4%였다. 양측 H반사는 대칭적이었다.

침근전도검사에서는 진폭이 큰 양성예파가 우측 전경골근, 제삼비골근(peroneous tertius), 단족지신근, 단비골근(peroneous brevis), 후경골근(tibialis posterior), 장지굴근(flexor digitorum longus)에서 관찰되었다. 양측 요수 4번 척추주위근과 우측 요수 5번 척추주위근에서도 양성예파(positive sharp wave)가 관찰되었다. 지속시간이 긴(long duration) 다상성운동단위활동전위(polyphasic MUAP)들이 우측 전경골근, 장비골근(peroneus longus), 제삼비골근, 단족지신근, 단비골근에서 보였다. 우측 전경골근에서의 간섭양상은 저하되어 있었다. 탈신경전위(denervation potential)가 관찰된 근육은 후경골근을 제외하고는 전부 비골신경의 지배를 받는 근육들이었다. 이 근육들은 요추 5번의 지배를 받는 근육들이다.

따라서 이 전기진단학적 검사는 요추 5번 줄기(trunk)를 침범하는 요천추신경총병증이나 우측 요추 5번 신경근병증을 시사한다. 하지만 척추주위근에서 관찰된 비정상자발전위(abnormal spontaneous activity)는 진폭이나 재현성(reproducibility)에서 하지 근육에서 관찰된 것과는 달랐고, 이는 요천추신경총병증의 가능성을 높인다. 그리고 척추주위근 비정상 소견은 양측에서 나왔기 때문에 편측 신경근병증

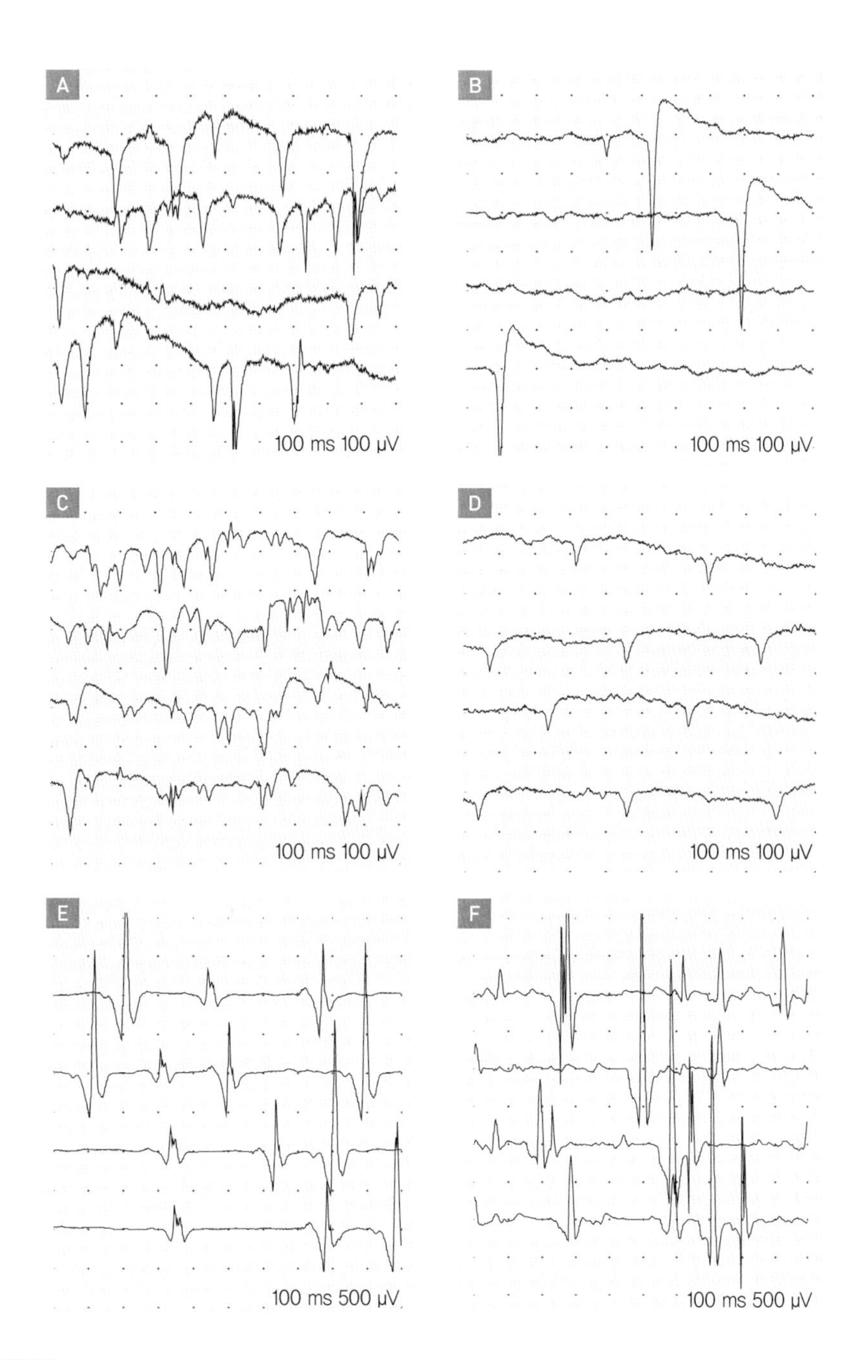

그림 27-1

침근전도 파형(Needle EMG waveforms). 전경골근(A), 제삼비골근(B), 후경골근(C)에서 진폭이 큰 양성예파가 중등도의 빈도로 관찰되었다. 양측 요추 척추주위근에서 지속되지 않는 양성예파가 관찰되었다(D). 우측 전경골근에서 간섭양상이 저하되어 있었다(E). 우측 장비골근에서 다상성운동단위활동전위가 관찰되었다(F). [민감도(sensitivity)와 스윕 속도(sweep speed); A–D, 100 μV/div와 100 ms; E–F, 500 μV/div와 100 ms]

의 가능성은 더욱 낮아진다. 표재비골신경의 운동 반응뿐 아니라 감각 반응도 역시 감소되어 있었다. 따라서 분만 중에 발생한 급성 요천추신경총병증과 분만 전부터 있었던 양측 요추 5번 신경근병증이 가장 가능성이 높겠다.

추가적으로 필요한 검사는?

요추 자기공명영상

요추 5번 신경근병증을 일으키는 병변이 있는지 확인하기 위하여 요추 자기공명영상을 시행하였다(그림 27-2).

요추 자기공명영상에서는 급성 요추 5번 신경근병증을 일으킬 정도로 심한 추간판 탈출은 관찰되지 않았다. 경한 추간판 탈출이 보였지만 환측과 편측성이 맞지 않았다. 요천대 자기공명영상은 급성 우측 요추 5번 신경근병증을 시사할 만한 소견이 없었다.

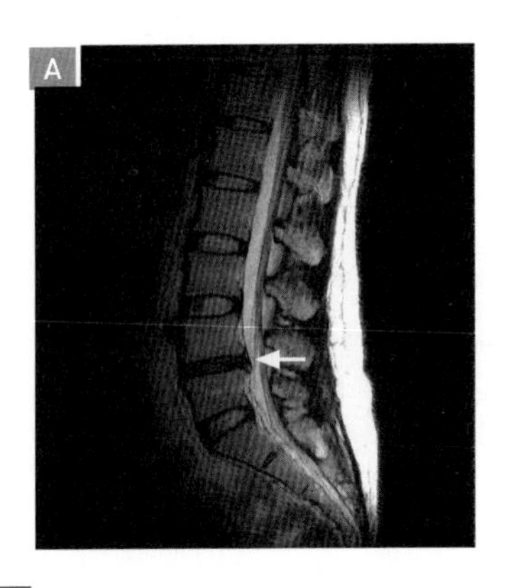

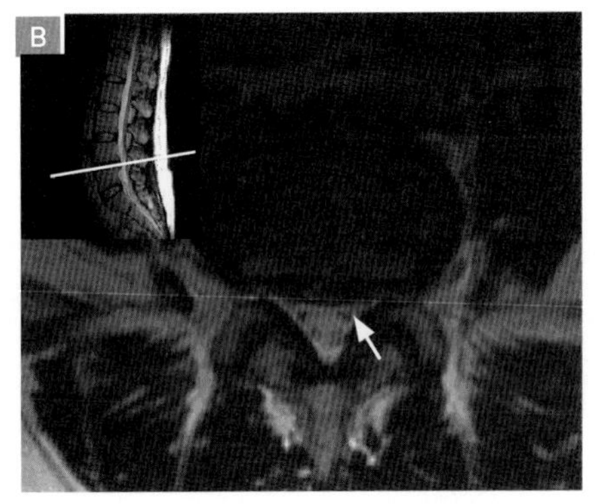

그림 27-2

환자의 요추 자기공명영상. T2 강조 정중시상(mid-sagittal)(A), 횡단면(axial)(B) 영상에서 요추 4-5번 추간판에서 퇴행성 변화와 경한 중앙부 돌출(central protrusion)이 보인다(화살표).

전기진단검사 결론

상기 전기진단검사 결과는 요추 5번 줄기를 주로 침범하는 요천추신경총병증(Lumbosacral plexopathy)에 합당하다.

임상 경과

족관절 족배굴곡근을 보조하기 위해서 단하지보조기(ankle foot orthosis)를 처방하였고 족관절 족배굴곡근 강화운동 및 요추 5번 피부분절의 감각 이상을 완화시키기 위한 물리치료를 시행하였다. 하지만 출산 이후 6개월까지도 족관절 족배굴곡근력의 호전은 없었다.

고찰

출산 이후 족하수에 대한 보고는 많지 않으며, 특히 이에 대한 전기진단학적 연구는 더더욱 드물다. 출산 이후 족하수를 일을 수 있는 질환은 다양하다. 요천추신경근병증, 요천추신경총병증, 좌골신경이나 총비골신경의 포착 신경병증(entrapment neuropathy), 척수의 경색이나 압박, 마취 중 주사바늘에 의한 직접적인 손상과 같은 상위운동원병 등이 있을 수 있다.

요천추신경줄기(lumbosacral trunk)는 대부분 요추 5번 신경근과 일부 요추 4번 가지(branch)로 이루어져 있으며 천장관절(sacroiliac joint)과 인접한 천골 날개(sacral ala)를 따라서 주행하고 요근(psoas muscle)의 완충작용을 받는다(그림 27-3).[1] 골반상협부(pelvic brim)에 다다르면 천추 1번 신경근과 합쳐져서 좌골신경을 이룬다.[1] 골반 안으로 태아가 하강하면서 요천추신경줄기는 그 종말부(terminal portion)에서 천추 1번 신경근과 합쳐지기 전에 압박에 취약하게 된다. 이 부위에서는 근육의 완충 작용이 없기 때문이다. 이렇게 분만 중 발생한 요천추신경총병증은 요추 5번 신경 섬유가 특히 손상을 많이 받기 때문에 요추 5번 신경근병증과 매우 유사하게 나타난다.[1] 전경골근은 요추 4번, 5번의 지배를 받기 때문에 요추 5번 신경근병증만 있는 환자는 이 근육에 중등도의 위약만 있다. 하지만 요천추신경줄기가 손상을 받았을 경우에는 요추 4번, 5번 섬유들에 문제가 생기기 때문에 심한 위약이 생긴다.[1] 분만 중 발생한

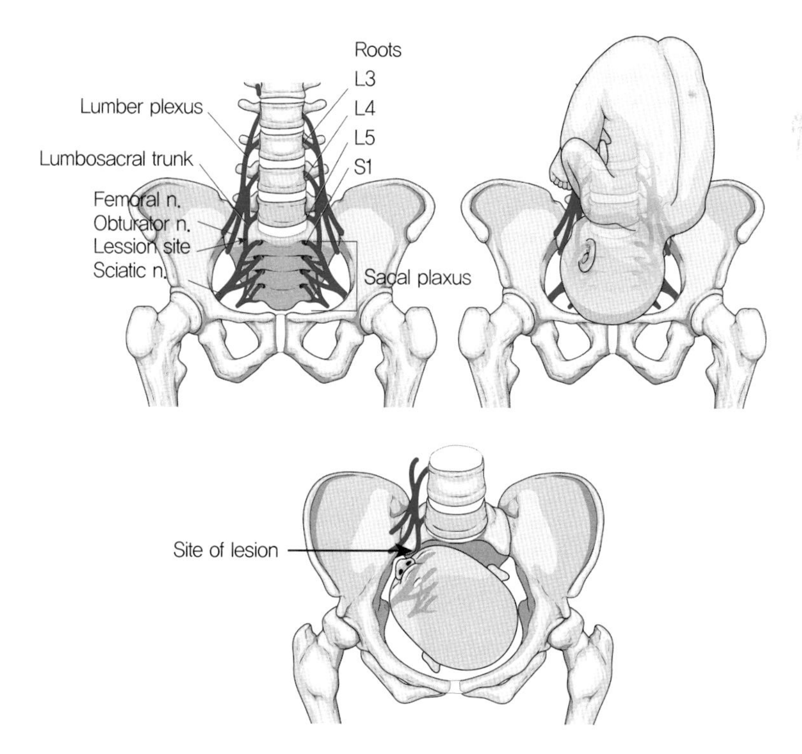

그림 27-3

Katirji가 제안한 분만 중 발생하는 요천추신경총병증의 기전. 분만 중에 태아의 머리가 요천추신경줄기를 골반상협부에 대고 누르고 있다(Katirji B, 외. Intrapartum maternal lumbosacral plexopathy. Muscle Nerve 2002;26:340–7에서 발췌함).

요천추신경총병증에서는 요추 5번의 지배만 받는 근육에 비해 천추 1번의 지배를 같이 받는 근육의 위약이 덜하다.[1] 비복근(gastrocnemius)과 같이 천추 1번이나 2번의 지배를 받는 근육은 비교적 잘 보존된다.

환자는 분만 중에 갑작스런 저림을 느꼈다. 분만 중에 태아가 골반 내로 하강하면서 신경을 압박하여 증상이 분만 중 나타나는 경우는 흔하다. 임부가 키가 작고 초임부이거나 태아가 큰 경우(>3750 g)가 위험요인으로 알려져 있는데 이 증례의 환자는 이에 해당한다.[2]

이 환자가 기존에 좌골 신경통(sciatica)이 있었다는 병력은 요추나 요천추신경근병증을 의심케 하는 소견이다. 고관절을 과굴곡시킨 것이 신경근 견인과 이로 인한 손상을 일으켰을 가능성이 있다.[3] 덧붙여, 경막외마취가 화학적 신경근염이나 신경근의 직접적인 손상을 초래했을 수 있다. 하지만 전기진단학적인 검사에서 요추 척추주위근의 탈신경 전위는 환측에 국한되지 않았다. 그리고 진폭이 작았기 때문에 급성 손상의 소견과는 맞지 않다. 따라서 우리는 새로운 병변은 요천추신경줄기에 국한되어 있고 경한 부분 축삭절단(mild partial axonotmesis)이 있는 만성적인 양측성 요추 4-5번 신경근병증이 기존부터 있었을 것을 결론내렸다.

총비골신경병증은 비골두 주변에서 비골신경이 눌려서 발생할 수 있다. 비골신경은 비골두 외측을 돌아서 아래로 주행하는데 이 부위에서 얕아지게 되고 손상에 취약하다. 분만 중에 웅크린 자세를 취했을 때 총비골신경이 대퇴이두근(biceps femoris) 힘줄과 비복근의 외측두(lateral head)나 비골두 사이에서 압박을 받았을 수 있다.[4] 하지만 비골두 주변에서 비골신경에 전도 차단이나 전도 속도가 느려진 소견이 없었기 때문에 총비골신경병증의 가능성은 낮다.

분만 중 발생하는 좌골신경병증은 주로 오랫동안 측방으로 비스듬히 누운 자세(lateral tilt) 때문에 발생한다.[5] 전기진단학적 소견으로 좌골신경병증은 쉽게 배제할 수 있었다.

요컨대, 이 장은 출산 이후 요천추신경총병증이 발생한 환자에 대한 증례이다. 출산 이후 요추 5번 신경근병증과 유사한 운동증상과, 감각 증상을 보이는 환자에서는 요천추신경총병증을 염두에 둬야 한다.

● 참고문헌

1. Katirji B, Wilbourn AJ, Scarberry SL, Preston DC. Intrapartum maternal lumbosacral plexopathy. Muscle Nerve 2002;26:340-7.
2. Brown JT, MacDougall A. Traumatic maternal birth palsy. J obstet Gynaecol Br Emp 1957;64:431-5.
3. Bagchi R, Sturman S. Acute lumbosacral radiculopathy associated with McRoberts' manoeuvre. J Obstet Gynaecol 2003;23:308-9.
4. Babayev M, Bodack MP, Creatura C. Common peroneal neuropathy secondary to squatting during childbirth. Obstet Gynecol 1998;91:830-2.
5. Postaci A, Karabeyoglu I, Erdogan G, Turan O, Dikmen B. A case of sciatic neuropathy after caesarean section under spinal anaesthesia. Int J Obstet Anesth 2006;15:317-9.

증례
28

천천히 진행하는 우측 하지의 위약을 주소로 내원한 남자 환자

병력

70세 남자 환자가 우측 하지에서 천천히 진행하는 위약을 주소로 전기진단검사실에 의뢰되었다. 환자는 25년 전에 위약을 최초로 느꼈으나, 증상의 정도가 일상생활의 장애까지 초래하지 않았기 때문에 그동안 특별한 치료를 받지 않았다고 하였다. 위약은 첫 증상 발생 후 3년 동안 심해졌으나 그 이후로는 안정되었다. 환자는 증상이 발생한 다리에서 통증이나 감각 증상을 경험한 적은 없었다고 하였다. 환자는 왼쪽 무릎 통증 때문에 정형외과 의원을 방문하였다가 오른쪽 다리에 대해서 검사를 받아보라는 권유를 듣고 외래를 방문하였다.

환자는 검사날에도 보행 보조도구 없이 독립 보행이 가능하였다. 환자는 말하거나 삼킴에 어려움이 없었다. 환자의 과거 병력으로 고혈압과 전립선비대증이 있었다. 환자는 어린 시절 또는 위약이 발생했을 당시에 열성질환을 앓거나 척추나 하지에 외상을 당하거나 독성 물질에 노출된 적이 없다고 대답하였다. 환자의 과거력상 특이소견은 관찰되지 않았다.

이 시점에서 감별진단은?

1. 운동신경원병(motor neuron disease)
2. 근병증(myopathy)
3. 운동다발을 주로 침범하는 우측 요추 5번-천추 1번 신경근병증(right L5-S1 radiculopathy primarily affecting the motor fibers)
4. 무릎 높이에서 발생한 우측 총비골신경병증과 경골신경병증(right common peroneal and tibial neuropathy around the knee)
5. 상부운동신경원병(upper motor neuron lesion)

환자는 감각 증상의 이상 없이 운동 증상만 호소하였다. 감각 증상이 동반되지 않은 위약은 근병증 또는 전각세포질환의 가능성을 시사한다.

이 증례의 또 다른 특징적인 양상은 하나의 사지(single limb)에 국한된 이상 소견이다. 근병증 또는 운동신경원병은 일반적으로 전신질환에 속한다. 따라서 근병증 또는 운동신경원병이 하나의 사지에서만 증상이 발생할 수 있는지에 대한 고려가 필요하다. 자세한 설명은 이후에 추가하겠다.

앞서 언급된 진단 외에도 요천추다발신경근병증 역시 가능한 진단이다. 하지만 통증이 동반되지 않는 위약은 신경근병증에서 드물게 관찰되는 소견이다. 무릎 높이에서 발생한 총비골 신경병증과 경골신경병증도 고려되어야 할 진단명이다. 상부운동신경원병도 현재 시점에서는 감별진단에 포함된다.

신체 검진

관찰

좌측에 비해 우측 하지 근육은 현저하게 위축되었다. 위축 소견은 하퇴(lower leg)의 후면에서 가장 두드러지게 관찰되었다(그림 28-1). 안면근육과 구근육(bulbar muscles)의 위약이나 위축은 관찰되지 않았다.

감각

이상 소견은 관찰되지 않았다.

반사

우측 하지에 비해 슬반사와 족반사는 저하되어(1+) 있었다.

도수근력검사

	Hip flexor	Hip extensor	Ankle dorsiflexor	Big toe extensor	Ankle plantar flexor
Right	4	4	4	4	4
Left	5	5	5	5	5

특수 검사

양측 하지직거상 검사에서 이상 소견은 관찰되지 않았다.

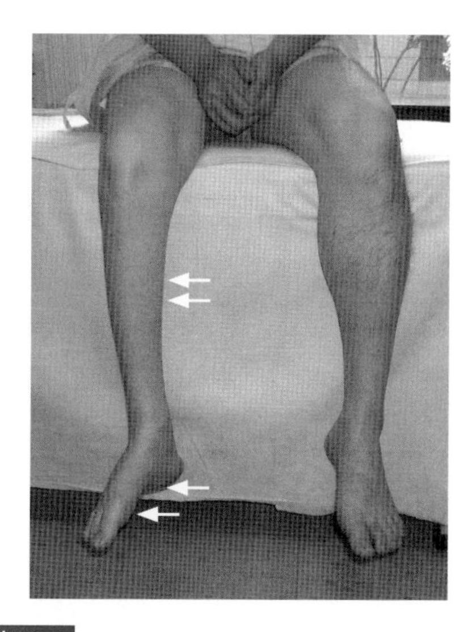

그림 28-1

하지 사진. 우측 비복근과 족근의 위축이 관찰되었다(화살표).

이 시점에서 감별진단은?

신체검사 결과 중 감각검사에서는 이상 소견이 관찰되지 않았다. 현저한 근위축, 위약, 그리고 광범위한 근신전반사의 저하는 운동신경원병이나 근병증과 같이 운동체계 이상을 강하게 시사한다.

심부건반사 저하소견은 뇌와 척수 같은 상운동신경에 영향을 미치는 질환은 아님을 시사한다. 비록 신체검사 결과에서는 감각 기능 이상 소견이 확인되지 않았지만, 신경근병증 또는 운동신경섬유를 주로 침범하는 단일신경병증의 가능성도 완전히 배제할 수 없다.

전기진단검사 결과

SENSORY NERVE CONDUCTION STUDIES			
NERVE - RECORDING SITE	Onset LAT (ms)	Base-peak AMP (μV)	Peak-peak AMP (μV)
R SURAL - Lateral Malleolus	2.70	10.5	19.3
L SURAL - Lateral Malleolus	2.65	12.0	24.2
R SUPERFICIAL PERONEAL - Foot		**No response**	
L SUPERFICIAL PERONEAL - Foot		**No response**	

MOTOR NERVE CONDUCTION STUDIES				
NERVE - RECORDING SITE	LAT (ms)	AMP (mV)	Distance (cm)	NCV (m/s)
R PERONEAL - Extensor Digitorum Brevis				
Ankle	4.15	4.1		
Knee	11.35	3.5	28.5	**39.6**
L PERONEAL - Extensor Digitorum Brevis				
Ankle	4.55	7.1		
Knee	11.15	5.9	29.0	43.9
R PERONEAL - Tibialis Anterior				
Fibular Head	**6.15**	**1.7**		
L PERONEAL - Tibialis Anterior				
Fibular Head	4.85	8.7		
R TIBIAL - Abductor Hallucis				
Ankle	4.50	**1.6**		
Knee	14.35	**1.1**	38.0	46.3
L TIBIAL - Abductor Hallucis				
Ankle	4.75	10.9		
Knee	14.25	7.8	38.0	46.3

NEEDLE ELECTROMYOGRAPHY								
MUSCLE	IA	Spontaneous			MUAP			Interference Pattern
		FIB	PSW	CRD/ FASC	AMP	DUR	PPP	
R Vastus Medialis	Dec	N	N	N	Nl	Long	Inc	Discrete
R Tibialis Anterior	Dec	N	N	N	Inc	Inc	Inc	Reduced
R Gastrocnemius	Dec	2+	2+	N	Nl	Nl	Inc	Discrete
R Abductor Hallucis	Dec	N	N	N	Nl	Nl	Nl	Single
R Peroneus Longus	Nl	N	N	N	Nl	Nl	Inc	Reduced
R Gluteus Medius	Nl	1+	N	N	Inc	Nl	Inc	Reduced
R Biceps Femoris (Short Head)	Nl	N	N	N	Inc	Nl	Inc	Discrete
R Biceps Femoris (Long Head)	Nl	N	N	N	Inc	Nl	Inc	Discrete
R Tibialis Posterior	Inc	N	N	N	Nl	Nl	Nl	Reduced
L Vastus Medialis	Nl	N	N	N	Nl	Nl	Nl	Normal
L Tibialis Anterior	Nl	N	N	N	Nl	Nl	Nl	Normal
L Gastrocnemius	Nl	N	N	N	Nl	Nl	Nl	Normal
L Peroneus Longus	Nl	N	N	N	Nl	Nl	Nl	Normal
L Tensor Fascia Lata	Nl	N	N	N	Nl	Nl	Nl	Normal
L L5 Paraspinals	Nl	N	N	N				

● 전기진단검사 결과 요약

양측 비복신경에서 시행한 감각신경전도검사 결과는 정상이었다. 양측 표재비골 감각신경활동전위는 측정되지 않았으나, 이 결과에 대해서는 주의 깊은 분석이 필요하다.

운동신경전도검사에서 우측 비골신경 복합운동활동전위가 단지신근(extensor digitorum brevis)과 전경골근(tibialis anterior)에서 각각 1.7 mV, 4.1 mV로 측정되었는데, 이는 왼쪽과 비교하면 15%, 57%에 해당한다. 신경전도속도와 H-반사의 잠시는 정상범위에 속하였다. 전도차단은 관찰되지 않았다.

침근전도검사에서 우측 내측광근(vastus medialis), 전경골근(tibialis anterior), 후경골근(tibialis posterior), 비복근(gastrocnemius)의 내측두(medial head), 모지외전근(abductor hallucis), 장비골근(peroneous longus), 중둔근(gluteus medius), 그리고 대퇴이두근(biceps femoris)에서 동원양상의 감소 소견이 관찰되었다. 우측 비복근의 내측두와 중둔근에서 경도에서 중등도 이상의 비정상자발활동 전위가 관찰되었다. 전경골근, 대퇴이두근, 그리고 중둔근에서 다상성의 거대 운동단위활동전위(진폭이 7 mV에 이르는)가 관찰되었다. 대조적으로 좌측 근육에 대한 침근전도검사에서 이상 소견은 관찰되지 않았다.

1. 상기 결과는 우측 요추 4번부터 천추 2번에 걸친(주로 요추 5번과 천추 1번을 침범) 운동신경원병을 강하게 시사한다.
2. 하지만 운동 신경다발을 주로 침범하는 신경근병증의 가능성도 완전히 배제할 수 없다.

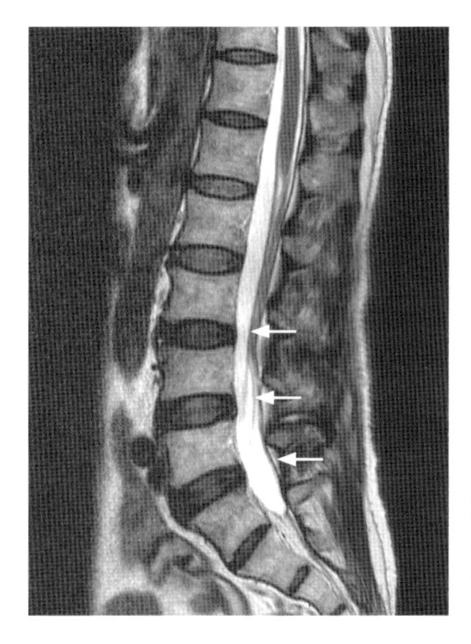

그림 28-2

요천추 자기공명영상의 시상단면. 정중시상단면에서 추간판 돌출 소견은 관찰되지 않았다. 하지만 요추 3-4번, 요추 4-5번, 그리고 요추 5번-천추 1번의 추간판에서 퇴행성 변화가 관찰되었다(화살표).

추가적으로 필요한 검사는?

요추 자기공명영상

신경근병증의 가능성을 배제하기 위하여 요천추에 대한 자기공명영상검사를 시행하였다. 검사 결과 추간판의 명백한 돌출은 관찰되지 않았다(그림 28-2). 또한 척추협착증이나 추간공 협착은 관찰되지 않았다.

전기진단검사 결론

상기 임상소견, 전기진단소견, 그리고 영상의학소견은 우측 요추 4번에서 천추 2번을 포함하는 운동신경원병을 시사한다(주로 요추 5번과 천추 1번을 침범). 서서히 진행하는 위약이 하나의 사지에만 국한된 임상 양상은 양성국소근위축증(benign focal amyotrophy)의 아형에 합당한 소견이다.

임상 경과

환자는 주기적으로 외래를 방문하였고 추적관찰 기간 동안 증상은 안정된 상태였다.

고찰

감각 증상이 동반되지 않은 위약과 전기진단 검사에서 확인된 근분절의 탈신경 소견은 운동신경원병과 운동증상 위주의 신경근병증과 같은 운동체계에 영향을 미치는 병태생리적 문제를 시사한다. 자기공명영상 검사 결과, 신경근병증의 가능성은 낮다.

근병증은 가능성이 있는 질환이지만, 근병증의 증상은 근분절을 따라서 발생하지 않는다. 상기 환자의 증상과 달리 근병증은 주로 근위부 위약을 동반한다. 하지만 주로 원위부 근육에 영향을 미치는 근병증을 달리 분류하여 원위부근병증이라고 부른다.[1] Miyoshi 원위부근병증은 비대칭적인 위약과 주로 후면부 근육을 침범하는 양상을 보인다.[1] 최근에 원위부근병증은 질병분류표에도 추가되었다.[2] 그럼에도 불구하고 상기 증례의 임상양상은 발생 당시 연령, 진행 양상, 그리고 전기진단검사 결과를 종합했을 때, 원위부근병증에 합당한 소견은 아니다. 상기 증례에서 특징적으로 관찰되는 다상성의 큰 진폭을 보이는 운동단위활동전위 역시 근병증에서 관찰되는 소견은 아니다.

따라서 운동신경원병이 가장 가능성 있는 진단으로 생각된다. 운동신경원병에 속하는 다양한 질환이 감별진단 목록에 포함되어야 한다. 다행히 상기 증례에서는 관찰되는 임상양상 덕분에 가능성 있는 질환을 추릴 수 있었다. 서서히 진행하는 위약, 하나의 사지에 국한된 증상, 그리고 40대 이후에 증상이 비교적 늦게 발생한 점은 특징적인 임상양상으로 볼 수 있다.

근위축측삭경화증(amyotrophic lateral sclerosis)은 상부운동신경과 하부운동신경의 퇴행이 빠르게 진행한다.[3] 척수근위축증(spinal muscular atrophy)은 보통 어린 나이에 발병한다(유형 I과 II). 척수근위축증 III형(Kygelberg-Welander disease)의 경우에도 위약은 3세부터 30세 사이에 시작된다.[4] 척수근위축증 환자는 일반적으로 원위부보다 근위부 근육에서 위약과 위축 소견이 관찰된다.

소아마비(poliomyelitis)와 다른 바이러스 관련 척수병증은 위약 발생 전에 발열 병력이 존재한다. 상기 증례에서는 과거 감염력이 없었고 위약이 서서히 진행했다는 점이 척수병증과 일치하지 않는 부분이다.

양성국소근위축증(benign focal amyotrophy disorder)은 여러 가지 다양한 이름으로 보고되었는데, 하지근위축증후군(wasted leg syndrome), 단일사지근위축증(monomelic amyotrophy), 양성장딴지근위축증(benign calf amyotrophy)가 대표적이다.[5,6] 이 질환은 사지의 일부에서만 증상이 발생하고 상부운동신경 징후가 관찰되지 않으며 수개월에서 수년에 걸쳐 서서히 증상이 진행하다가 고착화된다는 점이 특징이다.[6] 하지에서 발생한 양성국소근위축증은 남자에서 많이 발생하며 수년에 걸쳐 서서히 진행하는 양상을 보인다. 전기진단검사에서 종종 반대측 하지 또는 상지에서도 이상 소견이 확인된다.[6] 따라서 양성국소근위축증은 운동신경원병 중에서 가장 양호한 경과를 보인다.

상기 증례에서 임상 양상과 전기진단 검사 결과는 양성국소근위축증에 가장 합당하다. 위약의 다른 원인을 배제하기 위한 검사와 주의 깊은 추적관찰이 필요할 것이다.

참고문헌

1. Amato AA, Dumitru D. Hereditary Myopathies. In: Dumitru D, Zwarts MJ, eds. Electrodiagnostic medicine. 2nd ed. Philadelphia: Hanley & Belfus; 2002:1265-370.
2. Williams DR, Reardon K, Roberts L, et al. A new dominant distal myopathy affecting posterior leg and anterior upper limb muscles. Neurology 2005;64:1245-54.
3. Ferguson TA, Elman LB. Clinical presentation and diagnosis of amyotrophic lateral sclerosis. NeuroRehabilitation 2007;22:409-16.
4. Dumitru D, Amato AA. Disorders Affecting Motor Neurons. In: Dumitru D, Zwarts MJ, eds. Electrodiagnostic medicine. 2nd ed. Philadelphia: Hanley & Belfus; 2002:581-651.
5. van den Berg-Vos RM, Visser J, Franssen H, et al. Sporadic lower motor neuron disease with adult onset: classification of subtypes. Brain 2003;126:1036-47.
6. Felice KJ, Whitaker CH, Grunnet ML. Benign Calf Amyotrophy: Clinicopathologic Study of 8 Patients. Arch Neurol 2003;60:1415-20.

증례 29

허리와 우측 다리의 통증을 호소하는 남성

병력

78세 남성이 외상 없이 1달 전부터 발생한 허리통증, 우측 서혜부의 저린감, 그리고 하퇴 바깥쪽으로의 저린감을 동반한 통증을 호소하면서 내원하였다. 증상은 걸을 때 악화되었으며, 허리를 굽힐 때 감소하였다. 동반된 배뇨, 배변 증상은 없었다. 그는 고혈압, 고지혈, 당뇨병이 있어 barnidipine, losartan/hydrochlorothiazide, glimepiride, voglibose, thioctic acid, 그리고 simvastatin/ezetim을 복용 중이었다. 그는 불안정협심증(unstable angina)의 치료를 위해 3년 전 관상동맥중재술(percutaneous coronary artery intervention)을 시행 받은 것 외에 다른 병력은 없었다. 특이 가족력도 없었다.

이 시점에서 감별진단은?

1. 우측 요천추신경근병증(right lumbosacral radiculopathy)
2. 우측 총비골신경병증(right common peroneal neuropathy)
3. 우측 좌골신경병증(right sciatic neuropathy)
4. 우측 요천추신경총병증(right lumbosacral plexopathy)
5. 다발성말초신경병증(peripheral polyneuropathy)

허리와 우측 서혜부 통증 그리고 하퇴의 저린감은 1달 전에 일어났고 자세에 따라 달라졌다는 점을 고려할 때, 우측 요천추신경근병증이 가장 가능성 있는 진단이다. 우측 서혜부의 근육분절(myotome)과 신경분절(neurotome)을 고려할 때, 우리는 반드시 요추 2번, 요추 3번, 그리고 요추 4번 요추 신경근병증간의 감별진단을 해야 한다. 위약이 명백하지 않고, 주된 증상이 외상이나 압박과 관련된 병력이 없는 허리 통증과 감각 문제들이라는 점을 고려할 때, 신경근병증이 가장 가능성 있는 진단이다. 그러나 하퇴 외측의 통증과 저린감은 우측 총비골신경병증, 우측 좌골신경병증의 비골 부분의 신경병증 또는 우측 요천추신경총병증에서도 나타날 수 있는 증상이다. 당뇨병의 병력은 명확하고, 하퇴의 증상이 비대칭적이어서 다발성말초신경병증도 가능성이 있다.

신체 검진

시진

명백한 이상 소견은 없다.

감각

우측 외측 하퇴에서 촉각 및 통각의 감소가 있었다.

도수근력검사

	Hip flexor	Knee extensor	Ankle dorsiflexor	Big toe extensor	Ankle plantarflexor	Upper extremity
Right	5	5	5	5	5	5
Left	5	5	5	5	5	5

특수 검사

하지직거상검사(straight leg raising test)에서 양측 모두 90도까지 통증 없이 가능하였다.

반사

심부건반사는 무릎에서 1+/2+(우측/좌측), 발목에서 1+/1+이었다. 우측 무릎 반사는 좌측보다 낮았다. 바빈스키 징후(Babinski's sign)과 발목 간대(ankle clonus)는 양측에서 모두 음성이었다.

보행

보행 시 이상 소견은 없었다.

혈액검사 결과

초기 실험실 시험에서, 전체혈구계산(complete blood count), 적혈구침강속도(erythrocyte sedimentation rate), 그리고 혈액요소질소(blood urea nitrogen), 크레아티닌(creatinine)을 포함한 혈액화학시험(blood chemistry test)과 전해질은 모두 정상범위였다. 당화혈색소는 6.9%(정상범위 <6.4%), 공복 혈당 173 mg/dL(정상범위 <110 mg/dL)로 모두 상승되었다.

이 시점에서 감별진단은?

신체검사에서 요통, 우측 서혜부 통증, 우측 하퇴 바깥쪽의 통증 및 저림, 촉감과 통각 감소 그리고 우측 무릎 반사의 감소가 포함되었다.

우측 무릎반사의 감소는 우측 요천추신경근병증, 우측 요천추신경총병증에서 나타날 수 있고, 우측 하퇴 바깥쪽의 촉각 및 통각의 감소는 요천추신경근병증, 우측 요천추신경총병증이나 우측 총비골신경병증에서 나타날 수 있다. 이러한 증상들은 다발성말초신경병증에 특이적이지는 않으나, 이를 완전히 배제할 수 는 없다.

이러한 관점에서 진단의 순서는 1) 우측 요천추신경근병증, 2) 우측 총비골신경병증, 3) 우측 좌골신경병증, 4) 우측 요천추신경총병증, 5) 다발성말초신경병증이다.

전기진단검사 결과

SENSORY NERVE CONDUCTION STUDIES			
NERVE - RECORDING SITE	Onset LAT (ms)	Base-peak AMP (μV)	Peak-peak AMP (μV)
R SURAL - Lat Malleolus	3.30	17.7	24.8
L SURAL - Lat Malleolus	3.00	16.8	19.9
R SUP PERONEAL - Foot	2.70	9.7	10.2
L SUP PERONEAL - Foot	2.90	11.1	12.2
R SAPHENOUS - Ankle	2.35	6.6	5.0
L SAPHENOUS - Ankle	2.35	7.0	4.2

MOTOR NERVE CONDUCTION STUDIES				
NERVE - RECORDING SITE	LAT (ms)	AMP (mV)	Distance (cm)	NCV (m/s)
R COMMON PERONEAL - Extensor Digitorum Brevis				
Ankle	4.65	4.0		
Fibular Head	12.25	3.2	33.0	43.4
L COMMON PERONEAL - Extensor Digitorum Brevis				
Ankle	3.75	3.5		
Fibular Head	12.15	3.0	34.0	40.5
R TIBIAL - Abductor Hallucis				
Ankle	4.35	12.4		
Knee	12.80	8.5	34.5	40.8
L TIBIAL - Abductor Hallucis				
Ankle	4.65	12.6		
Knee	12.95	9.6	35.0	42.2
R FEMORAL - Vastus Medialis				
Inguinal Canal	4.85	0.8		
L FEMORAL - Vastus Medialis				
Inguinal Canal	4.95	1.6		

F - WAVE	
NERVE - RECORDING SITE	MIN F LAT (ms)
R COMMON PERONEAL - Extensor Digitorum Brevis	53.90
R TIBIAL - Abductor Hallucis	50.55
L COMMON PERONEAL - Extensor Digitorum Brevis	55.90
L TIBIAL - Abductor Hallucis	51.10

H - REFLEX	
NERVE - RECORDING SITE	H LAT (ms)
L TIBIAL (KNEE) - Soleus	30.60
R TIBIAL (KNEE) - Soleus	30.95

NEEDLE ELECTROMYOGRAPHY								
MUSCLE	IA	Spontaneous			MUAP			Interference Pattern
		FIB	PSW	CRD/FASC	AMP	DUR	PPP	
R Vastus Medialis	Nl	3+	3+	N	Nl	Nl	Nl	Complete
R Tibialis Anterior	Nl	N	N	N	Nl	Nl	Nl	Complete
R Peroneus Longus	Nl	N	N	N	Nl	Nl	Nl	Complete
R Gastrocnemius (Medial)	Nl	N	N	N	Nl	Nl	Nl	Complete
R Tensor Fascia Lata	Nl	N	N	N	Nl	Nl	Nl	Complete
R Iliopsoas	Nl	N	N	N	Nl	Nl	Nl	Complete
R Vastus Lateralis	Nl	3+	3+	N	Nl	Nl	Nl	Complete
R Lumbar Paraspinals (Lower)	Nl	4+	4+	N				
R Lumbar Paraspinals (Middle)	Nl	N	N	N				

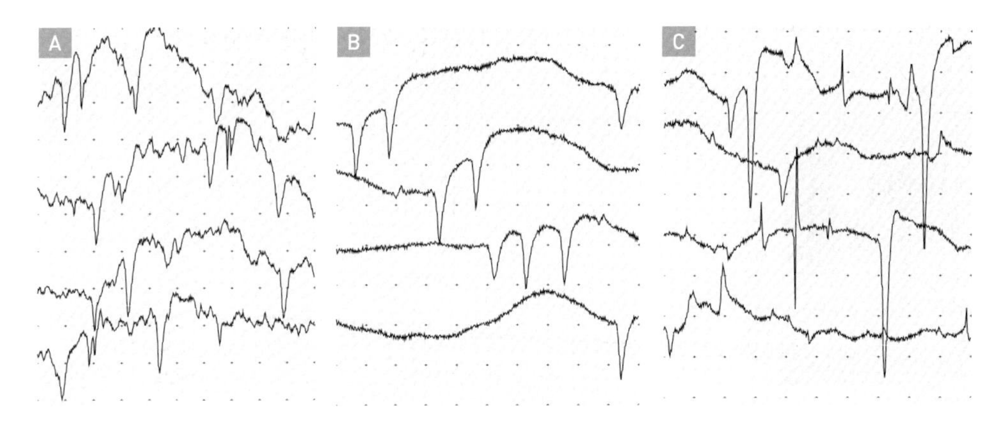

그림 29-1

침근전도 파형. 양성예파(positive sharp wave)와 섬유자발전위(fibrillation potential)가 우측 외측광근(vastus lateralis)(A), 내측광근(vastus medialis), 그리고 요추 척추주변근육(lumbar paraspinals)(C)에서 관찰된다. [민감도(sensitivity), 10 μV/div; 스윕 속도(sweep speed), 100 ms]

● 전기진단검사 결과 요약

총비골신경, 경골신경(tibia nerve), 그리고 대퇴신경(femoral nerve) 모두 정상적인 운동신경전도를 보였으며, 양측 비복신경(sural nerve), 천비골신경(superficial peroneal nerve), 그리고 양측 복재신경(saphenous nerve)에서 정상적인 감각신경전도를 보였다. 양측 총비골신경 및 경골신경의 F-파(F-wave)와 H-반사(H-reflex)는 모두 정상이었다.

침근전도검사에서, 다량의 비정상자발전위(abnormal spontaneous activity)가 우측 내측광근과 외측광근, 그리고 우측 요추 척추주위근에서 관찰되었다. 우측 전경골근(tibialis anterior), 장비골근(peroneus longus), 내측 비복근(medial gastrocnemius), 대퇴근막장근(tensor fascia lata), 장요근(iliopsoas), 그리고 중간 요추 척추주위근에서는 이상 소견이 없었다.

침근전도에서 다량의 비정상자발전위가 하부 요추 척추주위근과 요추 4번의 지배를 받은 근육에서 관찰된 것은 요추 4번 신경근병증을 시사한다.

우측 총비골신경병증, 우측 좌골신경병증, 우측 요천추신경총병증 그리고 다발성말초신경병증은 운동과 감각신경전도검사 및 지연반응이 정상이라 배제할 수 있었다.

추가적으로 필요한 검사는?

요천추 자기공명영상

추간판탈출로 인한 요천추신경근병증의 가능성을 배제하기 위해 우리는 요천추 자기공명검사를 시행하였다(그림 29-2).

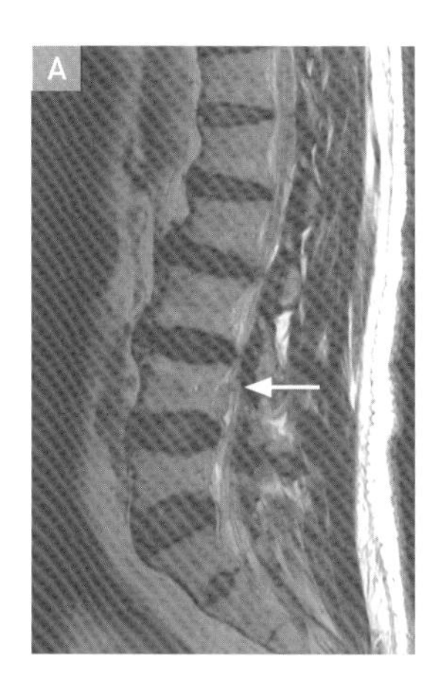

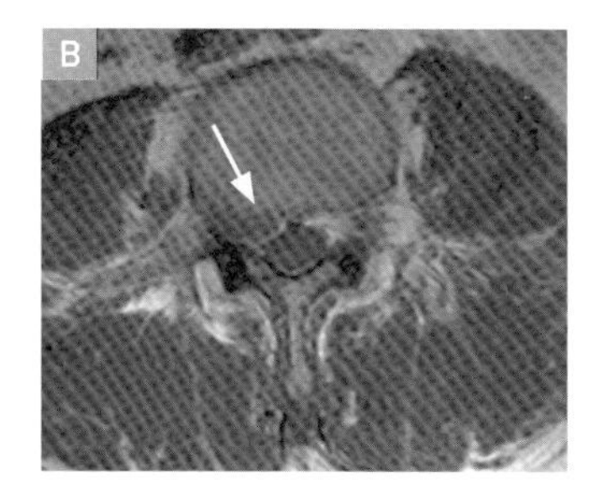

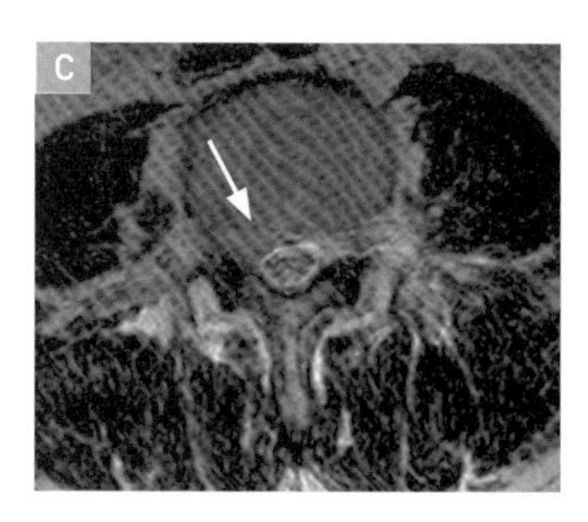

그림 29-2

척추 자기공명영상. 요천추 T2 지연영상 시상면에서 요추 4번 위치에서 중간 신호강도의 결절성 병변이 보인다(A,화살표). T1 지연영상(B)과 T2 지연영상(C)의 축상면의 요추 4번에서도 동일한 병변(화살표)이 우측 전방 경막외공간에 위치하고 있다.

조영 요천추 자기공명영상검사

요천추 비조영 자기공명영상에서 결절성 병변은 격리된 추간판탈출 일 수 있다. 신경근 기형을 감별하기 위해 우리는 추가적으로 가돌리늄(gadolinium)조영 자기공명영상을 시행하였다(그림 29-3).

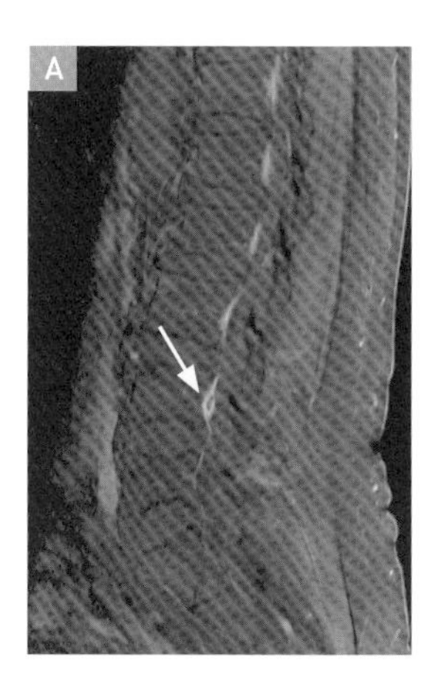

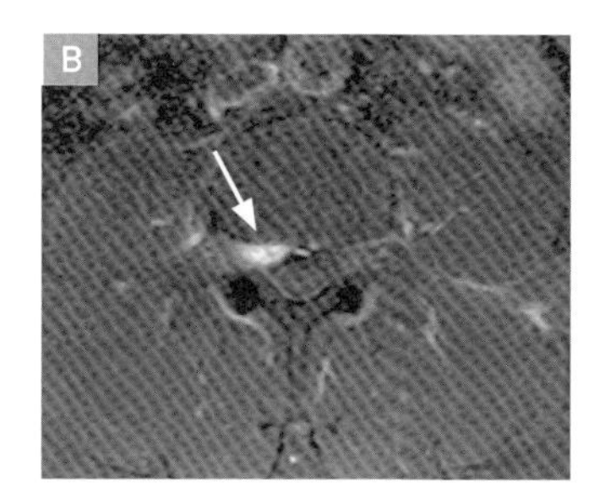

그림 29-3

조영된 자기공명영상. 가돌리늄 조영된 T1 지연 자기공명영상에서 시상면(A)과 축상면(B)에서 결절성 병변이 조영된 것이 관찰되며(화살표), 이것은 요추 4번의 우측 전방 경막외공간의 혈관종(hemangioma)을 시사한다.

전기진단검사 결론

전기진단학적 결과는 우측 4번 요추의 신경근병증에 부합한다. 가장 가능성이 높은 신경근 압박의 원인은 요추 4번에 위치한 우측 전방 경막외공간의 혈관종이다.

임상 경과

종괴의 절제 생검을 시행하였다. 수술장 소견에서 24 cm 종괴가 요추 4-5번 추간판 위의 우측 관절하 공간에서 관찰되었다. 이 종괴는 우측 요추4번 신경근을 심하게 압박하고 있었으나 신경조직과의 유착은 없었다. 병리소견은 혈관형성 및 최근 혈종으로 보였으며, 이러한 소견은 해면혈관종(cavernous hemangioma)에 해당하는 소견이었다(그림 29-4). 절제 생검 후 통증과 저린감은 해결되었다.

그림 29-4

절제 종괴의 병리소견. 종괴 조직은 최근의 혈종을 동반한 국소적인 증식성 혈관 병변을 보인다. (hematoxylin-eosin염색, x100 배율)

고찰

척추에 발생하는 경막외 해면혈관종은 모든 경막외 종양의 약 4%, 척추 해면혈관종의 1~2% 정도에 해당하는 매우 드문 질환이다.[1-3] 가장 흔히 발생하는 부위는 상부 흉추, 등이며, 경추나 요천추부에 발생하는 것은 상대적으로 드물다. 경막외 해면혈관종의 특징과 위치에 따라 요통, 하지 방사통, 진행성 하지 위약, 그리고 급성 하지 마비가 발생할 수 있다.[3,5-7] 증상은 외상, 운동, 자세, 전신감염, 임신 그리고 압박 등에 의해 악화될 수 있다.[4] 갑작스런 증상은 혈관종의 확장이나 울혈과 관련되어 있으며, 신경학적 변화는 혈관종 구조의 미세출혈, 정맥혈전증, 그리고 정맥혈류의 폐쇄 등에 의해 발생된다.[5] 신경근 통증은 추간공으로 병변이 확장되는 경우 추간판탈출에 의한 증상처럼 보일 수 있다.[1,7]

이 증례에서는 수술 후 조직학적 소견 및 자기공명검사를 통해 순수한 척추 경막외 해면혈관종으로 확진되었으며, 전기진단학적으로는 요통과 하지 방사통을 동반한 요추 4번 신경근병증으로 진단되었다. 요추 4번 신경근병증으로 진단된 요통과 우측 하지 방사통은 경막외 해면혈관종에 의한 신경근 압박으로 인해 발생한 것이었다.

사사

이 증례는 고은실 등이 2009년 대한재활의학회지에 개제한 '요추 신경근병증으로 발현된 순수한 경막외 해면상 혈관종'에서 저자의 동의를 받아 인용하였다. '이 시점에서 감별진단은?', '신체 검진', '전기진단검사 결과'는 이 책의 형식에 맞춰 원저의 내용에 새롭게 추가하였다.

참고문헌

1. Carlier R, Engerand S, Lamer S, Vallee C, Bussel B, Polivka M. Foraminal epidural extra osseous cavernous hemangioma of the cervical spine: a case report. Spine 2000;25:629-31.
2. Talacchi A, Spinnato S, Alessandrini F, Iuzzolino P, Bricolo A. Radiologic and surgical aspects of pure spinal epidural cavernous angiomas. Report on 5 cases and review of the literature. Surg Neurol 1999;52:198-203.
3. Zevgaridis D, Buttner A, Weis S, Hamburger C, Reulen HJ. Spinal epidural cavernous hemangiomas. Report of three cases and review of the literature. J Neurosurg 1998;88:903-8.
4. Shin JH, Lee HK, Rhim SC, Park SH, Choi CG, Suh DC. Spinal epidural cavernous hemangioma: MR findings. J Comput Assist Tomogr 2001;25:257-61.
5. Tekkok IH, Akpinar G, Gungen Y. Extradural lumbosacral cavernous hemangioma. Eur Spine J 2004;13:469-73."
6. Cho YS, Hwang SY, Eom DW. Pure epidural cavernous hemangioma in thoracic region: a case report. J Korean Orthop Assoc 2002;37:315-8.
7. Hong SP, Cho DS, Kim MH, Shin KM. Spinal epidural cavernous hemangioma simulating a disc protrusion: a case report. J Korean Neurosurg Soc 2003;33:509-11.

증례 30

우측 하퇴의 위약을 호소하는 여성

◯ 병력

71세 여성이 3주 전 발생한 우측 하퇴의 위약을 호소하였다. 그녀는 CREST 증후군[석회증(calcinosis), 레이노증후군(Raynaud phenomenon), 식도운동성장애(esophageal dysmotility), 손가락피부경화증(sclerodactyly), 그리고 모세혈관확장증(telangiectasia)], 고혈압, 당뇨병 그리고 고콜레스트레롤혈증(hypercholesterolemia)의 병력이 있었다. 18개월 전과 1개월 전, 환자는 불안정협심증(unstable angina)로 관상동맥중재술(percutaneous coronary artery intervention)을 시행 받았다. 3주 전 환자는 ST-비상승 심근경색(non-ST-elevation myocardial infarction, NSTEMI)이 발생하여, 추가적인 관상동맥중재술을 우측 대퇴동맥을 통해 시행 받았다. 관상동맥중재술 시행 후 30분 뒤, 급성 승모판역류(mitral regurgitation)으로 인한 비대상성 심부전(cardiac decompensation)이 발생하였다. 즉시 좌측 대퇴동맥을 통해 대동맥 내 풍선펌프(intraaortic ballon pump, IABP)를 삽입하였다. 우측 대퇴동맥을 통한 체외막산소공급도관(extracorporeal membrane oxygenation catheter, ECMO catheter) 삽입은 실패하였다.

뒤이어 좌측 대퇴정맥을 통해 체외산소공급도관 삽입이 이뤄졌다. 도관은 3일 이후에 제거하였다. 감각 및 운동기능 결손, 광범위한 압통, 우측 족배동맥(dorsalis pedis artery)의 맥박소실이 이러한 시술 뒤에 발견되었다. 횡문근융해(rhabdomyolysis)로 진단되었으며, 체외막산소공급 5일부터 8일 후까지 요알칼리화(urine alkalization)을 시행하였다. 대동맥 내 풍선펌프는 체외막산소공급 8일째에 제거하였다. 우측 하퇴의 위약은 지속되었으며, 그녀는 대동맥 내 풍선펌프와 체외막산소공급 삽입을 시행한 날로부터 23일째에 근전도검사를 위해 의뢰되었다.

◯ 이 시점에서 감별진단은?

1. 우측 단일(대퇴신경, 총비골신경 또는 경골신경) 신경병증[right individual (the femoral, common peroneal or tibial) neuropathy]
2. 우측 좌골신경병증(right sciatic neuropathy)
3. 우측 요천추신경총병증(right lumbosacral plexopathy)
4. 우측 요추 5번-천추 1번의 신경근병증(right L5-S1 radiculopathy)
5. 당뇨병에 의한 이차적인 다발성말초신경병증(peripheral polyneuropathy secondary to diabetes mellitus)

위의 병력은 상대적으로 편측 운동 및 감각신경계의 영향을 주는 국소질환에 의한 것임을 시사한다.

국소적인 운동 및 감각신경계의 손상은 요천추 신경근에서 말초신경까지 범위의 신경병증을 좀 더 시사한다. 만약 시술 중에 혈종이나 외상이 발생했다면, 요천추신경총병증도 가능성이 있다. 시술 중 허혈(ischemia)과 같은 변화를 고려하면, 좌골신경, 대퇴신경, 경골신경, 또는 비골신경 등의 단일신경병증 역시 가능한 진단들이다. 요천추신경총병증은 반드시 감별진단되어야 하나, 가능성은 낮다. 당뇨병력을 고려할 때, 환자의 주증상에 맞지는 않지만, 당뇨병의 병력을 고려할 때 다발성말초신경병증도 감별진단되어야 한다.

신체 검진

시진

우측 서혜부에 부종이 관찰되었다. 근위축은 관찰되지 않았다.

도수근력검사

	Hip flexor	Knee extensor	Knee flexor	Ankle dorsi-flexor	Big toe extensor	Ankle plantar flexor
Right	5	5	4	0	0	0
Left	5	5	5	5	5	3-

감각

감각 저하(hypesthesia)가 우측 하퇴와 발에 있었다.

반사

이두건반사와 손목반사는 양측모두 정상이었다. 무릎반사와 발목반사는 우측에서 감소되었다.

촉진

우측 슬와동맥(popliteal artery)과 족배동맥의 맥박은 촉지되지 않았다.

이 시점에서 감별진단은?

병력과 신체 검진소견은 '운동기능과 감각손상, 우측 다리에서 슬와동맥과 족배동맥의 소실, 그리고 양측 다리에서 심부건 반사의 감소'로 정리된다.

대퇴신경병증은 우측 고관절 굴곡과 무릎 신전 근력이 정상이기 때문에 배제할 수 있다. 양측 사두근(quadriceps)과 비복근(gastrocnemius)에서 신전반사가 감소한 것은 여전히 다발성말초신경병증에서 발생할 수 있다. 무릎 아래 부위의 운동과 감각 이상은 국소적인 신경병증의 가능성을 높인다. 서혜부 부종과 슬와동맥 및 족배동맥의 맥박이 없는 것은 우측 하지의 국소적인 허혈성 신경병증의 가능성을 강하게 제시한다. 이 시점에서 가장 가능성이 있는 진단들은 다음과 같다. 1) 국소신경병증(경골신경과 비골신경), 2) 요천추신경총병증, 3) 요천추(요추 5번과 천추 1번) 신경근병증, 그리고/또는, 4) 당뇨병으로 인한 다발성말초신경병증

전기진단검사 결과

SENSORY NERVE CONDUCTION STUDIES			
NERVE - RECORDING SITE	Onset LAT (ms)	Base-peak AMP (μV)	Peak-peak AMP (μV)
R MEDIAN - Digit II	**3.80**	12.8	30.2
R ULNAR - Digit V	2.55	22.3	31.5
R SUPERFICIAL PERONEAL - Foot		**No response**	
L SUPERFICIAL PERONEAL - Foot	2.95	**5.2**	**9.8**
R SURAL - Lateral Malleolus		**No response**	
L SURAL - Lateral Malleolus	3.60	**3.7**	**5.5**

MOTOR NERVE CONDUCTION STUDIES				
NERVE - RECORDING SITE	LAT (ms)	AMP (mV)	Distance (cm)	NCV (m/s)
R MEDIAN - Abductor Pollicis Brevis				
Wrist	3.95	7.3		
Elbow	7.70	5.4	19.0	50.7
R ULNAR - Abductor Digiti Minimi				
Wrist	**4.00**	6.5		
Elbow	7.05	6.4	18.5	60.7
R COMMON PERONEAL - Extensor Digitorum Brevis				
Ankle		**No response**		
Fibular Head		**No response**		
R COMMON PERONEAL - Tibialis Anterior				
Fibular Head		**No response**		
L COMMON PERONEAL - Extensor Digitorum Brevis				
Ankle	3.45	**2.5**		
Fibular Head	10.90	1.3	29.0	**38.9**
R TIBIAL - Abductor Hallucis				
Ankle		**No response**		
Knee		**No response**		
L TIBIAL - Abductor Hallucis				
Ankle	4.20	6.3		
Knee	12.45	4.9	34.5	41.8

F - WAVE	
NERVE - RECORDING SITE	MIN F LAT (ms)
R MEDIAN - Abductor Pollicis Brevis	26.15
R COMMON PERONEAL - Extensor Digitorum Brevis	**No response**
R TIBIAL - Abductor Hallucis	**No response**
L TIBIAL - Abductor Hallucis	**56.25**

NEEDLE ELECTROMYOGRAPHY IA Spontaneous MUAP								
MUSCLE	IA	Spontaneous			MUAP			Interference Pattern
		FIB	PSW	CRD/FASC	AMP	DUR	PPP	
R Tibialis Anterior	Nl	3+	3+	N	No activity			
R Gastrocnemius	Nl	1+	1+	N	No activity			
R Vastus Medialis	Nl	N	N	N	Nl	Nl	Nl	Complete
R Tibialis Posterior	Nl	2+	2+	N	No activity			
R Biceps Femoris (Long Head)	Nl	N	N	N	Nl	Nl	Nl	Complete
R Biceps Femoris (Short Head)	Nl	N	N	N	Nl	Nl	Nl	Complete
R Gluteus Maximus	Nl	N	N	N	Nl	Nl	Nl	Complete
R Peroneous Longus	Nl	2+	2+	N	No activity			
R Semimembranosus	Nl	N	N	N	Nl	Nl	Nl	Complete

전기진단검사 결과 요약

우측 표재비골신경(superficial peroneal nerve)와 비복신경(sural nerve)은 감각신경전도검사에서 반응이 없었다. 운동신경전도검사에서도 우측 단지신근(extensor digitorum brevis)에서 측정한 우측 총비골신경(common peroneal nerve)과 우측 족무지외전근(abductor hallucis)에서 측정한 우측 경골신경(tibial nerve)의 반응은 없었다. 좌측 총비골신경의 복합운동활동전위(compound motor action potential)의 진폭은 감소되어 있었으며, 신경전도속도는 약간 감소되어있었다.

침근전도검사에서 비정상자발전위(abnormal spontaneous activity)가 우측 전경골근(tibialis anterior), 내측 비복근, 후경골근(tibialis posterior), 그리고 장비골근(peroneus longus)에서 관찰되었다. 운동단위활동전위(motor unit action potential, MUAP)는 위의 근육에서 관찰되지 않았다.

위의 소견을 고려할 때, 우측 표재비골신경, 심비골신경(deep peroneal nerve), 그리고 경골신경의 축삭절단(axonotmesis)이 의심된다. 반면에 좌골신경병증과 요천추신경총병증은 이들 신경의 지배를 받는 무릎 위의 근육에서 정상소견을 보여 배제할 수 있다.

1. 우측 총비골 및 경골신경병증, 허혈성 신경병증에 부합하는 중증의 축삭절단 상태
2. 이와 동반된 하지의 감각운동 다발성말초신경병증, 경증의 탈수초상태(demyelinated state), 당뇨성 다발신경병증에 부합함.

추가적으로 필요한 검사는?

하지 3차원 CT 혈관촬영

동맥 폐쇄의 가능성을 확인하기 위해 3차원 CT 혈관촬영(그림 30-1).

폐쇄는 당뇨병과 만성 고혈압으로 인한 광범위한 죽상경화(atherosclerosis)로 인한 것일 수 있다. CT 혈관촬영 영상을 고려할 때 대퇴동맥의 폐쇄는 심각해 보이지 않으며, 신경병증은 뒤이어 자연스레 발

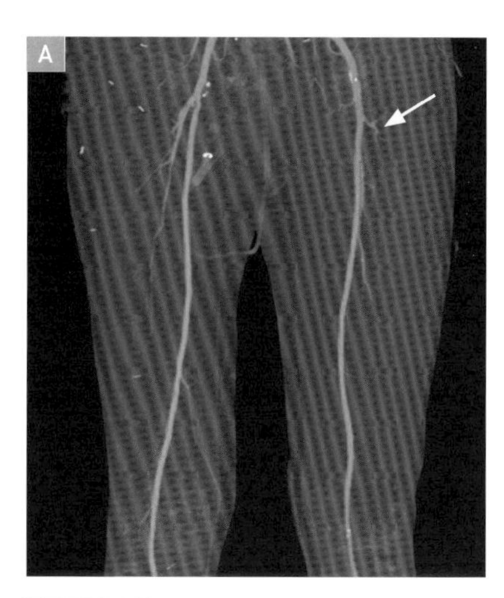

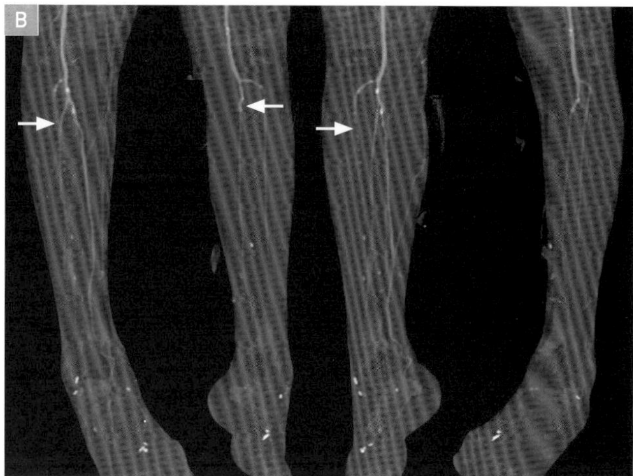

그림 30-1

하지의 CT 혈관촬영을 통한 3차원 재구성 영상. 우측 표재대퇴동맥(superficial feroneal artery, A, 화살표), 우측 전경골동맥(B, 화살촉), 그리고 좌측 비골동맥(B, 화살표)이 막혀있다.

생한 색전으로 인한 것으로 보였다. 그러므로, 이는 즉각적인 항응고 치료의 적응증이 된다. 이 증례에서 저분자헤파린(low molecular weight heparin)을 치료용량으로 주사하였다.

전기진단검사 결론

1. 이 전기진단학적 소견은 우측 무릎 주변의 전경골신경병증과 비골신경병증에 부합한다. 이는 대퇴, 전경골 그리고/또는 비골동맥 영역의 허혈로 인한 것일 가능성이 높다.
2. 신경전도검사에서 무릎 위쪽의 좌골신경이나 천골 신경얼기는 영향 받지 않은 것으로 나타났다.
3. 좌측 하지에서 감소한 운동 및 감각신경 반응은 당뇨병성다발성말초신경병증에 의한 것으로 보이나, 이것이 운동과 감각 이상의 주요원인은 아니다.

○ 임상 경과 및 추적근전도 검사

추적근전도 검사가 1달 뒤에 시행되었다. 위약은 변화가 없었으나, 종아리 내측의 가벼운 촉감(light touch)은 일부 호전되었다. (좌측 대비 0~30%) 추적검사에서 무릎 아래부위의 우측 비골 및 경골을 자극하였으나 이전 검사와 차이는 없었다. 그러나 근수축시 경골신경의 지배를 받는 근육에서 단일 운동 활동전위가 관찰되었다. 이러한 변화는 신체 검진에서 보인 감각변화와 일치하는 것이다. 비골신경 부분은 이전검사와 동일하였다. 그러므로 경골신경의 부분적인 호전이 기대되었다. 이후의 근전도 추적검사는 환자의 회복에 따라 시행하기로 하였다.

SENSORY NERVE CONDUCTION STUDIES			
NERVE - RECORDING SITE	Onset LAT (ms)	Base-peak AMP (μV)	Peak-peak AMP (μV)
R SUPERFICIAL PERONEAL - Foot		No response	
R SURAL - Lateral Malleolus		No response	

MOTOR NERVE CONDUCTION STUDIES				
NERVE - RECORDING SITE	LAT (ms)	AMP (mV)	Distance (cm)	NCV (m/s)
R COMMON PERONEAL - Extensor Digitorum Brevis				
Ankle			No response	
Fibular Head			No response	
R COMMON PERONEAL - Tibialis Anterior				
Fibular Head			No response	
R TIBIAL Abductor - Hallucis				
Ankle			No response	
Knee			No response	

고찰

체외막산소공급은 다양한 의학적인 상태에서 적용할 수 있는 치료적인 방법으로 알려져 있다. 심부전이나 폐부전환자의 생존율을 높이는 것으로 보고된 바 있다. 중심형과 말초형, 2가지 유형의 도관 삽입 유형이 있다. 말초 접근을 하는 경우 대퇴나 쇄골하동맥(subclavian artery), 또는 대퇴 정맥과 같은 큰 혈관을 사용한다. 체외막산소공급과 동반된 정맥 혈전은 하지에 허혈을 발생시킬 수 있다.

체외막산소공급과 연관된 하지의 허혈의 발생률은 13~25% 정도로 보고된다.[1,2] 체외막산소공급후 지연성 혈관합병증은 28.3%로 보고된 바 있다.[3] Mizuno 등은 체외순환 중 급성 슬와동맥 폐색 증례를 보고하였다.[4] Zimpfer 등은 모든 지연성 합병증은 동맥 도관부위의 협착으로 인한 것이라고 보고하였다. 그들은 체외막산소공급과 관련된 지연성 혈관 합병증의 예상인자로 시술 중의 기술적인 문제, 말초 혈관질환병력을 제시했다. 협착의 치료는 대퇴-대퇴 교차순환(femoro-femoral crossover bypass), 장골-대퇴 순환(ilio-femoral bypass), 혈전동맥내막제거술(thrombo-endarterectomy), 또는 피부경유혈관경유혈관성형술(percutaneous transluminal angioplasty)이 있다.

이 증례에서 환자는 특히 허혈과 관련되는 당뇨, 고혈압 그리고 심근경색 등의 만성 질환을 가지고 있었다. 위약의 주원인은 체외막산소공급 중에 발생한 색전에 의한 것으로 보인다. 이 색전은 우측 슬와동맥을 막았으며, 이는 허혈성 손상에 취약한 비골신경과 경골신경의 허혈성 손상을 유발하였다.[5]

좌골신경병증을 감별하기 위한 침근전도검사에서 적절한 근육을 선택하는 것은 매우 중요하다. 첫째로 무릎 아래부위의 비골신경의 지배를 받는 근육을 평가해야 한다. 만약 이들에서 비정상 운동단위활동전위가 관찰된다면, 경골신경의 지배를 받는 근육도 평가하여야 한다. 만약 경골신경지배를 받는 근육이 정상이라면 병변의 위치가 대퇴후면에 있는지 비골두(fibular head)에 있는지 감별하기 위해 대퇴이두근의 단두(short head of biceps femoris muscle)를 반드시 검사해야 한다. 만약 경골신경의 지배를 받는 근육이 비정상이라면, 특히 압박성 신경병증이 의심되는 증례에서는 대퇴이두근, 반막근(semimembranous) 또는 반건형근(semitendinosus) 등 근위부의 근육을 반드시 평가하여야 한다.

참고문헌

1. Doll N, Kiaii B, Borger M, et al. Five-year results of 219 consecutive patients treated with extracorporeal membrane oxygenation for refractory postoperative cardiogenic shock. Ann Thorac Surg 2004;77:151-7;discussion 7.
2. Smedira NG, Moazami N, Golding CM, et al. Clinical experience with 202 adults receiving extracorporeal membrane oxygenation for cardiac failure: survival at five years. J Thorac Cardiovasc Surg 2001;122:92-102.
3. Zimpfer D, Heinisch B, Czerny M, et al. Late vascular complications after extracorporeal membrane oxygenation support. Ann Thorac Surg 2006;81:892-5.
4. Mizuno J, Senda M, Asahara M, Yamada Y, Arita H, Hanaoka K. Acute popliteal arterial occlusion during extracorporeal circulation. Masui 2006;55:1412-5.
5. Korthals JK, Maki T, Korthals MA, Prockop LD. Nerve and muscle damage after experimental thrombosis of large artery. Electrophysiology and morphology. J Neurol Sci 1996;136:24-30.

증례
31

양측 다리의 위약과 우측 발뒤꿈치 통증이 있는 여성

병력

54세 여성이 양측 하지 위약과 우측 발뒤꿈치 통증으로 내원하였다. 3년 전 우측 발바닥 뒷부분 통증이 발생했는데 아침에 일어나 첫 몇 걸음을 걸을 때 통증이 더 심해지는 양상이었고 족저근막염(plantar fasciitis)으로 진단을 받았다. 1년 전 양측 발목 위약이 발생하였고 서서히 진행하였다. 환자는 허리 통증과 함께 불분명한 감각변화와 양측 하지 불편감, 빈뇨증, 야뇨증, 소변 줄기가 약한 증상을 호소하였다. 기존에 있었던 고혈압을 제외하고는 특별한 병력은 없었다.

이 시점에서 감별진단은?

1. 양측 5번 요추-1번 천추 신경근병증(bilateral L5-S1 radiculopathy)
2. 척수전각세포병(anterior horn cell disease)
3. 요추 척수병증(lumbar myelopathy)
4. 다발성말초신경병증(peripheral polyneuropathy)
5. 경골 신경병증(tibial neuropathy)
6. 양측 요천추신경총병증(bilateral lumbosacral plexopathy)

만성적으로 진행하는 양측 하지 위약과 우측 발뒤꿈치 통증에 대한 감별진단으로 요추 신경근병증, 요추 척추관협착증(lumbar spinal stenosis), 만성 다발성말초신경병증을 들 수 있다. 당뇨, 인간면역 결핍바이러스(human immunodeficiency virus, HIV) 감염, 암과 같은 전신적인 질환의 병력 없으면서 비대칭적으로 감각과 운동에 영향을 준 것으로 볼 때 다발성말초신경병증은 적당하지 않다. 허리 통증은 요추 척추관협착증이나 신경근병증을 더 시사한다. 발뒤꿈치 감각 이상은 1번 천추의 피부절 감각 이상에 해당하며 경골신경의 가지인 양측 종골신경과도 연관되어 있다. 발목 주위의 위약은 발을 등쪽과 바닥쪽으로 굽히는 것 모두가 약해진 것을 뜻하는데 5번 요추, 1번 천추의 병변을 시사한다. 그러므로 양측 5번 요추, 1번 천추 신경근병증을 감별진단으로 고려할 수 있다. 대부분의 척수전각세포병은 감각 증상 없이 원위부 운동장애로 시작된다. 요추 척수병증 또한 고려할 대상이다.

신체 검진

시진

하지의 전후 구획(compartment)과 발 내재근들의 뚜렷한 위축을 보였다.

감각

감각검사에서 상하지 모두 이상 소견 없었다.

도수근력검사

	Upper Extremities	Hip flexor	Knee extensor	Ankle dorsiflexor	Big toe extensor	Ankle plantar flexor
Right	5	5	5	3	0	4
Left	5	5	5	4	5	4

반사

호프만 반사(Hoffman's reflex)나 바빈스키 반사(Babinski's reflex)와 같은 병적인 반사소견 관찰되지 않았다.

	Biceps Jerk	Triceps Jerk	Knee Jerk	Ankle Jerk
Right	2+	2+	2+	0
Left	2+	2+	2+	1+

보행

발뒤꿈치나 발가락으로 서는 것은 불가능하였다. 가우어 징후(Gower's sign)는 음성이었다.

○ 혈액검사 결과

혈중 크레아틴키나아제(creatine kinase, CK)는 277 IU/L(정상범위, 20~270 IU/L)로 약간 증가된 상태였다. 젖산탈수소효소(lactate dehydrogenase, LDH)와 알칼리 인산화분해효소(alkaline phosphatase)는 각각 217 IU/L(정상범위, 100~225 IU/L)와 66 IU/L(정상범위, 30~115 IU/L)으로 정상범위였다.

○ 이 시점에서 감별진단은?

병력과 신체검진을 통해 하지 위약, 위축, 발목반사 감소, 신경원성 방광 증상이 확인되었다. 발목 반사 감소는 척수전각세포병, 요추 신경근병증, 신경총병증, 근병증에서 나타날 수 있다. 발뒤꿈치 감각 변화는 없었으므로, 발뒤꿈치 통증은 기존의 신경상태와 직접적인 관련 없이 족저근막염과 같은 근골격계 질환일 가능성도 있다. 5번 요추, 1번 천추 근육절에 해당하는 국소적인 근위약은 5번 요추, 1번 천추 신경근병증에 합당한 소견이다. 신경원성 방광증상과 관련 있는 소변장애는 2번 천추 신경근 이하에 영향을 준 마미증후군(cauda equina syndrome)이나 척수에 영향을 준 척수원추증후군(conus medullaris syndrome)의 가능성을 높이는 증상이다. 그러므로 가장 가능성 높은 진단은 5번 요추 이하 다발성신경근병증(polyradicularopathy), 5번 요추 이상의 척수전각세포병이나 척수병변으로 생각된다.

○ 영상검사 결과

요추 자기공명영상 검사를 시행하였다(그림 31-1).

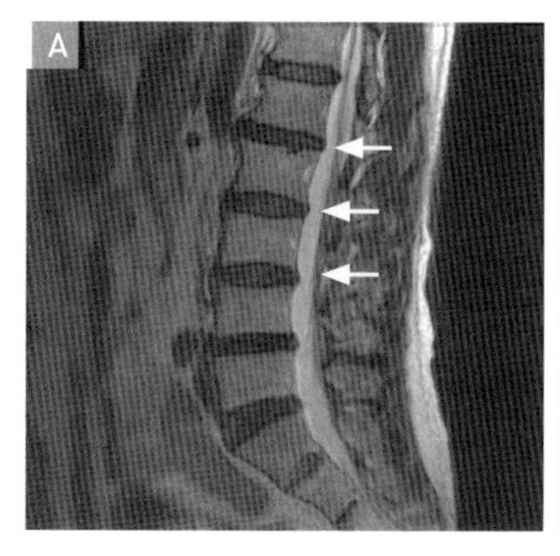
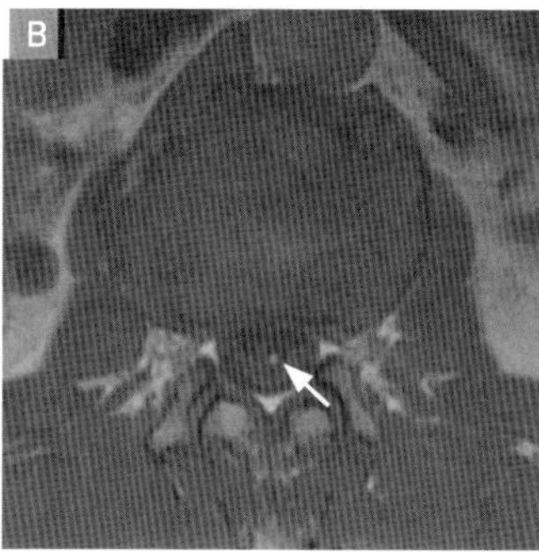

그림 31-1

요추 자기공명영상. 시상면(sagittal) T2 강조영상(A)은 2-3번 요추, 3-4번 요추에 전체적인 디스크 팽윤(bulging)과 4-5번 요추에 척수가 눌린 증거가 없는 디스크의 돌출(protrusion, 화살표)이 관찰된다. 그러나 환자의 위약에 관련된 부위인 4-5번 요추 축면(axial) T1 강조 영상(B)에서는 분명한 디스크 팽윤이나 신경공의 협착은 관찰되지 않는다. 이 영상은 종말끈(filum terminale)이 지방조직으로 변화한 것을 보여준다(화살표).

전기진단검사 결과

SENSORY NERVE CONDUCTION STUDIES			
NERVE - RECORDING SITE	Onset LAT (ms)	Base-peak AMP (µV)	Peak-peak AMP (µV)
R MEDIAN - Digit II	2.60	36.7	52.5
R ULNAR - Digit V	2.35	18.6	32.4
R SUPERFICIAL PERONEAL - Foot	2.15	16.0	19.4
R SURAL - Lateral Malleolus	2.40	20.3	21.5
L SUPERFICIAL PERONEAL - Foot	2.70	13.5	22.5
L SURAL - Lateral Malleolus	2.30	18.3	20.3

MOTOR NERVE CONDUCTION STUDIES				
NERVE - RECORDING SITE	LAT (ms)	AMP (mV)	Distance (cm)	NCV (m/s)
R MEDIAN - Abductor Pollicis Brevis				
Wrist	2.75	11.4		
Elbow	6.30	10.4	23.5	66.2
R ULNAR Abductor - Digiti Minimi				
Wrist	2.45	12.5		
Elbow	6.80	10.8	25.5	58.6
R COMMON PERONEAL - Tibialis Anterior				
Fibular head	3.50	4.0		
L COMMON PERONEAL - Tibialis Anterior				
Fibular head	3.00	5.7		
R COMMON PERONEAL - Extensor Digitorum Brevis				
Ankle		No response		
L COMMON PERONEAL - Extensor Digitorum Brevis				
Ankle	3.80	4.6		
Fibular head	10.35	3.8	32.0	48.9
R TIBIAL - Abductor Hallucis				
Knee		No response		
L TIBIAL - Abductor Hallucis				
Ankle	4.45	2.2		
Knee	12.45	2.3	35.0	43.8

NEEDLE ELECTROMYOGRAPHY								
MUSCLE	IA	Spontaneous			MUAP			Interference Pattern
		FIB	PSW	CRD/ FASC	AMP	DUR	PPP	
L Tibialis Anterior	Nl	N	N	N	Nl	Nl	Inc	Reduced
L Peroneus Longus	Nl	N	N	N	Inc	Nl	Inc	Reduced
L Gastrocnemius (Medial)	Nl	1+	2+	N	Inc	Nl	Inc	Reduced
R Tibialis Anterior	Nl	N	N	N	Giant	Nl	Inc	Reduced
R Gastrocnemius (Lateral)	Nl	N	N	N	Nl	Nl	Inc	Discrete
R Peroneus Longus	Nl	1+	2+	N	Inc	Nl	Inc	Discrete
R Extensor Digitorum Brevis	Dec	N	N	N	No activity			
R Abductor Hallucis	Nl	1+	1+	N	No activity			
L Abductor Hallucis	Nl	1+	2+	N	Nl	Nl	Nl	Reduced
L Extensor Digitorum Brevis	Nl	N	1+	N	Inc	Nl	Nl	Discrete
L Vastus Medialis	Nl	N	N	N	Nl	Nl	Nl	Complete
R Vastus Medialis	Nl	N	N	N	Nl	Nl	Inc	Complete
R Iliopsoas	Nl	N	N	N	Nl	Nl	Inc	Complete
R Tensor Fascia Lata	Nl	N	N	N	Nl	Nl	Inc	Reduced
R Lumbar Paraspinals (Lower)	Nl	N	1+	N				
L Lumbar Paraspinals (Lower)	Nl	N	N	N				
R External Anal Sphincter	Nl	1+	N	N	Nl	Nl	Inc	Discrete

H - REFLEX	
NERVE - RECORDING SITE	Response
L TIBIAL (KNEE) - Soleus	No response
R TIBIAL (KNEE) - Soleus	No response

● 전기진단검사 결과 요약

신경전도검사는 양측 상하지에서 정상 소견이었다. 우측 단족지신근(extensor digitorum brevis)과 엄지외전근(abductor hallucis)에서 운동반응이 유발되지 않았다. 좌측 엄지외전근의 복합근육활동전위(compound muscle action potential, CMAP) 진폭은 중등도 정도로 감소되어 있었다.

침근전도검사에서 비정상자발전위(abnormal spontaneous activity, ASA)가 양측 엄지외전근, 좌측 비복근, 우측 장비골근, 우측 하부 요추 주위근에서 관찰되었다. 우측 외항문괄약근(external anal sphincter)에도 신경 손상 소견(denervation potential)이 나타났다. 좌측 전경골근, 우측 비복근, 내광근, 장요근(iliopsoas), 대퇴근막장근(tensor fascia lata), 외항문괄약근에서 힘을 줄 때 다상성 운동단위가 나타났다.

간섭양상은 전경골근, 대퇴근막장근에서 감소되어 있었고, 우측 비복근, 외항문괄약근에서는 이산적(discrete)으로 나타났다. 좌측 장비골근, 비복근, 단족지신근, 우측 전경골근, 장비골근에서 큰 다상성 진폭의 운동단위가 관찰되었다. 상기 근육에서 감소되었거나 연속적이지 않은 간섭양상이 나타났다. 우

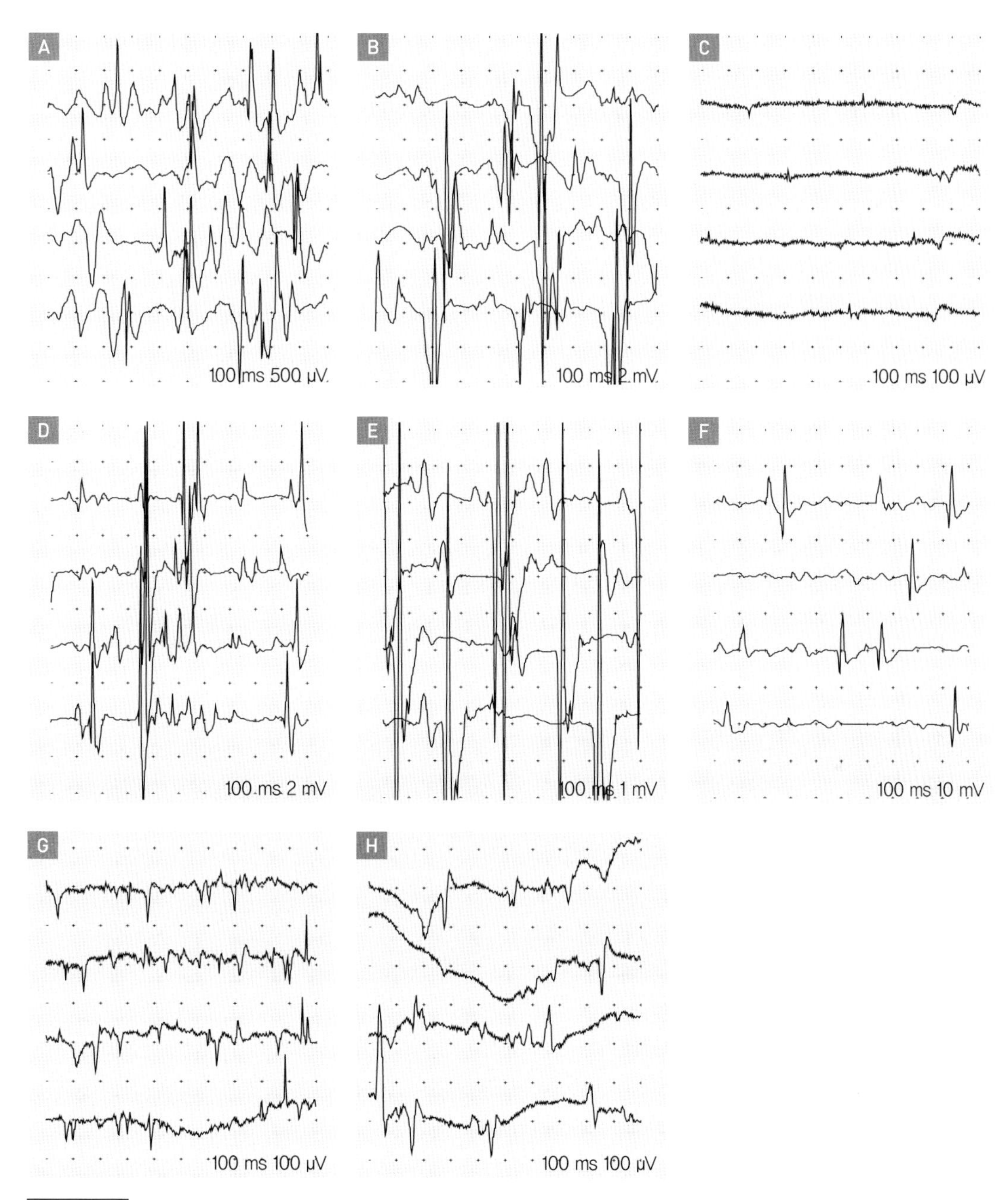

그림 31-2

침근전도검사 파형. (A) 전경골근(tibialis anterior), (B) 장비골근(peroneus longus), (D) 비복근(gastrocnemius), (E) 우측 장비골근, (H) 우측 내광근(vastus medialis), 근육들에서 뚜렷한 다상성 운동단위 관찰된다. (C) 중등도의 양성예파(positive sharp waves)가 좌측 비복근, (F) 좌측 외전근에서 나타난다. (G) 경도의 양성예파가 우측 요추 주위근에서 관찰된다. [민감도(sensitivity), A. 500 µV/div; B, D. 2 mV/div; C, G, H. 100 µV/div; E. 1 mV/div; F. 10 mV/div]

측 단족지신근, 엄지외전근의 운동단위는 관찰되지 않았다. 섬유속자발전위(fasciculation)는 나타나지 않았다.

1. 상하지의 감각신경 반응은 정상이었다. 다발성말초신경병증, 경골 신경병증, 후방신경절 요천추신경총병증은 제외할 수 있다.
2. 운동신경전도검사에서 양측 1번 천추과 우측 5번 요추, 1번 천추의 지배를 받는 근육들에서 이상 소견이 나타났다.
3. 침근전도검사에서 양측 5번 요추, 1번 천추의 지배를 받는 근육들과 우측 2-4번 천추의 지배를 받는 근육들에서 이상 소견이 나타났다.
4. 상기 전기진단검사 소견은 만성적으로 현재까지 진행 중인 양측 5번 요추 이하에 영향을 준 다발성신경근병증 또는 전각세포병에 합당한 소견이다.

추가적으로 필요한 검사는?

상기 임상소견과 전기진단검사 소견은 척추견인증후군(tethered cord syndrome)을 시사하지만 현재까지 시행한 영상 검사에서 그 증거가 확인되지 않았다. 원추 부위에 종양이나 조직에서 의해 눌린 것을 확인하기 위해 조영제를 사용한 요추 자기공명영상 검사를 하부 흉추 부위에서 시행하였다(그림 31-3).

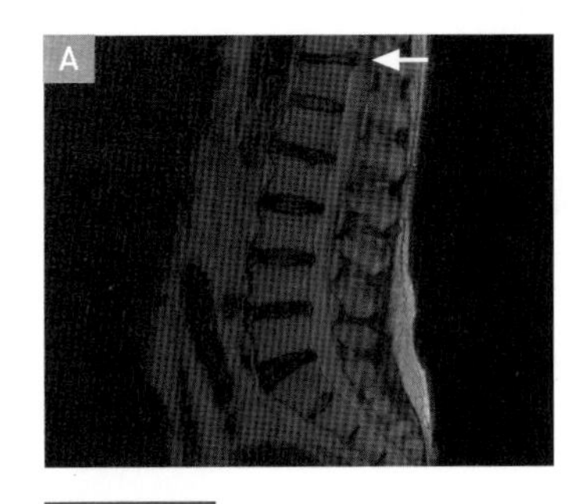

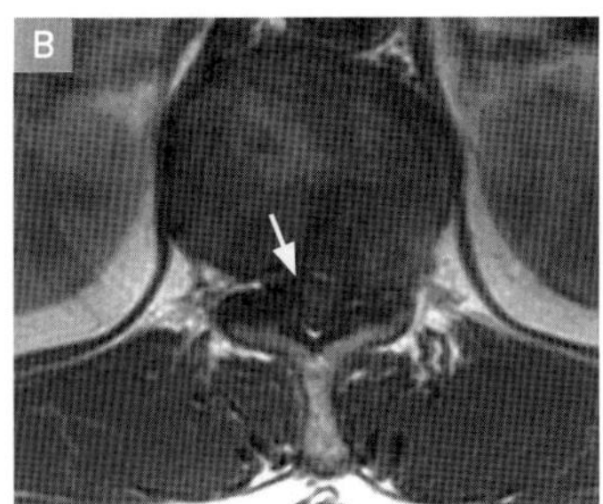

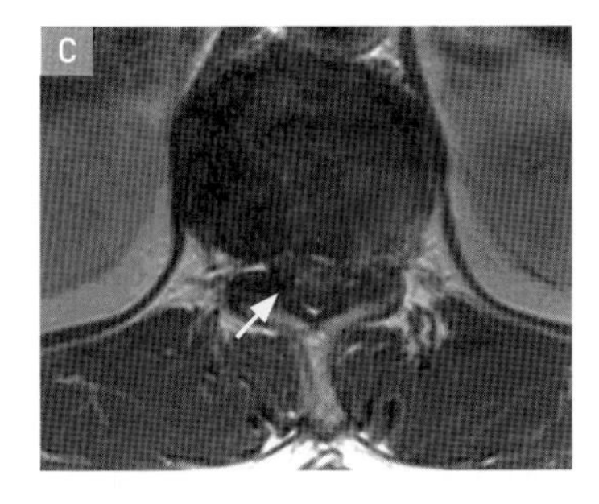

그림 31-3

하부 흉추 자기공명영상. T2 강조영상에서 11-12번 흉추 위치에서 척수가 눌린 소견과 심한 중심 척수관 협착증이 관찰되었다. 하부 흉추 척수증, 디스크 돌출, 황색인대의 골화가 척수원추를 누르고 있다. 자기공명영상 시상면(sagittal) T2 강조영상(A). 11-12번 흉추 위치의 축면(axial) T2 강조영상(B, C). 흉추 자기공명영상에서 전체적인 디스크 팽윤과 황색인대 골화증에 의해 11-12번 흉추 부위 심한 중심 척수관 협착증 발생이 확인되었다(화살표). 눌린 부위는 척수원추(conus medullaris)이고, 압박에 의한 척수병증(myelopathy) 진단이 가능하다.

전기진단검사 결론

1. 상기 전기진단검사 소견은 만성적으로 현재까지도 진행하고 있으며 양측 5번 요추 이하에 영향을 준 다발성신경근병증(bilateral lumbosacral polyradiculopathy) 또는 척수전각세포병에 합당한 소견이다.
2. 임상적으로 11-12번 흉추 부위 압박성 척수병증으로 진단 가능하다.

임상 경과

감압 수술을 추천하였고 개인적인 사정에 의해 수술은 지연되었다. 감압 추궁 절제술을 1개월 뒤에 시행하였다. 수술 시행한 지 2개월 뒤 환자의 증상은 호전되었다.

고찰

상기 사례는 뚜렷한 감각 이상 없이 발생한 하지 분절의 비대칭성 근위약과 위축을 보이는 여성에 대한 것이었다. 전형적으로 압박척추증성척수병증(compressive spondylotic myelopathy)은 방광 기능장애뿐만 아니라 손상부위 아래쪽으로 감각 이상과 피라미드 위약(pyramidal weakness)이 나타난다.[1] 그러나 이번 사례는 분명한 감각 증상이 없었다. 자기공명영상 검사 상에 11-12번 흉추 부위에 디스크 돌출이나 골극성 관절증(osteophytic arthropathy)에 의해 발생한 척수 내의 신호증가와 같은 척추증성 요천추 척수병증(spondylotic lumbosacral myelopathy)의 증거들이 관찰되었다. 이번 환자의 신경 장애는 11-12번 흉추 주위 척수의 직접적인 물리적 압박의 결과로 생각된다. 여러 신경절에서 대부분 순수운동장애로 발현된 것은 전척수동맥증후군(anterior spinal artery syndrome)과 유사하게 척수 전방에 선택적인 영향을 준 것으로 추정된다.[3]

이번 사례에서 분명한 신경근병증성 통증이나 감각 이상이 없었던 것은 요천추신경근병증보다는 요천추 운동신경병증을 더 시사하는 소견이었다. 게다가 방광 증상은 척수원추증후군(conus medullaris syndrome)과 같은 상부 운동신경세포 병변이나 2번 천추 신경뿌리 이하의 병변을 통해 설명할 수 있다. 따라서 임상양상은 초기 척수전각세포병이 일차적으로 의심되었다.[4] 그러나 상지나 구근(bulbar muscles) 침범이 없고, 자기공명영상 소견상 요추 압박성 척수병증이 확인되었기 때문에 근위축성측삭경화증(amyotrophic lateral sclerosis)으로 진단하기 어려워졌다. 회백수염(poliomyelitis)과 폴리오후증후군(post-polio syndrome)과 같은 운동신경세포에 국소적인 문제를 일으키는 질환을 배제할 수 없게 되었으나, 이와 같은 과거 병력과 척수 내에 신호 변화가 없기 때문에 폴리오후증후군을 시사하지는 않는다.[5]

이번 사례에서는 전기진단검사 시 요천추 자기공명영상 검사를 시행하였으나 자기공명영상에서 병변이 보이지는 않았다. 결과적으로 대소변장애가 있으면서 신경근병증이 의심되는 환자에서는 경추, 흉추 척추 시상면 영상을 요천추 자기공명영상과 함께 촬영하는 것이 진단을 정확히 하는 데 도움이 될 수 있다.

참고문헌

1. Emery SE. Cervical spondylotic myelopathy: diagnosis and treatment. J Am Acad Orthop Surg 2001;9:376-88.
2. Kleopa KA, Zamba-Papanicolaou E, Kyriakides T. Compressive lumbar myelopathy presenting as segmental motor neuron disease. Muscle Nerve 2003;28:69-73.
3. Foo D, Rossier AB. Anterior spinal artery syndrome and its natural history. Paraplegia 1983;21:1-10.
4. Pascuzzi RM. ALS, motor neuron disease, and related disorders: a personal approach to diagnosis and management. Semin Neurol 2002;22:75-87.
5. Daria A. Trojan, Neil R. Cashman. Post-poliomyelitis syndrome. Muscle Nerve 2005;31:6-19.

증례
32

족부 변형이 있는 젊은 남자

● 병력

19세 남자가 수년간 지속되어 온 양측 족부 통증을 주소로 내원하였다. 통증은 말단부로 갈수록 심해지는 스타킹 양상 분포(stocking-pattern distribution)를 보였다. 편평족도 있었으나 언제 생겼는지는 기억하지 못하였다. 족부에 상기 증상과 연관지을 만한 외상 병력은 없었다. 증상은 서서히 그러나 지속적으로 악화되었다. 통증은 일상생활을 방해할 정도로 심하지는 않았으나 악화나 완화 요인 없이 지속적이었다.

그는 11년 전에 두개인두종(craniopharyngioma)으로 접형골동접근법(transsphenoidal approach)으로 종양 제거술을 받은 병력이 있었다. 수술 후 간질 예방을 위해 매일 carbamazepine 600 mg을 복용하고 있었다. 6년 전 약을 끊어보았으나 간질 발작이 재발하여 이후로 꾸준히 복용하고 있었다. 아울러 기저 호르몬 저하로 hydrocortisone, synthyroid, testosterone도 처방 받아서 복용하고 있었다. 내원 1년 전에는 두개인두종이 재발하여 두 번째 수술을 받았다. 화학요법(chemotherapy)이나 방사선치료(radiation treatment)는 받지 않았다. 족부 변형이나 기타 신경근육 증상의 가족력은 없었다.

● 이 시점에서 감별진단은?

1. 선천성 혹은 후천성 다발성말초신경병증(peripheral polyneuropathy, hereditary or acquired)
2. 족근관증후군(tarsal tunnel syndrome)
3. 요천추신경근병증(lumbosacral radiculopathy)
4. 상부운동신경원증후군(upper motor neuron syndrome)

양측 족부 통증은 다양한 질환에서 보이는 흔한 증상이다. 양측성 족부 통증은 주로 전형적인 증상을 나타내고 신체 검진과 영상 검사로 진단이 가능하다. 족저근막염(plantar fasciitis)이나 골변형(bony deformity)과 같은 정형외과적인 질환은 전기진단학적 검사가 필요하지 않다. 그러나 이 환자의 복잡한 병력과 족부 변형은 기저에 신경학적인 원인 질환이 없는지 의심해 봐야 하는 소견이다. 족근관증후군은 편평족(pes planus)과 연관이 있을 수 있다. 하지만 이 경우 통증은 족저의 내측에 치우쳐 있는 경우가 많고 환자와 같이 스타킹 양상으로 있지 않을 것이다. 요천추신경근병증도 하지로의 방사통증으로 나타날 수 있다. 그러나 요통이 없이 양측 하지로 통증이 있는 것은 전형적인 신경근병증의 발현 양상이 아닐 뿐더러 환자가 젊은 것 역시 신경근병증의 가능성이 낮게 한다. 추가로 편평족은 신경근병증만으로는 설명이 되지 않는다. 다발성말초신경병증, 특히 유전성 다발신경병증은 대개 대칭적인 감각 이상과 족부 변형을 동반한다. 발병 연령을 고려하면 이 환자는 유전성 다발신경병증에 해당할 것으로 생각되나 다양한 의학적 치료를 받은 병력 때문에 후천성 신경병증을 완전히 배제하지는 못한다.

신체 검진

시진

양측 편평족이 관찰되었다(그림 32-1).

도수근력검사

하지 근력은 양측에서 정상 범위였다.

감각

통증, 온도 감각, 고유감각에서 이상 소견이 없었다.

반사

심부건반사(Deep tendon reflex)는 상지에서는 정상이었으나 하지에서는 나오지 않았다. 바빈스키 징후(Babinski sign)나 족간대성경련(ankle clonus)과 같은 병적반사(pathologic reflex)는 관찰되지 않았다.

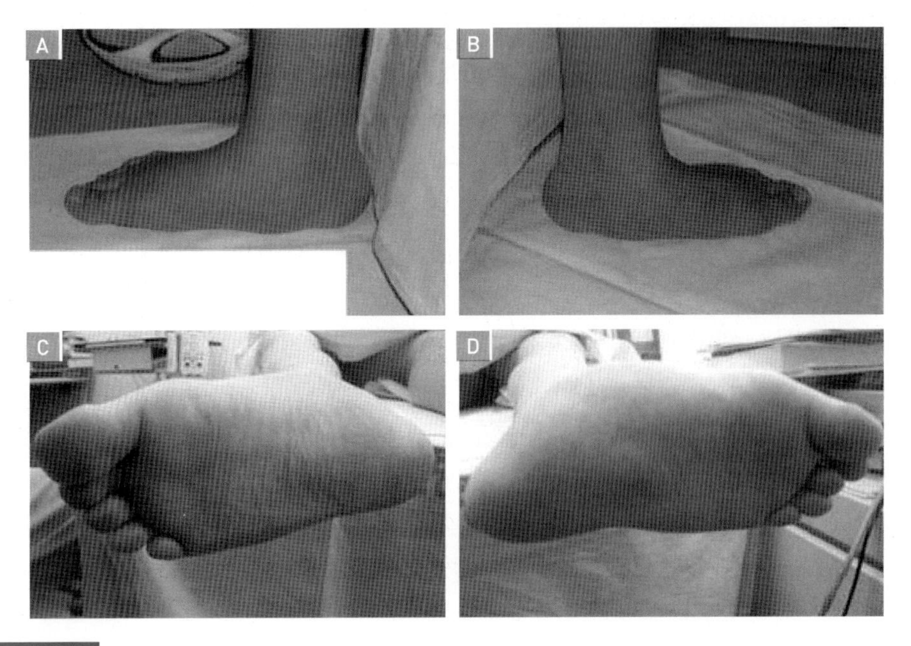

그림 32-1

양측 족부 사진. A와 B; 편평족이 내측면에서 보인다. C와 D; 하측면에서 외반변형(valgus deformity)이 보이며, 좌측에서 더 심하다. (허락 하에 Lee SY, Kim K, Jung SH. A case of Carbamazepine-Induced Peripheral polyneuropathy. J Korean Epilep Soc. 2009;13(1):27-30에서 발췌함[1])

보행

환자는 독립보행이 가능했으며, 발꿈치보행(heel gait), 첨족보행(tip toe gait), 일자보행(tandem gait)을 수행할 수 있었다.

기타 검진

롬베르크 징후(Romberg sign), 종슬시험(heel-to-shin test)은 음성이었다. 내측복사(medial malleolus) 후방의 경골신경을 가볍게 두드렸을 때 티넬 징후(Tinel's sign)도 없었다. 발바닥에 압통은 없었다. 하지직거상검사(Straight leg raising)시 하지로 방사통증이 유발되지 않았다.

단순 방사선 촬영

단순 방사선 촬영에서 양측 족부에 외반편평족(pes planovalgus) 소견이 있었다(그림 32-2).

혈액검사 결과

전혈구계산(complete blood count)과 혈중 요소질소(blood urea nitrogen), 크레아티닌(creatinine), 전해질(electrolytes), 적혈구침강속도(erythrocyte sedimentation rate), 혈당(glucose), 알부민, 간 효소(liver enzymes)를 포함한 일반화학검사(routine chemistry profile)는 정상범위 내에 있었다. 성장호르

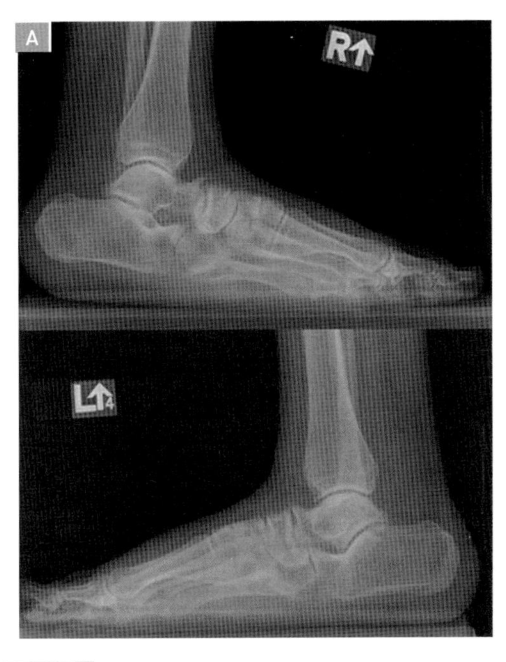

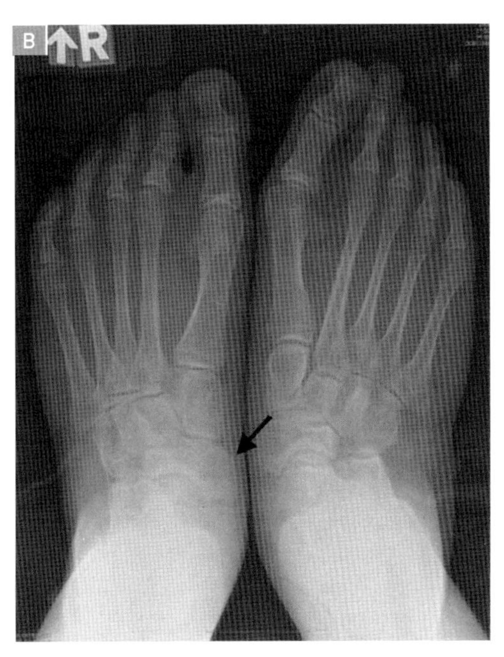

그림 32-2

양측 족부 단순 방사선 촬영. (A) 측면, (B) 전후상 영상. 우측 족부에 부주상골(accessory navicular)이 있다(화살표). R, 우측; L, 좌측. (허락 하에 Lee SY, Kim K, Jung SH. A case of Carbamazepine-Induced Peripheral polyneuropathy. J Korean Epilep Soc. 2009;13(1):27–30에서 발췌함[1])

몬(growth hormone), 인슐린 유사 성장호르몬1(Insulin-like growth factor1), 갑상선호르몬(thyroid hormone), 코티솔(cortisol), 성선자극호르몬(gonadotrophins), 부신피질자극호르몬(adrenocorticotropic hormone)을 포함한 내분비 검사도 정상이었다.

이 시점에서 감별진단은?

정상적인 운동 감각 소견은 샤르코-마리-투스병(Charcot-Marie-Tooth disease, 이하 CMT)이나 유전성 감각자율신경병증(hereditary sensory and autonomic neuropathies, 이하 HSAN)과 같은 선천성 다발성말초신경병증에 맞지 않는다. 하지만 CMT나 HSAN은 그 임상소견이 아주 경한 경우부터 심한 경우까지 다양하기 때문에 완전히 배제하지는 못한다. 심부건반사가 하지에서 나오지 않았다는 것은 말초 신경계에 문제가 있다는 것을 시사한다. 지금까지의 소견으로 말초신경병증의 구체적인 종류까지는 알기 어렵다. 이 시점에서 다발신경병증의 유무를 가리기 위해 전기진단학적 검사가 필요하다.

전기진단검사 결과

SENSORY NERVE CONDUCTION STUDIES			
NERVE - RECORDING SITE	Onset LAT (ms)	Base-peak AMP (μV)	Peak-peak AMP (μV)
R MEDIAN - Digit II	2.70	36.0	62.0
R ULNAR - Digit V	2.90	29.7	46.2
L MEDIAN - Digit II	2.95	30.8	63.6
L ULNAR - Digit V	2.95	30.5	28.8
R SUPERFICIAL PERONEAL - Foot		**No response**	
L SUPERFICIAL - Foot		**No response**	
R SURAL - Lateral Malleolus		**No response**	
L SURAL - Lateral Malleolus		**No response**	

MOTOR NERVE CONDUCTION STUDIES				
NERVE - RECORDING SITE	LAT (ms)	AMP (mV)	Distance (cm)	NCV (m/s)
R MEDIAN - Abductor Pollicis Brevis				
Wrist	**4.35**	8.0		
Elbow	**9.25**	6.4	25.80	52.7
R ULNAR - Abductor Digiti Minimi				
Wrist	**3.30**	12.5		
Below Elbow	7.35	10.5	22.00	54.3
Above Elbow	9.25	9.9	10.50	55.3
L MEDIAN - Abductor Pollicis Brevis				
Wrist	**4.10**	14.1		
Elbow	**9.15**	12.0	26.20	51.9
L ULNAR - Abductor Digiti Minimi				
Wrist	**3.65**	8.6		
Elbow	8.65	7.6	26.00	52.0
R COMMON PERONEAL - Extensor Digitorum Brevis				
Ankle	3.65	6.7		
Fibular Head	13.70	6.2	40.40	**40.2**

MOTOR NERVE CONDUCTION STUDIES				
NERVE - RECORDING SITE	LAT (ms)	AMP (mV)	Distance (cm)	NCV (m/s)
L COMMON PERONEAL - Extensor Digitorum Brevis				
Ankle	3.45	4.6		
Fibular Head	14.15	3.8	39.80	**37.2**
R TIBIAL - Abductor Hallucis				
Ankle	3.75	6.1		
Knee	16.4	5.1	47.00	**37.2**
L TIBIAL - Abductor Hallucis				
Ankle	4.00	8.2		
Knee	15.75	5.4	48.20	**41.0**

F - WAVE	
NERVE - RECORDING SITE	MIN F LAT (ms)
R ULNAR - Abductor Digiti Minimi	25.35
R COMM PERONEAL - Extensor Digitorum Brevis	57.4
R TIBIAL - Abductor Hallucis	**57.8**
L COMM PERONEAL - Extensor Digitorum Brevis	**56.35**
L TIBIAL - Abductor Hallucis	**57.25**

NEEDLE ELECTROMYOGRAPHY								
MUSCLE	IA	Spontaneous			MUAP			Interference Pattern
		FIB	PSW	CRD/FASC	AMP	DUR	PPP	
R Tibialis Anterior	NI	N	N	N	NI	NI	NI	Complete
L Tibialis Anterior	NI	N	N	N	NI	NI	NI	Complete
R Gastrocnemius (Medial)	NI	N	N	N	NI	NI	NI	Complete
L Gastrocnemius (Lateral)	NI	N	N	N	NI	NI	NI	Complete
L Vastus Medialis	NI	N	N	N	NI	NI	NI	Complete
L Extensor Digitorum Brevis	NI	N	N	N	NI	NI	NI	Complete
L Abductor Digiti Minimi (Foot)	NI	N	N	N	NI	NI	NI	Complete
L Abductor Hallucis	NI	N	N	N	NI	NI	NI	Complete
R Abductor Pollicis Brevis	NI	N	N	N	NI	NI	NI	Complete
R First Dorsal Interosseus	NI	N	N	N	NI	NI	NI	Complete
R Biceps Brachii	NI	N	N	N	NI	NI	NI	Complete

● 전기진단검사 결과 요약

신경전도검사(nerve conduction study)에서는 하지를 더 심하게 침범한 전신성다발성말초신경병증 소견이 나왔다. 정중(median)신경과 척골(ulnar)신경의 잠시(latency)가 증가되어 있었다. 하지에서 경골(tibial)신경과 비골(peroneal)신경의 전도 속도가 정상 한계치 근처로 떨어져 있었다. 경골신경과 비골신경의 F-파 최단 잠시도 증가되어 있었다. 양측 표재비골(superficial peroneal)신경과 비복(sural)신경에서는 활동전위가 유발되지 않았다. 침근전도(needle electromyography)에서는 상하지에서 이상 소견이 없었다. 요컨대, 이 검사 결과는 하지를 더 침범하는 축삭변성과 탈수초화(demyelination)를 동반한 전신성감각운동다발성말초신경병증(감각 우세, sensory-dominant)에 합치한다.

추가적으로 필요한 검사는?

전기생리학적 검사는 다발성말초신경병증이 있다는 것만 알려줄 뿐이고 왜 생겼는지는 알려주지 못한다. 따라서 이 다음으로는 원인을 규명할 필요가 있다. 다발성말초신경병증은 발현 원인에 따라 유전성과 후천성으로 나눌 수 있다. 또, 전기생리학적 소견에 따라 운동 혹은 감각 신경의 균일한(uniform) 탈수초화, 분절성(segmental) 탈수초화, 축삭변성, 축삭변성과 탈수초화가 혼재한 다발신경병증으로 나눌 수도 있다. 감각신경활동전위(SNAP)는 유발되지 않고 복합근육활동전위(CMAP)가 정상인 점을 보면 환자의 질환은 감각 신경을 우선적으로 침범한 것으로 생각할 수 있다. 유전성 신경병증 중에 X연관 CMT(이하 CMTX)는 감각운동 신경에서 축삭소실과 탈수초화가 같이 일어난다. 그러나 임상 소견과 같이 이환된 가족 구성원이 없는 것은 CMTX와 맞지 않는다. 후천성 신경병증 중 상기 전기진단학적 결과를 보일 수 있는 것으로는 결절다발동맥역(polyarteritis nodusa), 처크-스트라우스 혈관염(Churg-Strauss vasculitis), 전신홍반루푸스(systemic lupus erythematosus) 등과 같은 결합조직질환(connective tissue disorders), 당뇨병(diabetes), 말단거대증(acromegaly), 갑상선기능저하증(hypothyroidism) 등과 같은 내분비 질환(endocrine disorders), 비타민 B_{12}, 엽산(folate), 티아민 부족 등과 같은 영양 결핍(nutritional deficiency), 부종양증후군(paraneoplastic syndrome), 다양한 물질에 의한 독성신경병증(toxic neuropathies)들이 있다. 환자의 과거 병력을 볼 때, 복용한 약물에 의한 독성신경병증을 의심할 수 있다.

상기 추론을 바탕으로 혈청 비타민 수치와 CMT와 관련된 유전자 검사를 시행하였다.

Vitamin	Vitamin B_{12}	Thiamine	Folic acid
Measured value (Reference range)	863 (200~950 μg/mL)	55.6 (21~81 ng/dL)	13.4 (3~17 ng/dL)

Gene mutation	GJB1 duplication	PMP22 deletion	PMP2 duplication	MPZ
Disease	CMTX	CMT1A	HNPP	CMT1B
	negative	negative	negative	negative

검사 결과, 영양 결핍으로 인한 신경병증이나 유전성 신경병증은 아닌 것으로 판단된다. 독성신경병증은 여전히 가능하다. 병력을 고려하면, 장기간의 carmazepine 복용으로 유발된 말초신경병증을 생각할 수 있다. 축삭변성이 있는 감각우세(Sensory-dominant) 말초신경병증은 항경련제(antiepileptic drug, 이하 AED)에 의해 생길 수 있고 약물 용량을 줄임으로써 가역적으로 되돌이킬 수 있다.

전기진단검사 결론

1. 상기 전기진단검사는 상지보다 하지에서 뚜렷하게 축삭변성과 탈수초화가 감각 신경을 우선적으로 침범하는 감각 우세 감각운동다발성말초신경병증에 합당하다.
2. 병력과 임상 소견을 고려했을 때 항경련제 유발 말초신경병증이 의심된다.

임상 경과

carmazepine의 양을 하루 600 mg/day에서 400 mg/day으로 감량하였다. 그러자 족부의 통증은 점진적으로 호전되었다. 외반편평족 악화를 방지하기 위해 양측 족부 보조기를 처방하였다.

고찰

이 증례는 진단 과정이 다소 복잡하였다. 이 증례를 통해 말초신경병증을 접근하는 방식을 배울 수 있다. 다른 전기생리학적 검사 증례에서도 마찬가지이지만 전기생리학적 진단과 임상적 진단은 서로 다른 견지를 갖는다. 구체적으로, 전기 생리학적 검사는 환자가 다발신경병증이 있는지 없는지와 있다면 어떠한 유형인지를 알려준다. 다발성말초신경병증의 병리기전에 따라 탈수초 혹은 축삭 손상으로, 분포에 따라 균등 혹은 분절성으로, 침범하는 신경계에 따라 감각 혹은 운동신경성으로 나눌 수 있다. 다발신경병증의 구체적인 유형을 알면 그것을 일으킬 수 있는 임상적 진단의 범위가 좁아진다. 임상 소견과 전기생리학적 소견을 통합하면 가장 가능성이 높은 임상적 진단들을 선별할 수 있다. 이 중에서 정확한 진단명을 알아내기 위해서는 추가적인 작업이 필요할 것이다.

또 한 가지 배울 점은 항경련제가 다발성말초신경병증을 일으킬 수 있다는 점이다. 항경련제가 신경병증을 유발하는 기전은 두 가지로 설명된다. 첫째, 항경련제 자체의 독성이 말초 신경에 축삭 소실이나 탈수초화를 일으킬 수 있다.[2] 둘째, 장기간 항경련제를 복용하여 생긴 엽산 결핍이 신경병증을 야기할 수 있다.[3] 항경련제유발 신경병증은 phenytoin에 의한 것이 제일 흔하지만 carmazepine 과복용이 신경독성(neurotoxicity)이 있을 수 있다는 것은 이미 동물과 인간에서 밝혀졌다.[2-4] 그러나 carmazepine의 용량이 치료범위(therapeutic range) 내에 있어도 신경독성 부작용이 나타날 수 있다고 보고되었다. 이전 연구들에서는 carmazepine을 복용하는 환자들에서 증상이 있는 것보다 많은 수에서 전기생리학적인 이상 소견이 있음을 밝혔다.[4,5] carmazepine유발 신경병증 실제하는 것인가 의문을 품는 의견이 있지만[6-8] 이 증례는 근전도 검사자가 carmazepine유발 신경병증에 대해서 알고 있는 것이 필요함을 일깨워 준다.

참고문헌

1. Lee SY, Kim K, Jung SH. A case of Carbamazepine-Induced Peripheral polyneuropathy. J Korean Epilep Soc. 2009;13(1):27-30.
2. Hopf HC. Effect of diphenylhydantoin on peripheral nerves in man. Electroencephalogr Clin Neurophysiol 1968;25(4):411.
3. Weaver DF, Camfield P, Fraser A. Massive carbamazepine overdose: clinical and pharmacologic observations in five episodes. Neurology 1988;38(5):755-9.

4. Bono A, Beghi E, Bogliun G, Cavaletti G, Curto N, Marzorati L, et al. Antiepileptic drugs and peripheral nerve function: a multicenter screening investigation of 141 patients with chronic treatment. Collaborative Group for the Study of Epilepsy. Epilepsia 1993;34(2):323-31.
5. Geraldini C, Faedda MT, Sideri G. Anticonvulsant therapy and its possible consequences on peripheral nervous system: a neurographic study. Epilepsia 1984;25(4):502-5.
6. Danner R, Lang H, Yale C. Prospective neurometric studies during the beginning of carbamazepine and phenytoin therapy. Acta Neurol Scand 1984;69(4):207-17.
7. Luhdorf K, Nielsen CJ, Orbaek K, Hammerberg PE. Motor and sensory conduction velocities and electromyographic findings in man before and after carbamazepine treatment. Acta Neurol Scand 1983;67(2):103-7.
8. Shorvon SD, Reynolds EH. Anticonvulsant peripheral neuropathy: a clinical and electrophysiological study of patients on single drug treatment with phenytoin, carbamazepine or barbiturates. J Neurol Neurosurg Psychiatry 1982;45(7):620-6.

증례
33

좌측 하지의 위약을 주소로 내원한 남자 환자

병력

55세 남자 환자가 좌측 하퇴(lower leg)와 족부의 위약과 근육 소모(wasting)를 주소로 전기진단검사실을 내원하였다. 내원 14개월 전, 환자는 뒤로 걷기 중에 좌측 경골부(shin)의 외측에서 갑자기 저린 증상을 느꼈다. 저린 증상은 경미하였고 곧 호전되었지만 같은 부위에서 이어서 발생한 위약은 점점 심해졌다. 환자는 양측 하지에서 빈번하게 발생하는 근육경련에 대해 불편감을 호소하였다. 환자는 보행 중에 심해지는 좌측 족하수(foot drop) 때문에 50미터 이상을 걷기가 어렵다고 하였다. 환자는 통증이나 감각소실에 대해서는 부인하였다. 환자는 신경과 의원을 방문하여 진료받은 결과, 염증성근병증이 의심된다는 이야기를 들었다. 환자는 본원의 류마티스 내과로 전원되었다.

환자의 과거력에서 특이한 점은 없었다. 위약 발생 전에 특별한 외상이나 열성반응의 병력은 없었다. 가족력에서 신경근질환과 관련된 요소는 발견되지 않았다.

이 시점에서 감별진단은?

1. 좌측 요추 5번–천추 1번 신경근병증(left L5–S1 radiculopathy)
2. 운동신경원병(motor neuron disease)
3. 근병증(myopathy)
   a. 후천성(염증성근병증)
   b. 유전성(원위부근병증)
4. 다초점성운동신경병증(Multifocal Motor Neuropathy)
5. 좌측 요천추신경총병증(lumbosacral plexopathy)
6. 단일신경병증(individual neuropathy)
   a. 좌측 총비골신경병증(common peroneal neuropathy)
   b. 좌측 좌골신경병증(sciatic neuropathy)

상기 병력은 하퇴의 운동신경을 침범하는, 진행 양상의 질병을 시사한다. 주된 증상은 저린 증상으로 시작하였지만, 이후 경과에서 감각 이상 소견은 관찰되지 않았다. 만약 초기 감각 증상을 중요한 소견으로 고려한다면, 운동신경다발을 주로 침범한 좌측 요추 5번–천추 1번 신경근병증을 의심해야 한다. 그렇지 않다면, 뚜렷한 감각 증상 없이 발생한 국소 위약은 운동신경원병, 근병증 또는 다초점성운동신경병증을 시사한다. 환자의 위약이 한쪽 다리에만 국한된 소견은 운동신경원병의 아형과 근병증의 일종으로 양성국소근위축증(benign focal amyotrophy)과 원위부근병증을 고려해야 한다. 또는 환자의 증상이 근위축측삭경화증(amyotrophic lateral sclerosis)과 같은 훨씬 더 심각한 질환의 초기양상일 수 있다.

환자의 임상 양상은 전형적인 요천추신경근병증과 일치하지 않는데, 증상이 주로 운동신경과 관련되기 때문이다. 하지만, 현 단계에서 신경근병증은 배제될 수 없는데, 감각 증상을 동반하지 않는 신경근병증의 사례도 보고되었기 때문이다. 동일한 이유로 요천추신경총병증이나 국소신경병증(focal neuropathy)의 가능성도 낮음에도 불구하고 감별진단으로 남겨둬야 할 것이다.

신체 검진

관찰

좌측 하퇴의 근육은 위축된 상태였다. 검사 중에 근경련이 관찰되었다. 하지만 환자의 혀나 다른 사지 근육에서 섬유속자발전위(fasciculation)는 관찰되지 않았다. 안면근육과 연수근육(bulbar muscles)에서 위축 또는 위약이 관찰되지 않았다.

감각

감각 저하 소견은 관찰되지 않았다. 하지만 환자는 좌측 발등에서 이상감각을 호소하였다.

도수근력검사

상하지에서 시행한 도수근력검사 결과에서 이상 소견은 관찰되지 않았다.

	Hip flexor	Hip extensor	Knee flexor	Knee extensor	Ankle dorsiflexor	Ankle plantar flexor	Big toe extensor	Upper extremity
Right	5	5	5	5	5	5	5	5
Left	5	5	5	5	4	4+	4	5

반사

근신전반사는 양측 무릎과 발목에서 1+로 측정되었다. 바빈스키 징후는 관찰되지 않았다.

특수 검사

양측 하지직거상(straight leg raising) 검사와 대퇴신경 신전검사(femoral nerve stretch test)는 음성이었다. 가우어 징후(Gower sign)는 음성이었다.

혈액검사 결과

전혈구계산(complete blood count)검사와 크레아틴키나아제(creatine kinase), 젖산탈수소효소(lactate dehydrogenase), 혈중요소질소(blood urea nitrogen), 크레아티닌(creatinine), 전해질(electrolyte), 적혈구침강속도(erythrocyte sedimentation rate), 류마티스 인자(rheumatoid factor), 형광항핵항체(fluorescent antinuclear antibody), 갑상선 기능 검사(thyroid function test), 비타민 B_{12}, 엽산, 알돌라아제(aldoase), 그리고 Jo−1 항체가 포함된 일반화학검사(routine chemistry profile)를 시행하였다. 그

레아틴키나아제와 젖산탈수소효소 수치는 각각 476 IU/L, 238 IU/L로 상승되었다(정상범위, 20~270 IU/L, 100~225 IU/L). 공복혈당은 133 mg/dL로 다소 상승된 상태였다(정상, <110 mg/L). 당화혈색소는 8.2로 상승된 상태였다(정상, 4.0~6.4%).

이 시점에서 감별진단은?

병력과 신체 검진의 특징적인 소견은 점진적으로 진행하는 위약과 좌측 하퇴에 국한된 위축, 그리고 감각 증상은 동반하지 않는 점과 혈청 근육효소 수치가 다소 증가한 점이다.

신체 검진에서 감각 이상 소견이 관찰되지 않은 점은 신경근병증, 신경총병증, 그리고 개별 신경병증의 가능성이 높지 않음을 시사한다. 상부운동신경원(upper motor neuron) 이상 소견이 관찰되지 않았으므로 근위축측삭경화증(amyotrophic lateral sclerosis)의 가능성은 낮은 것으로 생각된다.

따라서 감별진단의 목록은 다음과 같이 변경되어야 할 것이다.

1. 가능성이 높은 진단명
   a. 운동신경원병(양성국소근위축증)
   b. 근병증(원위근병증 또는 봉입체근염)
   c. 다초점성운동신경병증
2. 가능성이 낮은 진단명
   a. 근위축측삭경화증
   b. 요추 5번-천추 1번 신경근병증
   c. 신경총병증 또는 단일신경병증

전기진단검사 결과

SENSORY NERVE CONDUCTION STUDIES			
NERVE - RECORDING SITE	Onset LAT (ms)	Base-peak AMP (μV)	Peak-peak AMP (μV)
L MEDIAN - Digit II	2.45	32.8	51.02
L ULNAR - Digit V	2.50	34.5	66.8
R SUPERFICIAL PERONEAL - Foot	3.30	10.5	6.5
R SURAL - Lateral Malleolus	2.25	11.8	5.7
L SUPERFICIAL PERONEAL - Foot	2.95	10.1	4.4
L SURAL - Lateral Malleolus	2.45	15.8	8.8

MOTOR NERVE CONDUCTION STUDIES				
NERVE - RECORDING SITE	LAT (ms)	AMP (mV)	Distance (cm)	NCV (m/s)
R MEDIAN - Abductor Pollicis Brevis				
Wrist	3.50	11.7		
Elbow	7.40	11.3	20.7	53.1
L ULNAR - Abductor Digiti Minimi				
Wrist	2.85	8.5		
Elbow	6.60	7.6	21.6	57.6
R COMMON PERONEAL - Extensor Digitorum Brevis				
Ankle	4.35	2.6		
Fibular head	11.35	1.9	30.5	43.6
R TIBIAL - Abductor Hallucis				
Ankle	4.45	**2.4**		
Knee	13.85	**2.3**	39.4	41.9
L COMMON PERONEAL - Extensor Digitorum Brevis				
Ankle		**No response**		
Fibular head		**No response**		
L TIBIAL - Abductor Hallucis				
Ankle	4.60	**0.5**		
Knee	17.35	**0.2**	41.2	32.3

F - WAVE	
NERVE - RECORDING SITE	MIN F LAT (ms)
L MEDIAN - Abductor Pollicis Brevis	28.55
R TIBIAL - Abductor Hallucis	52.60
L TIBIAL - Abductor Hallucis	56.45

H REFLEX			
NERV E - RECORDING SITE	H LAT (ms)	H AMP (mV)	H/M AMP (%)
R TIBIAL (KNEE) - Soleus	32.25	1.3	17.6
L TIBIAL (KNEE) - Soleus	35.20	0.7	23.9

MUSCLE	IA	Spontaneous			MUAP			Interference Pattern
		FIB	PSW	CRD/FASC	AMP	DUR	PPP	
L Tibialis Anterior	Nl	2+	2+	N	Nl/Inc	Nl	Nl/Inc	Discrete
L Gasctrocnemius (medial)	Nl	2+	2+	N	Nl/Inc	Nl	Nl/Inc	Reduced
L Extensor Hallusis Longus	Nl	2+	2+	N	Nl/Inc	Nl	Nl/Inc	Reduced
L Extensor Digitorum Brevis	Dec	2+	2+	N		No activity		
L Abductor Hallucis	Nl	2+	2+	N	Nl	Nl	Nl/Inc	Single
L Vastusmedialis	Nl	N	N	N	Nl	Nl	Nl/Inc	Complete
L Tensor Fascia Lata	Nl	N	N	N	Nl	Nl	Nl	Complete*
R Abductor Hallucis	Nl	2+	2+	N	Nl	Nl	Nl	Single
R Extensor Digitorum Brevis	Nl	2+	2+	N	Giant	Nl	Nl	Reduced
R Tibialis Anterior	Nl	2+	2+	N	Giant	Nl	Nl/Inc	Discrete
L First Dorsal Interosseous	Nl	N	N	N	Nl	Nl	Nl/Inc	Complete
L Biceps	Nl	N	N	N	Nl	Nl	Nl/Inc	Complete*
L Gluteus Maximus	Nl	N	N	N	Nl	Nl	Nl/Inc	Complete
L L5 Paraspinals	Nl	N	N	N				
L L4 Paraspinals	Nl	N	N	N				

NEEDLE ELECTROMYOGRAPHY IA Spontaneous MUAP

*Slightly early recruitment was suspected.

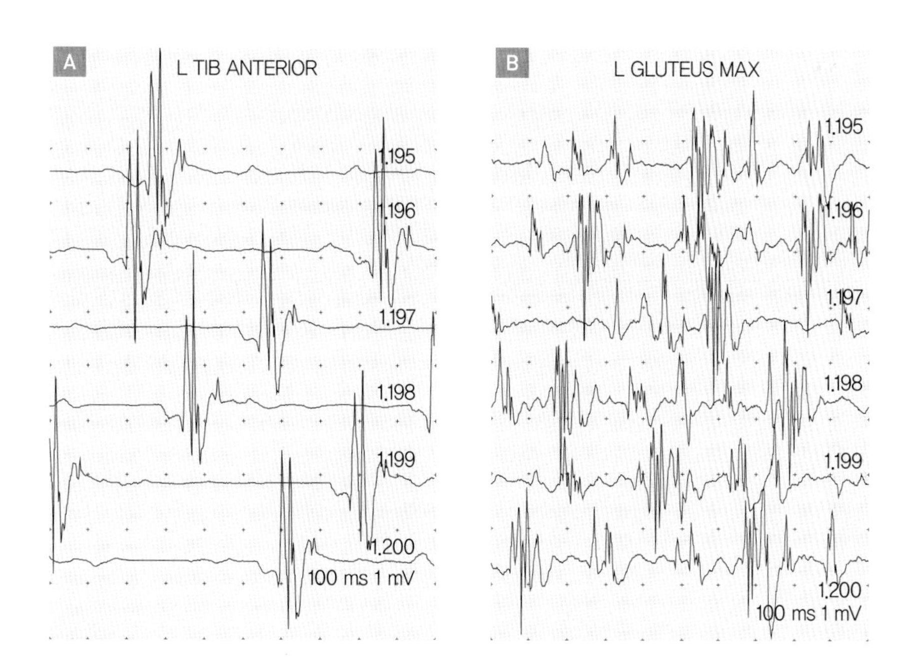

그림 33-1

침근전도의 파형. 좌측 전경골근(tibialis anterior)에서 다상성운동단위활동전위의 진폭이 증가됨. [A. 민감도(sensitivity), 1 mV/div; 스윕 속도(sweep speed), 100 ms] 좌측 대둔근에서 다상성운동단위활동전위가 관찰됨. (B. 민감도, 1 mV/div; 스윕 속도, 100 ms)

전기진단검사 결과 요약

상지의 신경전도검사 결과에서 이상 소견은 관찰되지 않았다. 하지만 침근전도검사에서는 운동단위 활동전위의 다상성 증가 및 조기 동원양상 소견이 의심되었다.

하지 감각신경전도검사에서 이상 소견은 관찰되지 않았는데, 이는 병력청취와 신체 검진 결과와 일치한다.

운동신경전도검사에서 가장 확실하게 확인된 이상 소견은 좌측 비골신경의 복합운동활동전위 소실과 좌측 경골신경의 복합운동활동전위의 진폭이 매우 작고 전도속도가 약간 감소한 소견이었다. 특징적인 것은 우측 총비골신경과 경골신경의 운동반응(motor responses)도 감소되어 있었다. 비록 F파의 최소 잠시와 H반사의 잠시가 좌측 경골신경에서 지연되어 있었으나, 지연된 정도가 탈수초화 소견을 시사할 정도는 아니었다. 또한 검사를 시행한 모든 신경에서 전도차단 소견은 관찰되지 않았다. 전기진단검사에서 탈수초화 소견이 관찰되지 않기 때문에 다초점성운동신경병증의 가능성은 낮다.

침근전도검사에서 양측 경골신경과 비골신경이 신경지배하는 근육에서 비정상자발전위와 다상성운동단위활동전위의 진폭이 커지고 동원양상이 감소한 소견이 관찰되었다. 상기 소견은 개별신경의 문제보다는 척수 분절 또는 척수근의 문제를 시사한다. 상기 소견으로 다초점성운동신경병증을 의심하기는 어려운데, 다초점성운동신경병증의 경우에는 각 신경의 분포양상을 따라서 운동 이상 소견이 나타나기 때문이다.

요추측방근에 대한 침근전도검사에서 이상 소견은 관찰되지 않았다. 섬유속자발전위 소견도 관찰되지 않았다.

좌측 이두근과 대퇴근막장근(tensor fascia lata)에서 운동단위의 조기동원양상 소견이 의심되었다. 하지만 다른 근육에서는 이상 소견이 관찰되지 않았다.

1. 양측 요추 5번과 천추 1번을 주로 침범하는 척수전각세포질환(좌측이 우측보다 심함)에 합당하며,
2. 운동 신경다발을 주로 침범하는 양측 요추 5번-천추 1번 신경근병증의 가능성은 상대적으로 낮지만 완전히 배제할 수 없다.

추가적으로 필요한 검사는?

요천추 자기공명영상

신경근병증의 가능성을 배제하기 위하여 자기공명영상을 시행하였다. 자기공명영상에서 요추 4-5번 추간판이 돌출하여 우측 요추 5번 신경근을 압박하는 소견이 관찰되었다. 하지만 요추 5번-천추 1번 추간판에서는 이상 소견이 관찰되지 않았다. 게다가 자기공명영상에서 추간판 돌출 소견은 우측이 더 심한 것으로 관찰되었으나, 환자는 우측 하지에 별다른 불편감을 호소하지 않았다. 따라서 자기공명영상에서 확인된 소견은 환자의 좌측 하지에서 관찰되는 심한 위약과 위축 소견과는 무관한 것으로 판단되었다.

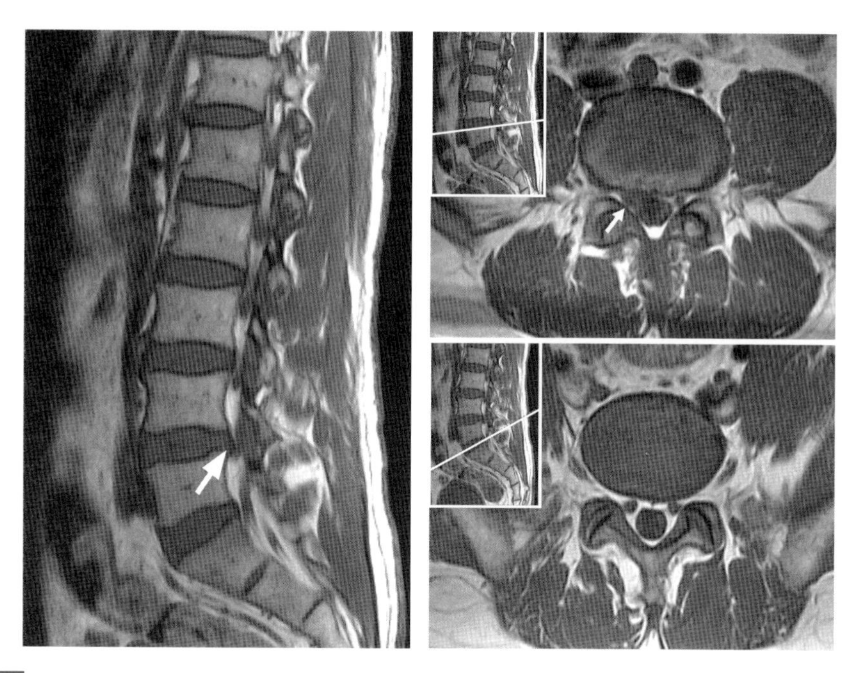

그림 33-2

요추 자기공명영상. (A) T2강조 시상면상에서 요추 4-5번 추간판의 경미한 돌출이 관찰됨(화살표). (B) 횡단면상에서 요추 4-5번 추간판의 돌출로 인해 요추 5번 신경근의 우측이 압박된 소견이 관찰됨(화살표). (C) 요추 5번-천추 1번에서는 이상 소견이 관찰되지 않음.

하지 자기공명영상

하지 자기공명영상에서 탈신경된 범위를 확인할 수 있었다(그림 33-3).

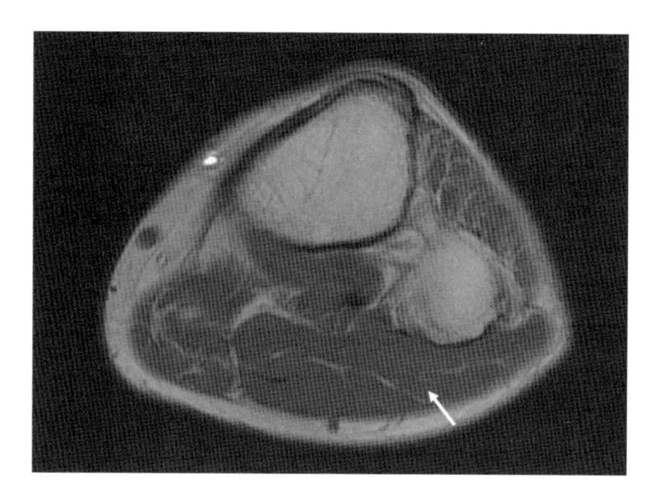

그림 33-3

좌측 하퇴 자기공명영상. T1강조 횡단면상에서 비복근의 외측두(화살표)를 제외한 좌측 하퇴 근육의 부피 증가, 지방변성, 그리고 부종이 관찰됨.

뇌척수액 검사

요추천자 뇌척수액 검사에서는 이상 소견이 관찰되지 않았다.

항 GM1 항체 검사

IgG 항체와 IgM 항체 검사 결과는 음성이었다.

근육생검

좌측 하퇴 근육 생검에서 근섬유의 퇴행과 각형성(angulation)으로 인한 크기 변화, 내부핵의 뚜렷한 증가, 오디모양의 핵(morular nuclei), 근육다발 수축 및 보상성 비대, 근내막의 중등도 섬유화 및 지방변성, 그리고 혈관염을 동반하지 않은 근외막(perimyseum)의 림프구와 조직구 침착 소견이 관찰되었다.

상기 소견은 근병증 변화가 동반된 탈신경성 위축에 합당한 소견이다.

전기진단검사 결론

임상적, 전기생리학적, 그리고 방사선학적 소견을 종합했을 때, 양측 요추 5번과 천추 1번수준의 척수 분절을 침범하는(좌측이 우측보다 심함) 전각세포질환의 가능성이 가장 높을 것으로 생각된다. 하나의 사지에서만 국한된 진행성 위약과 상부운동신경원 징후가 관찰되지 않는 점은 전각세포질환의 아형 중 양성국소근위축증(benign focal amyotrophy)일 가능성이 높다.

임상 경과

전기진단검사 시행 후 6개월 동안 지속된 추적관찰에서 위약은 좌측 하퇴에 국한되어 더 이상 진행하지 않았다.

고찰

환자의 양상이 교과서에 기술된 전형적인 증례의 양상을 따르지 않는다. 이런 비전형적인 증례로부터 의료진이 새로운 지식을 습득할 수 있는 기회를 얻게 된다. 환자는 저린 증상과 함께 갑자기 시작되었던 위약의 시기를 정확하게 기억하고 있었다. 급성으로 발생한 것과 감각 증상이 동반되어 있다는 점은 상기 증례의 최종진단명에 해당하는 양성국소근위축증에서 관찰할 수 있는 전형적인 양상은 아니다. 이런 비전형적인 임상양상과 자기공명영상에서 확인된 요추 4-5번 추간판 소견과 침근전도검사에서 확인된 근위부 근육의 조기 동원양상 소견은 진단을 내리는데 혼동을 준 소견이었다.

그럼에도 불구하고 이 증례의 주된 임상 소견은 하위운동신경원병(lower motor neuron lesion)에 합당하였다. 또한 감각신경검사의 정상소견과 신경병증에 합당한 침근전도검사 결과, 그리고 병리조직 검사에서 발견된 신경성 근위축 소견 및 근병증 변화는 상기 증례의 주된 병태생리(pathophysiology)가 전각세포질환임을 시사한다. 병리조직 검사에서 관찰된 근병증 변화는 근위축측삭경화증(amyotrophic lateral sclerosis)과 다양한 신경원성 위축에서 흔히 관찰되는 소견이다.[1]

하퇴의 국소근위축증은 "하지위축증후군(wasted leg syndrome)" 또는 양성국소근위축병이라고도 알려져 있는데, 편측 하지의 위약이 초기에는 진행하다가 일정시간 후부터는 고착화되는 것이 특징적이다.[2,3] 양성국소근위축병의 원인은 대부분 특발성이며[4] 주로 남성에서 호발한다.[2] 양성국소근위축병에서는 광범위한, 진행 양상의 위약은 관찰되지 않는다.[5] 섬유속자발전위는 흔히 관찰되지만 뚜렷한 감각 증상이나 상부운동신경 징후는 관찰되지 않는다. 비록 대부분의 증례에서 편측 또는 국소적으로 이상 소견이 관찰되는 것으로 알려져 있지만, 근전도 연구에서 확인된 바로는 만성 신경병증 변화가 근육소모가 관찰된 사지의 반대쪽 또는 무관한 부위에서도 관찰되었다고 한다. 상지 근전도 이상 역시 때때로 관찰된다.[6] 크레아틴키나아제 수치는 정상 또는 약간 증가된다.[7] 근육에서 관찰되는 전형적인 조직병리학적 소견은 신경성 근위축과 이차성 근병증 형상이다.[2,7-9] 근육의 위축과 섬유지방 변화를 전산단층촬영술과 자기공명영상 검사에서 확인할 수 있다.[8,10]

상기 증례는 증상이 발생한지 불과 1년 밖에 되지 않은, 양성국소근위축증의 초기단계로 볼 수 있다. 양성국소근위축증의 특징적인 양상은 질병 초기단계에서부터 나타날 수 있다. 양성국소근위축증의 진단은 다른 질환들을 배제한 후에 추적관찰 기간 동안 질병 양상이 안정되는지 확인한 후에 가능하다. 따라서 주의 깊은 추적관찰이 필요하다.[7] 우리는 상기 증례가 양성국소근위축증의 초기단계에 대해서 더 많이 알 수 있는 계기가 되었기를 기대한다.

참고문헌

1. Achari AN, Anderson MS. Myopathic changes in amyotrophic lateral sclerosis. Pathologic analysis of muscle biopsy changes in 111 cases. Neurology 1974;24:477-81.
2. Prabhakar S, Chopra JS, Banerjee AK, Rana PV. Wasted leg syndrome: a clinical, electrophysiological and histopathological study. Clin Neurol Neurosurg 1981;83:19-28.
3. Gourie-Devi M, Suresh TG, Shankar SK. Monomelic amyotrophy. Arch Neurol 1984;41:388-94.
4. Van den Berg-Vos RM, Visser J, Franssen H, et al. Sporadic lower motor neuron disease with adult onset: classification of subtypes. Brain 2003;126:1036-47.
5. Saha SP, Das SK, Gangopadhyay PK, Roy TN, Maiti B. Pattern of motor neurone disease in eastern India. Acta Neurol Scand 1997;96:14-21.
6. Riggs JE, Schochet SS, Jr., Gutmann L. Benign focal amyotrophy. Variant of chronic spinal muscular atrophy. Arch Neurol 1984;41:678-9.
7. Felice KJ, Whitaker CH, Grunnet ML. Benign Calf Amyotrophy: Clinicopathologic Study of 8 Patients. Arch Neurol 2003;60:1415-20.
8. Dimachkie MM, Justiz W, Vriesendorp FJ. Benign monomelic amyotrophy of the lower extremity: report of two cases and literature review. J Clin Neuromuscul Dis 2000;1:181-5.
9. Kim JY, Lee KW, Roh JK, Chi JG, Lee SB. A clinical study of benign focal amyotrophy. J Korean Med Sci 1994;9:145-54.
10. Hamano T, Mutoh T, Hirayama M, et al. MRI findings of benign monomelic amyotrophy of lower limb. J Neurol Sci 1999;165:184-7.

증례 34

사지 위약감이 있는 남자

병력

61세 남자 환자가 진행하는 사지의 위약감을 주소로 내원하였다. 이전까지 건강하였다가 17개월 전부터 하지 위약과 안면 근육에 속상수축(fasciculation)이 있는 것을 느꼈다고 한다. 11개월 전 자전거를 타다가 넘어져서 좌측 대퇴경부(femur neck) 골절을 당하여 개방정복 및 내고정술(open reduction and internal fixation)을 시행받았다. 위약은 사고 후에 지속적으로 악화되었다. 2달 전부터 독립 보행이 불가능하여 휠체어를 타고 다녔다. 감각 증상은 사지에 경미한 저린감을 제외하고는 호소하지 않았다. 2주 전부터는 무엇을 먹던 음식을 삼킬 때마다 목에 이물감이 있다고 했다.

이 시점에서 감별진단은?

1. 운동신경원병(motor neuron disease)
   a. 근위축측삭경화증(amyotrophic lateral sclerosis)
   b. 말단척수근위축증(distal spinal muscular atrophy)
2. 신경병증(neuropathy)
   a. 샤르코-마리-투스병(Charcot-Marie-Tooth disease)이나 관련된 유전성 신경병증
   b. 다초점성탈수초화 운동 혹은 감각신경병증(multifocal demyelinating motor or sensory neuropathies)
   c. 혈관염(vasculitic) 혹은 독성신경병증(toxic neuropathy)
3. 후천성 혹은 유전성 근병증(myopathy)
   a. 봉입체근염(inclusion body myositis)
   b. 근디스트로피(muscular dystrophies)
   c. 선천성 근육벽증(congenital myopathies)
   d. 대사성(metabolic) 혹은 독성(toxic) 근병증
   e. 사립체근병증(mitochondrial myopathy)
4. 신경근접합부질환(neuromuscular junction disorder)
5. 해부학적 병변(anatomical lesions)
   a. 뇌간병변(brain stem lesion)을 동반한, 혹은 동반하지 않은 다발성경추신경근병증(multiple cervical radiculopathies)
   b. 뇌간병변을 동반한, 혹은 동반하지 않은 경추부 척수병변(cervical spinal cord lesion)

이 환자가 호소하는 위약은 사지와 안면근육, 최근에는 연수근육(bulbar muscle)도 침범하는, 더 정확히 말하면 전신적인 증상이다. 59세 경에 외상력 없이 서서히 시작하였으나 진행은 비교적 급격하게 일어났다. 증상을 인지하고 15개월만에 걷지 못하게 되어 휠체어를 타야만 하게 되었다. 감각에는 변화가 없다고 했다. 위약감이나 피로도의 변동(fluctuation)은 두드러지지 않았다. 60세 전후의 발병 시기, 비교적 지속적이고 급격한 악화, 전신적인 침범으로 샤르코-마리-투스병이나 신경근접합부질환을 배제할 수 있다. 다초점성탈수초화 운동 혹은 감각신경병증은 대부분 이 증례보다 느린 진행을 보인다.[1] 만약 다초점성탈수초화 운동 혹은 감각신경병증이라면 이 환자는 감각 신경계 기능에는 문제가 없었기 때문에 다초점성운동신경병증일 것이다. 위약이 진행되는 부위가 전신적인 점은 특정 해부학적 병변에 의한 위약과는 맞지 않는다. 근위축측삭경화증과 근병증 등이 가장 가능성이 높은 질환들이다.

신체 검진

시진

양측 장딴지와 혀에 심한 위축이 관찰되었다. 수부 내재근(intrinsic hand muscle)은 비교적 보존되어 있었다. 혀의 근육다발수축(fascicular contraction)도 관찰되었다.

감각

사지에 특기할 만한 감각 저하는 없었다.

반사

상완 이두근(biceps brachii)과 대퇴 사두근(quadriceps)에서 심부건반사(deep tendon reflex)가 정상적이고 대칭적이었다. 족간대성경련(ankle clonus), 바빈스키 징후(Babinski), 호프만 징후(Hoffman's sign)는 없었다.

도수근력검사

	Shoulder abductor	Elbow flexor	Elbow extensor	Finger flexor	Hip flexor	knee extensor	Ankle dorsiflexor	Ankle plantar flexor
Right	5	5	5	5	3-	4	1	2
Left	2-	3	3	3-	1	3	1	1

혈액검사 결과

초기 혈액검사에서 전혈구계산(complete blood count)과 혈중요소질소(blood urea nitrogen), 크레아티닌(creatinine), 전해질(electrolytes), 적혈구침강속도(erythrocyte sedimentation rate), 혈당, 알부민, 간효소(liver enzyme), 류마티스 인자(rheumatoid factor)를 포함한 일반 화학검사(routine chemistry)를 시행하였다. 전체혈구계산은 정상이었고 혈청 크레아티닌키나아제(serum creatine kinase), 젖산탈수소화효소(lactate dehydrogenase)도 각각 107(정상범위, 20~270 IU/L), 221(정상범위, 100~225 IU/L)로 정상이었다. 항갱글리오사이드M1항체(anti-Ganglidoside M1 antibody)는 음성이었다.

이 시점에서 감별진단은?

도수근력검사에서 근위약은 비대칭적이었고 원위부가 근위부부다 심하였다. 연수 근육도 분명히 위약이 있었다. 건반사에서 정상 반응인 것은 근위약이 있는 것을 감안하면 상부운동신경(upper motor neuron) 병변을 의미하는 것일 수도 있다. 그러나 상부운동신경질환의 징후는 분명하지 않았다.

근디스트로피나 근염 같은 근병증은 근효소(muscle enzyme) 수치가 상승되기 때문에 이 환자가 이환했을 가능성은 낮다. 하지만 선천성, 대사성, 사립체 근염은 근효소 수치가 정상이라는 이유로 배제하지는 못한다. 면역글로불린G(IgG)와 면역글로불린M(IgM) 항갱글리오사이드항체들 검사는 다초점탈수초화운동신경병증을 진단하는 민감도가 낮기 때문에 이 항체들이 검출되지 않았다고 하여 다초점탈수초화운동신경병증이 없다고 할 수 없다. 어떤 종류의 운동신경질환은 아직 가능성이 높다. 이리하여 운동신경질환, 신경병증, 근병증을 감별하기 위해 전기진단학적 검사를 시행하였다.

전기진단검사 결과

SENSORY NERVE CONDUCTION STUDIES		
NERVE - RECORDING SITE	Onset LAT (ms)	Base-peak AMP (μV)
L MEDIAN - Digit II		
Wrist	3.32	29.3
Elbow	6.70	19.6
L ULNAR - Digit V		
Wrist	2.80	35.7
Elbow	5.58	23.7
L SUPERFICIAL PERONEAL		
Foot	3.50	9.08
L SURAL		
Foot	3.64	14.4

MOTOR NERVE CONDUCTION STUDIES				
NERVE - RECORDING SITE	LAT (ms)	AMP (mV)	Distance (cm)	NCV (m/s)
L MEDIAN - Abductor Pollicis Brevis				
Wrist		**No response**		
Elbow		**No response**		
L ULNAR - Abductor Digiti Minimi				
Wrist	**5.12**	**0.15**		
Elbow	9.32	**0.19**	20.0	**47.6**
L COMMON PERONEAL - Tibialis Anterior				
Below Fibular Head	4.14	**0.20**		
Above Fibular Head	9.64	**0.12**	9.5	**27.1**
L TIBIAL - Abductor Hallucis				
Ankle	6.02	**1.14**		
Knee	12.60	**0.58**	33.5	51.2

NEEDLE ELECTROMYOGRAPHY								
MUSCLE	IA	Spontaneous			MUAP			Interference Pattern
		FIB	PSW	CRD/FASC	AMP	DUR	PPP	
R Vastus Medialis	Nl	2+	2+	N	Nl	Nl	Nl	Complete
L Vastus Medialis	Nl	3+	3+	N	Inc	Nl	Nl	Reduced
R Rectus Femoris	Nl	2+	2+	N	Inc	Long	N/Inc	Reduced
L Extensor Carpi Radialis Longus	Nl	2+	2+	N	Giant	Nl	N/Inc	Reduced
L Tibialis Anterior	Nl	1+	1+	N	N	N	N	Reduced
L Extensor Hallucis Longus	Nl	2+	2+	N	No Activity			
L Gastrocnemius	Nl	2+	2+	N	N	N	N	Reduced
L L5 Paraspinals	Inc	N	N	N				
L S1 Paraspinals	Nl	N	N	N				

● 전기진단검사 결과 요약

좌측 상지와 하지에서 시행한 감각 전도 검사(sensory conduction study)는 잠시(latency)와 감각 신경활동전위(SNAP)의 진폭 모두 정상이었다. 반면에 운동신경에서 기록된 복합근육활동전위(이하 CMAP)는 현저히 감소하였거나 유발되지 않았고 이에 비해 잠시는 비교적 적게 증가되어 있었고 전도 속도 역시 경미한 감소가 있었다. 근위부와 원위부에서 유발한 CMAP의 진폭이 비슷하였기 때문에 전도 차단(conduction block)은 분명하지 않았다. 이러한 결과는 말초 감각 신경계는 보존된 심한 운동축삭신경병증(motor axonal neuropathy) 혹은 운동신경질환을 의미한다. 감각신경이 전혀 문제가 없는 것을 고려하면 운동 신경을 우선 침범하는 축삭신경병증보다는 운동신경질환의 가능성이 더 높다.

침근전도(needle EMG)에서는 양측 하지와 좌측 상지에서 다량의 비정상자발전위(abnormal spontaneous activity)와 크거나 거대한 운동단위활동전위(MUAP)가 감소된 점증양상(reduced recruitment)으로 관찰되었다. 이는 근병증을 배제할 수 있는 소견이다. 속상수축을 관찰하기 위해 안정막전위(resting potential)를 1분 이상 관찰하였으나 나타나지 않았다.

결론적으로 전기생리학적 검사는 하위운동신경(lower motor neuron)의 변성(degeneration)이 두 부위에서 나타났기 때문에 운동신경질환을 시사한다. 환자는 상부운동신경 징후를 보이지 않았기 때문에 가능성이 높은 순서대로 다음과 같은 세 질환을 고려해야 한다:

1. 근위축측삭경화증-하위운동신경 변이(lower motor neuron variant)
2. 진행성근위축증(Progressive muscular atrophy)
3. 다초점운동신경병증

첫째 질환은 몇 가지 이유로 둘째 질환보다 가능성이 높다:

1. 환자는 발병 초기 상태였고 근위축측삭경화증은 초기에 상부운동신경징후나 하위운동신경징후중 하나만 보인다.[2]
2. 근위약이 상당했음에도 건반사는 정상이었다. 이는 건반사가 항진된 것으로 생각할 수 있다.

3. 위약의 진행이 전형적인 진행성근위축증과 비교해서 꽤 급격하였다.[3]
4. 운동신경질환을 가진 환자의 약 10%는 진행성근위축증인 반면 근위축측삭경화증은 대략 85%에 달한다.

추가적으로 필요한 검사는?

신경 영상 검사

뇌, 경추, 요추 자기공명영상에서 환자의 임상 양상을 설명할 수 있을 만한 소견은 없었다(그림 34-1).

근육 생검

탈신경 근육 조직(denervated muscle tissue)을 의미하는 군집성 위축(grouped atrophy)이 관찰되었다.

면역학적 검사

혈관염을 감별하기 위해 혈청 류마티스 인자, C3, C4, 한랭글로불린(cryoglobulin), 항 이중가닥 DNA(Anti-double stranded DNA), C단백(protein C), S단백(protein S), 형광항핵항체(Fluorescent antinuclear antibody, 이하 FANA) 역가측정(titration)을 하였다. FANA만 1:40으로 약한 양성이 나왔고 나머지는 정상 범위였다.

뇌척수액 천자(CSF tap)

뇌척수액에서는 당이 다소 79 μg/dL(정상범위, 40~70 μg/dL)로 다소 상승된 것 이외에 정상이었다.

유전자 검사

SBMA(척수 연수 근위축증 유전자, Spinal and bulbar muscular atrophy) 유전자는 없었다.

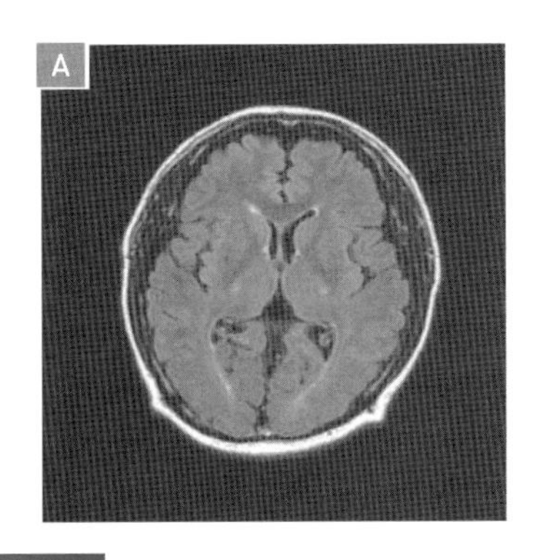

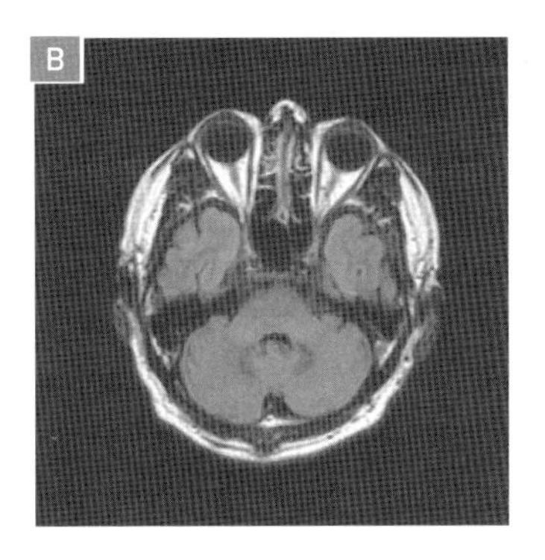

그림 34-1

자기공명영상. 대뇌(cerebrum)(A), 소뇌(cerebellum), 교뇌(pons)(B)에 이상 소견은 관찰되지 않았다.

전기진단검사 결론

상기 임상 소견과 전기진단학적 검사는 전신성운동신경질환을 시사한다. 위축성측삭경화증의 하위 운동신경 변이가 의심된다.

임상 경과

릴루졸(riluzole, 상품명 rilutek)을 복용했음에도 불구하고 근위약은 진행하였다. 임상적, 전기진단학적 결과가 다초점성운동신경병증과 맞지 않았지만 정맥내 면역글로불린을 맞았다. 하지만 병의 진행을 막지는 못하였다. 연하곤란(dysphagia)이 심해져서 영양 공급을 위해 내시경으로 경피적 위조루술(percutaneous gastrostomy)을 시행받았다. 호흡 문제도 발생하여 호흡 재활을 받았고 근전도 시행 후 6개월째, 발병 후 22개월에 사망하였다.

고찰

이 환자는 상부운동신경 징후가 없는 것을 제외하고는 근위축측삭경화증의 전형적인 임상적, 전기진단학적 소견을 보여준다. 상부운동신경 징후가 뚜렷하지 않았기 때문에 감별진단에 진행성근위축증, 다초점성운동신경병증도 포함하였다. 근력 약화의 진행이 진행성근위축증보다 상대적으로 급격했지만 그것을 확인하기 위해서는 실제로 병이 얼마나 오랜 시간동안 진행했는지 경과 관찰을 하는 수밖에 없다.[3] 위약의 진행이 너무 급격했고 근위약의 분포가 말초 신경의 분포와 일치하지 않았으며 무엇보다도 운동신경전도검사에서 전도 차단이 관찰되지 않아서 다초점성운동신경병증의 가능성은 낮았다. 그러나 검사자는 비전형적인 유형일 경우를 생각하여 다초점성운동신경병증일 가능성을 열어두고 정맥 면역글로불린을 투여했으나 임상 경과에는 영향을 미치지 못하였다. 궁극적으로 임상 경과를 보고 근위축측삭경화증을 확진할 수 있었다.

참고문헌

1. Biessels, G. J., H. Franssen, et al. (1997). "Multifocal motor neuropathy." J Neurol 244(3): 143–52.
2. Dumitru, D., A. A. Amato, et al. (2002). Electrodiagnostic Medicine. Philadelphia, Hanley & Belfus, Inc.
3. Van den Berg–Vos, R. M., J. Visser, et al. (2009). "A Long–term Prospective Study of the Natural Course of Sporadic Adult–Onset Lower Motor Neuron Syndromes." Archives of Neurology 66(6): 751–757.
4. Nobile–Orazio, E., A. Cappellari, et al. (2005). "Multifocal motor neuropathy: current concepts and controversies." Muscle Nerve 31(6): 663–80.

증례 35

근육효소 수치가 지속적으로 높은 남성

병력

39세 남성이 혈중 크레아틴키나아제(creatine kinase, CK) 수치가 지속적으로 높아 순환기 내과를 통해 방문하였다. 환자는 과거 2년이 넘는 기간 동안 간헐적으로 변기 의자에서 일어설 때 서혜부에 불편감을 호소하였다. 환자는 쉽게 피로해졌고, 운동시 근육 경련이 일어난다고 하였다. 감각변화, 호흡곤란, 하지 위약, 경부통증, 목소리변화, 시각이상, 대소변 장애와 같은 이상 증상은 호소하지 않았다. 신경근육질환의 가족력 또한 없었다. 환자는 고등학교 때 투포환 선수였고, 20년 전 인슐린 비의존성 당뇨병을 진단 받았다. 고혈압 진단 이후 현재 약물 치료 중이며 독성 물질에 노출된 병력은 부인하였다.

이 시점에서 감별진단은?

1. 근병증이나 신경근접합부질환 같은 신경근육질환(neuromuscular diseases, such as myopathy or neuromuscular junction disease)
2. 갑상선 질환, 부갑상선 질환, 저칼륨혈증 같은 대사장애(metabolic disorders, such as thyroid disease, parathyroid disease, or hypokalemia)
3. 근육 손상(muscle injury)

이번 사례는 크레아틴키나아제 수치가 지속적으로 높은 남성에 대한 것이다. 혈중 크레아틴키나아제 수치가 지속적으로 높은 상태는 신경근육질환의 분명한 증거이긴 하지만 다른 다양한 질환이나 이상 상태와 연관되어 있을 수 있다. 예를 들면 운동, 근육손상, 임신, 약물사용, 암, 술이나 기타 독성물질 중독, 감염, 고열, 갑상선이나 부갑상선 질환, 혈액질환 등이 있다. 혈중 크레아틴키나아제 수치만 단독으로 올라가 있는(hyperCKemia, 고크레아틴인산화효소혈증) 경우, 베타 차단제, 항정신성 약물, 고지혈증 치료제 등과 같은 약물 사용에 의해 나타날 수도 있다. 또한 건강한 사람이 중등도 이상의 물리적인 운동이나 스포츠 활동 후에도 간헐적으로 나타날 수도 있다.

신체 검진

시진

근육의 크기는 정상적이었다. 국소적인 위축이나 근육 떨림은 없었다.

촉진

양측 상부 허벅지를 깊게 눌렀을 때 통증이 발생하였다. 양측 슬굴곡근 단축(hamstring tightness)도 동반되어 있었다.

관절가동범위
양측 골반과 어깨 관절의 가동범위는 정상이었다.

감각
감각과 협응능력(coordination)은 정상적이었다.

반사
심부건반사(deep tendon reflex)는 양측 무릎과 발목에서 정상적이었다.

도수근력검사

	Hip flexor	Knee extensor	Ankle dorsiflexor	Big toe extensor	Ankle plantar flexor
Right	5	5	5	5	5
Left	5	5	5	5	5

가우어 징후(Gower sign)
바닥에서 일어날 때 나타나는 가우어 징후는 음성이었다.

● 혈액검사 결과

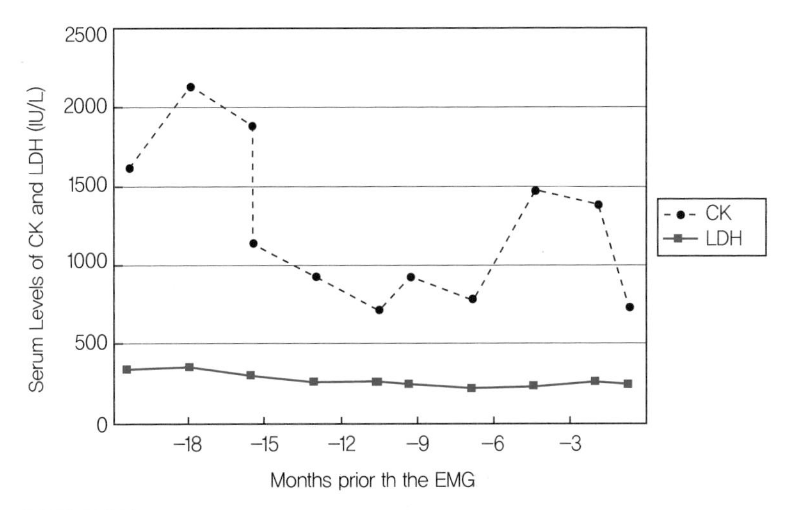

그림 35-1

혈중 크레아틴키나아제(creatine kinase, CK)와 젖산탈수소효소(lactate dehydrogenase, LDH) 수치는 모두 증가되어 있다.

전기진단검사를 시행한 시점에 혈중 크레아틴키나아제(creatine kinase, CK) 수치는 1472 IU/L(정상범위, 20~270 IU/L), 젖산탈수소효소(lactate dehydrogenase, LDH) 수치는 238 IU/L (정상범위, 100~225 IU/L)로 각각 증가되어 있었고, 정기적으로 방문한 18개월 동안 지속적으로 높은 수치로 유지하였다. 갑상선 기능 수치인 유리형 싸이록신(free thyroxine, free T4)은 0.92 ng/dl(정상범위, 0.78~1.94 ng/dl), 갑상선자극호르몬(Thyroid-stimulating hormone, TSH)은 0.26 uIU/ml(정상범위, 0.4~4.0 uIU/ml)로 정상적이었으며, 전해질 불균형은 없었다.

이 시점에서 감별진단은?

양측 상부 허벅지 촉진 시 발생하는 통증을 제외하고는 신체 검진상 이상 소견은 없었다. 근병증에서 초기에 나타나는 증상인 신체 근위부 위약과 가우어 징후(Gower's sign)는 나타나지 않았다. 환자의 통증에 대한 불편감이 적은 것을 볼 때 신경근병증, 다발성 단신경염, 근골격계 질환을 의심하는 것은 적절하지 않다. 선천성 근병증은 상기 환자의 연령대에서 흔하지 않으며 가족력도 없다. 순환기 내과 전문의 의견에 따르면 혈중 크레아틴키나아제 수치를 증가시킬 만한 약을 사용하고 있지 않았다. 안구 관련 증상이 없다는 점과 위약감이 주기적으로 변하는 양상은 신경근접합부질환에 반대되는 소견이다. 감각 증상이 없고 반사가 정상적이라는 것은 탈수초성 운동신경병증의 가능성이 낮음을 대변한다.

전기진단검사 결과

SENSORY NERVE CONDUCTION STUDIES			
NERVE - RECORDING SITE	Onset LAT (ms)	Base-peak AMP (μV)	Peak-peak AMP (μV)
R MEDIAN - Digit II	2.90	13.4	25.0
R ULNAR - Digit V	3.00	11.6	25.6
L MEDIAN - Digit II	2.65	16.7	27.8
R MEDIAN vs ULNAR - Digit IV			
MEDIAN	**3.50**	07.6	14.6
ULNAR	**2.80**	12.2	19.9
L MEDIAN vs ULNAR - Digit IV			
MEDIAN	3.00	09.3	11.0
ULNAR	2.75	12.1	20.0
R SUPERFICIAL PERONEAL - Foot	3.85	**3.5**	**3.8**
R SURAL - Lateral Malleolus	3.40	**4.3**	**4.9**
L SUPERFICIAL PERONEAL - Foot	3.35	**3.4**	**3.9**
L SURAL - Lateral Malleolus	4.25	**2.8**	**3.3**

MOTOR NERVE CONDUCTION STUDIES				
NERVE - RECORDING SITE	LAT (ms)	AMP (mV)	Distance (cm)	NCV (m/s)
R MEDIAN - Abductor Pollicis Brevis				
Wrist	3.80	7.8		
Elbow	8.90	6.2	28.0	54.9
R ULNAR - Abductor Digiti Minimi				
Wrist	2.85	12.6		
Elbow	8.30	10.5	28.0	51.4
L MEDIAN - Abductor Pollicis Brevis				
Wrist	3.85	8.7		
Elbow	8.90	7.9	28.0	55.4
R COMMON PERONEAL - Extensor Digitorum Brevis				
Ankle	4.15	3.4		
Fibular Head	14.40	2.3	41.0	40.0
L COMMON PERONEAL - Extensor Digitorum Brevis				
Ankle	3.65	3.4		
Fibular Head	13.55	2.7	40.0	40.4
R TIBIAL - Abductor Hallucis				
Ankle	3.90	9.4		
Knee	14.45	6.4	48.0	45.5
L TIBIAL - Abductor Hallucis				
Ankle	4.75	6.1		
Knee	15.55	4.8	49.0	45.4

F - WAVE	
NERVE - RECORDING SITE	MIN F LAT (ms)
R MEDIAN - Abductor Pollicis Brevis	29.05
R ULNAR - Abductor Digiti Minimi	30.05
L MEDIAN - Abductor Pollicis Brevis	29.70
R COMMON PERONEAL - Extensor Digitorum Brevis	**62.70**
R TIBIAL - Abductor Hallucis	**62.35**
L COMMON PERONEAL - Extensor Digitorum Brevis	**60.70**
L TIBIAL - Abductor Hallucis	**66.40**

H - REFLEX			
NERVE - RECORDING SITE	H LAT (ms)	H AMP (mV)	H/M AMP (%)
R TIBIAL (KNEE) - Abductor Hallucis	**44.00**	0.6	8.33%
L TIBIAL (KNEE) - Abductor Hallucis	**40.05**	0.2	3.38%

NEEDLE ELECTROMYOGRAPHY								
MUSCLE	IA	Spontaneous			MUAP			Interference Pattern
		FIB	PSW	CRD/ FASC	AMP	DUR	PPP	
R Tibialis Anterior	Nl	N	N	N	**Inc**	Nl	**Inc**	Complete
R Gastrocnemius (Medial)	Nl	**1+**	**1+**	**Fasc+**	**Inc**	Nl	**Inc**	Complete
R Vastus Medialis	Nl	**1+**	**1+**	N	**Dec**	Nl	**Inc**	Complete
R 1st Dorsal Interosseus	Nl	N	N	N	Nl	Nl	Nl	Complete
R Biceps Brachii	Nl	**1+**	**1+**	N	**Dec**	Nl	**Inc**	Complete
R Lower Lumbar Paraspinals	Nl	N	N	N				
R Upper Lumbar Paraspinals	Nl	N	N	N				

전기진단검사 결과 요약

신경전도검사상 양측 천비골신경과 비복신경의 감각반응에서 감각신경활동전위(sensory nerve action potentials, SNAP) 진폭이 감소되어 있다. 4번째 손가락을 이용한 검사(ring finger study)에서 우측 정중신경과 척골신경의 말단잠시 차이가 뚜렷하게 나타났다. 양측 정중신경, 경골신경, 우측 척골신경의 운동반응은 정상이었다. 양측 총비골신경에서 기록한 운동신경전도속도는 정상범위 안이었다. 총비골신경과 경골신경의 최소 F파 잠시는 양측에서 모두 지연되어 있었다. 비장근(가자미근, soleus muscle)에서 기록한 H반사의 잠시 또한 지연되어 있었다.

침근전도검사에서 비정상자발전위(Abnormal spontaneous activity, ASA)가 비복근(gastrocnemius), 내광근(vastus medialis), 상완이두근(biceps brachii)에서 관찰되었다. 우측 내광근과 상완이두근에서 운동단위의 진폭이 감소되어 있었고, 우측 전경골근(tibialis anterior)과 비복근에서는 증가되어 있었다. 섬유속자발전위(fasciculation)는 우측 비복근에서 관찰되었고 다상성 운동단위는 앞서 언급한 모든 근육에서 확인되었다.

전기진단검사 결론

상기 전기진단학적 검사 소견은 다음 진단들을 시사한다.

1. 축삭 손상과 수초 손상이 혼합된 전신적 다발성말초감각운동신경병증
2. 손목 부위의 우측 정중신경병증, 무증상의 수근관증후군에 부합한다.
3. 동반된 근병증(myopathy)이 의심된다.

● 추가적으로 필요한 검사는?

근병증의 가능성을 염두해 두고, 근육조직검사를 시행하였다. 근육 검체는 외광근(vastus lateralis)에서 채취하였다. 2형 섬유가 두드러진 신경원성 위축과 섬유 종류별 집단화가 관찰되었다(그림 35-2, 35-3). 광전자 현미경 검사 소견에서 신경원성 위축에 합당한 것이 확인되었다.

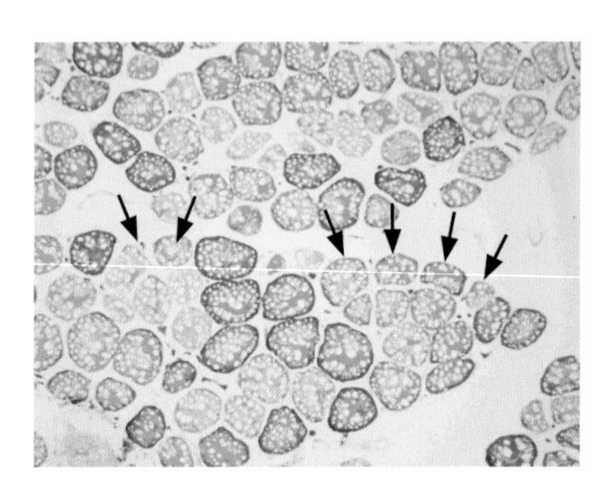

그림 35-2

NADH-TR 염색. 2형 근섬유의 집단화가 보인다(화살표).

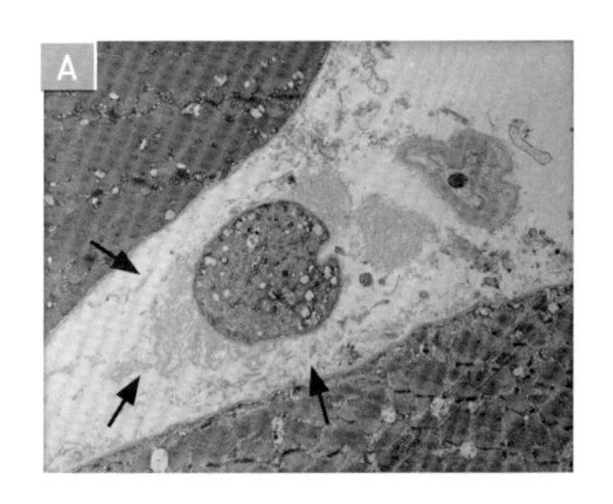

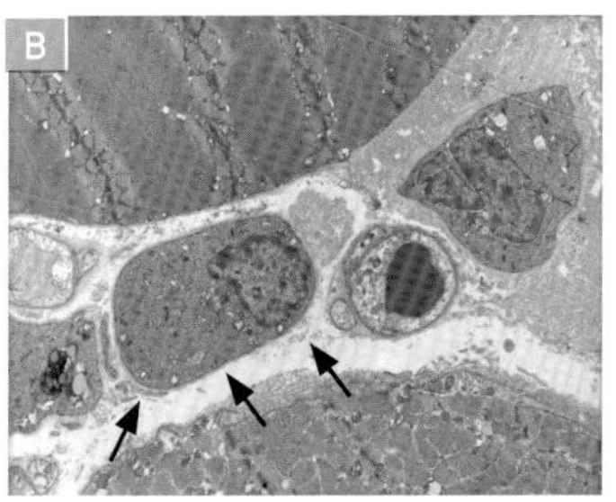

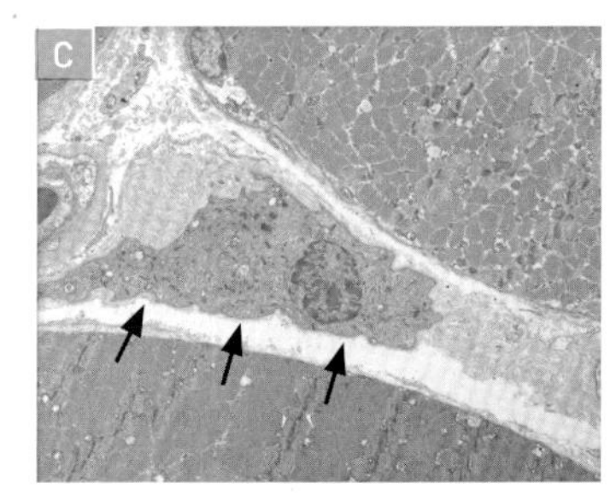

그림 35-3

전자현미경 검사. 초미세구조 검사에서 불필요한 기저층을 포함한 작은 위축성 근섬유들과 빈 주머니들(A-C 화살표)이 드러났다. 미토콘드리아의 크기, 모양, 세포막은 정상범위에 속하였다. 봉입체(inclusion body)는 관찰되지 않았다.

● 임상 경과

임상적 또는 혈액검사소견상 질환이 진행한 증거는 보이지 않았다. 근력 또한 유지되고 있었기 때문에 환자는 골프와 같은 운동을 하면서 지내고 있었다. 2년 뒤 전기진단검사를 시행할 때까지도 혈중 크레아틴키나아제 수치는 증가된 상태였다(1000~1500 IU/L). 당뇨병성다발성말초신경병증을 치료하기 위해 thioctic acid를 주기적으로 복용 중이었다.

○ 고찰

지속적인 혈중 크레아틴키나아제 수치 증가는 신경근질환(neuromuscular disorder)의 특징 중 하나이다.[1-3] 그러나 혈중 크레아틴키나아제 수치 상승은 물리적인 운동, 근육손상, 임신, 약물 사용(베타 차단제, 항정신성 약물, 고지혈증 치료제), 암, 술 및 기타 독성물질, 감염, 고열, 갑상선이나 부갑상선 질환, 혈액질환 등의 질환이나 이상상태에서 나타날 수 있다. 만성적으로 혈중 크레아틴키나아제 수치가 증가되어 있는 경우는 간혹 건강한 사람에서 있을 수도 있는 상태이다. 크레아틴키나아제 증가가 종종 설명되지 않는 경우가 있으며 '원인불명의 고크레아틴인산화효소혈증(idiopathic hyperCKemia)'으로 불리기도 한다. 과거 연구들을 확인해보면[4] 증상이 없거나 뚜렷하지 않은 증상이 있는 환자가 지속적인 고크레아틴인산화효소혈증이 우연히 확인되었을 때 근육조직검사나 전기진단검사, 병리소견을 통해 신경근 질환으로 진단되는 경우가 21명(18.4%), 결론이 나지 않는 경우가 57명(50%)이었다. 이를 통해 근육조직 검사가 증상이 없는 고크레아틴인산화효소혈증 환자를 확인하는 기본적인 도구라는 결론이 내려졌다.[4] 또 다른 연구에서는 원인불명의 고크레아틴인산화효소혈증 환자 31명을 장기간 추적하여 결과를 기록하였는데, 평균 7.2년 후(4~18년) 그 당시 가장 일반적인 불편감은 피로와 근육통이었다. 전기진단검사와 근육조직검사는 환자의 71%에서 중요하게 여겨지지 않고 진단되지도 않은 이상들을 입증하는데 중요한 역할을 하였다. 경과관찰 하였을 때 증상의 수와 임상양상은 대체로 변하지 않았다. 결론적으로 원인불명의 고크레아틴인산화효소혈증 환자를 장기간 관찰 했을 때 임상적인 증상악화를 보이진 않았다. 이는 관례대로 하는 장기간의 경과 관찰을 중단하는 것이 합당하다는 것을 보여주었다.[5]

○ 참고문헌

1. Walker RH, Jung HH, Danek A. Diagnostic evaluation of clinically normal subjects with chronic hyperCKemia. Neurology 2007;68:535; author reply -6.
2. Dabby R, Sadeh M, Herman O, et al. Asymptomatic or minimally symptomatic hyperCKemia: histopathologic correlates. Isr Med Assoc J 2006;8:110-3.
3. Klein D. Case report: hyperCKemia: a diagnostic dilemma. Can Fam Physician 2005;51:240-1.
4. Prelle A, Tancredi L, Sciacco M, et al. Retrospective study of a large population of patients with asymptomatic or minimally symptomatic raised serum creatine kinase levels. J Neurol 2002;249:305-11.
5. Jaap C. Reijneveld, Nicolette C. Notermans, Wim H.J.P. Linssen, John H.J. Wokke. Benign prognosis in idiopathic hyper-CK-emia. Muscle & Nerve 2000;23:575-9.

증례 36

3개월 동안 사지의 저린감을 호소하는 남성

병력

65세 남성이 3개월 전부터 발생한 상하지의 저린감을 주소로 내원하였다. 환자는 팔보다는 다리의 저린감이 더 심하다고 호소하였다. 저린 느낌은 다리는 무릎 아래, 손은 손가락 끝에서만 있었다. 당뇨병의 병력은 없었으며, 환자는 10년 전에 위암으로 전체 위절제술(total gastrectomy)을 시행 받은 병력이 있었다. 환자는 항우울제를 복용하고 있었으며, 구강섭취에는 문제가 없었다. 환자의 직업은 목수였다.

이 시점에서 감별진단은?

1. 말초 감각신경병증(peripheral sensory neuropathy)
2. 감각 신경절병증(sensory ganglionopathy)
3. 양측 경추와 요천추신경근병증(bilateral cervical and lumbosacral radiculopathy)

환자의 주소는 저린 느낌이다. 환자는 운동기능 이상에 대한 증상은 없다고 하였다. 감각 증상이 양측 상하지에 발생한 것은 기저 질환이 국소 질환보다는 전신 질환임을 의미한다. 말초 감각신경병증과 감각 신경절병증은 전신적인 감각 증상으로 발현될 수 있다. 말초 감각신경병증은 길이에 비례하여 말초신경이 손상되기 때문에, 대체로 상지보다는 하지의 감각 증상이 좀 더 심각하다. 그러나, 감각 신경절병증의 임상양상은 이와 반대로 나타난다. 그러므로, 양말과 장갑양상의 임상증상을 보이는 이 증례는 말초 감각신경병증이 가장 가능성 있는 진단이다.

경추와 요천추다발신경근병증은 서서히 대칭적으로 발생하는 경우가 드물다. 그러나 신경근 손상에 상대적으로 취약한 목수라는 직업과 연관지어 생각할 때, 반복적인 기계적인 손상에 의한 질병의 발생 가능성은 고려해야 한다.

신체 검진

시진

근위축을 포함한 이상 소견은 없었다.

감각

양측 발바닥의 감각이 저하되었다.

통증

환자는 양측 손가락 끝과 무릎 아래 부위의 저린감을 호소하였다.

반사

심부건반사는 양측 무릎과 발목에서 1+였다. 바빈스키 징후(Babinski sign)는 없었다.

도수근력검사

도수근력검사에서 상하지에 이상 소견은 없었다.

혈액검사 결과

백혈구와(12,560/uL, 정상범위, 4,000~10,000/uL), 적혈구침강속도(erythrocyte sedimentation rate)(16 mm/hr, 정상범위, 0~9 mm/hr)는 상승되어있었다. 혈색소(Hemoglobin)는 14.8 g/dL였다(정상범위 13~17 g/dL). 환자는 혈액검사 시 감기증상을 호소하였다. 일반화학검사상 알칼리인산화분해효소(alkaline phosphatase)만 289 IU/L(정상범위, 30~115 IU/L)로 상승되어 있었다. 당화혈색소 Hb A1c(hemoglobin A1c)는 6.2%(정상범위, 4~6%)로 약간 상승해 있었다.

전기진단검사 결과

SENSORY NERVE CONDUCTION STUDIES			
NERVE - RECORDING SITE	Onset LAT (ms)	Base-peak AMP (μV)	Peak-peak AMP (μV)
R Median - digit II	2.75	18.5	20.7
R Ulnar - digit V	2.55	11.0	17.0
R Median vs ULNAR - digit IV			
MEDIAN	3.00	10.3	16.3
ULNAR	2.95	7.8	10.0
R Superficial peroneal - foot	2.75	**3.8**	3.7
R Sural - lateral malleolus	2.85	**6.5**	8.9
L Superficial peroneal - foot	3.00	**5.6**	5.9
L Sura - lateral malleolus	3.25	**6.7**	5.1

MOTOR NERVE CONDUCTION STUDIES				
NERVE - RECORDING SITE	LAT (ms)	AMP (mV)	Distance (cm)	NCV (m/s)
R MEDIAN - Abductor Pollicis Brevis				
Wrist	3.55	7.9		
Elbow	8.25	7.3	25.0	53.2
R ULNAR - Abductor Digiti Minimi				
Wrist	2.80	9.0		
Elbow	8.05	6.9	28.0	53.3
R COMMON PERONEAL - Extensor Digitorum Brevis				
Ankle	4.05	2.3		
Fib head	12.70	1.9	34.0	39.3
R TIBIAL - Abductor Hallucis				
Ankle	4.05	7.7		
Knee	12.85	5.6	35.0	39.8
L COMMON PERONEAL - Extensor Digitorum Brevis				
Ankle	3.60	2.9		
Fib head	11.80	2.2	34.0	41.5
L TIBIAL - Abductor Hallucis				
Ankle	3.95	7.9		
Knee	12.80	6.9	36.0	40.7

F - WAVE	
NERVE - RECORDING SITE	MIN F LAT (ms)
R MEDIAN - Abductor Pollicis Brevis	28.45
R ULNAR - Abductor Digiti Minimi	28.00
R COMMON PERONEAL - Extensor Digitorum Brevis	61.30
R TIBIAL - Abductor Hallucis	54.65
L COMMON PERONEAL - Extensor Digitorum Brevis	50.95
L TIBIAL - Abductor Hallucis	52.55

H - REFLEX	
NERVE - RECORDING SITE	H LAT (ms)
L TIBIAL (KNEE) - Soleus	32.90
L TIBIAL (KNEE) - Soleus	32.85

NEEDLE ELECTROMYOGRAPHY								
MUSCLE	IA	Spontaneous			MUAP			Interference Pattern
		FIB	PSW	CRD/FASC	AMP	DUR	PPP	
R Abductor Hallucis	Nl	**N**	**N**	N	Nl	Nl	Nl	Complete
R. Extensor Digitorum Brevis	Nl	N	N	N	Nl	Nl	Nl	Complete
R. Tibialis Anterior	Nl	N	N	N	Nl	Nl	Nl	Complete
R Gasctrocnemius (Medial)	Nl	N	N	N	Nl	Nl	Nl	Complete
R. Vastus Medialis	Nl	N	N	N	Nl	Nl	Nl	Complete
R. 1st Dorsal Interossei	Nl	N	N	N	Nl	Nl	Nl	Complete

추가적으로 필요한 검사는?

다발성말초신경병증의 원인을 감별하기 위해서 혈청 비타민 B_{12}와 엽산 수치를 확인했다. 비타민 B_{12}는 194.5(정상범위 200~900 pg/ml)로 감소하였으며, 엽산 수치는 5.5(정상범위 2~9 ng/ml)로 정상범위였다.

약물에 의한 다발성말초신경병증을 배제진단하기 위해 병력을 다시 확인하였으며, 현재 환자는 escitalopram과 clonazepam을 복용하고 있었다. 이러한 약물은 다발성말초신경병증을 유발한다고 알려진 바가 없다.

마지막으로, 당뇨성 다발성말초신경병증(diabetic peripheral polyneuropathy)을 고려하였다. 환자의 당화혈색소(HbA1C) 수치가 다소 상승되어있었으나, 식후 8시간에 시행한 공복혈당수치는 82(정상범위 70~110 mg/dL)였다. 당뇨병의 가능성은 낮았다.

전기진단검사 결론

이 전기진단학적 결과는 주로 하지를 침범하는 원위대칭감각축삭다발신경병증(distal symmetric sensory axonal polyneuropath)을 시사한다. 임상적으로 다발성말초신경병증은 환자가 고령이며, 이전 위절제술을 시행한 병력을 고려할 때, 비타민 B_{12} 결핍과 연관되어 있을 가능성이 있다.

임상 경과

외래에서 경구용 비타민 제제를 처방 받았으나, 6개월 뒤에도 증상은 호전되지 않았다.

고찰

위암으로 인한 위절제술,[1] 그리고 비만을 조절하기 위한 위우회술(gastric bypass surgery)[2]은 비타민 B_{12} 결핍을 유발할 수 있다. 비타민 B_{12} 결핍은 혈중 비타민 B_{12} 수치가 200 pg/ml 미만으로 나오는 것을 기준으로 한다.[3] 그러므로 예전에 위절제술을 받은 환자가 비정상적인 저린 느낌을 호소한다면, 전기생리학적 검사와 비타민 B_{12} 수치에 대한 혈액검사를 시행해야 한다. 비타민 B_{12} 결핍은 축삭형이나 탈수초형 단일신경병증이나 다발성말초신경병증을 유발할 수 있다.[4]

참고문헌

1. Sakuta H, Suzuki T, Yasuda H, Wakiyama H, Hase K. Plasma vitamin B12, folate and homocysteine levels in gastrectomized men. Clin Nutr 2005;24:244-9.
2. Juhasz-Pocsine K, Rudnicki SA, Archer RL, Harik SI. Neurologic complications of gastric bypass surgery for morbid obesity. Neurology 2007;68:1843-50.
3. Nardin RA, Amick AN, Raynor EM. Vitamin B(12) and methylmalonic acid levels in patients presenting with polyneuropathy. Muscle Nerve 2007;36:532-5.
4. Puri V, Chaudhry N, Goel S, Gulati P, Nehru R, Chowdhury D. Vitamin B12 deficiency: a clinical and electrophysiological profile. Electromyogr Clin Neurophysiol 2005;45:273-84.

증례 37

몸의 우측 힘이 점차적으로 빠지는 여성

○ 병력

78세 여성이 우측 팔과 다리에 위약이 점차적으로 진행하여 전기진단학적 평가를 받기 위해 방문하였다. 위약은 지난 4개월 넘게 천천히 진행하였으며, 점차 걷기가 어려워졌다고 한다. 환자는 우측 팔로 일상생활 활동을 하는 것이 어렵다고 호소하였으나 팔다리에 저린 감각이나 이상감각을 호소하지는 않았다. 주기적으로 고혈압 약물을 복용하고 있는 것을 제외하고는 특이한 병력은 없었으며, 상기 증상과 유사한 증상을 보이는 가족력도 없었다. 배변, 배뇨 기능에도 특별한 문제는 없었으며 사고 경력도 없었다.

○ 이 시점에서 감별진단은?

1. 척수전각세포병(anterior horn cell disease)
2. 선천적 또는 후천적 근병증(myopathy, acquired or hereditary)
3. 탈수초성 운동신경병증(demyelinating motor neuropathy)
4. 경추 또는 요천추신경근병증(radiculopathy, cervical or lumbosacral)
5. 상완 또는 요천추신경총병증(plexopathy, brachial or lumbosacral)
6. 뇌, 척수와 같은 상부운동신경원 병변(upper motor neuron lesion, brain and spinal cord)

상기 병력만을 가지고 진단을 추정해 보면 감별진단의 범위가 넓다. 근질환, 다발성말초신경병증, 운동신경원병, 신경근접합부질환, 대사 질환, 중수신경계(central nerve system, CNS)의 퇴행과정, 근골격계 질환 등이 이에 포함된다. 병력상, 감각변화는 거의 없었으므로 점차적으로 진행하는 운동계 질환이 가장 가능성이 높다. 4개월에 걸쳐 서서히 진행한 것으로 볼 때, 급성염증성탈수초성다발성신경병증(acute inflammatory demyelinating polyneuropathy, AIDP)은 덜 의심되는 진단이다. 통증이 없는 것으로 보아 신경근병증, 다발성단일신경염(mononeuritis multiplex), 근골격계 질환, 근염(myositis) 등도 덜 의심되는 진단이다. 다발성단일신경병증(multiple mononeuropathies)은 이와 같은 근위축과 위약을 유발할 수 있으나 감각문제도 같이 일으키며 이번 사례보다 더 빠르게 증상이 진행하는 특징을 보인다.

○ 신체 검진

시진

양측 무지구 근육(thenar muscle)과 첫째 손샅 부위(first web space)의 근위축이 관찰되었다.

감각

상하지에서 감각 기능은 유지되어 있었다.

반사

발목반사는 양측에서 감소되어 있었고, 무릎과 상완이두근 반사는 정상적이었으며 이상반사는 관찰되지 않았다.

	Biceps Jerk	Knee Jerk	Ankle Jerk
Right	2+	2+	1+
Left	2+	2+	1+

기타 검진

경도의 흉요추 척추측만증 관찰되었다.

도수근력검사

	Hip flexor	Knee extensor	Ankle dorsiflexor	Big toe extensor	Ankle plantar flexor
Right	5	4	0	0	1
Left	5	5	3	3	3

	Shouler abduction	Elbow flexor	Elbow extensor	Wrist dorsiflexor	Finger flexor	Finger abductor
Right	4	4	4	4	5	5
Left	5	5	5	5	5	5

○ 이 시점에서 감별진단은?

말단 근육들의 위축, 정상적인 감각, 근육 위약을 통해 운동신경원병, 전도차단을 동반한 다발성국소신경병증과 같은 일차 운동신경병증, 일차 근육 질환으로 감별진단의 범위가 좁혀졌다. 감소된 심부건반사와 기타 반사소견은 질병이 운동단위의 특정 부분(운동신경, 축색돌기, 신경근 접합부, 근육)에 영향을 준 것을 시사한다. 검진에서 상부운동신경원 징후(upper motor neuron sign)가 없지만 보통 상부운동신경원 징후가 발생하기 전 하부운동신경원 징후가 먼저 나타나기 때문에 근위축성측삭경화증(amyotrophic lateral sclerosis, ALS)의 가능성은 여전히 남아 있다. 또한 이형 근위축성측삭경화증도 상부운동신경원 징후가 나타나지 않기 때문에 감별진단에 포함되어야 한다. 자가면역성 운동신경병증인 전도차단을 동반한 다발성 국소 운동신경병증은 정맥 내 면역글로불린과 면역억제약물 주입으로 치료가 가능하기 때문에 배제해야 할 가장 중요한 질환이다.

전기진단검사 결과

SENSORY NERVE CONDUCTION STUDIES			
NERVE - RECORDING SITE	Onset LAT (ms)	Base-peak AMP (μV)	Peak-peak AMP (μV)
R MEDIAN - Digit II	**3.05**	**8.6**	**8.8**
L MEDIAN - Digit II	2.90	15.9	30.3
R ULNAR - Digit V	2.25	13.8	25.9
R MEDIAN vs ULNAR - Digit IV			
MEDIAN - Digit IV	**3.20**	7.3	10.5
ULNAR - Digit IV	2.55	9.2	10.0
L MEDIAN vs ULNAR - Digit IV			
MEDIAN - Digit IV	2.80	11.8	15.1
ULNAR - Digit IV	2.70	13.8	19.6
R SURAL - Lateral Malleolus	3.05	9.5	10.0
L SURAL - Lateral Malleolus	2.90	11.0	13.2
R SUPERFICIAL PERONEAL - Foot	2.35	4.6	3.3
L SUPERFICIAL PERONEAL - Foot	2.95	6.5	3.7

MOTOR NERVE CONDUCTION STUDIES				
NERVE - RECORDING SITE	LAT (ms)	AMP (mV)	Distance (cm)	NCV (m/s)
R MEDIAN - Abductor Pollicis Brevis				
Wrist	**4.45**	**1.9**		
Elbow	**8.75**	**1.3**	22.0	51.2
L MEDIAN - Abductor Pollicis Brevis				
Wrist	**4.25**	4.4		
Elbow	8.10	2.0	22.3	57.9
R ULNAR - Abductor Digiti Minimi				
Wrist	2.75	12.2		
Elbow	7.15	10.5	27.0	61.4
R PERONEAL - Extensor Digitorum Brevis				
Ankle		No response		
L PERONEAL - Extensor Digitorum Brevis				
Ankle	3.30	**2.2**		
Fibular head	11.05	1.5	32.5	41.9
R PERONEAL - Tibialis Anterior				
Knee		No response		
L PERONEAL - Tibialis Anterior				
Knee	4.85	2.4		
R TIBIAL - Abductor Hallucis				
Ankle	**5.05**	**0.4**		
Knee	**14.20**	**0.4**	36.0	**39.3**
L TIBIAL - Abductor Hallucis				
Ankle	4.50	6.2		
Knee	13.55	2.5	37.5	41.4

SEP			
NERVE	N20 (ms)	P25 (ms)	AMP N20 (uV)
L MEDIAN	20.15	25.40	2.3
R MEDIAN	19.25	24.00	2.7

SEP				
NERVE	P37 (ms)	N45 (ms)	AMP P37 (uV)	AMP P37-N45 (uV)
L TIBIAL	42.60	48.90	1.1	1.2
R TIBIAL	41.40	57.00	1.7	1.1

NEEDLE ELECTROMYOGRAPHY								
MUSCLE	IA	Spontaneous			MUAP			Interference Pattern
		FIB	PSW	CRD/FASC	AMP	DUR	PPP	
R Tibialis Anterior	Nl	3+	3+	N	Nl	Nl	Inc	Single
R Peroneus Longus	Nl	3+	3+	N	Nl	Nl	Inc	Single
R Gastrocnemius	Nl	3+	3+	N	Nl	Nl	Nl	Single
R Vastus Medialis	Nl	2+	3+	N	Nl	Inc	Inc	Discrete
R Iliopsoas	Nl	2+	2+	+	Nl	Inc	Inc	Discrete
R Biceps Brachii	Nl	1+	1+	N	Nl	Nl	Nl	Complete
R Flexor Carpi Radialis	Nl	2+	2+	N	Nl	Nl	Inc	Complete
R First Dorsal Interosseous	Nl	2+	2+	N	Nl	Nl	Inc	Complete
R Abductor Pollicis Brevis	Nl	N	2+	N	Nl	Nl	Nl	Reduced
R Deltoid	Nl	N	N	N	Nl	Nl	Nl	Complete
R Extensor Carpi Radialis Longus	Nl	2+	2+	N	Nl	Inc	Inc	Reduced
R Nasalis	Nl	N	N	N	Nl	Nl	Nl	Complete
R Cricothyroid	Nl	N	N	N	Nl	Nl	Nl	Complete
R Tongue	Nl	N	N	N	Nl	Nl	Nl	Complete
R Lumbar Paraspinals (Upper)	Nl	N	2+	N				
R Lumbar Paraspinals (Middle)	Nl	N	2+	N				
R Lumbar Paraspinals (Lower)	Nl	N	2+	N				
R Thoracic Paraspinals	Nl	N	2+	N				
R Cervical Paraspinals (Upper)	Nl	N	N	N				
R Cervical Paraspinals (Lower)	Nl	N	N	N				
L Tibialis Anterior	Nl	3+	3+	N	Nl	Inc	Inc	Reduced
L Gastrocnemius	Nl	3+	3+	N	Nl	Nl	Inc	Reduced
L Vastus Medialis	Nl	1+	N	N	Nl	Inc	Inc	Reduced
L Iliopsoas	Nl	2+	2+	+	Nl	Nl	Inc	Reduced
L Flexor Carpi Radialis	Nl	N	N	N	Nl	Nl	Nl	Complete
L Deltoid	Nl	N	1+	N	Nl	Nl	Nl	Complete
L Extensor Carpi Radialis Longus	Nl	N	1+	N	Nl	Inc	Inc	Complete
L Lumbar Paraspinals (Upper)	Nl	N	2+	N				
L Lumbar Paraspinals (Middle)	Nl	N	1+	N				
L Lumbar Paraspinals (Lower)	Nl	N	2+	N				
L Thoracic Paraspinals	Nl	N	N	N				
L Cervical Paraspinals (Upper)	Nl	N	N	N				
L Cervical Paraspinals (Lower)	Nl	N	N	N				

전기진단검사 결과 요약

상지에서 우측 정중신경 복합근육활동전위(compound muscle action potential, CMAP) 진폭이 감소되어 있고 잠시가 지연되어 있었다. 좌측 정중신경 복합근육활동전위 잠시 또한 지연되었다. 하지에서는 전경골근(tibialis anterior), 단지신근(extensor digitorum brevis)에서 기록하는 총비골신경 복합근육활동전위가 원위부와 근위부 자극 모두에서 반응이 없었다. 우측 경골신경 복합근육활동전위의 진폭도 감소되어 있었다. 좌측 경골신경 복합근육활동전위는 정상적이었고 탈수초성 운동신경병증을 시사하는 뚜렷한 전도차단도 관찰되지 않았다. 감각전도검사 중 우측 정중신경의 말단 감각신경 잠시가 지연되어 있었다. 우측 약지 검사(ring finger study)에서 정중신경과 척골신경의 말단 잠시 차이가 분명하게 나타났다. 좌측 정중신경, 우측 척골신경, 양측 천비골신경과 비복신경의 감각전도검사 전체에서 정상적인 진폭과 잠시를 확인할 수 있었다. 따라서 우측 정중신경을 제외한 감각신경계는 정상적임을 검사를 통해 확인하였다.

침근전도검사에서는 대부분의 사지근육에서 섬유자발전위(fibrillation)와 양성예파(positive sharp wave)로 표현되는 만연한 비정상자발전위(abnormal spontaneous activity, ASA)의 증거가 관찰되었다. 다량의 섬유자발전위(fibrillation potentials)가 나타났는데 좌측에 비해 우측이 더욱 심하게 영향을 받은 상태였다. 좌측 상지에 증상이 나타나지는 않았으나 대부분의 근육에서 매우 큰 진폭, 길어진 주기, 다상성운동단위활동전위들과 감소된 동원(recruitment)과 같은 신경 손상의 증거가 발견되었다. 게다가 우측 흉추, 요추 주위근육들에서 다량의 섬유자발전위가 나타났고 좌측 요추 주위근육에서는 비정상자발전위가 발견되었다. 그러나 경추 주위근에서는 이상 소견이 발견되지 않았고, 혀와 같은 입 주위 근육들(bulbar muscles)과 환상갑상근육들(cricothyroid muscles)도 정상적이었다.

1. 전기진단학적 이상은 우측 상하지에 발생한 지금도 진행하고 있는 척수전각세포병에 가장 부합한다.
2. 또한 양측 요천추 다발성 신경근병증을 동반한 상부운동신경원병의 가능성도 있는데 심한 축삭 절단을 동반한 상태로 우측 5번 요추, 1번 천추 신경뿌리에 더욱 심하게 영향을 미친 것으로 보인다.
3. 신경전도검사에서는 손목부위에 경도의 부분적 축삭 절단을 동반한 무증상의 정중신경병증이 확인되었다. 이 소견은 우측 수근관증후군에 합당한 소견이다.
4. 신경전도검사에서 양측 사지 체성감각계의 확연한 이상은 관찰되지 않았다.

추가적으로 필요한 검사는?

요천추신경근병증의 가능성을 배제하기 위해, 요추 자기공명영상 검사를 시행하였다. 요추 자기공명영상에서 퇴행성변화, 3/4번 요추, 4/5번 요추, 5번 요추/1번 천추의 디스크 돌출, 4/5번 요추 부위의 척추관협착증이 관찰되었다. 11/12번 흉추에 모딕 타입 1의 종판 변화(modic type 1 endplate change)와 좌측 11/12번 흉추에 황색인대 골화증(ossification of ligament flavum)이 관찰되었다(그림 37-1, 37-2).

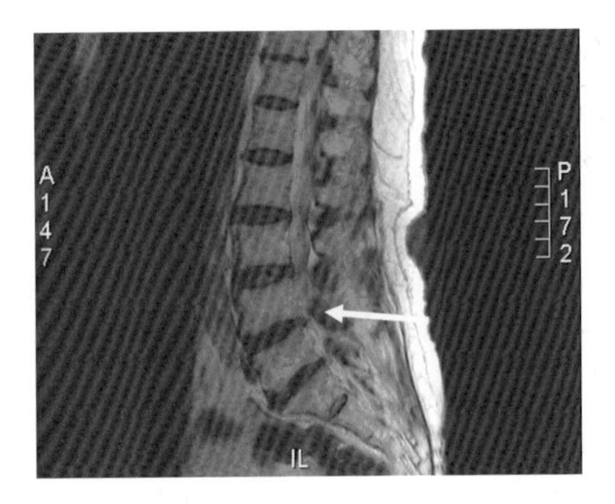

그림 37-1

요추 T2강조영상의 시상면(sagittal view). 퇴행성 변화, 3/4번 요추, 4/5번 요추, 5번 요추/1번 천추의 디스크 돌출, 4/5번 요추 부위의 척추관협착증 관찰되었다.

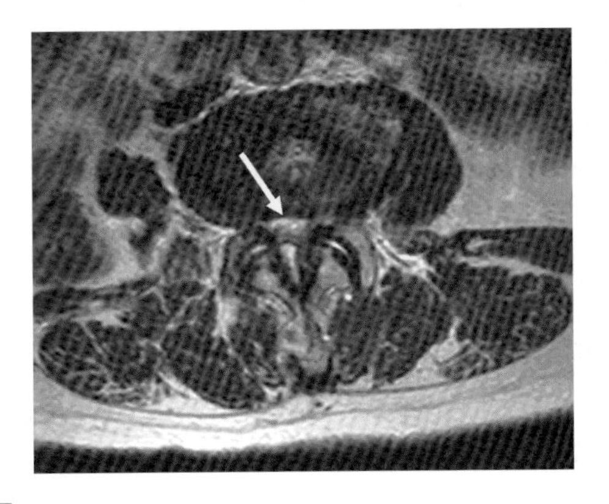

그림 37-2

요추 T2강조영상 4/5번 요추 위치 축면(axial view). 전반적으로 불룩해진 디스크와 척추관 협착(화살표)이 관찰되었다.

전기진단검사 결론

1. 전기진단검사 소견은 우측 상하지에 주로 영향을 준 척수전각세포병에 부합한다.
2. 무증상의 우측 손목부위 정중신경병증이 동반되어 있다.

○ 임상 경과

치료 중 rilutek이란 약물만 환자에게 적용 가능하여 질환의 진행을 막기 위해 사용하였다. 환자 우측 상하지 위약의 진행은 계속되었고, 환자는 rilutek을 사용하여도 뚜렷한 반응이 없다고 하였다. 결국 환자는 휠체어에서 서는 것이 힘들어 졌고, 3개월 뒤에 호흡곤란이 발생하였다.

고찰

헤머(Hemmer)가 정리한 근위축성측삭경화증(amyotrophic lateral sclerosis, ALS)의 임상적 분류에는 "반신마비 유형(hemiplegic type)"이 기술되어 있다. "밀즈 증후군(Mills' syndrome)"은 천천히 진행하고 편측으로 증상이 올라가거나 내려가면서 진행하는 이형근위축성측삭경화증을 말한다.[1,2] 밀즈(Mills)가 기록한 원문에서는 근위축성측삭경화증을 포함한 다발성 경화증(multiple sclerosis), 매독(syphilis), 파킨슨병(Parkinson disease) 등의 다양한 병들이 증상의 원인으로 포함되어 있다. 밀즈는 초기에 매우 천천히 진행하면서 편측 하지마비로 시작해 동측 상지로 점차 퍼져가는 8개의 사례를 보고하였다. 연구에서 기록된 사례들은 매우 천천히 진행하였고, 위약이 하지에서 상지로 진행하였으며, 추체로 증상(pyramidal track sign)을 동반하면서 감각장애는 드물고 섬유속자발전위(fasciculation)와 간헐적인 얼굴근육 위약이 있는 근위축증(amyotrophy)으로 묘사되었다. 비슷한 문제를 가진 가족력은 매우 드물게 보고되었다.[3] 일부 사례에서는 반대측 상지로 증상이 진행되는 것을 보고하였으나 대부분의 사례들이 15년 이후까지 편측으로 지속되었다. 밀즈 증후군이 이형진행성측삭경화증(variants of progressive lateral sclerosis)일 수도 있다고 언급한 사례도 일부 있었다.[1]

참고문헌

1. Gastaut JL, Bartolomei F. Mills' syndrome: ascending (or descending) progressive hemiplegia: a hemiplegic form of primary lateral sclerosis- J Neurol Neurosurg Psychiatry 1994;57:1280-1.
2. Malin JP, Poburski R, Reusche E. [Clinical variants of amyotrophic lateral sclerosis: hemiplegic type of ALS and Mills syndrome. A critical review]. Fortschr Neurol Psychiatr 1986;54:101-5.
3. Rajabally YA, Hbahbih M, Abbott RJ. Hemiplegic ALS: Mills syndrome. Neurology 2005;64:1984-5.

증례
38

양측 손가락과 발가락에 이상감각을 호소하는 남성

병력

70세 남성이 양측 손가락과 발가락에 이상감각을 호소하여 방문하였다. 증상은 2개월 전에 시작되었고, 병원을 방문하기 1개월 전부터 심해졌다. 그는 발바닥 말단에 저린 감각을 호소하였고 좌측보다 우측이 더 심하다고 하였다. 환자는 또한 손가락 끝을 마치 무엇인가 뾰족한 물체로 찌르는 듯한 느낌을 받는다고 하였다. 증상은 서서히 진행하는 중이었다. 환자는 오랫동안 걷고 나면 우측 하지에 통증을 느낀다고 하였지만, 위약은 없다고 하였다.

환자의 과거 병력상, 2년 전에 고혈압을 진단받아 현재까지 약물을 복용하고 있다. 몇 달 전, 의사가 그에게 내당능 장애(glucose intolerance)가 있음을 알려주었다. 그는 10년 전에 요추 디스크 질환으로 수술을 받았었고, 2년 전에는 우울증 진단을 받아 전기충격치료(electroconvulsive therapy, ECT)를 시행하였다. 환자는 5주기로 전기충격치료를 받았고 현재까지 항우울제를 복용하고 있다. 환자가 현재 복용하고 있는 약물은 lorazepam, trazodone, escitalopram, terazosin, amlodipine, aspirin이다. 환자는 간헐적으로 술을 마시고 있었다.

이 시점에서 감별진단은?

1. 다발성말초신경병증(peripheral polyneuropathy)
   a. 만성염증성탈수초성다발성신경병증(chronic inflammatory demyelinating polyneuropathy)
   b. 당뇨병성신경병증(diabetic polyneuropathy)
   c. 약물 유발 다발성말초신경병증(drug–induced peripheral polyneuropathy)
2. 요천추신경근병증(lumbosacral radiculopathy)
3. 국소적 말초신경병증(focal peripheral polyneuropathy)

상기 병력을 통해 환자의 증상은 일차적으로 감각계에 영향을 주면서 전신적이고 점차 진행하는 질병에 의한 것임을 알 수 있다. 이번 사례에서는 다발성말초신경병증이 가장 가능성이 높은 진단이지만 그 원인은 아직 불분명하다. 증상이 아급성으로 시작되었다는 점은 만성염증성탈수초성다발성신경병증(Chronic inflammatory demyelinating polyneuropathy, CIDP)의 가능성을 높여준다. 과거 병력을 고려하면 내당능 장애가 있었음에 불구하고 당뇨병성신경병증은 만성염증성탈수초성다발성신경병증보다 그 가능성이 낮다. 검사를 시행한 시점에 환자는 다양한 약물을 복용하고 있었지만 그 중에 신경병증을 유발한다고 알려진 약물은 없었다. 이런 이유로 약물 유발 다발성말초신경병증의 가능성도 낮다.

오랫동안 걷고 나면 발생하는 다리 통증과 요추 디스크 병력은 요천추신경근병증을 시사한다. 수근관 증후군과 같은 국소적 말초신경병증도 배제해야만 하는 질환이다.

신체 검진

시진

확연한 근육 손실은 없었다.

감각

양측 손가락과 발가락에 이상감각이 있었다(그림 38-1). 통증과 온도감각은 정상적이었지만 양측 다리에서 진동 감각은 저하되어 있었다.

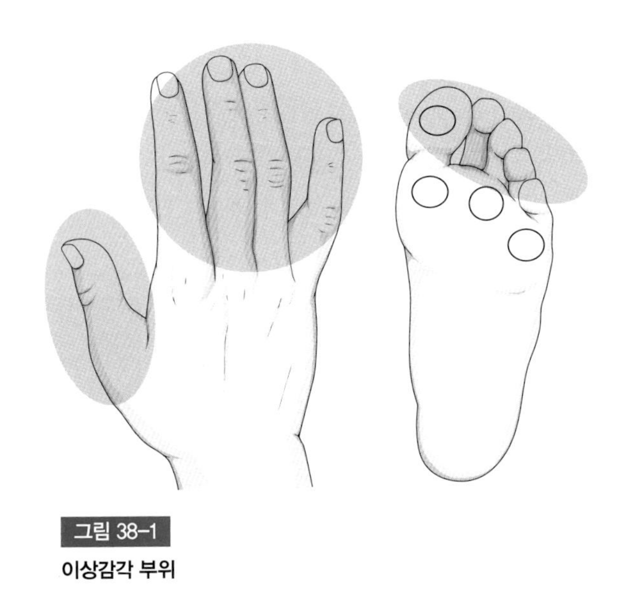

그림 38-1

이상감각 부위

반사

심부건반사는 양측 상하지에서 반응이 저하되어 있었다. 양측 발목반사(ankle jerk)는 유발되지 않았고, 발가락 징후(toe sign)는 양측에서 음성이었다.

도수근력검사

양측 모두에서 정상이었다.

보행

다소 넓은 발 사이 간격에 운동 실조 형태의 보행을 보였고, 일렬보행 시, 몸이 양쪽으로 흔들리는 양상이 관찰되었다.

소뇌기능검사

양측 발꿈치-정강이 검사(heel-to-shin test)에서 경도의 비대칭성을 보였고 손가락-코 검사(Finger-to-nose test)와 빠른 손교대 운동(rapid alternative movement)에서는 정상적이었다.

혈액검사 결과

초기 혈액검사에서 전혈구계산(complete blood cell count, CBC) 검사는 정상적이었으며, 혈중요소질소(blood urea nitrogen, BUN), 크레아티닌(creatinine, Cr), 전해질(electrolyte), 간기능 검사(liver function test), 갑상선기능검사(thyroid function test), 암 지표(tumor markers)를 포함한 기본 화학검사(routine chemistry profile)는 모두 정상이었다. 당화혈색소(glycated hemoglobin, HbA1c, 5.8%, 정상범위 4.0~6.0%) 검사 및 공복혈당검사(FBS, fasting blood sugar, 107 mg/dL, 정상범위 70~110 mg/dL) 또한 모두 정상 범위였다.

이 시점에서 감별진단은?

상기 병력과 신체 검진 소견에서 양측 손가락과 발가락의 이상감각, 심부건반사의 감소, 경도의 하지 운동실조를 보였다. 전신적인 감각 이상은 이런 소견들을 통해 분명해 졌다. 이 시점에서는 다발성 말초신경병증이 가장 가능성 높은 진단이다. 당뇨병성신경병증은 당화혈색소와 공복혈당 수치가 정상범위 내에 속해있어 가능성이 낮다. 부수적인 요천추신경근병증이나 국소적인 말초신경병증은 아직 제외할 수 없다.

전기진단검사 결과

SENSORY NERVE CONDUCTION STUDIES			
NERVE - RECORDING SITE	Onset LAT (ms)	Base-peak AMP (μV)	Peak-peak AMP (μV)
R MEDIAN - Digit II		No response	
R ULNAR - Digit V	**4.05**	**5.2**	4.4
L MEDIAN - Digit II		No response	
L ULNAR - Digit V	2.90	**2.5**	6.4
R MEDIAN vs ULNAR - Digit IV			
MEDIAN	**5.00**	2.4	3.3
ULNAR	3.50	1.8	1.9
L MEDIAN vs ULNAR - Digit IV			
MEDIAN	**5.40**	1.1	2.3
ULNAR	3.40	1.8	2.4
R SUPERFICIAL PERONEAL - Foot	3.05	4.3	5.3
L SUPERFICIAL PERONEAL - Foot	3.45	6.6	7.0
R SURAl - Lateral Malleolus	2.45	8.3	15.8
L SURAL - Lateral Malleolus	3.30	8.8	13.1

MOTOR NERVE CONDUCTION STUDIES				
NERVE - RECORDING SITE	LAT (ms)	AMP (mV)	Distance (cm)	NCV (m/s)
R MEDIAN - Abductor Pollicis Brevis				
Wrist	**6.85**	**4.0**		
Elbow	14.55	**3.6**	23.0	**29.9**
R ULNAR - Abductor Digiti Minimi				
Wrist	**4.75**	8.4		
Elbow	14.15	**3.0**	29.0	**30.9**
L MEDIAN - Abductor Pollicis Brevis				
Wrist	**5.50**	**3.3**		
Elbow	11.75	**3.2**	23.0	**36.8**
L ULNAR - Abductor Digiti Minimi				
Wrist	**3.65**	6.7		
Elbow	9.80	**3.9**	29.0	**30.9**
R COMMON PERONEAL - Tibialis Anterior				
Fibular head	5.50	8.3		
L COMMON PERONEAL - Tibialis Anterior				
Fibular head	5.95	6.4		
R COMMON PERONEAL - Extensor Digitorum Brevis				
Ankle	4.70	6.0		
Fibular head	13.05	**2.1**	34.0	40.7
L COMMON PERONEAL - Extensor Digitorum Brevis				
Ankle	4.75	6.0		
Fibular head	13.40	**2.8**	35.0	40.5
R TIBIAL - Abductor Hallucis				
Ankle	3.25	17.7		
Knee	11.95	12.4	37.0	42.5
L TIBIAL - Abductor Hallucis				
Ankle	4.05	15.2		
Knee	13.55	**2.5**	37.5	41.4

F - WAVE	
NERVE - RECORDING SITE	MIN F LAT (ms)
R MEDIAN - Abductor Pollicis Brevis	**38.10**
R ULNAR - Abductor Digiti Minimi	31.75
L MEDIAN - Abductor Pollicis Brevis	**37.80**
L ULNAR - Abductor Digiti Minimi	26.10
R COMMON PERONEAL - Extensor Digitorum Brevis	54.34
R TIBIAL - Abductor Hallucis	44.40
L COMMON PERONEAL - Extensor Digitorum Brevis	53.30
L TIBIAL - Abductor Hallucis	49.15

MUSCLE	IA	Spontaneous			MUAP			Interference Pattern
		FIB	PSW	CRD/ FASC	AMP	DUR	PPP	
R 1st Dorsal Interosseous	Nl	N	N	N	Nl	Nl	Nl	Complete
R Abductor Pollicis Brevis	Nl	N	N	N	Nl	Nl	Nl	Complete
R Tibialis Anterior	Nl	N	N	N	Nl	Nl	Nl	Complete
R Gasctrocnemius (Medial)	Nl	N	N	N	Nl	Nl	Nl	Complete
R Abductor Hallucis	Nl	N	N	N	Nl	Nl	Nl	Complete
R Extensor Digitorum Brevis	Nl	N	N	N	Nl	Nl	Nl	Complete
R Flexor Carpi Ulnaris	Nl	N	N	N	Nl	Nl	Nl	Complete
R Flexor Carpi Radialis	Nl	N	N	N	Nl	Nl	Nl	Complete
R Biceps	Nl	N	N	N	Nl	Nl	Nl	Complete
R Triceps	Nl	N	N	N	Nl	Nl	Nl	Complete

NEEDLE ELECTROMYOGRAPHY

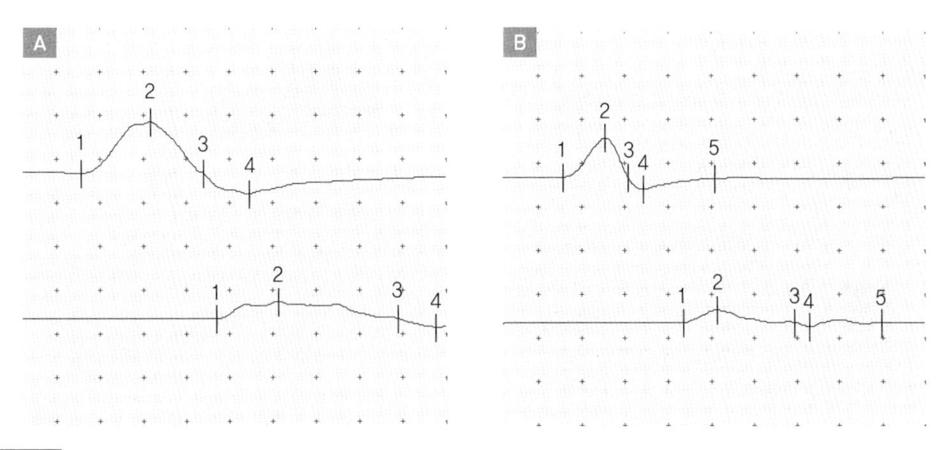

그림 38-2

운동신경전도검사. 두드러지는 복합근육활동전위(compound muscle action potential, CMAP)의 시간분산(temporal dispersion)이 (A) 우측 척골 신경, (B) 총비골 신경에서 기록되었다. [민감도(sensitivity), 5 mV/div; 스윕 속도(sweep speed), 30 msec]

○ 전기진단검사 결과 요약

신경전도검사에서 양측 척골신경과 총비골신경의 두드러지는 복합운동활동전위(compound motor action potential, CMAP)의 시간분산(temporal dispersion)이 보여졌다. 또한 신경전도검사에서 양측 정중신경, 척골신경에서 지연된 말단 운동 잠시(distal motor latency)와 감소된 신경전도속도가 나타났다. 양측 정중신경의 운동반응은 중등도의 감소를 보였고, 감각반응은 유발되지 않았다. 양측 척골신경의 감각반응은 매우 감소되어 있었다. 약지검사(ring finger test)에서는 정중신경과 척골신경의 말단 잠시 차이가 두드러지게 나타났다. 최소 F파 잠시(minimal F latency)는 양측 정중신경에서 지연되었고, 침근전도검사에서는 이상 소견이 관찰되지 않았다.

1. 상기 전기진단검사의 이상은 길이에 의존하지 않는 다발성 탈수초성 감각운동신경병증에 부합한다.
2. 정중신경과 척골신경의 말단 잠시 차이는 동반된 양측 손목부위의 정중신경병증을 시사한다.
3. 전기진단검사 소견을 바탕으로 경추나 요천추신경근병증은 제외할 수 있다.

추가적으로 필요한 검사는?

신경조직검사

비복신경(sural nerve) 조직검사를 시행하였다. 림프구 침착이 없이 국소적으로 수초가 쌓여진 신경섬유가 감소되어 있었다. 전자 현미경 검사와 같은 추가 평가를 하기에 조직이 불충분하였다. 결국 비특이적 변화로 결론지어졌다.

뇌척수액검사

뇌척수액검사에서 단백 수치가 72.3 mg/dL(정상범위 20~40 mg/dL)로 증가되어 있었고, 그 외 성분의 비율은 정상범위였다. 올리고클로날 결합(oligoclonal bands)은 관찰되지 않았다

항체검사

형광 항핵 항체 검사(fluorescent antinuclear antibody test)에서는 약하게 양성 작은 반점 패턴이 나타났다. 기타 항체 검사들(GM1, MAG, SSA/RO, SSB/LA, GD1B)은 모두 음성이었다.

정량적 감각검사(Quantitative sensory test)

정량적 감각검사에서는 사지 모두에서 극도로 심한 감각 저하 소견이 나타났다.

단백 전기이동(protein electrophoresis, PEP)과 면역고정 전기영동(immunofixation electrophoresis, IEP)

단일클론 단백(monoclonal protein, M-protein)을 확인하기 위해 소변과 혈액에서 시행한 단백 전기이동, 면역고정 전기영동은 모두 음성으로 나타났다.

복부와 골반 컴퓨터단층촬영

간에 여러 개의 작은 낭종과 우측 신장에 낭종이 관찰되었다.

전기진단검사 결론

1. 전기진단검사, 임상양상, 혈액 및 기타 검사 소견은 감각 증상과 징후만 보이는 만성염증성탈수초성다발성신경병증의 한 종류인 만성탈수초성감각신경병증(chronic sensory demyelinating neuropathy)에 부합한다.
2. 임상적으로 양측 수근관증후군에 합당한 손목 부위 양측 정중신경병증이 동반되어 있다.

임상 경과

환자는 감각 저하 증상을 매우 불편해 하였지만 통증은 견딜만 하였다. 환자가 정신과 질환을 앓고 있었기 때문에 고용량 스테로이드 치료는 시도하지 않았다. 치료 없이 6개월 뒤에 확인했을 때 증상 변화는 없었다.

고찰

말초신경의 탈수초 상태를 전기진단학적으로 진단하기 위해서는 다음 4가지의 특징 중에 3가지 이상을 만족해야 한다. 1) 2개 이상의 신경에서 전도 속도 감소가 관찰된다. 2) 1개 이상의 신경에서 복합운동활동전위 전도 차단이나 비정상적인 시간분산(temporal dispersion)이 관찰된다. 3) 말단 운동 잠시의 지연이 관찰된다. 4) 최소 F파 잠시가 지연되어 있거나 F파가 관찰되지 않는다.[1] 이번 사례에서 전기진단검사 소견은 상기 기준 중에 첫 3가지를 만족하였다. 뇌척수액 검사 결과상 다른 세포수의 증가 없어 단백수치만 올라가 있었는데 이는 만성염증성탈수초성다발성신경병증의 진단에 부합하는 결과로 볼 수 있다. 신경조직검사의 검체는 부적합하였기 때문에 AAN 연구 기준(AAN research criteria)에 따라 만성염증성탈수초성다발성신경병증의 가능성이 있는 정도(probable CIDP)로 분류된다.[1]

만성염증성탈수초성다발성신경병증을 진단받은 대부분의 환자는 재발하거나 증상이 진행하는 임상경과를 거친다.[2] 코르티코스테로이드, 혈장 교환, 정맥 면역항체(Immunoglobulin) 주입이 만성염증성탈수초성다발성신경병증 치료에 효과가 있다고 알려져 있다.[3] 장기간 경과 관찰한 연구 중, 90% 넘는 만성염증성탈수초성다발성신경병증 환자에서 면역억제치료가 초기에 증상을 호전시켰다는 결과도 있으나 재발률이 46.6%로 보고됐다. 치료약을 복용하지 않은 환자의 40%에서만 부분 또는 완전 관해를 보였다. 환자 중에 2명(3%)은 사망하였다.[4]

이번 사례와 같이 어떤 환자들은 하지의 보행실조, 통증. 이상감각 등을 포함한 독립된 감각 증상들로만 질환이 표현된다.[2] 만성탈수초성감각신경병증(chronic sensory demyelinating neuropathy)이라는 용어는 이와 같이 환자들에게도 적용된다. 만성염증성탈수초성다발성신경병증이 있는 87명의 환자에 대한 리뷰에서 단지 22명(15%)에서만 감각 증상이 있었다. 이 리뷰의 환자 모두는 운동신경전도검사 이상을 보였다. 항 수초 관련 당단백 항체(anti-myelin-associated glycoprotein antibody, anti-MAG antibody) 양성 소견은 7명 중에 3명에서 나타났다. 대부분의 환자들은 질병상태가 경하여서 치료를 받지 않았다.[1] 그러나 만성탈수초성감각신경병증으로 방문한 27명의 환자에 대한 리뷰에서 5명(15%)은 증상 발생 이후 평균 4.5년 뒤에 운동장애가 발생했다. 다른 환자들은 평균 7.2년 뒤까지 경과 관찰한 결과 순수 감각신경병증으로 남아 있었다.[2] Van Dijk 등[5] 순수 감각 증상만 있는 만성염증성탈수초성다발성신경병증은 대략 70%의 환자에서 운동 위약에 선행하는 일시적인 임상단계라고 주장했다.

참고문헌

1. Rotta FT, Sussman AT, Bradley WG, Ram Ayyar D, Sharma KR, Shebert RT. The spectrum of chronic inflammatory demyelinating polyneuropathy. J Neurol Sci 2000;173:129–39.
2. Said G. Chronic inflammatory demyelinating polyneuropathy. Neuromuscul Disord 2006;16:293–303.
3. Saperstein DS, Katz JS, Amato AA, Barohn RJ. Clinical spectrum of chronic acquired demyelinating polyneuropathies. Muscle Nerve 2001;24:311–24.
4. Barohn RJ, Kissel JT, Warmolts JR, Mendell JR. Chronic inflammatory demyelinating polyradiculoneuropathy. Clinical characteristics, course, and recommendations for diagnostic criteria. Arch Neurol 1989;46:878–84.
5. Van Dijk GW, Notermans NC, Franssen H, Wokke JH. Development of weakness in patients with chronic inflammatory demyelinating polyneuropathy and only sensory symptoms at presentation: a long–term follow–up study. J Neurol 1999;246:1134–9.

증례 39

사지에 저린 증상을 주소로 내원한 남자 환자

병력

71세 남자 환자가 내원 10개월 전부터 발과 발목을 포함한 사지에서 서서히 진행하는 양상의 저린 증상을 주소로 내원하였다. 증상은 왼쪽보다 오른쪽이 더 심했다. 저린 증상은 서서히 진행하여 환자는 양쪽 손에서도 불편감을 호소하었다. 환자는 어지러움 때문에 서 있기 힘들다고 하였고, 구음장애(dysarthria)를 호소하였다. 최근에 환자는 혼자서 서 있거나 걷기 힘들어 했다. 환자는 근육질환이나 뇌혈관 질환에 대한 병력을 부인하였다. 가족력에서도 특이한 점은 발견되지 않았다.

환자는 4년 전에 전립선암을 진단받고 전립선 절제술과 호르몬 치료를 시행 받은 이후로 재발되지 않았다. 환자의 병력에서 당뇨병, 갑상선 저하증, 또는 알코올 중독과 같은 다발성말초신경병증의 위험인자는 발견되지 않았다.

이 시점에서 감별진단은?

1. 다발성말초감각운동신경병증(축삭 손상)(sensorimotor peripheral polyneuropathy, axonal)
2. 다발성감각신경병증(sensory polyneuropathy) 또는 신경세포증(neuronopathy)/신경절염(ganglionopathy)
   a. 특발성(idiopathic)
   b. 부신생물성(paraneoplastic)
   c. 쇼그렌병 관련(Sjögren's disease-associated)
3. 만성염증성탈수초성다발성신경병증(chronic inflammatory demyelinating polyneuropathy, CIDP)
4. 양측성 요천추 및 경추 신경근병증(lumbosacral and cervical radiculopathy, bilateral)
5. 동반된 자율신경병증(concomitant autonomic neuropathy)

하지부터 상지까지 진행하는, 양말-장갑 양상의 감각 이상은 축삭성 다발성말초신경병증(peripheral polyneuropathy with length-dependent axonal degeneration)의 전형적인 임상양상이다. 따라서 감각체계와 운동체계에 모두 영향을 미치는 말초신경병증이 가장 의심되는 진단명이다.

하지만, 혼자서 서거나 걷지 못하는 증상이 반드시 운동 기능의 손상과 관련되는 것은 아니다. 고유감각의 심각한 손상 역시 균형 감각의 소실을 초래하여 보행기능의 손상을 가져올 수 있다. 따라서 다발성감각신경병증 또는 신경세포병증(neuronopathy)도 고려해야 될 진단명이다.

만성염증성탈수초성다발성신경병증 역시 고려해야 한다. 하지만, 만성염증성탈수초성다발성신경병증 환자의 대부분은 근위부와 원위부에서 동시에 위약을 호소하는 반면에 상기 환자는 감각 증상만 발생했다는 점이 다르다. 비록 경추부와 요천추에서 문제가 동시에 발생하는 경우는 드물지만, 신경근병증의 가능성을 완전히 배제할 수 없다.

앞서 언급된 진단 외에 기립 시에 발생하는 어지럼증과 관련된 자율신경병증 역시 고려해야 한다.

신체 검진

관찰

양측 족부 근육에서 약간 위축된 소견이 관찰되었다.

의식상태와 뇌신경 검진

의식상태에서 이상 소견은 관찰되지 않았다. 뇌신경 검진에서 경미한 구음장애가 관찰되었다. 구역반사는 정상이었다.

감각

원위부 사지에서 감각 저하가 관찰되었다. 환자는 목 부위와 비교하였을 때, 양쪽 손과 발에 가벼운 촉각을 각각 70~80%, 50% 정도로 느낀다고 응답하였다. 온도감각, 통증, 그리고 진동감각도 동일 부위에서 비슷한 감각 저하가 관찰되었다.

도수근력검사

	Shoulder abductor	Elbow flexor	Elbow extensor	Wrist dorsiflexor	Hand intrinsics	Lower extremity
Right	4	5	5	5	5	5
Left	4	5	5	5	5	5

반사

근신전반사는 모두 저하되어 있었다. 양측 이두근, 삼두근, 상완요골근(brachioradialis), 그리고 슬관절 신전근에서 1+로 측정되었다. 호프만 징후와 바빈스키 징후는 양측 모두 음성이었다.

소뇌기능검사

양측 상지와 하지에 시행한 손가락-코 검사와 발꿈치-정강이 검사(heel to shin test)에서 이상 소견이 관찰되었다. 롬버그 검사(Romberg's test)는 환자가 기립상태에서 안정된 자세를 취하지 못하여 시행하지 않았다.

관절의 가동범위

관절 구축이나 관절 가동 시 통증과 같은 이상 소견은 관찰되지 않았다.

안면근육과 구근육(bulbar muscles)

환자는 눈 감기와 입술 닫기에 어려움을 호소하지 않았다. 하지만 휘파람을 내는 데 약간의 어려움을 호소하였다.

혈액검사 결과

빈혈이 확인되었다(혈색소, 10.7 g/dL; 정상 범위, 13~17 g/dL). 말초혈액 도말(peripheral blood smear)에서 정적혈구성 정색소성 적혈구(normocytic normochromic red blood cells)와 변형적혈구(poikilocytosis)가 관찰되었다. 호산구(eosinophil) 숫자는 14.3%로 증가되었으며(정상범위, 1~5%). 적혈구침강속도는 정상보다 약간 상승하였다(10 mm/hr; 정상범위, 0~9 mm/hr). 갑상선기능검사, 비타민 B_{12}, 엽산, 혈당검사, 크레아틴, 그리고 전해질 수치는 모두 정상이었다.

류마티스 인자, anti-SSA/RO 항체, 그리고 anti-SSB/La 항체, IgG, IgM anti-cardiolipin 항체, 그리고 anti-neutrophil cytoplasm antibody(ANCA) 반응은 음성이었다. 형광항핵항체 검사는 약한 양성이었다.

이 시점에서 감별진단은?

경미한 위약, 양말-장갑 양상의 감각 저하, 근신전반사 저하, 그리고 측정이상증(dysmetria)은 모두 감각신경계를 주로 침범하고 길이-의존성축삭변성다발성신경병증을 시사한다. 따라서 축삭 손상 유형의 다발성감각신경병증이 가장 적합한 진단명이다. 비록 증상은 하지에서부터 시작되었으나, 비특이적인 양상의 감각신경세포병증/신경절병증(neuronopathy/ganglionopathy)도 여전히 감별진단에 포함되어야 한다.

상지와 하지에서 명백한 위약이 관찰되지 않으므로 전형적인 만성염증성탈수초성다발성신경병증의 가능성은 낮다. 어깨의 외전근에서 관찰되는 경미한 위약은 만성염증성탈수초성다발성신경병증 때문이라기보다 수개월 간 부동상태로 지냈던 병력이 원인일 가능성이 높다.

생명을 위협하는 질환에 의해 신경학적 증상이 발현되었을 가능성을 놓치지 않기 위해서는 세심한 관찰이 필요하다. 부신생물성 증후군의 신경학적 발현양상으로 다발성감각신경병증, 감각신경절병증, 자율신경병증이 발생할 수 있다.

전기진단검사 결과

SENSORY NERVE CONDUCTION STUDIES			
NERVE - RECORDING SITE	Onset LAT (ms)	Base-peak AMP (μV)	Peak-peak AMP (μV)
R MEDIAN - Digit II	2.60	35.5	37.3
R ULNAR - Digit V	2.80	**5.4**	5.3
L MEDIAN - Digit II	2.25	**6.6**	10.0
L ULNAR - Digit V	2.05	**3.3**	8.4
R SUPERFICIAL PERONEAL - Foot		No response	
R SURAL - Lateral Malleolus	3.85	11.5	5.2

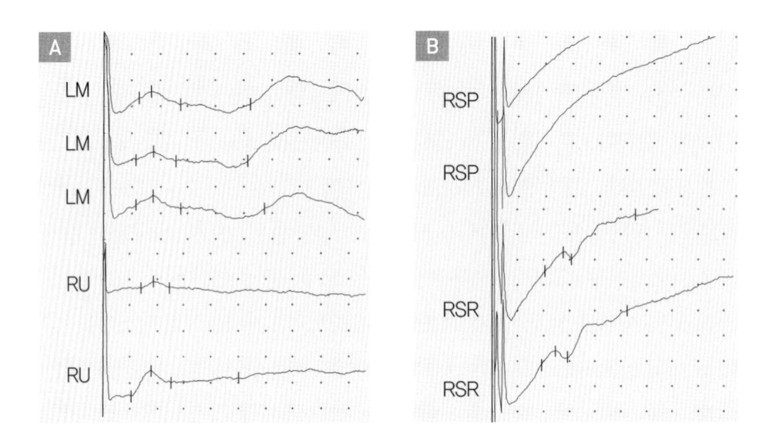

그림 39-1

감각신경활동전위 파형. 상지(A)와 하지(B)의 감각신경활동전위 진폭은 유의하게 감소하였으나, 잠시는 정상범위임. [민감도(sensitivity), 20 µV/div; 스윕 속도(sweep speed), 20 ms] 상지의 감각신경활동전위가 현저하게 감소되었음에도 불구하고 비복 감각신경활동전위가 보존되어 있음. LM, left median. RU, right ulnar. RSP, right superficial peroneal. RSR, right sural.

MOTOR NERVE CONDUCTION STUDIES				
NERVE - RECORDING SITE	LAT (ms)	AMP (mV)	Distance (cm)	NCV (m/s)
R MEDIAN - Abductor Pollicis Brevis				
Wrist	3.35	6.5		
Elbow	7.80	6.2	24.5	55.1
R ULNAR - Abductor Digiti Minimi				
Wrist	2.40	9.6		
Elbow	7.95	6.8	23.0	**48.4**
L MEDIAN - Abductor Pollicis Brevis				
Wrist	3.45	6.4		
Elbow	7.95	5.8	23.0	51.1
L ULNAR - Abductor Digiti Minimi				
Wrist	2.95	5.9		
Elbow	7.25	4.5	21.2	**49.3**
R COMMON PERONEAL - Extensor Digitorum Brevis				
Ankle	4.35	**1.0**		
Fib head	13.35	**0.2**	29.5	**32.8**
R TIBIAL - Abductor Hallucis				
Ankle	4.00	6.7		
Knee	14.55	4.1	38.0	**36.0**

F - WAVE	
NERVE - RECORDING SITE	MIN F LAT (ms)
L MEDIAN - Abductor Pollicis Brevis	28.80
R TIBIAL - Abductor Hallucis	46.70

NEEDLE ELECTROMYOGRAPHY								
MUSCLE	IA	Spontaneous*			MUAP			Interference Pattern
		FIB	PSW	CRD/ FASC	AMP	DUR	PPP	
R Tibialis anterior	Nl	N	N	N	Nl	Nl	Nl	Complete
R Gastrocnemius	Nl	N	N	N	Nl	Nl	Nl	Complete
R First Dorsal Interosseous	Nl	N	N	N	Nl	Nl	Nl	Complete
L First Dorsal Interosseous	Nl	N	N	N	Nl	Nl	Nl	Complete

* Spontaneous activity could not be thoroughly evaluated because of the continuously firing motor unit action potentials in all the sampled muscles.

전기진단검사 결과 요약

감각신경전도검사 결과에서 우측 정중신경을 제외한 모든 상지와 하지의 감각신경활동전위 진폭이 감소되어 있었다. 반면에 감각신경의 원위 잠시는 정상 범위였다. 표재비골신경(superficial peroneal)의 감각신경활동전위는 관찰되지 않았다. 운동 신경전도검사에서 양측 척골신경의 전도속도는 정상범위의 하한선보다 느렸다. 단족지신근(extensor digitorum brevis)에서 측정된 우측 비골신경의 복합근육활동전위 진폭은 정상범위의 하한선보다 작았다. 다른 신경의 복합근육활동전위의 진폭도 정상범위 내로 측정되었지만, 정상범위의 하한선을 겨우 상회하는 정도였다. 하지의 운동신경 전도속도는 정상 속도의 80% 수준이었다.

침근전도검사에서 이상 소견은 관찰되지 않았다. 침근전도검사 중에 특이한 소견은 검사를 시행한 모든 근육에서 긴장을 완전히 풀지 못하여 연속 발화(continous firing)하는 양상이 관찰되었다는 점이었다. 긴장을 완화시키려는 적절한 노력에도 불구하고 운동단위활동전위의 연속 발화 양상은 부종양증후군(paraneoplastic syndrome)을 포함하는 자가면역 반응과 관련된 강직-인간 증후군(stiff-person syndrome)의 가능성을 시사한다.

요약하면, 신경전도검사의 결과에서 운동신경보다 감각신경의 이상 소견이 심하다는 점을 확인할 수 있었다. 전도속도의 감소 정도가 20% 미만인 점은 주된 병태생리학 소견이 탈수초화(demyelination)보다는 축삭병증(axonopathy)임을 시사한다.

하지만 감각 신경을 보다 더 심하게 침범한 축삭성말초신경병증만으로는 잘 설명되지 않는 소견도 있다. 운동신경전도속도의 감소가 상지에 비해 하지에서 두드러지게 나타난 소견은 길이-의존성 축삭변성을 시사한다. 그러나, 운동 신경전도검사 결과와 달리, 감각신경의 이상 소견은 상지와 하지 간의 차이가 크지 않았는데, 이는 축삭 손상 위주의 다발성신경병증보다 감각신경세포병증/감각신경절병증에 합당한 소견으로 보인다.

또한 운동단위의 연속발화 소견은 부종양증후군과 관련된 신경병증의 가능성을 배제시켜서는 안 됨을 시사한다.

따라서 상기 소견을 고려하면:

1. 감각신경절병증 및

2. 강직-인간 증후군
3. 또는 축삭 손상 위주의 다발성감각운동신경병증(감각>운동)이 가능할 것으로 생각된다.

추가적으로 필요한 검사는?

종양 표식자

혈액검사 결과, 여러 종양 표식자의 수치가 상승되어 있었다(표 39-1).

표 39-1 종양 표식자 수치

Tumor marker	Measured value	Normal reference	Unit
Carcinoembryonic antigen (CEA)	2.9	0-5	ng/mL
Prostate - specific antigen (PSA)	<0.002	0-3	ng/mL
Carcinoembryonic antigen 19-9 (CA19-9)	5.1	0-37	U/mL
Neuron specific enolase (NSE)	**33.5**	0-15.2	ng/mL
Tumor antigen-4 (TA-4)	**13.8**	0-2	ng/mL
Fragment of cytokeratin subunit 19 (CYFRA 21-1)	**8.58**	0-2	ng/mL

흉부 X선 촬영

흉부 X선 촬영에서는 별다른 이상 소견이 관찰되지 않았다.

흉부 전산화단층촬영과 양전자방출단층촬영

환자의 체내에 종양 여부를 확인하기 위하여 흉부 전산화 단층촬영을 시행하였다. 검사 결과, 광범위한 림프절 비대가 관찰되어(그림 39-2A와 B), fluoro-deoxyglucose를 사용한 PET-CT를 시행하였다(그림 39-2c).

종양성신경세포 항체 검사

anti-Hu항체가 검출되었다.

우측 액와 림프절 생검

생검 결과는 전이성 신경내분비암종의 병리소견으로 확인되었고, 이는 소세포암(small cell carcinoma)에 합당한 소견이다.

전기진단검사 결론

상기 전기진단검사와 임상결과는 감각신경절병증 및 이와 동반된 강직-인간증후군을 시사하며, 이는 소세포폐암과 연관된 부종양(paraneoplastic) 신경학적증후군으로 생각된다.

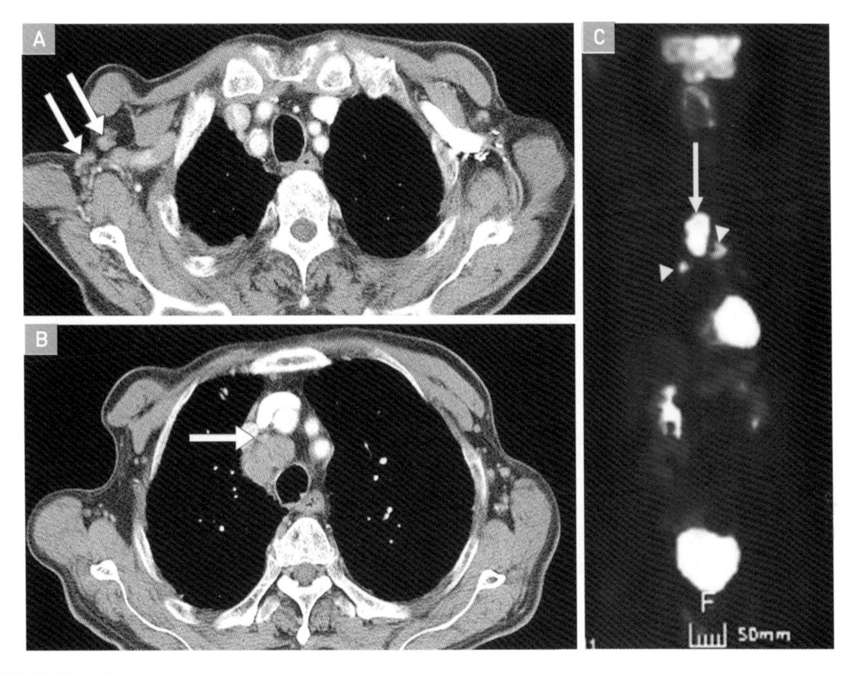

그림 39-2

흉부 전산화단층촬영과 FDG PET-CT. 림프절 비대가 우측 액와(A, 화살표)와 폐문 영역(B, 화살표)에서 관찰되며, 이는 전이성 림프절병을 시사함. FDG PET-CT에서 다수의 대사항진된 림프절이 종격(mediastinum)과 양쪽 기관주위 림프절에서 관찰됨(C, 화살표 머리).

임상 경과

환자는 치료계획을 세우기 위해 종양전문의에게 의뢰되었고, 소세포폐암에 대한 항암치료를 시작하였다.

고찰

부종양 신경학적증후군(paraneoplastic neurologic syndrome)은 종양의 원격효과(remote effect)로 유발되는 신경학적 문제로 정의된다. 기본적인 발병기전은 체액면역과 세포면역 기전을 포함한 자가면역반응으로 알려져 있다.[1] 부종양 신경학적증후군의 발병기전에 대한 상세한 내용(review)을 여기서 다루는 것은 어려우므로 발병기전에 대해서는 문헌을 참고하기 바란다.[2]

특징적인 임상양상을 보이는 부종양 신경학적증후군의 대표적인 사례는 Lambert-Eaton 근무력증후군(myasthenic syndrome), 아급성 소뇌실조(cerebellar ataxia), 변연뇌염(limbic encephalitis), 안간대-근간대(opsoclonus-myoclonus), 종양관련 망막증, 강직-인간증후군(stiff-person syndrome), 만성위장관가폐색(chronic gastrointestinal pseudo-obstruction), 감각신경세포병증(sensory neuronopathy), 뇌척수염(encephalomyelitis), 그리고 피부근염(dermatomyositis)을 들 수 있다. 이러한 증후군은 단독 또는 함께 발생할 수 있다.[3]

부종양 신경학적증후군은 종양 진단 4~6개월 전에 나타난다. 따라서 주의 깊은 임상적 의심이 조기 진단과 종양 치료를 위해 중요하다. 전기진단검사자가 부종양 신경학적증후군을 예상하고 진단 목적의 검사를 적절하게 권고할 경우, 종양치료가 불필요하게 늦어지는 것을 막을 수 있다.

감각신경절병증(ganglionopathy)의 20%만이 부종양 원인에 의해 발생한다는 점을 고려하면,[3] 감별 진단을 위한 체계적인 접근법은 매우 중요하다. 하지만 불행히도 단 하나의 검사로 부종양 신경학적 증후군을 진단할 수 있는 방법은 아직 개발되지 않았다. 따라서 현재로서는 임상양상, 전기생리학 검사, 종양성신경세포(onconeuronal) 항체, 그리고 뇌척수액에서 관찰되는 염증성 변화와 올리고클론띠(oligoclonal band)와 같은 다양한 임상 소견을 토대로 부종양 신경학적증후군을 의심할 수밖에 없다.

부종양 신경학적증후군을 진단하기 위한 첫째 단계에서 부종양 항체검사는 반드시 포함되어야 한다. 하지만 상기 증례처럼 종양성 신경세포 항체가 없다는 이유로 부종양 신경학적증후군을 배제할 수는 없는데, 아직까지 종양성 신경세포 항체 검사의 민감도가 낮기 때문이다. 현재까지 보고된 바에 의하면 종양성 신경세포 항체는 부종양 신경학적증후군 환자의 50% 미만에서만 발견되는 것으로 알려져 있다.[4] 다음 단계에서는 흉부 또는 복부 전산화단층촬영과 양전자방출단층촬영술(PET)과 같은 영상검사가 포함되어야 한다. 흉부 X선촬영의 낮은 민감도로는 국소적으로 존재하는 크기가 작은 종양을 찾기 어렵다. 만약 소세포 폐암이 의심된다면, 흉부 전산화단층촬영을 반드시 시행해야 한다. 종양성 신경세포 항체 검사 결과는 양성이나 영상검사 결과는 음성인 환자의 경우, fluoro-deoxyglucose을 이용한 양전자방출단층촬영술의 시행을 고려해야 한다.[3] 또는 흉부 전산화단층촬영을 3~6개월 내에 반복적으로 시행하는 방법도 고려할 수 있다.[5]

상기 증례의 경우, 의료진의 철저한 임상적 의심과 이해 덕분에 비교적 이른 시기에 종양을 찾을 수 있었다.

참고문헌

1. Dalmau J, Rosenfeld MR. Paraneoplastic Neurologic Syndrome. In: Kasper DL, Harrison TR, eds. Harrison's principles of internal medicine. 16th ed. New York: McGraw-Hill, Medical Pub. Division; 2005:571-5.
2. Darnell RB, Posner JB. Paraneoplastic Syndromes Involving the Nervous System. N Engl J Med 2003;349:1543-54.
3. Honnorat J, Antoine JC. Paraneoplastic neurological syndromes. Orphanet J Rare Dis 2007;2:22.
4. Graus F, Delattre JY, Antoine JC, et al. Recommended diagnostic criteria for paraneoplastic neurological syndromes. J Neurol Neurosurg Psychiatry 2004;75:1135-40.
5. Amato AA, Dumitru D. Acquired Neuropathies. In: Dumitru D, Zwarts MJ, eds. Electrodiagnostic medicine. 2nd ed. Philadelphia: Hanley & Belfus; 2002:937-1042.

증례
40

안면 근육 위약과 삼킴 곤란이 있는 남자

병력

65세 남자가 진행하는 안면 근육의 위약과 사레가 자주 들리는 증상으로 외래를 방문하였다. 35년 전부터 씹고 삼키는 동작이 약간 어렵다는 것을 인지하였다. 10년 전부터 양측 손아귀 힘이 약해졌고 등산가는 것이 힘들어졌다고 했다. 최근 들어 근육의 위약과 위축이 심해졌다. 당뇨병이나 기타 내과적 질환은 없었다.

이 시점에서 감별진단은?

1. 운동신경원병(motor neuron disease)
2. 후천성 혹은 유전성 근병증(myopathy, acquired or hereditary)
3. 신경근접합부질환(neuromuscular junction disorder)
4. 뇌간 병변(brain stem lesion)

환자는 별다른 감각 결손(sensory deficit)은 없이 사지와 연수(bulbar) 근육이 천천히 약해지는 증상을 보이고 있기 때문에 운동 신경계에 문제가 있다고 의심할 수 있다. 운동신경원병, 근병증질환, 신경근접합부질환들을 감별해야 한다. 연수 증상(bulbar symptom)이 주소이기 때문에 운동신경원병을 우선 생각해야 한다. 근위약의 발병 시기가 상대적으로 일렀고(30세 경) 진행이 수십 년에 걸쳐 느리게 일어난 점은 근위축측삭경화증(amyotrophic lateral sclerosis, 이하 ALS)과 맞지 않는다. 등산을 하지 못한다는 것은 근위부 근위약을 의미하는 것이기 때문에 근병증질환을 시사하는 소견이다. 근병증질환 중에서 염증성근병증(inflammatory myopathies)은 연수 위약을 동반한다. 하지만 피부근염(dermatomyositis)과 다발근염은 이 증례보다 빠른 진행 속도(수일에서 수개월)를 보인다. 봉입체근염(Inclusion body myositis)은 느린 진행과 연하곤란(dysphagia)을 동반한다는 점에서 이 증례와 유사하지만 50세 이상에서 발병하는 점에서는 맞지 않는다. 중증근무력증(myasthenia gravis)과 같은 신경근접합부질환도 연수와 상지 근육에 근위약을 가져올 수 있다. 추가로 뇌간 병변도 감별해야 한다.

신체 검진

시진

좌측 수부 골간근(interossei)에 위축이 관찰되었으나 기타 상지나 전완부 근육에 확실한 위축 소견은 없었다.

감각

우측 요추 5번 피부분절(dermatome)에 약한 감각 저하(hypesthesia)를 호소하였다.

도수근력검사

	Shoulder abductor	Elbow flexor	Elbow extensor	Wrist dorsiflexor	Finger abductor	Lower extremities
Right	5	5	4+	5	5	5
Left	5	5	4+	5	5	5

반사

양측 이두근, 손목, 슬관절, 족관절 반사는 저하(grade 1)되어 있었다. 구역 반사(gag reflex)도 양측에서 저하되어 있었다.

음성

가래 끓는 소리가 났고 비음이 섞여 있었다.

혈액검사 결과

전혈구계산(complete blood count), 적혈구침강속도(erythrocyte sedimentation rate), C−반응단백질(C−reactive protein)은 정상 범위 내에 있었다. 혈청 크레아티닌키나아제(creatine kinase, 이하 CK)와 젖산탈수소화효소(lactate dehydrogenase) 수치는 각각 665 IU/L(정상치, 20~270 IU/L)와 222 IU/L(정상치, 100~225 IU/L)였다. 혈당을 포함한 일반화학검사(routine serum chemistry)는 정상이었다.

이 시점에서 감별진단은?

원위부 근위약과 위축은 운동신경원병이나 특수한 유형의 근병증을 의미한다. 그러나 전신적으로 근신장반사(muscle stretch reflex)가 저하된 것은 ALS와 맞지 않는다. 피질척수로(corticospinal tract)를 덜 침범하는 운동신경원병도 고려해야 한다. 혈청 CK 수치가 높은 것은 일부 운동신경원병과 봉입체근염을 시사하나 발병 시점을 생각하면 후자는 가능성이 낮다. 상기 소견으로 신경근접합부질환을 완전히 배제할 수는 없다. 뇌간 병변을 배제하기 위해 뇌 자기공명영상도 확인해야 한다. 신체 검진과 검사 결과도 동일한 감별진단을 시사했다.

전기진단검사 결과

SENSORY NERVE CONDUCTION STUDIES			
NERVE - RECORDING SITE	Onset LAT (ms)	Base-peak AMP (μV)	Peak-peak AMP (μV)
R MEDIAN - Digit II	2.55	**2.4**	**9.5**
R ULNAR - Digit V	3.25	**1.3**	**5.6**
L MEDIAN - Digit II	2.65	**3.0**	**8.9**
L ULNAR - Digit V	2.60	**2.8**	**6.0**
R SUPERFICIAL PERONEAL - Foot		**No response**	
R SURAL - Lateral Malleolus	2.75	**6.0**	**4.8**
L SUPERFICIAL PERONEAL - Foot		**No response**	
L SURAL- Lateral Malleolus	2.75	**5.5**	**5.6**

MOTOR NERVE CONDUCTION STUDIES				
NERVE - RECORDING SITE	LAT (ms)	AMP (mV)	Distance (cm)	NCV (m/s)
R MEDIAN - Abductor Pollicis Brevis				
Wrist	**4.65**	**4.4**		
Elbow	8.40	**4.2**	20.5	54.7
R ULNAR - Abductor Digiti Minimi				
Wrist	3.20	7.2		
Elbow	6.60	7.1	20.4	60.0
L MEDIAN - Abductor Pollicis Brevis				
Wrist	**4.80**	7.4		
Elbow	8.85	6.5	21.0	51.9
L ULNAR - Abductor Digiti Minimi				
Wrist	2.80	7.4		
Elbow	6.40	7.1	22	61.1
R COMMON PERONEAL - Extensor Digitorum Brevis				
Ankle	4.35	5.8		
Fibular head	11.1	4.5	32.5	48.1
R TIBIAL - Abducotr Hallucis				
Ankle	3.95	14.5		
Knee	12.80	6.0	35.5	40.1
L COMMON PERONEAL - Extensor Digitorum Brevis				
Ankle	3.65	6.4		
Fibular head	11.25	4.1	33.0	43.4
L TIBIAL - Abducotr Hallucis				
Ankle	5.35	19.3		
Knee	12.60	9.7	36.0	49.7

F - WAVE	
NERVE - RECORDING SITE	MIN F LAT (ms)
R MEDIAN - Abductor Pollicis Brevis	**No response**
R ULNAR - Abductor Digiti Minimi	27.65
R COMMON PERONEAL - Extensor Digitorum Brevis	50.65
R TIBIAL - Abductor Hallucis	45.40
L MEDIAN - Abductor Pollicis Brevis	30.60
L ULNAR - Abductor Digiti Minimi	29.35
L COMMON PERONEAL - Extensor Digitorum Brevis	52.50
L TIBIAL - Abductor Hallucis	49.05

NEEDLE ELECTROMYOGRAPHY								
MUSCLE	IA	Spontaneous			MUAP			Interference Pattern
		FIB	PSW	CRD/FASC	AMP	DUR	PPP	
R Abductor Pollicis Brevis	Nl	**1+**	**1+**	N	**Inc**	**Long**	Nl	**Reduced**
R First Dorsal Interosseous	Nl	N	**1+**	N	**Inc**	**Long**	Nl	Complete
R Flexor Carpi Radialis	Nl	N	N	N	**Inc**	**Long**	Nl	**Reduced**
R Tibialis Anterior	Nl	N	N	N	**Inc**	**Long**	Nl	**Reduced**
L Tibialis Anterior	Nl	N	N	N	**Inc**	Nl	**Nl/Inc**	Complete
R Temporalis	Nl	N	N	N	Nl	Nl	Nl	Complete
R Masseter	Nl	N	N	N	Nl	Nl	**Nl/Inc**	Complete
R L4 Paraspinals	Nl	N	**1+**	N				
R L5 Paraspinals	Nl	N	**1+**	N				

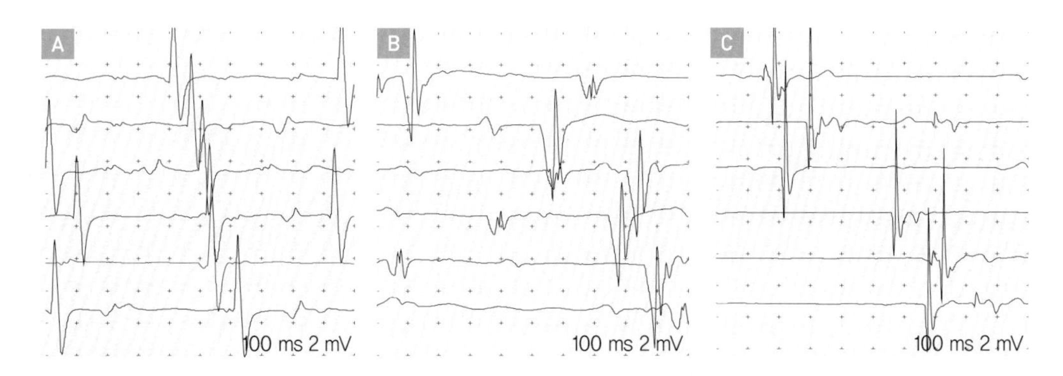

그림 40-1

침근전도 파형. 우측 단무지외전근(abductor pollicis brevis)[A. 민감도(sensitivity), 2 mV/div; 스윕 속도(sweep speed), 100 ms]과 요골수근굴근(flexor carpi radialis)(B. 민감도, 5 mV/div; 스윕 속도, 100 ms)에서 지속시간(duration)이 길고 진폭이 큰 운동단위활동전위(MUAP)가 관찰되었다. 진폭이 큰 운동단위활동전위는 좌측 전경골근(tibialis anterior muscle)(C. 민감도, 2 mV/div; 스윕 속도, 100 ms)에서도 보였다.

전기진단검사 결과 요약

모든 감각신경활동전위(SNAP)에서 잠시(distal latency)는 정상이면서 진폭은 감소되었거나 유발되지 않았다. 이는 감각신경의 축삭병증 혹은 감각신경의 세포병증을 의미한다. 대부분의 운동신경의 잠시와 진폭은 정상이었으나 양측 정중신경(median nerve)은 잠시가 약간 지연되어 있었고 우측 단무지외전근에서 측정된 복합근육활동전위(CMAP)는 약간 낮았다. F-파의 최소 잠시는 정상이었지만 우측 단무지외전근에서는 F-파가 유발되지 않았다. 침근전도에서는 우측 수부 내재근(hand intrinsic muscles)과 요추 척추주위근(paraspinal muscle)에서 경미한 막불안정성(membrane instability) 소견을 보였다. 진폭이 크고 지속시간이 긴 운동단위활동전위들이 사지와 연수 근육에서 관찰되었다. 일부 근육에서 간섭양상(interference pattern)이 감소되어 있었고 운동단위활동전위의 불안정성은 보이지 않았다.

침근전도 소견과 대체적으로 정상적인 운동신경전도검사는 운동 신경세포(motor neuron)나 신경근(nerve root) 등에 장애가 있다는 것을 의미한다. 운동단위활동전위의 신경병적 양상(neurogenic configuration)은 근병증이나 신경근접합부질환과 맞지 않았다. 이러한 소견은 운동신경원병에 더 가까운 병력과 신체 검진 소견과도 부합된다. 하지만 비정상적인 감각 전도 검사 결과를 고려해야만 한다. 이 환자는 운동신경원병에서 보이는 전기진단학적 소견을 보였지만 운동신경원병에서는 일반적이지 않은 감각 신경 전도 검사 이상이 있었다. 환자는 운동감각신경세포병증(neuronopathy)이 있었다.

상기 전기진단학적 결과는 연수와 사지 근육을 침범하는 복합된 운동감각신경세포병증을 시사한다. 임상적으로 X연관 연수척수근위축증(X-linked bulbospinal muscular atrophy, Kennedy's disease)이나 상염색체우성 연수척수근위축증(autosomal dominant bulbospinal muscular atrophy, 근위부 유전성 운동감각신경병증/신경세포병증(proximal hereditary and sensory neuropathy/neuronopathy; HMSNP))이 의심된다.

추가적으로 필요한 검사는?

뇌 자기공명영상

뇌에는 특기할 만한 병변이 관찰되지 않았다(그림 40-2).

유전자 검사

가계도는 X연관 열성 유전(X-linked recessive inheritance)을 나타낸다(그림 40-3). X연관 연수척수근위축증에 대한 유전자 검사를 시행하였다. 이 질환은 특징적으로 안드로겐수용체(androgen receptor) 유전자에 CAG 반복이 증가하는 변이(mutation)를 보인다. 그 결과, 44개의 CAG반복수를 보였고(정상범위, 19~25) 이로써 소위 케네디병(Kennedy's disease)로 일컬어지는 X연관 연수척수근위축증을 확진할 수 있었다.[1]

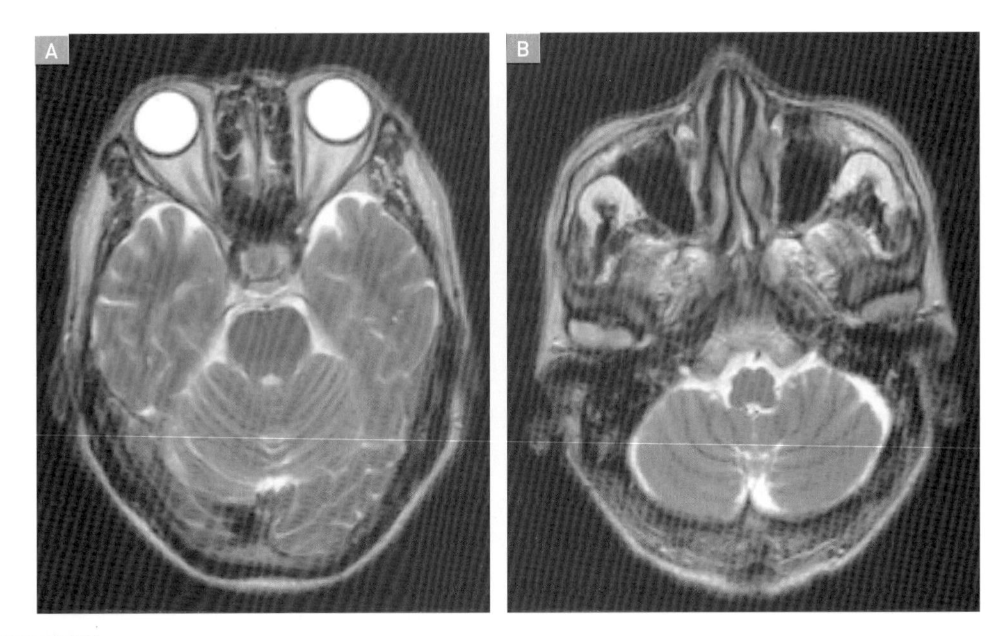

그림 40-2

뇌 자기공명영상. 대뇌(cerebrum)와 교뇌(pons) (A), 소뇌(cerebellum)와 연수(medulla oblongata)에서 병변이 관찰되지 않았다.

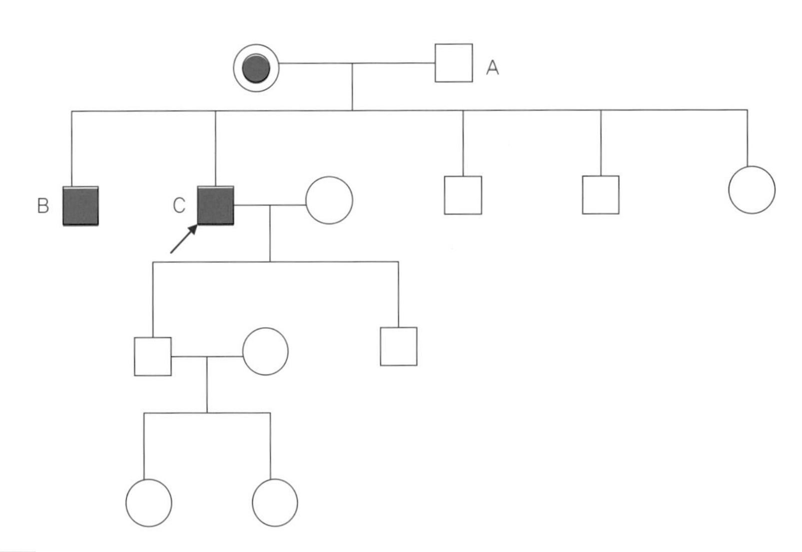

그림 40-3

환자의 가계도(pedigree). 환자(C)는 세 형제와 두 자매가 있었다. 환자의 모친(A)은 보인자(carrier)였고 환자의 형제(B) 역시 유사한 증상을 겪고 있었다. 환자는 세 자녀와 세 손자손녀가 있었는데 별다른 증상이 없었다.

전기진단검사 결론

임상소견, 전기진단학적 결과, 유전자 검사는 X연관 연수척수근위축증(케네디병, Kennedy's disease)을 확증한다.

임상 경과

전기생리학적 검사 후에 환자는 riluzole 50 mg과 ascorbic acid 1 g을 매일 복용하였다. 케네디병을 진단받은 후로 2년간 근위약이 경미하게 진행되었다. 이전에는 계단 오르는 것이 힘들지 않았으나 점차 더 힘들어지고 있었다. 음식물 섭취시 유연(drooling)은 다소 심해졌으나 흡인(aspiration) 경향은 호전되었다.

고찰

케네디병은 흔하지 않지만 임상적, 근전도적 소견은 운동신경원병의 양상과 비정상적인 감각 신경 전도 검사 소견을 보이는 것이 특징적이다. 케네디병은 사지와 연수에 진행성 위약과 위축을 보인다는 점에서 ALS와 유사하다. 하지만 원위부보다 심한 근위부 근위약, 이른 발병시기, 느린 진행, 상위 운동신경 징후가 없다는 점에서는 ALS와 구별된다. 이에 더해 여성유방증(gynecomastia)과 고환 위축증(testicular atrophy)은 케네디병을 의심할 수 있게 하는 소견이다. 전기생리학적인 검사는 운동신경원병의 양상과 비정상적인 감각 신경 전도 검사 소견을 보이는 것이 특징적이다.[2] 이 환자는 사지와 연수 위약, 이른 발병시기와 느린 진행, 심부건반사 저하, 혈청 CK수치의 경미한 상승, X연관 유전 양상, 복합된 운동감각신경세포병증 등의 전형적인 모습을 보이기도 했지만 케네디병 환자들이 흔히 갖는 여성유방증이나 고환 위축증, 당뇨병은 없었다. 그리고 근위부보다 원위부 근위약이 더 뚜렷했던 것 역시 전형적이지 않은 소견이었다.

참고문헌

1. La Spada AR, Wilson EM, Lubahn DB, et al: Androgen receptor gene mutations in X-linked spinal and bulbar muscular atrophy. Nature 1991;352:77-9.
2. Dumitru D. Electrodiagnostic medicine. In: Amato AA, Zwarts M, eds. Disorders affecting motor neurons. 2nd ed. Philadelphia: Hanley & Belfus, 2002:593-4.

증례 41

애성이 있는 세 환자

41-1. 목 수술 후 애성이 생긴 여자

○ 병력

49세 여자 환자가 한 달 전에 갑상선절제술(thyroidectomy)을 시행받고 발생한 애성(hoarse voice)을 주소로 내원하였다. 수술은 4 cm 크기의 선종성갑상선종(adenomatous goiter)을 제거하기 위해 시행되었다. 수술 중에 종양 종괴와 인접한 좌측 반회후두신경(recurrent laryngeal nerve)이 손상되었고 즉시 신경봉합술(neurorrhaphy)을 시행하였다. 수술 후 환자는 애성과 함께 물을 삼킬 때 사레가 들리는 증상이 생겼다. 그녀는 이비인후과의 음성 클리닉을 방문한 후 음성 문제의 신경학적 원인에 대한 평가를 위해 근전도실로 의뢰되었다.

○ 후두경 소견

좌측 성대주름(vocal fold)의 부동성(immobility)이 관찰되었다. 이는 좌측 성대마비를 의미한다(그림 41-1).

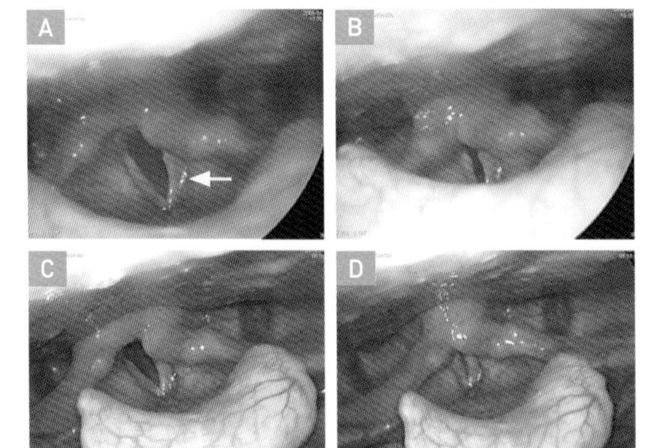

그림 41-1

후두경 검사. 첫 후두경 검사에서 좌측 성대주름이 마비로 인해 활꼴로 휘어서 고정되어 있고(A, 화살표) 발성 시에도 내전(adduction)되지 않는다(B). 2개월 후 추적 검사 때 성대주름이 휜 정도는 다소 줄었으나 여전히 단축되고 움직임이 저하되어 있다(C). 발성 시 내전은 정상에 가까웠다(D).

전기진단검사 결과

NEEDLE ELECTROMYOGRAPHY								
MUSCLE	IA	Spontaneous			MUAP			Interference Pattern
		FIB	PSW	CRD/ FASC	AMP	DUR	PPP	
R Thyroarytenoid	Nl	N	N	N	Nl	Nl	Nl	Complete
R Cricothyroid	Nl	N	N	N	Nl	Nl	Nl	Complete
L Thyroarytenoid	**Inc**	**2+**	**2+**	N	Nl	Nl	Nl	**No activity**
L Cricothyroid	Nl	N	N	N	Nl	Nl	Nl	Complete

전기진단검사 결과 요약

중등도(grade two positive)의 비정상자발전위(abnormal spontaneous activity)가 좌측 갑상피열근(thyroarytenoid muscle)에서 관찰되었고 발성을 시켜도 운동단위활동전위(MUAP)가 유발되지 않았다. 우측 갑상피열근과 양측 윤상갑상근은 정상이었다. 후두근전도(laryngeal EMG)는 분명한 좌측 반회후두신경의 축삭 손상(axonal damage)을 보였다. 그러나 완전 혹은 부분 축삭 손상(axonotmesis)인지와 예후(prognosis)는 수술 후 한 달밖에 경과하지 않아서 판단하는 데 제한이 있었다. 덧붙여, 후두 신경 손상에서 장기적인 예후를 예측하는 데 유용한 것으로 알려져 있는 신경전도검사가 불가능하였다.

전기진단검사 결론

전기진단학적 검사 결과는 좌측 반회후두신경병증을 시사하며 신경재분포(reinnervation)의 증거는 관찰되지 않음

임상 경과 및 추적근전도 검사

근전도 검사 2개월 후 주관적으로 느끼는 애성은 호전되었다. 후두경으로 봤을 때도 성대주름이 휜 정도는 호전되었지만 여전히 움직임이 완전하지는 않았다. 3개월 후 손상된 반회후두신경의 상태를 평가하기 위해 근전도 검사를 다시 시행하였다.

NEEDLE ELECTROMYOGRAPHY								
MUSCLE	IA	Spontaneous			MUAP			Interference Pattern
		FIB	PSW	CRD/ FASC	AMP	DUR	PPP	
R Thyroarytenoid	Nl	N	N	N	Nl	Nl	Nl	Complete
R Cricothyroid	Nl	N	N	N	Nl	Nl	Nl	Complete
L Thyroarytenoid	Nl	N	N	N	Nl	Nl	**Inc**	**Reduced**
L Cricothyroid	Nl	N	N	N	Nl	Nl	Nl	Complete

전기진단검사 결과 요약

이전 검사와 달리, 갑상피열근에서 관찰되었던 비정상자발전위는 없었다. 발성 시, 간섭양상(interference pattern)은 감소되었지만 다상성(polyphasicity)이 증가된 운동단위활동전위가 여러개 관찰되었다. 추적 검사 결과는 반회후두신경의 손상은 부분적인 축삭 손상이고 현재 신경재분포가 이루어지고 있음을 의미한다.

41-2. 고음을 낼 때 애성이 있는 여자

병력

육아종성갑상선염(granulomatous thyroiditis)이 있는 53세 여환이 갑상선전절제술(total thyroidectomy)을 받았다. 수술 후 애성을 호소하였는데 고음을 낼 때 두드러졌다. 수술을 위해 반회후두신경을 절단할 필요는 없었다. 수술 중 신경 손상에 대한 기록은 없었다. 수술 후 5개월에 근전도실로 의뢰되었다.

후두경 소견

후교련(posterior commissure)이 비후되어 있었다. 성대주름이나 피열연골(arytenoid cartilage)은 양측 다 잘 움직였다(그림 41-2).

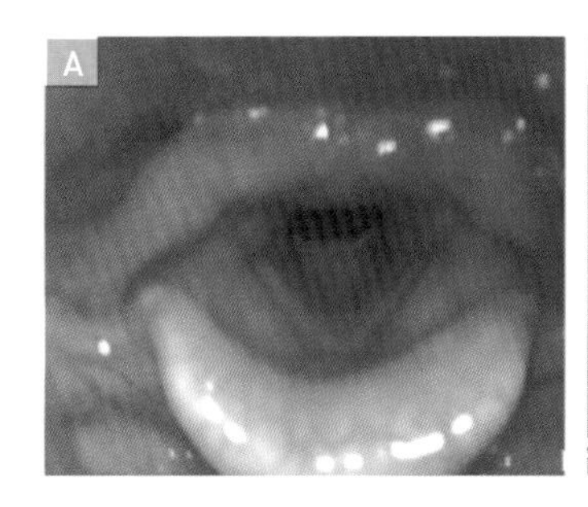
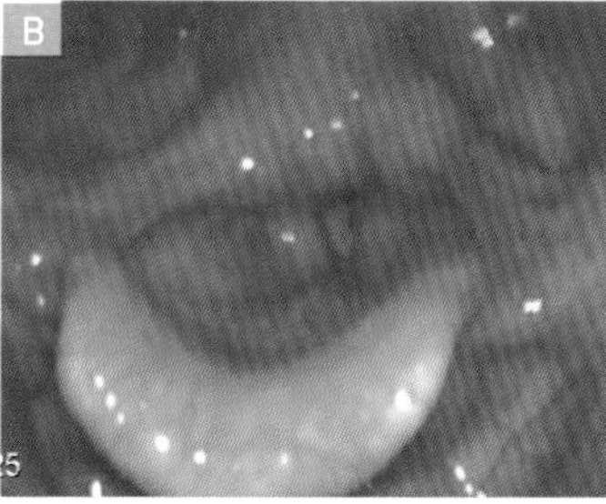

그림 41-2
후두경 검사. 성대 마비 소견은 관찰되지 않았다(A). 발성 시, 양측 성대주름과 피열연골이 잘 움직였다(B).

검사 결과

초기 검사는 전혈구계산(complete blood count)와 혈중요소질소(blood urea nitrogen), 크레아티닌(creatinine), 전해질(electrolytes), 적혈구침강속도(erythrocyte sedimentation rate), 혈당, 알부민, 간효소(liver enzyme), 갑상선기능검사를 포함한 일반 화학검사(routine chemistry profile)를 시행하였는데 전부 정상이었다.

전기진단검사 결과

NEEDLE ELECTROMYOGRAPHY								
MUSCLE	IA	Spontaneous			MUAP			Interference Pattern
		FIB	PSW	CRD/FASC	AMP	DUR	PPP	
R Thyroarytenoid	Nl	N	N	N	Nl	Nl	Nl	Complete
R Cricothyroid	**Inc**	N	N	N	**Inc**	Nl	**Inc**	Complete
L Thyroarytenoid	Nl	N	N	N	Nl	Nl	Nl	Complete
L Cricothyroid	Nl	N	N	N	Nl	Nl	Nl	Complete

전기진단검사 결과 요약

우측 윤상갑상근에서 비정상자발전위는 관찰되지 않았지만 삽입전위(insertional activity)가 증가되어 있었고 진폭과 다상성이 증가된 운동단위활동전위가 관찰되었다.

전기진단검사 결론

상기 결과는 우측 상후두신경(superior laryngeal nerve injury)에 경미한 부분적인 축삭 손상(axonotmesis)이 있고 회복이 거의 완료되었음을 의미한다.

임상 경과

추적 관찰을 지속하였고 시간이 지나면서 증상은 호전되었다.

41-3. 애성이 있는 남자

병력

47세 남자 환자가 두부 외상 후 발생한 애성을 주소로 내원하였다. 이년 전에 다이빙하다가 좌측 소뇌(cerebellum)와 뇌실내 출혈이 주요 소견인 외상성 뇌내출혈(traumatic intracranial hemorrhage)이 생겼다. 사고 후 기능적인 장애가 남아서 우측 편마비(hemiplegia), 실어증(aphasia), 좌측 안면마비(facial palsy), 연하곤란(dysphagia)과 애성이 생겼다. 애성은 천천히 호전되었으나 정상으로 돌아오지 않았다.

하부뇌신경 검진(Lower cranial nerve exam)

혀 움직임은 다소 저하되어 있었으나 구역반사(gag reflex), 입술오므리기(lip sealing), 저작근(masseter) 근력은 정상이었다.

후두경 소견

성대주름 마비가 있어서 우측 방정중(paramedian)에 위치하여 고정되어 있는 것이 관찰되었다(그림 41-3).

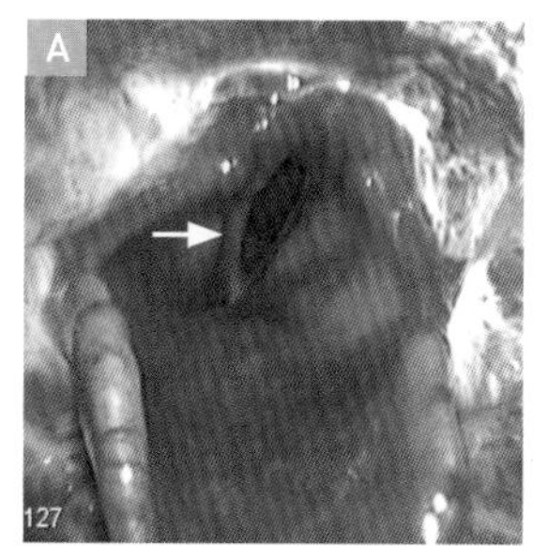

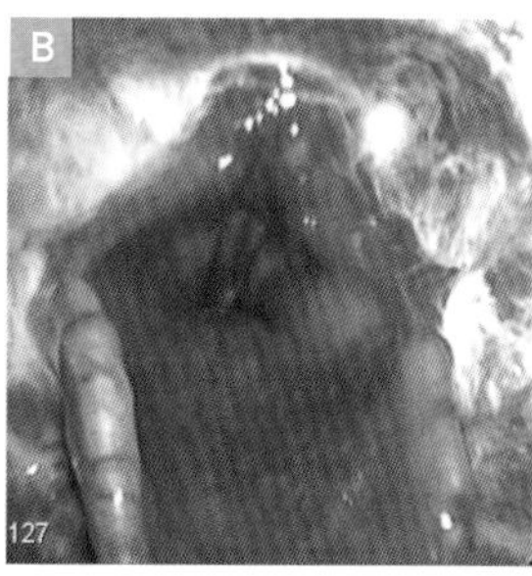

그림 41-3

후두경 검사. 발성 시 내전은 거의 완전하게 이루어지나(B) 우측 성대주름이 마비되어 있어서 휴식 시에 방정중에 위치해 있다(A, 화살표). 상부식도괄약근(upper esophageal sphincter)의 이완이 불량하여 연하(swallowing) 후에도 희끄무레한 음식 잔여물이 후두 주변에서 관찰된다.

비디오투시 연하검사(videofluoroscopic swallowing test)

상부식도괄약근이 완전히 이완하지 못하여 액체가 성문하 흡인(subglottic aspiration)되었다.

전기진단검사 결과

NEEDLE ELECTROMYOGRAPHY

MUSCLE	IA	Spontaneous			MUAP			Interference Pattern
		FIB	PSW	CRD/FASC	AMP	DUR	PPP	
R Thyroarytenoid	Nl	N	N	N	Nl	**long**	**Inc**	**Single**
R Cricothyroid	Nl	N	N	N	Nl	**long**	**Inc**	**Discrete**
L Thyroarytenoid	Nl	N	N	N	Nl	Nl	Nl	Complete
L Cricothyroid	Nl	N	N	N	Nl	Nl	Nl	Complete

전기진단검사 결과 요약

우측 갑상피열근에서 지속시간(duration)이 긴 다상성운동단위활동전위가 단일(single)간섭양상으로 관찰되었다. 우측 윤상갑상근에서는 지속시간이 긴 다상성운동단위활동전위가 이산(discrete)간섭양상으로 관찰되었다.

전기진단검사 결론

이 전기진단학적 검사는 중증 축삭침범의 우측 미주신경병증을 시사한다. 만성 탈신경(denervation) 상태로 신경 재생의 증거는 미미하다.

임상 경과

보존적으로 연하곤란에 대한 처치를 위해 구식도관(oroesophageal tube) 식이를 시행하였다. 추가로 이비인후과 의사가 상부식도괄약근에 50 IU의 보툴리눔독소A 주사를 시행하였다.

세 증례에 대한 고찰

후두 구조물의 해부학[1]

후두는 발성과 연하 시 음식물로부터 기도를 보호하는 데 중요한 역할을 수행한다. 성대주름의 모양과 움직임은 외후두근(extrinsic laryngeal muscles)의 영향을 받는다. 외측윤상피열근(lateral cricoarytenoid), 갑상피열근, 피열간근(interarytenoid)은 성대를 내전시키고 후(posterior)윤상피열근은 성대를 외전시킨다. 윤상갑상근은 갑상연골과 윤상연골 간의 거리를 좁힘으로써 성대를 신장시킨다. 후두 구조물의 주요 지배 신경은 상후두(superior laryngeal)신경과 반회후두신경이다. 상후두신경은 외지(external branch)와 내지(internal branch)로 분지한다. 외지는 윤상갑상근과 하인두수축근(inferior pharyngeal constrictor muscle)의 일부를 지배한다. 내지는 후두의 점막에 분포하고 감각을 담당한다. 반회후두신경은 윤상갑상근을 제외한 모든 후두 근육들을 지배한다. 그리고 상부 기관(trachea)과 성문하(subglottis) 감각을 담당한다.

후두 손상(laryngeal injury)의 유형

후두 손상의 원인은 체외(extracorporeal, 외적)와 후두내(endolaryngeal, 내적) 원인으로 나눌 수 있다. 외적 원인에 의한 손상은 둔력(blunt force)이나 예리한 물체에 찔려서 파열(rupture)이 생겼을 때를 일컫는다. 상후두신경은 갑상선암 수술 중에 쉽게 손상될 수 있다. 이 경우, 침근전도검사에서 윤상갑상근에서 비정상자발전위가 관찰될 수 있다. 폐암 수술을 비롯한 각종 흉부외과 수술 시 반회후두신경, 특히 좌측이 손상될 수 있다. 기관내 삽관(endotracheal intubation)는 내적 손상의 원인 중 큰 부분을 차지한다. 삽관 시 후두 구조물이 직접적으로 외상을 입거나 피열연골이 아탈구(subluxation)되거나 기관내관의 풍선(cuff)에 눌려서 반회후두신경의 전지(anterior branch)가 선택적으로 손상을 입을 수 있다.[2]

성대 마비의 비외상성 이유로는 신생물(neoplasm), 염증(inflammation), 중추신경계 문제(central nervous system disturbance)과 그 외 원인을 모르는 경우도 있다. Rosenthal 등[3]은 성대 주름 부동성이 있는 127명의 환자에서 원인을 분석해 보았다. 가장 흔한 원인은 수술적 의인성(iatrogenic) 손상(46.3%)이었고, 특발성(17.6%), 후두 외부의 암(extralaryngeal malignancy)이 뒤를 이었다.

후두근전도를 둘러싼 논란

후두근전도와 유발(evoked) 후두근전도 소견은 성대주름 부동성의 원인을 진단하는데에 중요하다. 후두근전도에서 간섭양상이 감소한 것과 유발 후두근전도에서 잠시가 증가하고 진폭이 작아진 소견은 신경병성(neuropathic) 후두 손상의 중증도(severity)를 반영한다.[4] 그러나 후두근전도의 단점(drawback)과 어려움도 많이 보고되었다. 근육들이 극도로 얇고 보이거나 만져지지 않기 때문에 후두 구조물을 촉지하면서 해부학적 기준점(anatomic landmark)을 정해야 한다. 추가로 후두근육은 이완시키기 어렵고 발성을 통해서만 의도적으로 활성화가 가능하며 수축 강도를 직접 알 수가 없다. 무엇보다 이 검사는 환자에게 불편감을 줄 수 있다(예, 기침, 질식, 구역질). 후두근전도에 대한 앞의 평가에도 불구하고 근전도학자들 사이에 근전도의 사용에 관해서 여러 의견들이 있다.[5] 예를 들어, 적응증(indication), 삽입방법(insertion technique), 중증도의 해석에 대해서는 논쟁이 계속 있다. 따라서 후두근전도를 객관적인 평가도구로서 입증하기 위해서는 검사의 효용성에 대해 더 활발한 연구가 이루어져야 한다. 그리고 후두근전도를 하고자 하는 검사자는 후두부의 근육과 신경에 대한 지식뿐만 아니라 후두 구조물의 기능적 해부학, 발성의 기전, 삽입 방법에 대해서 숙지해야 할 것이다.

경피적 바늘 삽입방법(Percutaneous needle techniques)

갑상피열근, 윤상갑상근, 후윤상피열근에서 후두 근육 활성도(muscular activity) 동시기록(simultaneous recordings)을 시행하였다.

1. 갑상피열근(그림 41-4A)

환자는 목을 신전하도록 하고 윤상갑상막(cricothyroid membrane)이 있는 부위 피부를 알코올로 닦은 후 바늘을 삽입한다. 바늘은 정중선(midline)에서 윤상갑상절흔 바로 위로 삽입한다. 윤상연골 바로 위에 미세하게 움푹 들어간 부위가 윤상갑상절흔(cricothyroid notch)이다. 윤상갑상막을 통과한 후 바늘 끝을 이환측(affected side)으로 20도, 상방으로 45도 기울여서 성대의 하부 주름(inferior fold)을 향해 점막하(submucosa) 깊이까지 전지시킨다. 바늘을 제대로 위치시켰는지 확인하기 위해 환자에게 '이' 소리를 길게 내도록 하거나 목에 힘을 주어 성문을 닫도록 한다.[6,7] 환자가 기침을 한다면 기도 공간 내로 관통하였다는 것을 의미하기 때문에 바늘을 살짝 빼서 다시 위치시켜야 한다. 갑상피열근은 호기, 흡기 모두에서 수축하기 때문에 호흡에 따라 구별되는 양상은 없다.

2. 윤상갑상근(그림 41-4B)

목의 전방에 윤상연골과 갑상연골 사이의 공간에서 수평선을 긋고 갑상연골판(lamina)의 후연(posterior border)에서 수직선을 그은 후 그 수평선상에서 외측 수직선과 정중시상선을 3등분 한 다음, 정중시

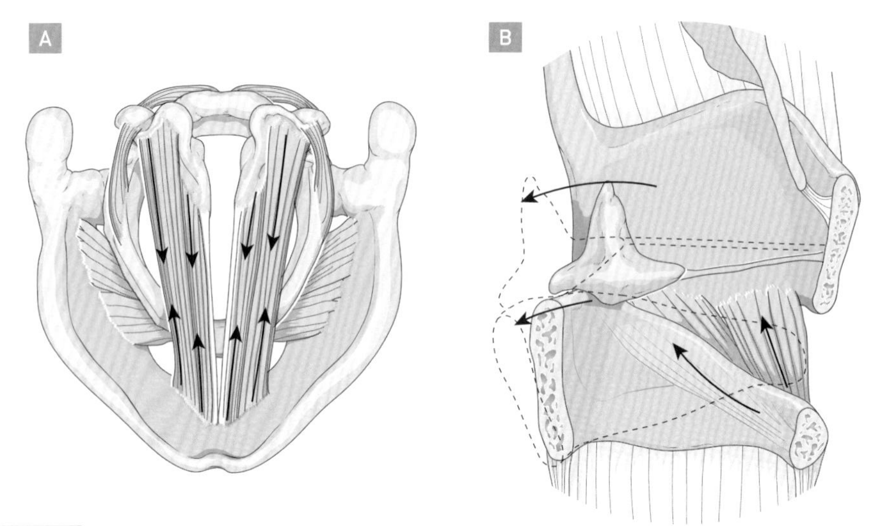

그림 41-4

갑상피열근과 윤상갑상근. (A) 갑상피열근의 작용: 성대주름 단축(이완), (B) 윤상갑상근의 작용: 성대주름 신장(장력, tension)

상선으로부터 1/3 지점 약간 내측에서 바늘을 찌른다. 수직으로 윤상연골의 아치까지 전진시킨 후 살짝 뺀다. 윤상갑상근의 후두근전도 전위는 고음 발성 시 활성도가 증가하고 저음 발성이나 경추 신전(head raising)에서는 감소하거나 유발되지 않는다.[6]

3. 후윤상피열근

와위에서 고개를 뒤로 기울이고 고개는 검사할 근육 반대측으로 돌린다. 후두도 같은 방향으로 검사자가 손으로 돌린다. 'ㅅ-(si)'라고 발성할 때 근육 활동이 지속되고 '이'로 발성할 때 휴식상태가 되면 후윤피열근을 찌른 것을 확인할 수 있다.

○ 참고문헌

1. Noordzij JP, Ossoff RH. Anatomy and physiology of the larynx. Otolaryngol Clin North Am 2006;39:1-10.
2. Cavo JW Jr. True vocal cord paralysis following intubation. Laryngoscope 1985;95:1352-9.
3. Rosenthal LH, Benninger MS, Deeb RH. Vocal fold immobility: a longitudinal analysis of etiology over 20 years. Laryngoscope 2007;117:1864-70.
4. Xu W, Han D, Hou L, Zhang L, Zhao G. Value of laryngeal electromyography in diagnosis of vocal fold immobility. Ann Otol Rhinol Laryngol. 2007;116:576-81.
5. Halum SL, Patel N, Smith TL, Jaradeh S, Toohill RJ, Merati AL. Laryngeal electromyography for adult unilateral vocal fold immobility: a survey of the American Broncho-Esophagological Association. Ann Otol Rhinol Laryngol. 2005;114:425-8.
6. Yin SS, Qiu WW, Stucker FJ. Major patterns of laryngeal electromyography and their clinical application. Laryngoscope. 1997;107:126-36.
7. Sittel C, Stennert E, Thumfart WF, Dapunt U, Eckel HE.Prognostic value of laryngeal electromyography in vocal fold paralysis. Arch Otolaryngol Head Neck Surg. 2001;127:155-60.

증례
42

최근에 발생한 보행장애를 주소로 내원한 남자 환아

병력

33개월 남자 환아가 소아정형외과에 보행장애를 주소로 내원하였다. 환아는 내원 4개월 전부터 동요성 보행(waddling gait)을 보이고 자주 넘어졌다고 한다. 환아의 근위부 근육의 위약증상과 가우어 징후(Gower sign) 양성 소견이 관찰되었다. 양측 비복근의 현저한 위축도 관찰되었다. 이에 환아는 전기진단검사를 위해 의뢰되었다. 환아의 부모는 환아의 출생 전 또는 주산기 문제에 대해 부인하였다. 환아의 운동발달에서 특별히 지연된 소견은 없었지만, 외래 평가 당시에 환아는 기립과 계단 오르기를 독립적으로 하지 못했다.

신체 검진

감각

감각 이상 또는 감각 저하 소견은 관찰되지 않았다.

도수근력검사

	Shoulder abductor	Elbow flexor	Elbow extensor	Wrist dorsiflexor	Wrist volarflexor
Right	4	4	4	4	4
Left	4	4	4	4	4

	Hip flexor	Knee extensor	Ankle dorsiflexor	Big toe dorsiflexor	Ankle plantar flexor
Right	4	4	4	4	4
Left	4	4	4	4	4

반사

양측 상하지의 모든 근신전반사는 감소되었다. 호프만 징후, 바빈스키 징후 또는 발목간대성 경련(ankle clonus)은 관찰되지 않았다.

특수 검사

가우어 징후는 양성이었다.

혈액검사 결과

전체혈구계산과 일반화학검사를 시행하였다. 혈청 크레아티닌키나아제는 155 IU/L로 측정되었고(정상범위, 20~270 IU/L) 젖산탈수소효소(lactate dehydrogenase)는 417 IU/L(정상범위, 100~225 IU/L) 였다.

○ 이 시점에서 감별진단은?

병력과 신체 검진 결과의 소견은 다음과 같다: 보행장애, 계단 오르기 장애, 근신전반사 저하, 전반적인 근력 저하, 젖산탈수소효소 증가. 위약증상과 근신전반사 감소는 근병증, 전각세포질환, 그리고 다발성말초신경병증에 합당한 소견이다. 진행성근디스트로피(progressive muscule dystrophy), 선천성 근병증, 피부근염(dermatomyositis)과 같은 염증성근병증(inflammatory myopathy), 다발근육염(polymyositis)과 같은 근병증, 그리고 척수근위축증 2형(spinal muscular atrophy type 2)과 같은 전각세포질환의 가능성이 있다. 감각검사는 정상이었고 근위부 사지에서 위약증상이 더 심한 소견은 다발성말초신경병증 소견에는 적합하지 않지만 현재 단계에서 다발성말초신경병증의 가능성을 배제할 수 없다. 외래 방문 수개월 전까지도 환아는 정상 운동발달을 보였기 때문에 선천적 대사 질환의 가능성은 낮다. 따라서 가장 적절한 진단은 다음과 같다: 1) 피부근염과 같은 후천성 근병증, 2) 두시엔느 근디스트로피(duchenne muscular dystrophy)과 같은 유전성 근병증(hereditary myopathy), 3) 척수근위축증 2형과 같은 전각세포질환, 4) 유전성 다발성감각운동신경병증과 같은 다발성말초신경병증

○ 전기진단검사 결과

SENSORY NERVE CONDUCTION STUDIES			
NERVE - RECORDING SITE	Onset LAT (ms)	Base-peak AMP (μV)	Peak-peak AMP (μV)
R MEDIAN - digit II	1.60	47.0	65.3
R ULNAR - digit V	1.50	25.1	41.6
R SUPERFICIAL PERONEAL - foot	1.65	12.7	15.8
R SURAL - Lateral malleolus	1.60	11.8	15.9

MOTOR NERVE CONDUCTION STUDIES				
NERVE - RECORDING SITE	LAT (ms)	AMP (mV)	Distance (cm)	NCV (m/s)
R MEDIAN - Abductor Pollicis Brevis				
Wrist	2.40	5.1		
Elbow	3.85	5.1	8.5	58.6
R ULNAR - Abductor Digiti Minimi				
Wrist	1.70	4.8		
Elbow	3.10	5.0	9.5	67.9
R COMMON PERONEAL - Extensor Digitorum Brevis				
Ankle	2.75	**0.8**		
Fibular head	5.75	**0.7**	15.2	50.7
R TIBIAL - Abductor Hallucis				
Ankle	2.65	3.5		
Knee	5.85	3.5	13.6	42.5

NEEDLE ELECTROMYOGRAPHY									
MUSCLE	IA	Spontaneous			MUAP			Recruitment Pattern
		FIB	PSW	CRD/ FASC	AMP	DUR	PPP	
R Tensor Fascia Lata	Nl	Not assessed			Nl	Dec	Inc	Early
R Gluteus Maximus	Nl	Not assessed			Nl	Dec	Inc	Early

전기진단검사 결과 요약

감각신경전도검사 결과는 정상이었다. 운동신경전도검사에서 총비골신경(common peroneal nerve)의 복합운동활동전위 진폭은 약간 감소하였다. 대퇴근막장근(tensor fascia lata)과 대둔근(gluteus maximus)의 침근전도검사에서 지속기간이 짧은 다상성운동단위활동전위가 조기동원되는 양상이 관찰되었다. 하지만 검사 중 환아의 협조가 어려운 관계로 비정상자발전위 여부에 관해서는 평가하지 못했다. 상기 검사의 결과는 근병증에 합당하다.

추가적으로 필요한 검사는?

근생검

좌측 내측광근(vastus medialis)에서 근생검을 시행하였다(그림 42-1).

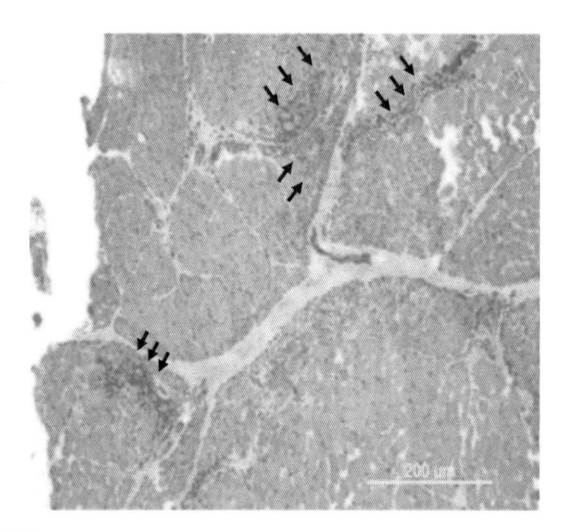

그림 42-1

근생검의 조직병리학 소견. 근생검 결과에서 속외초(perifascicular) 위축, 미세공포성(microvacuolated) 근육섬유 그리고 혈관주위 염증(화살표)이 관찰됨.

면역형광염색

TARGET	RESULT
Dystrophin 1	No loss
Dystrophin 2	No loss
Dystrophin 3	No loss
PAS	No glycogen storage disease
Modified Gomori	No ragged red fibers
NADH-TR	No fiber type predominance or grouping
ATPase 9.4	No fiber type predominance or grouping
SDHase	No evidence of mitochondrial disease

전자현미경

초박절편(ultrathin sections)에서 근섬유의 다양한 크기 변화를 관찰할 수 있다. 근육미세섬유 배열의 흐트러짐과 근섬유의 퇴화가 관찰되었다. 일부 관상망상체(tubuloreticular bodies)가 내피세포에서 관찰되었다.

요약

조직병리학 소견은 피부근염과 일치하였다.

전기진단검사 결론

전기진단검사의 결과는 근병증에 합당하다. 근생검 결과는 피부근염(dermatomyositis)에 합당하다.

임상 경과

환아는 근생검을 위해 입원하였다. 입원 당시, 고트론 구진(Gotrron's papule)과 안면홍조가 관찰되었다(그림 42-2). 대퇴부와 둔부 근육의 조영증강 T1강조 자기공명영상에서 광범위한 영역에서 신호가

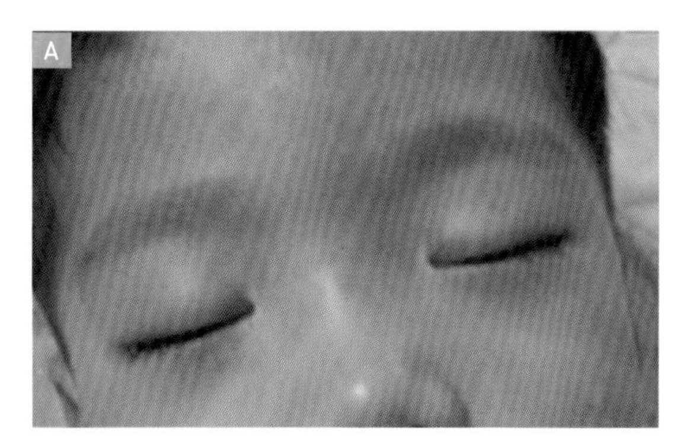

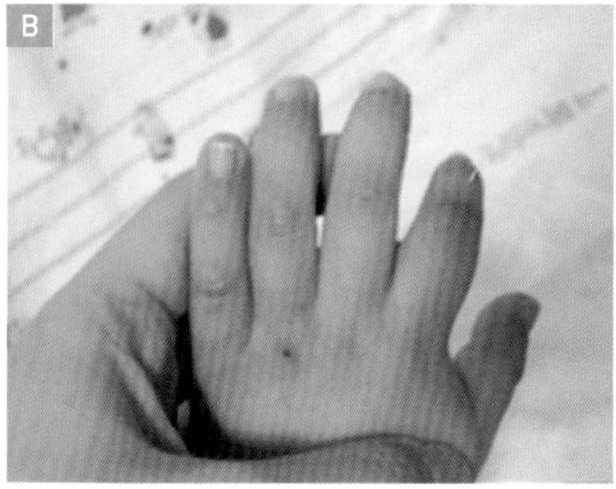

그림 42-2

증례 사진. (A) 자색 변화가 양측 안검(eyelids)에서 관찰됨(연보라발진, heliotrope rash). (B) 낙설(scaling)과 구진홍반(papular erythema)이 근위지간 관절에서 관찰됨(고트론 징후, Gottron's sign).

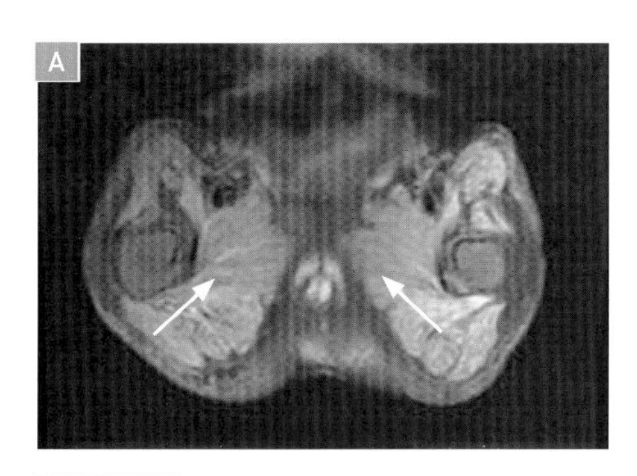

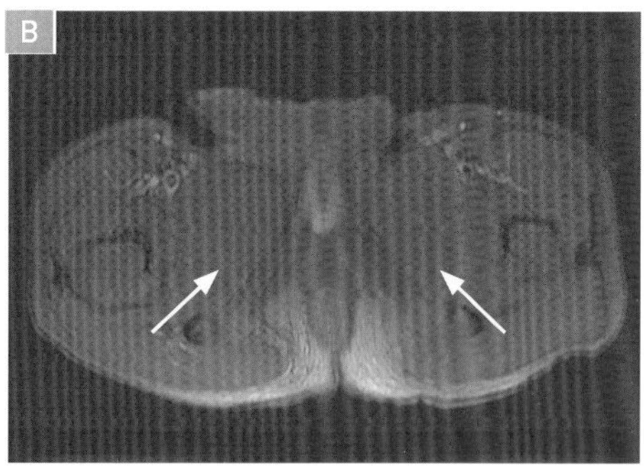

그림 42-3

대퇴부 자기공명 횡단면상. (A) 치료 전, 조영증강 T1강조영상에서 신호증가 소견이 대퇴부 근육에서 관찰됨(화살표). (B) 치료 2년 후, 조영증강 T1강조영상에서 정상 신호소견이 관찰됨(화살표).

증가된 소견이 관찰되었다(그림 42-3A). 환아는 고용량 methylprednisolone 치료(methylprednisolone pulse therapy)를 시행 받았다. 환아에게 3일 동안 methyprednisolone을 30 mg/kg/day, 정맥 투여하였다. 환아는 경구 prednisolong 2 mg/kg/day를 복용 중인 상태로 퇴원하였다. 2년 후 추적관찰 때 시행한 대퇴부의 조영증강 자기공명영상에서 양측 대퇴부 근육의 이상 소견은 관찰되지 않았다(그림 42-3B).

고찰

소아 피부근염은 드물게 발생하는 전신 자가면역 혈관병증이며, 근위부 근육의 위약과 질병특유의 피부발진이 특징적인 소견이다.[1] 소아 피부근염은 유아에서 발생하는 대칭적인 근육 위약증상의 증례에서 의심할 수 있다. 상기 증례는 근위부 위약증상과 가비대 비복 소견을 보여 진행성근육퇴행위축(progressive muscular dystrophy)이 의심되어 의뢰된 경우이다.[2,3] 초반에는 피부발진이 관찰되지 않아서 진단에 어려움이 있었다. 전기생리학 검사는 상기 진단을 내리는 데 중요한 정보를 제공하였다. 우리는 근병증 진단에 합당한 증거를 확보하였다. 일반적으로 염증성근병증에서 비정상자발전위가 많이 관찰되지만, 검사 중 환아의 협조가 어려웠던 관계로 비정상자발전위를 확인하지 못하였다. 그 대신, 피부근염에 일치하는 소견을 조직병리검사에서 확인하였다. 근생검을 시행했던 시점에서 안검의 연보라발진과 고트론 구진이 확인되었다. 환아의 질병양상은 Bohan과 Peter에 의해 보고된 소아 피부근염 진단기준에 부합하였다(표 42-1).

혈청 크레아티닌키나아제는 피부근염 환자의 90%에서 상승되어 있으며, 정상 수치에 비해 50배 높다. 하지만 근효소 검사의 민감도는 높지 않으며, 코티코스테로이드 치료를 받는 경우에는 정상수치를 보이는 경우가 빈번하다. 자기공명영상은 질병의 활성도를 확인하는 데 유용하다. 자기공명영상은 염증이 심해짐에 따라 비례하는 근막, 피하조직, 그리고 피부에서 발생한 부종을 확인하는 데 유용하다.[4]

표 42-1 소아 피부근염의 진단기준

	Juvenile dermatomyositis	Polymyositis
Characteristic rash	+	-
Symmetric proximal muscle weakness	+	+
Elevated muscle derived enzymes	+	+
Muscle histopathology	+	+
Electromyographic changes: inflammatory myopathy	+	+

*특징적인 발진과 다른 두 개의 진단기준을 만족하는 환자는 소아 피부근염의 가능성이 있으며, 특징적인 발진과 다른 세 개의 진단기준을 만족하는 환자는 소아 피부근염의 확진을 내릴 수 있음.[5]

참고문헌

1. Dumitru D. Electrodiagnostic Medicine. 2nd ed. Philadelphia: Hanley & Belfus, 2001:1371-6.
2. Nirmalananthan N, Holton J, Hanna M. Is it really myositis? A consideration of the differential diagnosis. Current opinion in rheumatology 2004;16:684-91.
3. Feldman B, Rider L, Reed A, Pachman L. Juvenile dermatomyositis and other idiopathic inflammatory myopathies of childhood. The Lancet 2008;371:2201-12.
4. Studynkova J, Charvat F, Jarosova K, Vencovsky J. The role of MRI in the assessment of polymyositis and dermatomyositis. Rheumatology(Oxford Print) 2007;46:1174-9.
5. Pachman L. Juvenile dermatomyositis: a clinical overview. Pediatrics in Review 1990;12:117.

증례 43

우측 족하수를 보이는 여아

○ 병력

12세 여아가 우측 족하수(foot drop)를 주소로 근전도실을 내원하였다. 좌측 발목에 통증은 21개월 전부터 있었으며 점차 진행하였다. 환자는 19개월 전에 정형외과 외래에 방문하였으나, 신체검사와 단순 방사선검사에서 정상이었으며, 외래에서 경과관찰 중이었다. 외상이나 보행의 어려움을 호소하지는 않았다. 1달 전, 이전에 통증을 호소했던 좌측 발목의 반대쪽인 우측 발을 감각 저하와 위약이 발생하였으며, 족하수가 나타났다. 환자는 3일 전 응급실을 내원하였으며, 약간의 두통을 제외한 이상 소견은 없었고, 근전도 검사가 의뢰되었다.

특이 과거력이나 배뇨 및 배변 기능의 증상은 없었다.

○ 이 시점에서 감별진단은?

1. 우측 총비골신경병증(right common peroneal neuropathy)
2. 우측 요추 4–5번 신경근병증(right L4–5 radiculopathy)
3. 우측 요천추다발신경근병증(right lumbosacral polyradiculopathy)
4. 우측 요천추신경총병증(right lumbosacral plexopathy)
5. 마미병변(cauda equina lesion)
6. 유전성 운동감각신경병증(hereditary motor sensory neuropathy)
7. 척수전각세포병변(anterior horn cell lesion)

이 증례에서 뚜렷한 의학적 과거력이나 외상력 없이 감각이 감소하고, 우측 발의 근력이 저하되었다는 것을 고려할 때, 가장 먼저 총비골신경병증, 요천추다발신경근병증, 요천추신경총병증, 그리고 마미병변을 배제진단하여야 한다. 비록 족하수 증상은 우측에 나타났지만, 환아가 만성적인 좌측 발목의 통증을 호소하였기 때문에, 유전성 운동감각신경병증이나 척수전각세포병변도 감별진단으로 고려해야 한다.

○ 신체 검진

시진

우측 족하수는 있었으나, 근위축은 뚜렷하지 않았다. 오목발(pes cavus)이나 편평족(pes planus) 같은 발 변형도 관찰되지 않았다.

도수근력검사

	Hip flexor	Knee extensor	Knee flexor	Ankle dorsiflexor	Big toe extensor	Ankle plantarflexor
Right	5	5	5	2	0	5
Left	5	5	5	5	5	5

감각

우측 발의 내측과 발등부위에 정상 대비 70% 정도로 감각 저하가 있었다.

반사

	Biceps Jerk	Triceps Jerk	Wrist Jerk	Knee Jerk	Ankle Jerk
Right	1+	1+	1+	1+	1+
Left	1+	1+	1+	2+	2+

호프만(Hoffman)과 바빈스키(Babinski) 징후는 모두 음성이었다.

혈액검사 결과

응급실에서 시행한 전혈구계산(complete blood count)과 크레아티닌(creatinine), 그리고 간효소를 포함한 일반화학검사는 정상이었다.

이 시점에서 감별진단은?

병력과 신체 검진을 바탕으로 족하수는 1달 전에 발생하였으며, 서서히 진행하였고, 이것은 위약 때문이었으며, 발 내측과 발등부위의 감각 저하와 연관되어 있었다. 이것은 근육이나 척수전각세포병변보다는 하퇴 부위에 신경문제와 연관된 것일 수 있다. 총비골신경병증, 요천추 (다발) 신경근병증, 요천추신경총병증, 마미병변, 유전성 운동감각신경병증이 모두 가능한 진단이다.

전기진단검사 결과

SENSORY NERVE CONDUCTION STUDIES			
NERVE - RECORDING SITE	Onset LAT (ms)	Base-peak AMP (μV)	Peak-peak AMP (μV)
R SUPERFICIAL PERONEAL - Foot	2.75	20.8	25.8
R SURAL - Lateral Malleolus	3.35	23.3	26.6
L SUPERFICIAL PERONEAL - Foot	2.95	23.3	23.7
L SURAL - Lateral Malleolus	2.70	25.5	26.3

MOTOR NERVE CONDUCTION STUDIES				
NERVE - RECORDING SITE	LAT (ms)	AMP (mV)	Distance (cm)	NCV (m/s)
R COMMON PERONEAL - Extensor Digitorum Brevis				
Ankle	3.60	4.5		
Fibular Head	11.05	4.5	34.0	45.6
R TIBIAL - Abductor Hallucis				
Ankle	3.55	12.4		
Knee	10.90	11.1	35.0	47.6
R COMMON PERONEAL - Tibialis Anterior				
Lower Leg	3.85	6.7		
L COMMON PERONEAL - Extensor digitorum brevis				
Ankle	3.65	5.6		
Fibular Head	10.80	5.2	34.0	47.6
L TIBIAL - Abductor Hallucis				
Ankle	3.70	11.4		
Knee	10.90	9.8	34.0	47.2
L COMMON PERONEAL - Tibialis Anterior				
Fibular Head	3.25	6.3		

F - WAVE	
NERVE - RECORDING SITE	MIN F LAT (ms)
R COMMON PERONEAL - Extensor Digitorum Brevis	38.45
L COMMON PERONEAL - Extensor Digitorum Brevis	44.00
R TIBIAL - Abductor Hallucis	47.35
L TIBIAL - Abductor Hallucis	42.05

H - REFLEX			
NERVE - RECORDING SITE	H LAT (ms)	H AMP (mV)	H/M AMP (%)
R TIBIAL (KNEE) - Soleus	25.95	3.2	131
L TIBIAL (KNEE) - Soleus	25.15	0.5	4.86

NEEDLE ELECTROMYOGRAPHY								
MUSCLE	IA	Spontaneous			MUAP			Interference Pattern
		FIB	PSW	CRD/FASC	AMP	DUR	PPP	
R Tibialis Anterior	Nl	2+	2+	N	Inc	Nl	Inc	Discrete
R Peroneus Longus	Nl	2+	2+	N	Inc	Nl	Inc	Single
R Extensor Hallucis Longus	Nl	1+	2+	N	No activity			
R Gastrocnemius (Medial)	Nl	N	1+	N	Nl	Nl	Nl	Complete
R Flexor Hallucis Longus	Nl	N	N	N	Nl	Nl	Nl	Complete
R Biceps Femoris (Short Head)	Nl	N	N	N	Nl	Nl	Nl	Complete
R Biceps Femoris (Long Head)	Nl	2+	2+	N	Nl	Nl	Inc	Reduced
R Semitendinosus	Nl	1+	1+	N	Nl	Nl	Nl	Complete
R Tibialis Posterior	Nl	1+	1+	N	Nl	Nl	Inc	Reduced
R Vastus Medialis	Nl	N	N	N	Nl	Nl	Nl	Complete
R Rectus Femoris	Nl	N	N	N	Nl	Nl	Inc	Complete
R Tensor Fascia Lata	Nl	N	N	N	Inc	Nl	Inc	Complete
L Tibialis Anterior	Nl	1+	2+	N	Nl	Nl	Inc	Reduced
L Peroneus Longus	Nl	1+	2+	N	Nl	Nl	Inc	Reduced
L Gastrocnemius (Medial)	Nl	N	1+	N	Inc	Nl	Inc	Reduced
L Vastus Medialis	Nl	N	N	N	Inc	Nl	Inc	Reduced
R L3 Paraspinals	Nl	N	N	N				
R L5 Paraspinals	Nl	N	1+	N				
R S1 Paraspinals	Nl	2+	2+	N				
L L3 Paraspinals	Nl	N	1+	N				
L L5 Paraspinals	Nl	N	N	N				
L S1 Paraspinals	Nl	N	N	N				

전기진단검사 결과 요약

운동신경전도검사에서 총비골신경(common peroneal nerve)과 경골신경(tibial nerve)은 정상이었으며, 감각신경전도검사에서 표재비골신경(superficial peroneal nerve)과 비복신경(sural nerve)은 정상이었다. 정상적인 신경전도검사 결과를 바탕으로 마미병변과 유전성 운동감각신경병증은 배제 할 수 있다.

침근전도검사에서, 양측 전경골근(tibialis anterior), 양측 장비골근(peroneus longus), 양측 비복근안쪽갈래(medial head of gastrocnemius), 우측 장무지신근(right extensor hallucis longus), 우측 대퇴이두근 장두(long head of the right biceps femoris), 우측 반건상근(semitendinosus), 우측 후경골근(tibialis posterior), 우측 요추 5번-천추 1번 척추주위근(L5-S1 paraspinal muscle)과 좌측 요추 3번 척추주위근육에서 비정상자발전위(abnormal spontaneous activities)가 관찰되었다. 근 수축동안 다상성운동단위활동전위(polyphasic motor unit action potential)가 양측 전경골근, 양측 장비골근, 우측 대퇴근막장근(tensor fascia lata), 요추 3, 5번, 천추 1번 척추주위근육, 우측 대퇴이두근 장두, 우측 후경골근, 우측 대퇴직근(rectus femoris), 좌측 비복근, 좌측 내측광근(vastus medialis)에서 관찰되었다. 이들 근육은 전반적으로 감소된 간섭양상(reduced interference pattern)을 보였다. 종합하면, 양측 주로 요추 5

번-천추 1번의 지배를 받는 근육에서 비정상적인 소견이 관찰되었으며, 요추 3번과 요추 4번의 지배를 받는 근육 중 일부에서도 비정상적인 소견이 관찰되었다. 우리는 총비골신경병증과 신경절후 요천추신경총병증(post-ganglionic lumbosacral plexopathy)의 가능성을 배제할 수 있다. 양측 요추 3번에서 천추 1번에 이르는 부위에서 다양한 비정상적인 소견들이 관찰되어, 이 증례는 양측 요천추다발신경근병증(bilateral lumbosacral polyradiculopathy)이나 요추 3번에서 천추 1번 부위를 포함하는 척수전각세포병변에 부합하였다.

○ 추가적으로 필요한 검사는?

요천추 자기공명영상검사

양측 요천추다발신경근병증과 척수전각세포병변을 감별진단하기 위해, 우리는 요천추 자기공명영상검사를 시행하였다. 중증 척수공동증(syringomyelia)이 척수의 요추부에서 관찰되었다(그림 43-1).

그 뒤에 시행한 뇌와 전척추(whole spine) 자기공명검사에서 키아리 기형 1형(Chiari I malformation)으로 진단되었다(그림 43-2).

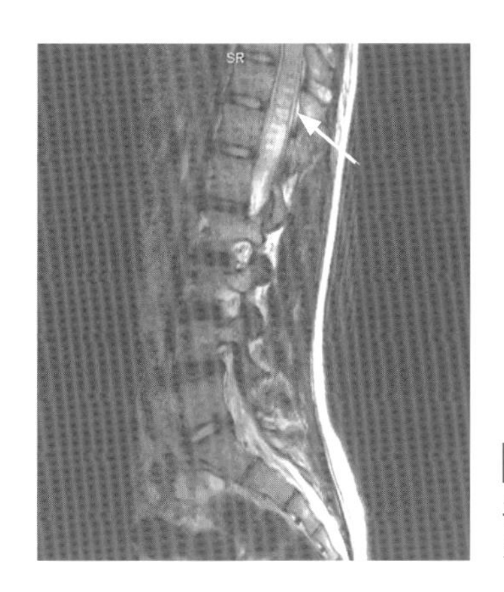

그림 43-1

환자의 요천추 T2 지연 자기공명영상 시상면. 척수공동증이 척수 요추 부분에서 되며(화살표), 이것이 경추와 흉요추에 대한 추가검사의 근거가 되었다.

뇌와 경흉추 자기공명영상

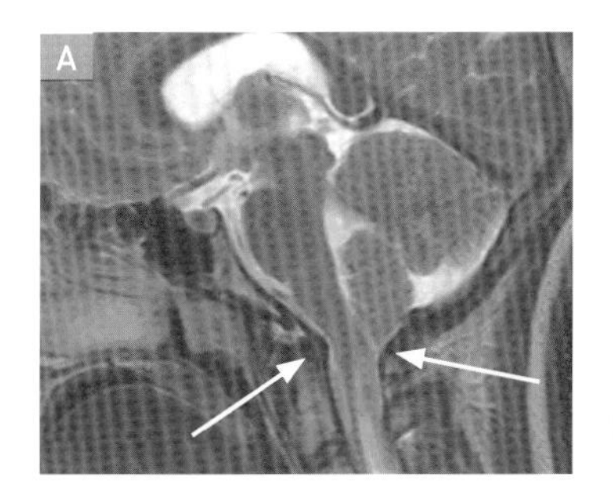

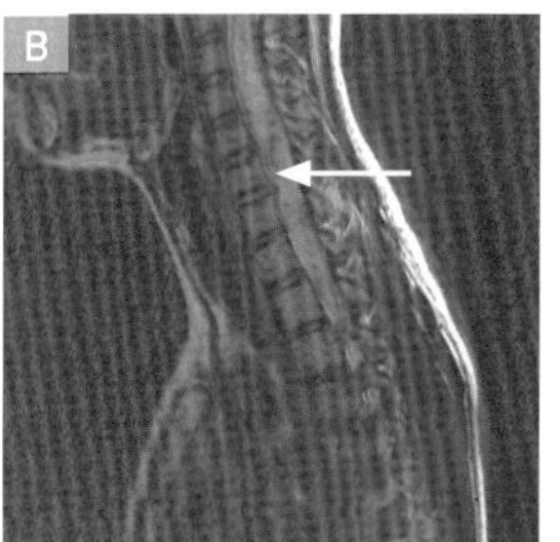

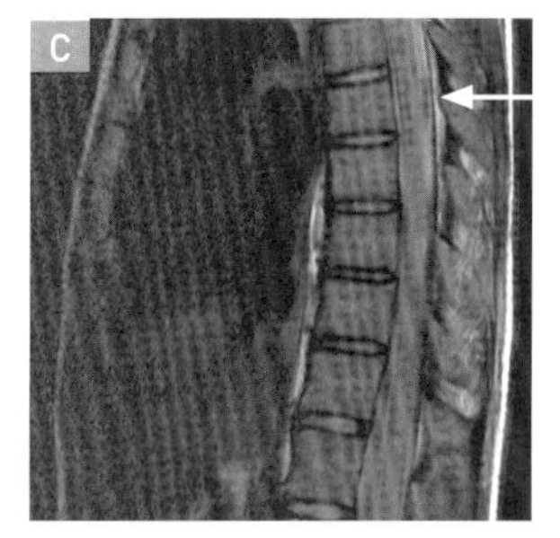

그림 43-2

환자의 뇌, 경추, 흉추 자기공명검사의 시상면. 소뇌편도(cerebellar tonsil)가 대공(foramen magnum)으로 하방전위(화살표)되고 있으며(A), 큰 척수공동증이 척수전반에 확장되어 있고(B와 C), 이는 척수를 압박하고 있다(화살표). 이것은 키아리 기형 1형에 일치하는 소견이다.

전기진단검사 결론

전기진단학적 결과는 요추 3번에서 천추 1번 부위의 양측 다발신경근병증(가장 심한 부위는 양측 요추 5번에서 천추 1번 부위)이나 척수공동증처럼 요추 3번에서 천추 1번 부위를 침범하는 분산된 척수전각세포병변에 부합한다. 영상검사에서 키아리 기형 1형으로 인한 척추공동증으로 확인되었다.

○ 임상 경과

환자는 근전도검사 1달 뒤에 대공감압술(foramen magnum decompression), 경추 1번 척추후궁절제술(laminectomy), 경막성형술(duraplasty)을 시행받았다. 수술 한 달 뒤, 다리의 근력은 호전되었다. 도수근력검사에서 발목신전 근력은 2단계에서 4단계로 호전되었다. 두통도 호전되었다.

○ 고찰

척수공동증은 척수 내를 액체가 채우는 것으로 정의하며, 병인에 대해서는 아직 논란이 있다. 그러나 키아리 기형 1형과 척수/척주(spinal column)의 외상 이론이 지금은 광범위하게 받아들여지고 있다. 척수구멍(syrinx)을 가진 환자에서 점진적인 신경학적 손상은 흔치 않으며, 단지 소수의 증례만 보고되었다. 신경근병증을 가지고 있는 한 증례가 보고된 바가 있다.[1] 전척수 척수공동증과 키아리 기형으로 인한 족하수를 보인 다른 증례는 초기에 요추 신경근병증으로 진단되었다.[2] 그러므로 전기진단학적으로 진단되었으나 원인이 불분명한 다발신경근병증, 특히 소아에서는 자기공명영상검사 등의 방사선학적 검사를 통해 동반된 다른 질환을 반드시 확인해야 한다.

○ 참고문헌

1. Porensky P, Muro K, Ganju A. Nontraumatic cervicothoracic syrinx as a cause of progressive neurologic dysfunction. J Spinal Cord Med 2007;30:276–81.
2. Laufer I, Engel M, Feldstein N, Souweidane MM. Chiari malformation presenting as a focal motor deficit. Report of two cases. J Neurosurg Pediatr 2008;1:392–95.

증례
44

양측 하지의 갑작스런 위약이 발생한 남아

병력

33개월 남아가 갑작스러운 양측 하지의 위약을 주소로 방문하였다. 환아는 37주에 제왕절개를 통해 출산하였으며, 특별한 주산기 문제는 없었다. 내원 17일 전부터 기침, 열이 있었고, 열은 1주가량 지속된 후 호전되었다. 이후 환아는 일어나 앉고 걷는 것을 힘들어하기 시작했고, 왼쪽 눈의 안검하수를 호소하였다. 배뇨 및 배변에도 어려움이 있었다. 환아의 쌍둥이 형제도 같은 시기에 기침, 열이 있었으나 위약은 호소하지 않았다. 환아의 증상은 4일 동안 악화되어, 앉아있거나 돌아누울 수도 없게 되었다. 의식의 변화는 없었고, 신경근병의 가족력은 없었다.

이 시점에서 감별진단은?

1. 급성염증탈수초다발신경근병증(acute inflammatory demyelinating polyradiculoneuropathy, AIDP)
2. 급성운동축삭신경병증(acute motor axonal neuropathy, AMAN)
3. 급성 척수염(acute myelitis)
4. 염증성근병증(inflammatory myopathy)
6. 신경근접합부질환(neuromuscular junction disorder)
7. 척수근위축증(spinal muscular atrophy)

위의 병력은 일차적으로 운동계에 영향을 주는 급성 전신질환을 시사한다. 비록 감각 증상이 없는 것이 감별진단의 중요한 단서이지만, 어린 아이의 감각 이상을 평가하는 것은 어려울 때가 많으므로 주의가 필요하다. 명확한 감각 증상 없는 전신 위약은 운동신경원병(motor neuron disease), 말초 운동신경병증(peripheral motor neuropathy), 또는 근병증(myopathy)의 가능성을 더 시사한다. 선행했던 상기도 감염의 병력을 고려시 염증성 혹은 감염성 원인의 후천성 질환의 가능성이 더 높다.

급성염증탈수초다발신경근병증, 급성운동축삭신경병증 등의 질환을 포함하고 있는 길랭-바레증후군(Guillain-Barre syndrome)이 가장 가능성 있는 후천적 신경병증이다. 드물게 급성 척수염에서 이 환아와 같은 증상을 보일 수 있다. 안검하수는 신경근접합부질환의 증상일 수 있다.

신체 검진

시진

안검하수가 좌측에 있었다. 반면에 얼굴 표정은 양측이 대칭적이었다.

감각

감각은 환아가 협조가 되지 않아 정확한 검사를 시행할 수 없었지만, 통증이나 촉감에 대해서는 대칭적으로 반응하였다.

반사

심부건반사는 양측 무릎과 발목에서 감소되어 있었으며(1+), 상지에서는 정상적이었다(2+). 발목간대(ankle clonus)는 양측에서 음성이었다.

도수근력검사

	Upper extremities	Lower extremities
Right	4	2
Left	4	2

혈액검사 결과

뇌척수액 일반화학검사(chemistry profile)와 세포수(cell count)는 정상범위였다. 혈액과 뇌척수액 배양검사는 음성이었다. 항미코플라스마항체(Anti-mycoplasma antibody) 농도는 1:2560으로 상승되었다(정상범위, 1:32). 헤모필루스항원(Hemophilus antigen), 폐렴구균항원(pneumococcal antigen), 수막구균항원(meningococcal antigen)과 그룹 B 연쇄구균항원(group B streptococcus antigen, latex testing)은 모두 음성이었다. 단순헤르페스바이러스(Herpes simplex virus) 배양 및 중합효소연쇄반응(Polymerase chain reaction) 검사는 모두 음성이었다. 올리고클론띠(Oligoclonal band)는 뇌척수액에서 관찰되지 않았다. 수초기초단백질(Myelin basic protein)과 크레아티닌키나아제(creatine kinase)와 젖산탈수소효소(lactate dehydrogenase, LDH)의 혈청농도는 모두 정상범위였다.

이 시점에서 감별진단은?

병력과 신체 검진에서 중요한 소견은 선행한 상기도 감염, 갑작스런 위약발생, 명백한 감각 이상은 없이 하지에서 전반적으로 심부건반사가 감소했다는 것이다. 이러한 모든 소견은 운동신경계에 대한 이상 면역반응과 관련된 질환을 강하게 시사한다. 이런 관점에서 가장 가능성 있는 진단들은 다음과 같다: 1) 급성염증탈수초다발근신경병증(길랭-바레증후군), 2) 급성운동축삭신경병증, 3) 급성 척수염, 4) 염증성 근육병

전기진단검사 결과

전기진단검사는 발병 2주 후에 시행되었다.

SENSORY NERVE CONDUCTION STUDIES		
NERVE - RECORDING SITE	Onset LAT (ms)	Base-peak AMP (μV)
R MEDIAN - Digit II	1.50	41.8
R ULNAR - Digit V	1.40	46.8
R SUPERFICIAL PERONEAL - Foot	1.35	12.3
R SURAL - Lateral Malleolus	1.40	**5.0**

MOTOR NERVE CONDUCTION STUDIES				
NERVE - RECORDING SITE	LAT (ms)	AMP (mV)	Distance (cm)	NCV (m/s)
R MEDIAN - Abductor Pollicis Brevis				
Wrist	2.65	**0.9**		
Elbow	5.22	**0.8**	11.4	44.4
R ULNAR - Abductor Digiti Minimi				
Wrist	2.15	**2.0**		
Elbow	4.11	**1.8**	11.4	58.3
R COMMON PERONEAL - Extensor Digitorum Brevis				
Ankle	3.25	**0.4**		
Fibular head	7.38	**0.4**	17.1	41.4
R TIBIAL - Abductor Hallucis				
Ankle	2.75	**1.4**		
Knee	7.48	**1.3**	19.9	42.1

NEEDLE ELECTROMYOGRAPHY								
MUSCLE	IA	Spontaneous			MUAP			Interference Pattern
		FIB	PSW	CRD/FASC	AMP	DUR	PPP	
R Vastus Medialis	Nl	N	N	N	**Inc**	**Long**	Nl	Complete
L Tibialis Anterior	Nl	**1+**	**1+**	N	Nl	Nl	Nl	Complete
R Tibialis Anterior	Nl	**1+**	**1+**	N	Nl	Nl	Nl	Complete

○ 전기진단검사 결과 요약

정중신경(median nerve), 척골신경(ulnar nerve), 비골신경(peroneal nerve) 그리고 경골신경(tibial nerve)에서 복합근육활동전위(compound muscle action potential)의 진폭이 매우 작았으며, 잠시(latency)는 정상이었다. 다소 감소한 정중운동신경 전도속도는 환아의 어린 나이와 낮은 복합근육활동전위 진폭으로 설명할 수 있다. 그러나 상하지의 감각신경활동전위는 정상이었다. 침근전도검사에서 우측 내측광근(vastus medialis)에서 큰 진폭의 운동단위활동전위(motor unit action potential, MUAP)가 있었고, 양측 전경골근(tibialis anterior)에서 비정상자발전위가 관찰되었다. 운동단위조기동원(early recruitment pattern)은 관찰되지 않았다.

1. 전기진단학적 이상은 축삭형의 전신성 운동신경병증에 가장 부합한다.
2. 그러나 발병 후 전기진단학적 검사까지의 시간간격이 짧았다(17일)는 것을 고려해, 감각신경 축삭 손상의 정도를 평가하기 위한 추적 전기진단학적 검사가 필요하다.

추가적으로 필요한 검사는?

전척추(whole spine) 자기공명영상

동반된 척추병증을 배제하기 위해 전척추 자기공명영상 검사를 시행하였다(그림 44-1).

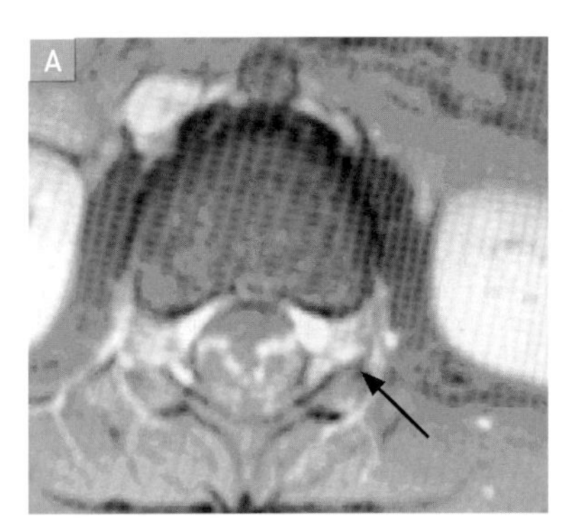

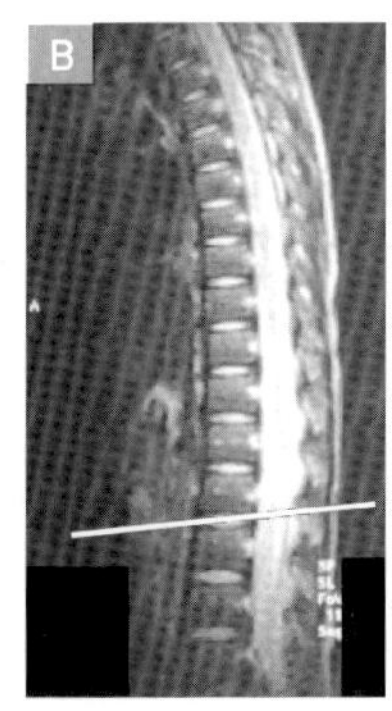

그림 44-1

척추 자기공명영상. 가돌리늄(gadolinium) 조영 영상에서 흉추 12번-요추 1번 높이의 요추신경근과 척수 전각 부위(A, 화살표)에서 조영 증가가 관찰된다(B). 이 결과는 길랭-바레증후군에 부합한다.

초기상태에서는 급성운동축삭신경병증이 급성염증탈수초다발신경근신경병증과 감별되지 않는다. 그러므로 전기진단학적 검사가 1차 검사 2주 뒤에 재시행되었다.

전기진단검사 결론

급성운동축삭신경병증(acute motor axonal neuropathy, AMAN)에 가장 부합하였다.

임상 경과

환아는 2주 동안 면역글로불린(immunoglobulin) 정맥주사 치료를 받았다. 치료 2주 후 자발적인 배변, 배뇨가 시작되었으며, 도수근력검사에서 양측 상지는 5단계, 발목과 발가락 신전을 제외한 하지의 근력은 4단계였다. 환아는 보행을 위해 단하지보조기(ankle foot orthosis, AFO)가 필요하였으며, 안검하수도 다소 호전되었다. 발병 8개월 후, 추적 근전도검사를 시행하였다. 우측 정중신경, 척골신경, 경골신경의 복합근육활동전위는 지난 검사보다 증가하였다. 침근전도검사에서 양측 전경골근에서 비정상자발전위와 긴 지속시간의 다상성운동단위활동전위가 관찰되었다. 재검사 시행 시 독립보행은 가능하였으나 족하후보행(steppage gait)이 관찰되었다. 안검하수는 완전히 호전되었다. 발병 1년 후, 발등굽힘 근력은 4단계로 호전되었다. 환아는 달리거나 제자리 뛰기를 할 수 있었다. 발병 2년 후, 환아는 양측 발등굽힘에 아무런 문제가 없었다.

고찰

길랭-바레증후군의 가장 흔한 유형은 급성염증탈수초다발신경근병증이다. 급성염증탈수초다발신경근병증은 흔히 통증, 저림, 감각 이상 또는 사지위약의 증상으로 시작한다. 안면신경도 종종 침범하나 숨뇌(bulbar)나 안구의 운동신경은 잘 침범하지 않는다. 약 1/4에서 호흡근 위약으로 인공호흡기가 필요할 수 있다. 순수한 운동신경 손상일 때는 또 다른 유형인 급성운동축삭신경병증이 고려될 수 있다.[1,2] 중증의 증례에서는 축삭이 전근(ventral root) 위치에서 손상을 입기도 하고, 이것이 전체 축삭의 심각한 변성을 유발하기도 한다. 급성운동축삭신경병증인 환아들은 보통 급성염증탈수초다발신경근병증 환아보다 빨리 가장 나쁜 상태(nadir)에 도달하지만 회복은 급성염증탈수초다발신경근병증과 비슷한 속도로 이루어진다.[3] 이러한 급성운동축삭신경병증에서의 악화 및 회복양상은 축삭의 단절 없이 신경전도의 차단이 일어나고, 변성이 매우 말초부위에 발생하기 때문인 것으로 보인다. 대부분 발병 후 2주경 가장 나쁜 상태을 보이고, 4주경에는 모든 경우에서 가장 나쁜 상태에 도달한다. 이후 환자마다 다양한 기간의 정체기(plateau)를 거쳐, 근위부에서 원위부로 수주에서 수개월에 걸쳐 근력이 회복된다. 4~15%의 환아는 사망하며, 적절한 치료를 시행하였음에도 20% 이상에서 1년 뒤에 장애가 남는다. 잘 회복된 경우도 임상 및 전기진단학적 추적 검사에서 잔존 위약(residual weakness)과 운동단위의 소실이 관찰되는데 이는 환자들이 흔히 호소하는 피로감을 설명할 수 있는 소견이다. 자율신경계이상은 심혈관계에서 관찰될 수 있다. 그러나 배변 및 배뇨의 이상은 드물다. 따라서 본 증례에서의 배변, 배뇨 이상은 주의하여 해석될 필요가 있다.

참고문헌

1. Hughes RA, Cornblath DR. Guillain-Barre syndrome. Lancet 2005;366:1653-66.
2. Nachamkin I, Arzarte Barbosa P, Ung H, Lobato C, Gonzalez Rivera A, Rodriguez P et al. Patterns of Guillain-Barre syndrome in children: results from a Mexican population. Neurology 2007;69:1665-71.
3. Hiraga A, Kuwabara S, Ogawara K, Misawa S, Kanesaka T, Koga M et al. Patterns and serial changes in electrodiagnostic abnormalities of axonal Guillain-Barre syndrome. Neurology 2005;64:856-60.

증례 45

하지의 위약과 보행장애를 주소로 내원한 여자 환아

병력

12세 여자 환아가 하지의 위약과 보행장애를 주소로 소아재활의학과로 의뢰되었다. 환아는 동요성 보행(waddling gait)을 보이고 자주 넘어진다고 하였다. 환아는 서 있는 것과 계단 오르는 것이 어렵다고 했다.

환아는 제왕절개로 출생하였고, 출생 당시 저긴장상태로(floppy) 울음소리도 약했다고 한다. 운동발달이 느렸지만 환아가 두 살 되는 시기의 발달상태는 정상범위였다. 다섯 살 되던 해, 환아는 하지의 위약과 통증을 호소하였다. 하지의 위약은 점점 진행하는 양상이었고, 외래 방문 1년 전부터 계단 오르기가 힘들어졌다고 하였다.

이 시점에서 감별진단은?

1. 근병증(myopathy)
2. 전각세포질환(anterior horn cell disease)
3. 다발성말초신경병증(peripheral polyneuropathy)

상기 병력은 전반적인 운동 위약과 운동발달 지연을 시사한다. 전반적인 위약은 근병증, 전각세포질환 그리고 말초신경병증과 관련되어 있다. 운동발달 지연은 유전병과 관련되어 있다. 감각 증상이 관찰되지 않는 경우는 유전성 다발신경병증에서 흔한 소견이다.

신체 검진

관찰

환아의 얼굴은 길고 좁으며, 높은 구개궁(high-arched palate)이 관찰되었다. 환아는 마른 체형이었으며 근육 크기가 전반적으로 감소되어 보였다.

감각

감각 저하나 감각 이상은 관찰되지 않았다.

도수근력검사

	Shoulder abductor	Elbow flexor	Elbow extensor	Wrist dorsiflexor	Wrist volar flexor
Right	4	4	4	4	4
Left	4	4	4	4	4

	Hip flexor	Knee extensor	Ankle dorsiflexor	Long toe extensor	Long toe plantar flexor
Right	3	4	3	3	3
Left	3	3	3	3	3

반사

상하지의 모든 근신전반사는 감소되어 있었다. 호프만 징후, 바빈스키 징후, 발목간대성 경련(ankle clonus)는 관찰되지 않았다.

특수 검사

가우어(Gower) 징후는 양성이었다.

혈액검사 결과

전혈구계산(complete blood count)과 일반화학검사를 시행하였다. 젖산탈수소효소(lactate dehydrogenase)가 242 IU/L(정상범위, 100~225 IU/L)로 다소 상승된 점을 제외한 나머지 검사는 모두 정상이었다. 혈청 크레아틴키나아제는 140 IU/L였다(정상범위, 20~270 IU/L).

이 시점에서 감별진단은?

병력과 신체 검진 결과에서 보행장애, 계단 오르기 장애, 근신전반사 감소, 긴 얼굴(elongated face), 그리고 젖산탈수소효소의 상승 소견이 확인되었다. 보행장애와 계단 오르기 장애, 그리고 근신전반사 감소는 유전성 근병증, 전각세포질환, 그리고 유전성 다발성감각운동신경병증에서 관찰되는 소견이다. 혈청 크레아틴키나아제 수치가 정상이다고 해서 근병증을 감별진단에서 배제할 수 없다. 지금까지 확인된 소견으로는 상기 감별진단 중 어느 것도 배제할 수 없다.

전기진단검사 결과

SENSORY NERVE CONDUCTION STUDIES			
NERVE - RECORDING SITE	Onset LAT (ms)	Base-peak AMP (μV)	Peak-peak AMP (μV)
R MEDIAN - Digit II	2.15	56.2	88.1
R ULNAR - Digit V	1.85	32.1	53.8
R SUPERFICIAL PERONEAL - Foot	1.85	26.1	32.4
R SURAL - Lateral Malleolus	1.95	31.1	35.9

MOTOR NERVE CONDUCTION STUDIES				
NERVE - RECORDING SITE	LAT (ms)	AMP (mV)	Distance (cm)	NCV (m/s)
R MEDIAN - Abductor Pollicis Brevis				
Wrist	3.30	4.4		
Elbow	6.80	4.4	19.0	54.3
R ULNAR - Abductor Digiti Minimi				
Wrist	2.25	4.3		
Elbow	5.45	3.8	19.0	59.4
R COMMON PERONEAL - Extensor Digitorum Brevis				
Ankle	5.25	2.3		
Fibular head	11.15	1.3	26.0	44.1
R TIBIAL - Abductor Hallucis				
Ankle	5.10	9.1		
Knee	11.85	9.2	31.5	46.7

NEEDLE ELECTROMYOGRAPHY								
MUSCLE	IA	Spontaneous			MUAP			Interference Pattern
		FIB	PSW	CRD/FASC	AMP	DUR	PPP	
R Biceps Brachii	Nl	N	N	1+	Dec	Dec	Inc	Complete
R Deltoid	Nl	N	N	N	Nl	Dec	Inc	Complete
R Vastus Medialis	Nl	N	N	N	Nl	Dec	Inc	Complete
R Tibialis Anterior	Nl	N	N	N	Dec	Dec	Inc	Complete

전기진단검사 결과 요약

운동신경전도검사와 감각신경전도검사는 정상이었다. 침근전도검사에서 진폭이 작고 지속시간이 짧은 다상성운동단위활동전위가 조기동원되는 양상을 우측 이두근과 전경골근에서 관찰할 수 있었다. 요약하면 상기 소견은 근병증에 합당하다.

추가적으로 필요한 검사는?

근생검

좌측 내측광근(vastus medialis)에서 근생검을 시행하였다(그림 45-1).

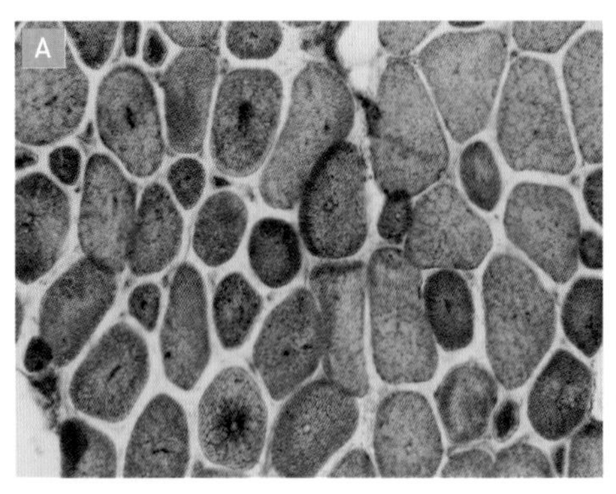

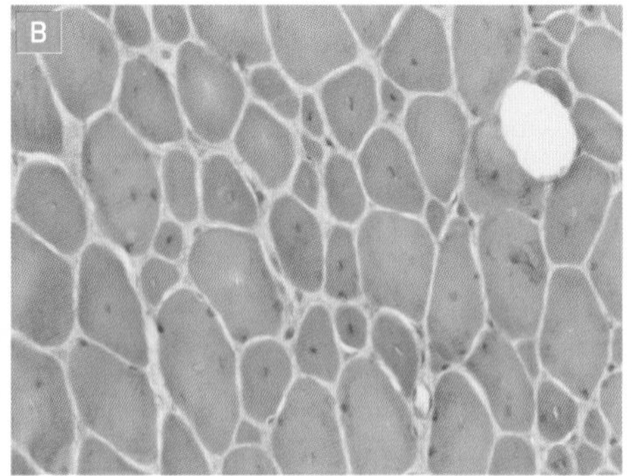

그림 45-1

근생검의 조직병리학 소견. (A) 산화효소 염색(NADH-reductase)에 의해 진하게 염색된 근섬유 비대. (B) 대부분의 근섬유에서 중앙핵이 관찰됨(H&E 염색).

면역형광염색

TARGET	RESULT
PAS	No ragged red fibers
Modified Gomori	No glycogen storage disease
NADH-TR	No fiber type predominance or grouping
ATPase 9.4	No fiber type predominance or grouping
SDHase	No evidence of mitochondrial disease

전자현미경

초박절편에서 근섬유 크기의 변이가 중등도로 관찰되었다. 내부핵은 간헐적으로 관찰되었다. 횡문근 형질막의 확장(sarcolemmal dilatation)과 근세사(myofilaments)의 파편(faction)이 관찰되었다. 근내막(endomyseum)에서 아교질(collagen) 침착이 관찰되었다.

요약

조직병리학 소견은 중심핵근병증(centronuclear myopathy)에 합당하다.

전기진단검사 결론

전기진단검사의 소견은 근병증에 합당하다. 근생검 소견은 중심핵근병증(centronuclear myopathy)에 합당하다.

고찰

중심핵근병증은 드물게 발생하는 선천성 근병증으로서 여러 근섬유 내부의 핵이 중앙에 배치되는 것이 특징적인 소견이다. 임상양상에 따라 세 가지 아형으로 구분된다. X-연관 열성형(심한 신생아 유형), 상염색체 열성형(천천히 진행, 영유아 후기-소아 초기 유형), 그리고 상염색체 우성형(소아 후기 또는 성인이 되어서 발병하는 유형)으로 나뉜다.[1]

X-연관 열성형은 남자에서 심하게 발현하는 표현형으로, 출생 당시부터 현저한 위약과 근긴장 저하, 외안근 마비(external ophthalmoplegia), 그리고 호흡곤란 증상이 나타난다. 상염색체 열성형에서는 저작근을 포함한 안면근의 위약, 그리고 외안근 마비와 안검하수증(ptosis)과 같은 안구근육 이상이 특징적으로 나타난다. 상염색체 우성형은 단백질 손상부위에 따라 증상의 정도가 다양하다. 경미한 임상 표현형은 초기운동발달은 정상적이지만, 사춘기 때부터 증상이 시작되어 천천히 진행하여 60세 이전에 독립 보행이 불가능해지게 된다.[2,3] 일반적으로 상염색체 우성형은 X-연관 열성형에 비해 증상 발현의 시기가 늦고 경과가 양호하며, 상염색체 열성형은 그 중간이다.[4,5] 비록 전기진단검사가 근병증의 유형에 대해서는 정확한 정보를 제공하지 못했지만, 적절한 진단검사를 선택할 수 있도록 의료진에 필요한 정보를 제공하였다.

참고문헌

1. Dumitru D. Electrodiagnostic Medicine. 2nd ed. Philadelphia: Hanley & Belfus, 2001:1322-3.
2. De Angelis M, Palmucci L, Leone M, Doriguzzi C. Centronuclear myopathy: clinical, morphological and genetic characters. A review of 288 cases. J neurol sci 1991;103:2.
3. Jeannet P, Bassez G, Eymard B, et al. Clinical and histologic findings in autosomal centronuclear myopathy. In: AAN Enterprises;2004:1484-90.
4. Fujimura-Kiyono C, Racz G, Nishino I. Myotubular/centronuclear myopathy and central core disease. Neuro India 2008;56:325.
5. Jungbluth H, Wallgren-Pettersson C, Laporte J. Centronuclear (myotubular) myopathy. Orphanet J Rare Dis 2008;3:26.

증례 46

전신 근경련을 호소하는 여아

병력

14세 여아가 근경련을 호소하였다. 환아는 9세에 급성림프구백혈형(acute lymphocytic leukemia, ALL)으로 진단받았고, 1년 후 비혈연간 제대혈이식(unrelated cord blood transplantation)을 받았다. 불행히도 생착 실패가 뒤따랐고, imatinib(Glivec®)을 통한 추가 화학요법을 시행 받았다. 13세에 환아는 골수이식을 받았으며, 완화(remission)된 것으로 판정받았다. 골수이식 1년 뒤, 손목의 통증과 부종에 이어 전신부종, 복수, 심낭삼출(pericardiac effusion)이 생겼다. 방문 3개월 전부터 전신의 근경련과 통증이 발생하였으며, 이러한 증상은 환자의 수면이 방해될 정도로 진행하였다. 방문 5주 전, 양쪽 주관절의 운동범위가 감소하고 부종이 발생하였다. 환아는 만성이식편대숙주병(grasft versus host disease, GVHD)으로 진단받았으며, 시클로스포린(cyclosporine)을 투여 받기 시작했다. 2주 뒤, 환아는 체중이 증가하고 전신의 부종이 발생하여 내원하였다. 혈중 혈액요소질소(blood urea nitrogen, BUN)와 크레아티닌(creatinine)은 78 mg/dL와 1.4 mg/dL였다. 시클로스포린은 급성요세관괴사(acute tubular necrosis)가 의심되어 중단하였으며, tacrolimus, mycophenolate mofetil을 시작하였다.

이 시점에서 감별진단은?

1. Tacrolimus 유발 전신다발성말초신경병증(generalized peripheral polyneuropathy, tacrolimus induced)
2. 만성이식편대숙주병 관련 전신다발성말초신경병증(generalized peripheral polyneuropathy, chronic GVHD related)
3. 요독증으로 인한, 전신다발성말초신경병증(generalized peripheral polyneuropathy, due to uremia)
4. 전해질 불균형으로 인한 전신다발성말초신경병증(generalized peripheral polyneuropathy, due to electrolyte imbalance)
5. 근긴장증(myotonia)

전신다발성말초신경병증이 환아의 면역억제제, 만성이식편대숙주병 그리고 요독증의 병력을 고려할 때 강하게 의심된다. 근경련 증상은 근긴장증과 같은 근육에 영향을 주는 질환도 시사한다.

신체 검진

시진

근위축이나 섬유속자발(fasciculation)은 없었다. 경화성 피부변화가 전방흉부, 겨드랑이, 복부, 등, 그리고 뒤쪽 대퇴부에서 관찰되었다.

관절가동범위

양측 주관절의 관절구축이 있었으며, 수동적 관절가동범위는 우측은 20°~100°, 좌측에서는 30°~60°였다.

도수근력검사

양측 견관절 외전, 주관절 굴곡, 고관절 굴곡, 슬관절 신전, 장무지 신전은 모두 4단계로 감소되었다. 이외의 모든 근육은 5단계로 측정되었다.

감각

감각 저하나 이상감각은 없었다.

반사

심부건반사는 모두 정상이었으며, 바빈스키(Babinski) 징후 등의 병적 반사는 없었다.

혈액검사 결과

크레아틴키나아제(creatine kinase)는 66 IU/L로 정상범위였으나, 젖산탈수소효소(lactated dehydrogenase)는 422 IU/L으로 상승하였다. 혈액요소질소(blood urea nitrogen)와 크레아티닌(creatinine)은 72 mg/dL(정상범위, 10~26 mg/dL)와 1.9 mg/dL(정상범위, 0.7~1.4 mg/dL)였다. 그러나 나트륨, 칼륨, 염화물(chloride)은 정상범위였다.

이 시점에서 감별진단은?

양측 주관절 구축은 만성 이식숙주편대질환의 결과이다. 근력은 양쪽 견관절 외전, 주관절 굴곡, 고관절 굴곡, 슬관절 신전, 그리고 장무지 신전에서 감소되어 있었다. 신체 검진상 감각 이상은 없었다. 근육효소는 약간 상승하였다. 혈액요소질소와 크레아티닌은 상승하였으나 혈중 전해질 농도는 정상이었다. 전해질 농도 불균형으로 인한 말초신경병증의 가능성은 낮다.

전기진단검사 결과

SENSORY NERVE CONDUCTION STUDIES		
NERVE - RECORDING SITE	Onset LAT (ms)	Base-peak AMP (μV)
R MEDIAN - Digit II	**3.20**	23.1
R ULNAR - Digit V	**3.05**	13.0
R SUPERFICIAL PERONEAL - Foot	1.95	**4.3**
L SUPERFICIAL PERONEAL - Foot	2.30	**6.7**
R SURAL - Lateral Malleolus	2.50	**6.4**
L SURAL - Lateral Malleolus	3.00	**5.0**

MOTOR NERVE CONDUCTION STUDIES				
NERVE - RECORDING SITE	LAT (ms)	AMP (mV)	Distance (cm)	NCV (m/s)
R MEDIAN - Abductor Pollicis Brevis				
Wrist	3.35	5.4		
Elbow	7.05	**2.3**	19.3	52.2
R ULNAR - Abductor Digiti Minimi				
Wrist	**3.65**	2.8		
Elbow	7.15	2.8	19.6	56.0
R COMMON PERONEAL - Extensor Digitorum Brevis				
Ankle	5.20	**0.9**		
Fibular Head		**No response**		
L COMMON PERONEAL - Extensor Digitorum Brevis				
Ankle		**No response**		
Fibular Head		**No response**		
R TIBIAL - Abductor Hallucis				
Ankle	3.30	**4.9**		
Knee	14.75	**2.8**	34.2	**29.9**
L TIBIAL - Abductor Hallucis				
Ankle	4.15	6.5		
Knee	12.50	6.2	34.0	40.7
R COMMON PERONEAL - Tibialis Anterior				
Fibular Head	3.25	**1.4**		
L COMMON PERONEAL - Tibialis Anterior				
Fibular Head	3.35	**1.9**		

F - WAVE	
NERVE - RECORDING SITE	MIN F LAT (ms)
R MEDIAN - Abductor Pollicis Brevis	25.85
R ULNAR - Abductor Digiti Minimi	25.95
R TIBIAL - Abductor Hallucis	44.80
L TIBIAL - Abductor Hallucis	48.35

전기진단검사 결과 요약

우측 척골신경(ulnar nerve), 경골신경(tibial nerve)과 총비골신경(common peroneal nerve)의 복합근육활동전위(compound muscle action potential)의 진폭이 감소하였다. 좌측 비골신경의 운동신경을 자극 시 반응이 없었다. 우측 정중신경의 감각신경활동전위 잠시(latency)는 약간 느려져 있었다. 양쪽 표재비골신경(superficial peroneal nerve)과 비복신경(sural nerve)의 감각신경활동전위 진폭은 감소했다. 침근전도검사상 사지의 근육에서 근긴장전위(myotonic potential)를 포함한 이상 소견은 없었다.

전기진단검사 결론

전기진단학적 검사는 아래와 같은 원인으로 주로 축삭이 손상된 전신대칭감각운동 다발성말초신경병증(generalized symmetric sensorimotor peripheral polyneuropathy)을 시사한다:

1. 만성이식편대숙주병
2. 면역억제제로인한 다발성말초신경병증(예, tacrolimus), 또는
3. 요독증

임상 경과

Tacrolimus, mycophenolate mofetil을 포함한 면역억제제는 만성이식편대숙주병의 치료를 위해 계속 사용하였다. 그러나 전신의 근경련과 저림은 요독증이 해결되면서 호전되었다.

관절구축은 지속되었으며, 수동적 관절가동운동 등의 물리치료는 이를 치료하기 위해 시행되었다.

고찰

전신 감각운동 다발성말초신경병증은 질병이 발생한 부위와 중증도에 따라 수백 가지의 다양한 유형과 원인들이 있다.

요독성다발성신경병증(uremic polyneuropathy)는 서서히 발생하고 수개월에 걸쳐 진행한다. 그리고 투석을 시행하는 환아의 60~100%에서 나타난다. 신경병증은 대개 사구체여과율(glomerular filtration rate, GFR)이 12 ml/min 미만으로 떨어지면 발생하다.[1] 요독성 신경병증의 기전은 중간분자범위의 신경독성물질이 체류되면서 발생한다.

다수의 면역억제제는 전신다발성말초신경병증을 유발할 수 있다. Tacrolimus(FK-506), vincristine, cisplatin, 그리고 pyridoxine은 다발신경병증을 유발할 수 있다. 신경병증은 보통 사용기간과, 용량, 시간에 비례해 발생한다. Cisplatin과 suramin은 축삭감각운동다발신경병을 유발하고, tacrolimus는 탈수초를 유발한다.[2]

이식편대숙주병으로 인한 다발신경병증은 흔한 소견은 아니다. Gabriel 등[3]은 만성이식편대숙주병과 연관된 혈관염 신경병증(vasculitic neuropathy) 증례를 보고하였다. Matsumoto 등은 만성이식편대숙주병 환아에서 비대칭탈수초신경병증(asymmetric demyelinating neuropathy)을 보고하였다.[4] 다른 논

문들에서도 다발성말초신경병증이 이식편대숙주병과 어떻게 연관되었는지는 보여주었으나, 기전은 불명확하다.

참고문헌

1. Krishnan AV, Kiernan MC. Uremic neuropathy: clinical features and new pathophysiological insights. Muscle Nerve 2007;35:273–90.
2. Peltier AC, Russell JW. Recent advances in drug–induced neuropathies. Curr Opin Neurol 2002;15:633–8.
3. Gabriel CM, Goldman JM, Lucas S, Hughes RA. Vasculitic neuropathy in association with chronic graft–versus–host disease. J Neurol Sci 1999;168:68–70.
4. Matsumoto H, Seki N, Yamamoto T, et al. [A case of asymmetric demyelinating neuropathy in a patient with chronic graft–versus–host disease]. Rinsho Shinkeigaku 2005;45:748–53.

증례
47

혈중 크레아틴키나아제(creatine kinase)가 상승된 남아

병력

지속적인 운동발달지연을 보이는 3세 남아가 혈중 크레아틴키나아제(Creatine Kinase, CK)농도 상승을 주소로 내원하였다. 환아는 12개월에 서기 시작했고, 18개월에 걷기 시작했다.

환아는 질식분만(vaginal delivery)하였고 출생 시 2.7 kg이었다. 산소포화도가 생후 1일째에 일시적으로 감소하여, 1주간 신생아중환자실에서 치료받은 병력이 있으며, 환아의 부모는 당시 간수치가 상승되었다고 한다. 이후 소아청소년과에서 정기적으로 경과 관찰하였고, 생후 6개월경에 CK가 12,000 IU/L(정상범위: 20~270 IU/L) 이상으로 상승된 소견이 발견되었으나 타병원에서 시행한 전해질 검사는 정상이었다. 당시 소아청소년과 의사는 근생검을 권유하였으나, 보호자가 거부하였다. 혈중 CK농도를 3세 때 다시 검사하였고, 36,253 IU/L로 상승되어있었다.

환아의 어머니는 그녀의 자매가 학령기에 매우 느리게 진행하는 근병증으로 진단받았다고 기억하고 있었으나, 진단에 대한 정확한 정보는 가지고 있지 않았다.

이 시점에서 감별진단은?

1. 유전성 근병증(myopathy, hereditary), 예: 근디스트로피(muscular dystrophy), 또는 선천성 근병증(congenital myopathy)
2. 척수전각세포질환(anterior horn cell disease), 예: 척수근위축증(spinal muscular atrophy)
3. 유전다발성말초신경병증(peripheral polyneuropathy, hereditary)
4. 상부운동신경원병(upper motor neuron disease)

혈중 크레아틴키나아제 농도는 출생 시부터 상승되어 있었으며, 3세 남아의 운동 발달은 지연되어 있었다. 출생 시부터 상승된 크레아틴키나아제 수치는 유전병일 가능성을 시사한다. 나이와 운동발달지연 초점을 맞춰볼 때, 환아가 유전성 근병증, 척수근위축증, 감각다발신경병증(hereditary motor sensory neuropathy), 또는 상부운동신경원병 같은 질환을 가지고 있다고 추정할 수 있다. 현저한 크레아틴키나아제 상승은 근육 손상에 기인한 것이며, 이것은 근디스트로피를 가장 강하게 시사한다.

신체 검진

근긴장도(muscle tone)는 정상이었다. 바빈스키 징후(Babinski sign)는 음성이었다. 도수근력검사상 위약의 증거는 없었다. 환아는 요추에서 척추 측만(scoliotic curvature)이 있었다. 환아의 보행은 정상이었으나 가우어 징후(Gower sign)는 양성이었다.

혈액검사 결과

	Measured value	Reference range, children	Unit
Total bilirubin	0.5	0.2~1.2	mg/dL
Alkaline phophatase	131	60~300	IU/L
Aspartate aminotransferase	**723**	0~40	U/L
Alanine aminotransferase	**833**	0~40	U/L
Creatine kinase	**724**	20~270	IU/L
Lactate dehydrogenase	**1756**	100~225	IU/L

유전자 검사

두시엔느 근디스트로피(Duchenne muscular dystrophy, DMD) 엑손(exon) 결손을 검사하기 위한 중합효소연쇄반응(polymerase chain reaction, PCR)은 음성이었다.

이 시점에서 감별진단은?

병력과 신체 검진에서 중요한 소견은 크레아틴키나아제 상승, 아미노전달효소(aminotransferase) 상승, 운동발달지연, 가우어 징후(Gower sign) 양성, 가족력 양성, 두시엔느 근디스트로피 엑손 결손의 유전자 검사 음성이다.

운동발달지연과 근위부 위약은 선천성 근병증, 척수근위축증, 그리고 유전성 운동감각신경병증이 있는 아이에서 발생할 수 있다. 크레아틴키나아제와 아미노전달효소 농도가 매우 상승해 있고, 가족력이 있어 가장 가능성이 높은 진단은 근디스트로피이다. 중합효소연쇄반응 검사에서 디스트로핀 엑손(dystrophin exon)의 결손은 관찰되지 않았으나 근디스트로피를 배제할 수 없다. 점돌연변이(point mutation)와 틀이동돌연변이(frame shift mutation)가 근디스트로피의 1/3에서 발생할 수 있고 이경우 엑손의 결손은 관찰되지 않기 때문이다.

전기진단검사 결과

SENSORY NERVE CONDUCTION STUDIES			
NERVE - RECORDING SITE	Onset LAT (ms)	Base-peak AMP (μV)	Peak-peak AMP (μV)
R MEDIAN - Digit II	1.90	62.6	64.2
R ULNAR - Digit V	1.65	24.3	58.0
R SUPERFICIAL PERONEAL - Foot	2.85	12.6	12.9
R SURAL - Lateral Malleolus	2.50	22.7	27.2

MOTOR NERVE CONDUCTION STUDIES				
NERVE - RECORDING SITE	LAT (ms)	AMP (mV)	Distance (cm)	NCV (m/s)
R MEDIAN - Abductor Pollicis Brevi				
Wrist	2.15	9.9		
Elbow	4.30	9.3	11.1	51.6
R ULNAR - Abductor Digiti Minimi				
Wrist	1.90	6.2		
Elbow	3.70	6.1	11.6	64.4
R COMMON PERONEAL - Extensor Digitorum Brevis				
Ankle	2.15	4.7		
Fibular head	5.20	5.5	13.7	44.9
R TIBIAL - Abductor Hallucis				
Ankle	2.30	11.6		
Knee	6.45	10.7	20.5	49.4

NEEDLE ELECTROMYOGRAPHY								
MUSCLE	IA	Spontaneous			MUAP			Interference Pattern
		FIB	PSW	CRD/FASC	AMP	DUR	PPP	
R Biceps Brachii	Nl	N	N	N	Nl	**Dec**	**Inc**	**Early**
R Tibialis Anterior	Nl	N	N	N	Nl	**Dec**	**Inc**	**Early**
R Vastus Medialis	Nl	**1+**	**1+**	N	Nl	**Dec**	**Inc**	**Early**

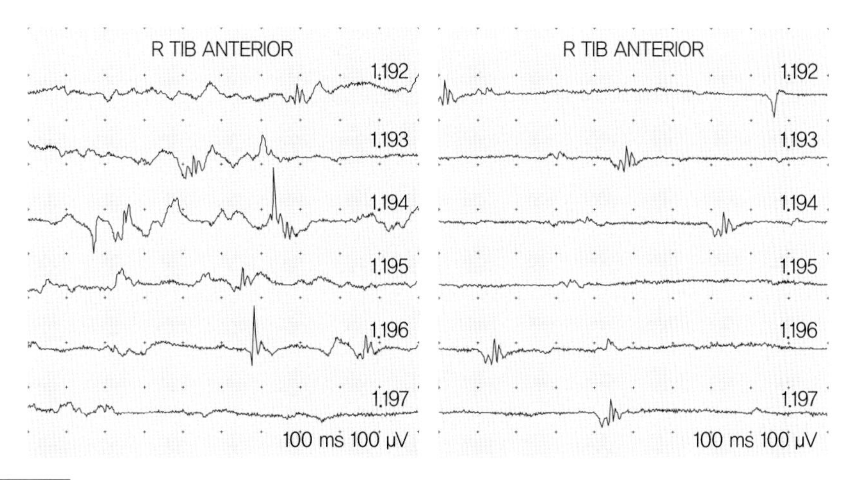

그림 47-1

짧은, 다상성운동단위활동전위(polyphasic MUAP). 운동단위활동전위는 근육병에서 전형적인 다상성의 지속시간이 짧은 운동단위활동전위가 관찰된다. [민감도(sensitivity), 100 μV/div; 스윕 속도(sweep speed), 100 ms]

전기진단검사 결과 요약

운동과 감각신경전도검사는 정상이었다. 침근전도검사에서 섬유자발전위(fibrillation potential)와 양성예파(positive sharp wave)가 우측 내측광근(vastus medialis)에서 관찰되었다. 작은 진폭, 짧은 지속 시간의 운동단위활동전위는 우측 내측광근, 전경골근(tibialis anterior), 그리고 상완이두근(biceps brachii muscle)에서 관찰된다. 운동단위조기동원(early recruitment) 역시 이들 근육에서 관찰된다. 위의 소견들은 근병증에 가장 부합한다.

추가적으로 필요한 검사는?

근생검

근생검을 우측 외측광근(vastus lateralis)에서 시행하였으며, 근병증에 부합하는 소견이 관찰되었다.

면역형광염색

TARGET	RESULT
CD56 (C1)	Positive in degenerating myofibers
CD68 (C1)	Positive in macrophage
Dystrophin 1	**Negative**
Dystrophin 2	**Negative**
Dystrophin 3	**Negative**
Utrophin	Negative
Spectrin Focal positive	
Merosin	Positive
PAS	No glycogen storage disease
Modified Gomori	No ragged red fibers
NADH-TR	No fiber type predominance or grouping
ATPase 9.4	No fiber type predominance or grouping
SDHase	No evidence of mitochondrial disease

전자현미경

골격근의 초박절편(ultrathin section)에서 근육잔섬유(myofilament)의 투명화(rarefaction)를 동반한 둥근 모양의 변성된 근섬유가 보였다. 파괴된 근육잔섬유와 팽창된 근육세포실세망(sarcoplasmic reticulum), 근내막아교질(endomysial collagen)이 관찰되었다.

최종 병리 진단

두시엔느 근디스트로피에 합당한 진행성근디스트로피(progressive muscular dystrophy)

전기진단검사 결론

전기진단학적 검사 결과는 근병증을 시사한다. 유전자 검사와 근생검 결과에 기초하여 결손 음성 두시엔느 근디스트로피(deletion-negative DMD)로 특정된다.

임상 경과

환아는 근전도, 근생검 그리고 임상양상을 바탕으로 두시엔느 근디스트로피로 진단되었다. 이후 정기적으로 소아청소년과 외래를 방문하였다. 경과관찰 중, 전신긴장간대발작(generalized tonic clonic seizure)이 발생하였고, 5세 이후에는 항경련제 복용을 지속하였다. 환아는 난간을 잡지 않고 계단을 오를 수 있었다. 35세의 환아모에서의 크레아틴키나아제 수치는 2,923 IU/L로 상승되어 있었다.

고찰

디스트로핀병증(dystrophinopathy)의 진단은 유전자 검사로 할 수 있어, 근전도검사의 역할은 점차 감소하고 있다. 19-엑손 길잡이(primer) 조합을 이용한 다중중합효소연쇄반응(multiplex PCR)은 효과적이고 특이적으로 큰 유전자 결손을 찾을 수 있다. 검사가 결손, 점돌연변이나 복제(duplication)를 거의 놓치지 않기 때문에 다양한 인구에서 32~72%의 민감도를 보인다.[1]

이 증례에서는 간효소수치 이상으로 정기적 경과관찰을 하게 되어 비교적 조기에 진단이 가능하였다. 환아의 다중중합효소연쇄반응 검사는 음성이었으나, 초기의 크레아틴키나아제 상승이 근디스트로피 진단의 단서가 되었다.[2,3] 추가적으로 전기진단학적 검사는 근병증을 시사하였다. 이와 같은 증례처럼 근생검에 앞서 전기진단학적 검사를 시행하는 것이 임상적으로 유용한 경우가 있어 고려가 필요하다.

참고문헌

1. Sura T, Eu-ahsunthornwattana J, Pingsuthiwong S, Busabaratana M. Sensitivity and frequencies of dystrophin gene mutations in Thai DMD/BMD patients as detected by multiplex PCR. Dis Markers 2008;25:115-21.
2. Urganci N, Arapoglu M, Serdaroglu P, Nuhoglu A. Incidental raised transaminases: a clue to muscle disease. Ann Trop Paediatr 2006;26:345-8.
3. Zamora S, Adams C, Butzner J, Machida H, Scott R. Elevated aminotransferase activity as an indication of muscular dystrophy: case reports and review of the literature. Can J Gastroenterol 1996;10:389.

증례 48

발달지연(developmental delay)을 보이는 두 소아

48-1. 발달지연을 보이는 소년

◎ 병력

5세 남아가 발달지연에 대한 평가를 위해 근전도실에 의뢰되었다. 임신 38주에 질분만(vaginal delivery)으로 태어났고 주산기 문제(perinatal complication)는 없었다. 출생 시 체중은 2.9 cm이었다. 3개월에 고개 가누는 것이 가능했고 5개월에 뒤집기도 하였다. 하지만 운동 발달이 그즈음에서 더 일어나지 않았다. 최근에는 도움 없이는 앉아 있지도 못하게 되었다. 근위약을 처음 인지하기 전에 심한 외상이나 발열이 있었던 적도 없었다. 형이 하나 있었는데 주의력결핍과잉행동장애(attention deficit hyperactivity disorder)와 정신지체(mental retardation)가 있어서 특수학교에 다니고 있었다. 신체발달지연과 관련된 가족력은 없었다.

◎ 신체 검진

시진

입이 작은 것 이외에는 전반적인 모습은 정상이었다. 양측 슬관절 구축(contracture)이 있었으나 족관절(ankle)은 괜찮았다. 경직(spasticity)은 보이지 않았고 양측 손목관절(wrist)은 척측편위변형(ulnar deviation deformity)이 있었다.

발달이정표(Developmental milestone)

근전도실을 방문했을 때에는 도움 없이 앉은 자세를 거의 유지하지 못하였고 슬관절이 무너져서 직립하지 못하였다. 인지(cognition)나 언어(speech) 방면으로는 장애도 없었고 지연되지 않았다.

감각

전신에서 통증에 대한 반응과 고유감각이 감소되어 있었다.

반사

모든 대관절(major joint)에서 심부건반사(deep tendon reflex)가 나오지 않았다.

도수근력검사

	Upper extremity	Lower extremity
Right	2	2
Left	2	2

이 시점에서 감별진단은?

1. 유전성 운동신경병증(hereditary motor sensory neuropathy, 이하 HMSN)
2. 척수근위축증(spinal muscular atrophy)
3. 후천성 혹은 유전성 근육병증(myopathy, acquired or hereditary)

혈액검사 결과

혈청 크레아티닌키나아제(serum creatine kinase)는 34 IU/L(정상범위, 20~270 IU/L)이었다. SMN 유전자(survival motor neuron gene) 결손은 없었다.

전기진단검사 결과

SENSORY NERVE CONDUCTION STUDIES			
NERVE - RECORDING SITE	Onset LAT (ms)	Base-peak AMP (μV)	Peak-peak AMP (μV)
R MEDIAN - digit II		No response	
R ULNAR - digit V		No response	
R SUPERFICIAL PERONEAL - Foot		No response	
L SUPERFICIAL PERONEAL - Foot		No response	
R SURAL - Lateral Malleolus		No response	
L SURAL - Lateral Malleolus		No response	

MOTOR NERVE CONDUCTION STUDIES				
NERVE - RECORDING SITE	LAT (ms)	AMP (mV)	Distance (cm)	NCV (m/s)
R MEDIAN - Abductor Pollicis Brevis				
Wrist		No response		
R ULNAR - Abductor Digiti Minimi				
Wrist		No response		
R COMMON PERONEAL - Extensor Digitorum Brevis				
Ankle		No response		
R TIBIAL - Abductor Hallucis				
Ankle		No response		

NEEDLE ELECTROMYOGRAPHY								
MUSCLE	IA	Spontaneous			MUAP			Interference Pattern
		FIB	PSW	CRD/FASC	AMP	DUR	PPP	
R. Biceps Brachii	Nl	N	N	N	Nl	Nl	Nl	Reduced
R. Abductor Pollicis Brevis		Poor resting			Nl	Nl	Inc	Discrete
R. First Dorsal Interosseous	Nl	1+	1+	N	Nl	Nl	Nl	Discrete
R. Extensor Carpi Radialis Longus	Nl	1+	1+	N	Nl	Nl	Inc	Reduced
R. Tibialis Anterior	Nl	N	N	N	Nl	Long	Inc	Reduced
R. Vastus Medialis	Nl	1+	1+	N	Nl	Nl	Inc	Reduced

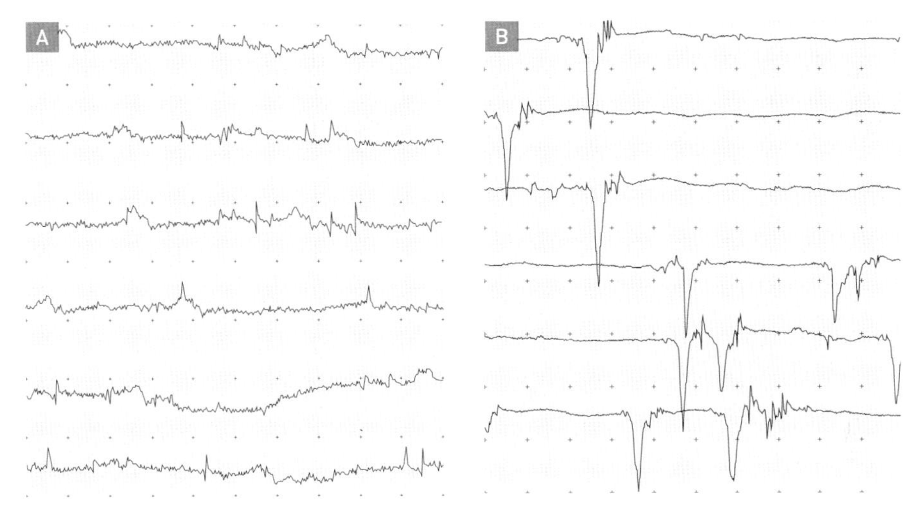

그림 48-1

침근전도 파형. 섬유자발전위(Fibrillation potential)가 우측 첫째 배측골간근(dorsal interosseous). [A. 민감도(sensitivity), 100 μV/div; 스윕 속도(sweep speed), 100 ms]. 우측 단무지외전근(abductor pollicis brevis)에서 운동단위(motor unit)가 크고 다상성이 증가되어 있다. (B. 민감도, 1 mV/div; 스윕 속도, 100 ms)

○ 전기진단검사 결과 요약

우측 상하지에서 시행한 신경전도검사(nerve conduction study)에서는 운동과 감각 반응이 유발되지 않았다. 침근전도에서는 우측 첫째 배측골간근, 장요측수근신근(extensor carpi radialis longus), 내측광근(vastus medialis)에서 비정상자발전위(abnormal spontaneous activity)가 관찰되었다. 우측 단무지외전근, 장요측수근신근, 내측광근에서 다상성운동단위활동전위가 관찰되었다. 원위부 근육에서는 지속시간이 긴 다상성 운동단위가 관찰되었다. 간섭양상(interference pattern)은 우측 상완이두근(biceps brachii), 내측광근과 같은 근위부 근육에서 감소되어 있었고 장요측수근신근, 전경골근(tibialis anterior)과 같이 더 원위부인 근육에서는 더 감소되어 있었고 수부 내재근(intrinsic muscle)에서는 더더욱 감소되어 있었다. 운동단위활동전위가 조기동원(early recruitment)되지는 않았다.

상기 전기진단학적 이상 소견은 중증의 축삭변성을 동반한 전신성감각운동다발신경병증(generalized sensorimotor polyneuropathy)에 합당하다.

추가적으로 필요한 검사는?

샤르코-마리-투스병(Charcot-Marie-Tooth disease, 이하 CMT) 1형을 배제하기 위해 말초수초단백질22(peripheral myelin protein22, 이하 PMP22) 유전자량(gene dosage)을 검사하였고 2개(two copies)로 정상이었다. PMP22 염기서열분석(sequencing)과 같은 다른 유전자 검사들이 CMT의 아형을 진단하는 데에 도움이 되었겠지만 환자는 추가적인 유전자 검사를 거부하였다.

전기진단검사 결론

상기 전기진단학적 소견은 중증의 축삭 손상이 있는 전신 감각운동다발신경병증에 합당하다. 심한 중증도와 조기발병을 고려할 때 CMT3(Dejerine-Sottas disease)가 의심된다.

임상 경과

환자는 3개월 후 외래를 방문하였다. 근위약은 비슷한 상태였다. 양측 손목의 척측편위는 다소 악화되어 45°로 증가하였으나 단순촬영에서 아탈구(subluxation)나 골절이 관찰되지는 않았다. 그는 도움 없이 글씨를 쓰고 책장을 넘기는 것이 가능하였다. 담당의사는 3점 동적손목부목(3-point wrist dynamic splint)을 사용할 것을 추천하였다. 환자는 보조기(orthosis)를 하고 더 자유롭게 팔과 손을 사용할 수 있었다. 근전도 추적검사는 시행하지 않았다.

48-2. 독립적으로 보행한 적이 없는 소녀

병력

독립적으로 보행한 적이 없는 8세 소녀가 있었다. 운동발달지연(delayed motor development)이 있었다. 상지의 힘은 상대적으로 정상이었다. 초등학교 3학년이었는데 정신지체(mental retardation)로 인해 학습 부진이 있었다. 신경근육질환과 관련된 가족력은 없었다. 이전에 중추신경계(central nervous system) 문제로 인한 발달 문제를 확인하기 위해 시행한 뇌 영상에서는 별다른 이상 소견이 없었다.

이 시점에서 감별진단은?

1. 유전성 운동감각신경병증(hereditary motor and sensory neuropathy, 이하 HMSN)
2. 유전성 근육병증(hereditary myopathy)
3. 척수근위축증(spinal muscular atrophy)
4. 경직성하반신마비(spastic paraplegia)
5. 양측 요천추신경총병증(bilateral lumbosacral plexopathy)
6. 국소신경병증[양측 좌골(sciatic), 경골(tibial), 비골(peroneal) 신경병증]

상기 병력은 전신적인 근위약을 암시한다. 뚜렷한 감각 증상 없는 근위약은 감각운동다발신경병증(sensorimotor polyneuropathy), 근육병증, 척수전각세포질환(anterior horn cell)을 의심하게 하는 소견이다. 증상이 출생 시부터 있어서 유전성 질환을 고려해야 한다. 유전성 감각운동다발신경병증에서 감각 증상이 없는 경우는 흔하다. 경직성하반신마비는 근긴장도(muscle tone)와 반사가 항진되어 있는 특징적인 소견으로 감별할 수 있다. 유전성 질환의 가족력이 없어서 유전성 질환의 가능성이 떨어지기는 하지만 산발성으로(sporadic) 점돌연변이(point mutation)가 생겼을 가능성도 고려해야 한다. 특별한 외상력이 없고 이전에 통증도 없었기 때문에 양측 요천추신경총병증은 가능성이 낮지만 감별은 해야 한다. 추가로 좌골신경병증과 같은 국소신경병증도 감별진단에 포함해야 한다.

신체 검진

시진

양측 대퇴와 하퇴의 근육크기가 줄어 있었다. 양측 편평외반족(Pes planovalgus)이 관찰되었다.

감각

상하지에 이상감각(paresthesia)이나 감각 저하(hypesthesia)는 없었다.

반사

근신장반사(muscle stretch reflex)는 양측 슬관절과 족관절에서 1+, 양측 이두근(biceps)과 상완삼두근(triceps brachii)에서는 2+였다. 바빈스키 징후(Babinski sign)와 족간대성경련(ankle clonus)은 양측에서 나타나지 않았다.

보행

그녀는 독립적으로 걸을 수는 없었으나 소아용 후방보행기(pediatric posterior walker)를 이용하면 보행이 가능하였다.

도수근력검사

	Upper extremity	Knee extensor	Knee flexor	Ankle dorsiflexor	Ankle plantar flexor
Right	5	4	4	5	5
Left	5	4	4	4	4

혈액검사 결과

최초 검사에서 전혈구계산(complete blood count)과 혈중요소질소(blood urea nitrogen), 크레아티닌(creatinine), 전해질(electrolytes), 적혈구침강속도(erythrocyte sedimentation rate)를 포함한 일반화학검사(routine chemistry)를 시행하였고 정상이었다. 혈청 크레아티닌키나아제(serum creatine kinase)와 젖산탈수소화효소(lactate dehydrogenase) 수치도 정상 범위 내에 있었다.

이 시점에서 감별진단은?

병력과 신체 검진에서 하지의 근위약과 슬관절, 족관절에서 감소된 근신장반사, 정상적인 감각을 확인할 수 있었다. 하지 근위약과 근신장반사 저하는 유전성 감각운동다발신경병증, 유전성 근육병증, 척수전각세포질환, 양측 요천추신경총병증에서 나타날 수 있다. 가족성경직성하반신마비는 근신장반사가 저하되어 있었기 때문에 배제할 수 있다. 국소단일신경병증은 감각 이상이 없었기 때문에 가능성이 낮다. 크레아티닌키나아제 수치가 정상이라고 척수전각세포질환과 근육병증을 배제할 수는 없다. 이 시점에서 감별 진단은 가능성이 높은 순서대로 1) HMSN 2형, 2) 척수전각세포질환, 3) 유전성 근육병증이다.

전기진단검사 결과

SENSORY NERVE CONDUCTION STUDIES			
NERVE - RECORDING SITE	Onset LAT (ms)	Base-peak AMP (μV)	Peak-peak AMP (μV)
R MEDIAN - Digit II		No response	
R ULNAR - Digit V		No response	
R SUPPERFICAL PERONEAL - Foot		No response	
R SURAL - Lateral Malleolus		No response	

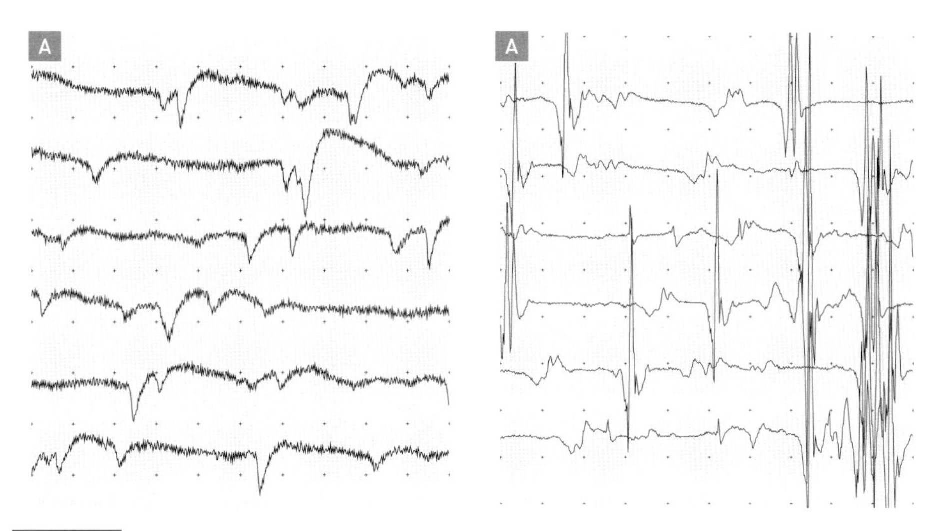

그림 48-2

침근전도 파형. 우측 비복근(gastrocnemius)에서 양성예파(Positive sharp wave)가 관찰된다. [A. 민감도(sensitivity), 100 μV/div; 스윕 속도(sweep speed), 100 ms]. 우측 척측수근굴근(flexor carpi ulnaris)의 운동 단위(motor unit)의 다상성이 증가(polyphasic)한 것에 주목하시오. (B. 민감도, 200 μV/div; 스윕 속도, 100 ms)

MOTOR NERVE CONDUCTION STUDIES				
NERVE - RECORDING SITE	LAT (ms)	AMP (mV)	Distance (cm)	NCV (m/s)
R COMMON PERONEAL - Extensor Digitorum Brevis				
Ankle			No response*	
Fib Head			No response*	
R TIBIAL - Abductor Hallucis				
Ankle			No response*	
Knee			No response*	

* Sweep speed was adjusted up to 100 msec.

NEEDLE ELECTROMYOGRAPHY								
MUSCLE	IA	Spontaneous			MUAP			Interference Pattern
		FIB	PSW	CRD/ FASC	AMP	DUR	PPP	
R Abductor Pollicis Brevis	Nl	N	N	N	Nl	Nl	Nl	Reduced
R Flexor Carpi Ulnaris	Nl	N	N	N	Nl	Nl	Inc	Reduced
R Tibialis Anterior	Nl	N	N	N	Inc	Nl	Nl	Reduced
R Gastrocnemius (Medial)	Nl	2+	2+	N	Nl	Nl	Inc	Reduced
R Biceps Brachii	Nl	N	N	N	Nl	Nl	Inc	Reduced

전기진단검사 결과 요약

우측 정중신경(median), 척골신경(ulnar), 표재비골신경(superficial peroneal), 비복신경(sural) 감각신경활동전위(SNAP)는 유발되지 않았다. 하지의 복합근육활동전위(CMAP)도 유발되지 않았다. 침근전도에서 내측 비복근에서 비정상자발전위와 다상성운동단위활동전위(polyphasic MUAP)가 관찰되었다. 우측 전경골근(tibialis anterior)에서 큰 운동단위활동전위, 우측 요측수근굴근(flexor carpi radialis), 이두근과 같은 상지의 근육들에서는 다상성활동전위가 관찰되었다(그림 48-2).

1. 신경전도검사에서 전신적인 신경병증을 시사하는 소견이 보였다. 이로써 국소신경병증은 배제할 수 있다.
2. 상하지에서 감각신경활동전위가 감소되어서 근육병증과 척수근위축증은 배제할 수 있다.
3. 이 결과에서 가장 주목할만한 점은 감각신경활동전위와 복합근육동활동전위가 유발되지 않은 것에 비해서 상대적으로 운동단위활동전위동원(recruitment)이 보존되었다는 것이다. 이는 중증의 탈수초화(demyelination)를 의미한다.

추가적으로 필요한 검사는?

유전자 검사

유전자 검사와 가족들에게도 전기생리학적 평가를 시행하는 것이 필요하다. CMT병을 진단하고 아형(subtype)을 밝히기 위해서는 간극결합베타1(gap junction Beta-1, GJB1) 유전자, 수초단백질제로(myelin protein zero, 이하 MPZ) 유전자를 직접검사(direct testing)하거나 PMP22 유전자 중복(duplication)/염기서열을 확인하는 것이 필요하다. DNA 직접검사 결과 17번 염색체 단완(chromosome 17p)에 중복은 없었으나 세린72가 류신으로 바뀌는 변이(Ser72Leu mutation)가 PMP22 유전자에서 발견되었다. 이는 CMT 1E형에서 특징적인 소견이다.

전기진단검사 결론

상기 전기진단학적 결과는 주로 탈수초화가 있는 유전성 운동감각신경병증(샤르코-마리-투스 병, Charcot-Marie-Tooth disease)를 시사한다. 유전자 검사에서 CMT 1E형을 확진하였다.

입원 경과

요족(high-arched foot)을 교정하기 위해 과상보조기(supramalleolar orthoses)를 처방하였다. 환자는 소아용 후방보행기를 사용하여 보행훈련을 시작하였다. 정기적으로 내원하는 동안 증상은 안정적인 상태로 유지되었다.

두 증례에 대한 고찰

이 두 증례는 비교적 조기에 발병한 근위약이 주소였다. 위약은 첫째 증례에서 더 심하였다. 흥미롭게도 신경전도검사에서 감각신경활동전위와 복합근육활동전위가 유발되지 않았으나 침근전도에서 운동단위활동전위가 어느 정도 동원되었다.

둘째 증례에서는 PMP22 유전자에 세린72가 류신으로 바뀌는 변이가 규명되었으나 첫째 증례에서는 정확한 유전학적 진단이 이루어지지 않았다.

CMT는 가장 흔한 유전성 신경근육질환 중 하나이다.[1] 임상적, 전기생리학적 특징에 따른 분류가 여전히 중요하지만 최근의 유전학적 진단 기술 발달은 CMT의 전통의 분류 체계에 새로운 견해를 던져줬다. 현재까지 알려진 바로는 CMT 1형, 2형과 같은 고전적인 아형은 수많은 유전자의 변이에 의해 나타날 수 있다. 아직까지는 환자의 2/3이 분자 수준의 진단이 가능하다.[1] 가까운 미래에 이 질환의 분자적 기전에 근거하여 분류 체계가 바뀔 수도 있다.

이 증례들은 CMT 3형의 전형적인 양상을 보인다. CMT 3형은 HMSN III, 데저린-소타스병, 선천성수초형성부전신경병증(congenital hypomyelinating neuropathy, 이하 CHN)이라고도 불린다.

데저린-소타스병는 1893년에 조기에 발생한 원위부 근위축을 가진 동기(同氣)인 두 환자의 증례에서 처음 기술되었다.[2] 30세 전후해서 상지 위약이 생겼다. 전기생리학적 검사에서는 말초 신경 자극에서 반응이 유발되지 않았다.

임상적으로는 유아기 혹은 초기 아동기에 처음 신경학적 증상을 보이고 발달이정표의 지연(delayed milestones), 원위부 위약과 위축, 요족 변형(pes cavus), 가족력이 없는 실조증(ataxia)을 보인다. 위축은 심할 수 있고 근력은 약간 떨어진다. 이 질환의 대개 천천히 진행하고 감각운동 증상은 종종 체간에서 멀어질수록 심해진다.

비후된 신경이 촉지되는 경우도 있으나 이는 종종 부검에서만 발견되는 경우도 있기 때문에 진단적 기준에 포함될 수 없다. 병리학적으로는 정상적인 세포체(cell body)를 가진 세포 비대(hypertrophy of nerve)와 신경 섬유 밀도 감소, 두 개 이상의 랑비에 결절(node of Ranvier)에서 분절탈수초(segmental demyelination), 단면에서 양파껍질모양구조(onion-bulb formation) 소견을 보인다. 신경 비대는 신경집세포(Schwann-cell)와 결합 조직의 증식에 의한 것이다.

전기생리학적 검사에서는 말초 신경의 전도 속도 저하와 최대초과자극(supramaximal stimulation).에서 뚜렷한 시간분산(temporal dispersion)을 보인다. 말기로 가면 운동과 감각 신경 활동 전위의 진폭이 감소하거나 최대초과자극에서도 유발이 되지 않기도 한다. 자발적 운동단위활동전위(motor unit action potential)는 정상적인 전위와 비정상적인 전위가 혼재한다. 주로 양성예파나 섬유자발전위와 같은 비정상자발전위는 극미하게 있거나 보이지 않고 삽입 전위(insertional activity)가 상대적으로 감소되어 있을 수 있다.

데저린-소타스병은 PMP22, MPZ/P0, EGR2(early growth response 2) 유전자에 특발성으로 이형접합(heterozygous) 우성 돌연변이가 발생하여 생긴다. PMP22는 말초신경의 치밀한 수초(myelin)에 발현하는 막당단백(membrane glycoprotein)이다. 데저린-소타스병은 PMP22에 생기는 16가지의 다른 돌연변이와 연관이 있는 것으로 알려져 있다. 이 돌연변이들은 주로 단백질의 막통과영역(transmembrane domain)에 생기는 과오돌연변이(mis-sense mutation)이다.[1]

데저린-소타스병과 관련 있는 다른 단백질은 MPZ/P0이다. 이는 말초 신경 수초의 주요 단백성분이고 수초의 압밀(壓密, compaction)작용에 중요한 역할을 한다. 데저린-소타스병은 몇가지 다른 P0유전자의 이형접합 돌연변이와 연관되어 있고 질환의 중증도는 돌연변이의 유형과 관련있다.

첫째 증례의 환자는 정확한 분자적(유전자) 진단이 내려지지는 않았지만 임상양상은 데저린-소타스병을 강하게 암시한다.

두 번째 증례는 유전학적으로 CMT 1E형이 진단되었다. 이 질환은 유전자 분석 기술이 발달하여 1993년에 처음 기술되었다.[3] CMT 1E은 선천성 수초형성부전 신경병증으로도 알려져 있다.[4] 최근에 CMT 1형 환자에서 기능소실돌연변이(loss-of-function mutation)인 시스테인109에서 정지되는 돌연변이(Cys109stop mutation)가 보고된 바 있다. 기능소실돌연변이와 다르게 PMP22 단백질에서 이형접합 세린72가 류신으로 치환(substitution)되는 것은 중증의 표현형(phenotype)을 갖는 CMT를 일으킨다.[5] 신경 생검에서는 개화성 반을 동반한 탈수초병변 저수초형성/무수초형성(hypomyelination/amyelination)과 기저판(basal laminae)의 양파껍질 형상을 보인다. 이는 PMP22 유전자의 세린72가 류신으로 치환된 결과이다.

데저린-소타스 증후군은 탈수초 질환인 데에 비해 CHN은 수초 형성의 장애여서 구별해야 한다는 의견이 있는 반면,[6] 데저린-소타스병의 하위 분류라는 의견도 있다.[4] CHN 환아들을 장기간 추적 관찰하였을 때 운동신경전도 속도의 점진적인 호전을 보인다. 이는 데저린-소타스 증후군은 악화되는 반면 CHN은 시간이 지나면서 호전됨을 의미한다.[7]

참고문헌

1. Pareyson D, Marchesi C. Diagnosis, natural history, and management of Charcot-Marie-Tooth disease. The Lancet Neurology 2009;8:654-67.
2. Dejerine J SJ. Sur la nevrite interstitielle, hypertrophique et progressive de l'enfance. C R Soc Biol 1893;45:63-96.
3. Nelis E, Haites N, Van Broeckhoven C. Mutations in the peripheral myelin genes and associated genes in inherited peripheral neuropathies. Hum Mutat 1999;13:11-28.
4. Roa B, Garcia C, Suter U, et al. Charcot-Marie-Tooth Disease Type 1A:Association with a Spontaneous Point Mutation in the PMP22 Gene. In; 1993:96-101.
5. Fabrizi G, Simonati A, Taioli F, et al. PMP22 related congenital hypomyelination neuropathy. Journal of Neurology, Neurosurgery, and Psychiatry; 2001:123-6.
6. Kochanski A, Kabzinska D. De novo Ser72Leu mutation in the peripheral myelin protein 22 in two Polish patients with a severe form of Charcot-Marie-Tooth disease. Acta Biochim Pol 2004;51:1047-50.
7. Phillips JP, Warner LE, Lupski JR, Garg BP. Congenital hypomyelinating neuropathy: two patients with long-term follow-up. Pediatr Neurol 1999;20:226-32.

증례
49

절름발이 보행을 보이는 남아

병력

5세 남아가 6주 전 어머니가 처음 발견한 절름발이 보행(limping gait)을 주소로 방문하였다. 이 증상은 좌측 서혜부 탈장 봉합술 이후에 발견되었다. 서혜부에 눈에 보이는 혈종은 없었다. 환아는 좌측으로 절뚝거렸으며 서있을 때 좌측 무릎이 구부러지는 모습을 보였다. 또한 이 증상은 달릴 때 심해는 양상이었다. 어머니 말에 따르면 우측 허벅지와 비교하였을 때, 좌측 허벅지가 점차적으로 가늘어졌다고 하였다. 환아는 좌측다리의 간헐적인 뻣뻣함과 통증으로 호소하였다. 상지에 마비나 저린 증상, 위약은 호소하지 않았다. 삼킴곤란, 복시, 소변장애, 소변량의 저하는 나타나지 않았으며 소변이나 대변을 보는 것에 어려움을 느끼지도 않았다. 절름발이 보행은 발생 이후로 더 나빠지지는 않았다. 환아는 출산 전후에 문제가 있지는 않았으며 성장발달단계도 정상적이었다. 과거 2~3개월 내에 사고경력도 없었고 열, 인후통, 코막힘, 위장관 이상 증상도 없었으며 복용 중인 약도 없었다.

이 시점에서 감별진단은?

1. 좌측 대퇴신경병증(femoral neuropathy, left)
2. 좌측 좌골신경병증(sciatic neuropathy, left)
3. 요천추신경근병증(lumbosacral radiculopathy, left)
4. 요천추신경총병증(lumbosacral plexopathy, left)
5. 후천성 다발성말초신경병증(acquired peripheral polyneuropathy)

위 병력을 바탕으로 하지의 운동계에 영향을 미치는 국소적이고 진행하지 않는 질환을 추정할 수 있다. 확실한 감각 증상이 없는 국소적인 위약은 종종 근병증(myopathy)이나 운동신경원병(motor neuron disease)을 시사한다. 그러나 어린 나이에 증상이 발병하면 감각 증상을 분명하고 정확하게 표현하지 못하거나 지각하지 못할 수 있다. 결과적으로 우리는 다른 가능한 진단들을 배제할 수 없다. 더 나아가 수술 이후에 증상이 갑작스럽게 발생하였으므로 외상에 의한 혹은 눌려서 생긴 대퇴신경병증이나 좌골신경병증, 뇌경색과 같은 수술 이후 부작용일 가능성도 있다. 서혜부 탈장 수술의 과정은 복막 뒤 공간을 통하지 않기 때문에 사고에 의한 요천추신경총병증의 가능성은 낮다. 길랭-바레증후군(Guillian-Barre syndrome)과 같은 후천성 다발성말초신경병증의 가능성은 있으나 증상에 큰 변화가 없는 것으로 보아 적절한 진단은 아닐 것으로 보인다.

신체 검진

시진

좌측 허벅지 근육량이 감소하였다.

감각

좌측 허벅지 근육량이 감소하였다.

반사

좌측 무릎에서 심부건반사는 나타나지 않았다. 상완이두근 반사는 양측 대칭적이고 정상적이었다. 발목 경련(ankle clonus)과 바빈스키 징후(Babinski sign)는 양측 모두 음성이었다.

보행

뛸 때 심해지는 절뚝거리는 증상을 보였다. 좌측 무릎이 구부러지는 증상(buckling)도 관찰되었다.

도수근력검사

	Hip flexor	Hip abductor	Hip abductor	Knee extensor	Ankle dorsiflexor	Big toe extensor	Ankle plantar flexor
Right	5	5	5	5	5	5	5
Left	5	5	5	4	5	5	5

혈액검사 결과

초기 혈액검사에서 전혈구계산(complete blood cell count, CBC) 검사와 C반응성 단백질(C-reactive protein, CRP)은 정상이었다. 혈중요소질소(blood urea nitrogen, BUN), 크레아티닌(creatinine, Cr), 전해질(electrolyte), 칼슘(calcium, Ca), 인(phosphorus, P), 요산(uric acid, UA), 간효소(liver enzyme)를 포함한 기본 화학검사(routine chemistry profile) 또한 모두 정상이었다. 혈중 크레아틴키나아제(Serum creatine kinase)는 159 IU/L(정상범위 20~270 IU/L)로 증가되어 있지는 않았으나 젖산탈수소효소(Lactate dehydrogenase, LDH)는 250 IU/L(정상범위 100~225 IU/L)로 다소 증가되어 있었다.

뇌척수액검사 결과

뇌척수액검사에서 적혈구와 백혈구는 관찰되지 않았고, 단백질, 당, 젖산탈수소효소, 아밀라제(amylase) 수치는 정상수준이었다. 전체 척추 자기공명영상검사를 시행하여 척수와 신경근이 정상인 것을 확인하였고, 이를 통해 척수 병변은 제외할 수 있었다.

이 시점에서 감별진단은?

환자의 병력과 신체검사에서 좌측 허벅지 근육감소, 좌측 무릎 신근 위약, 좌측 슬개건 반사가 나타나지 않는 것을 확인하였다. 좌측 슬개건 반사가 없는 것은 하지 운동신경의 문제를 시사하는 것으로, 뇌나 척수의 이상 보다는 단일신경병증이나 다발성말초신경병증, 신경근병증, 신경총병증에 의한 증상일 가능성이 높다. 좌측 무릎 신근에 한정된 위약은 좌골신경병증이나 요천추신경총병증보다 대퇴신경병증의 가능성이 더 높다. 근효소가 정상적일 때 근병증의 가능성은 낮다. 척추 자기공명영상에서 이상이 없으므로 요천추신경근병증과 척수병증은 제외할 수 있다.

전기진단검사 결과

SENSORY NERVE CONDUCTION STUDIES		
NERVE - RECORDING SITE	Onset LAT (ms)	Base-peak AMP (μV)
L SUPERFICIAL PERONEAL - Foot	1.95	6.5
L SURAL - Lateral Malleolus	1.65	16.0
L SAPHENOUS - Ankle		**No response**
R SAPHENOUS - Ankle	1.15	9.4

MOTOR NERVE CONDUCTION STUDIES				
NERVE - RECORDING SITE	Onset LAT (ms)	AMP (mV)	Distance (cm)	NCV (m/s)
L COMMON PERONEAL - Extensor Digitorum Brevis				
Ankle	2.65	4.1		
Fibular Head	6.20	4.5	18.2	51.3
L TIBIAL - Abductor Hallucis				
Ankle	3.60	9.2		
Knee	9.25	4.7	23.2	41.1
L Femoral - Vastus Medialis				
Inguinal Canal	3.85	**0.2**		
R Femoral - Vastus Medialis				
Inguinal Canal	3.55	10.4		

NEEDLE ELECTROMYOGRAPHY								
MUSCLE	IA	Spontaneous			MUAP			Interference Pattern
		FIB	PSW	CRD/FASC	AMP	DUR	PPP	
L Vastus Medialis	Nl	**2+**	**2+**	N		**No activity**		
L Vastus Lateralis	Nl	**2+**	**2+**	N		**No activity**		
L Adductor Longus	Nl	N	N	N	Nl	Nl	Nl	Complete
L Iliopsoas	Nl	N	N	N	Nl	Nl	Nl	Complete
L Tibials Anterior	Nl	N	N	N	Nl	Nl	Nl	Complete

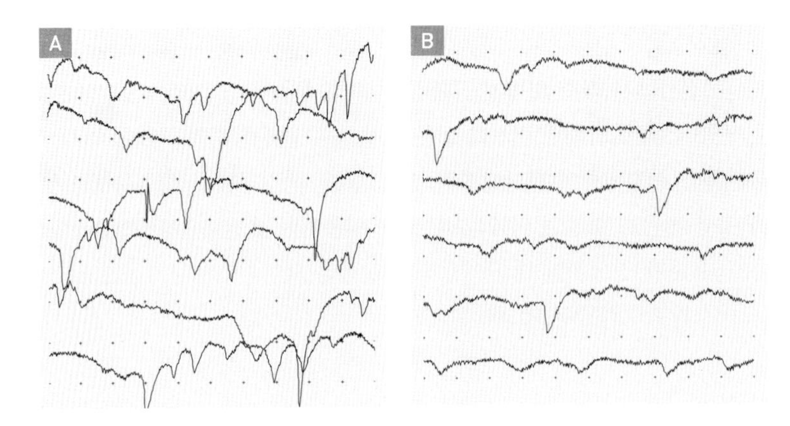

그림 49-1

침근전도검사 파형. 내광근(vastus medialis)과 외광근(vastus lateralis)에서 양성예파(positive sharp waves)와 섬유자발전위(fibrillation potentials)가 관찰되었다. [A, B. 민감도(sensitivity), 100 μV/div; 스윕 속도(sweep speed), 100 msec]

전기진단검사 결과 요약

신경전도검사는 좌측 복재신경(saphenous nerve)의 반응이 없음을 보여준다. 또한 내광근(vastus medialis)에서 기록한 좌측 대퇴신경 반응이 심각하게 저하되어 있음을 보여준다. 좌측 천비골신경(superficial peroneal nerve), 비복신경(sural nerve), 비골 및 경골 운동 신경(common peroneal and tibial motor nerve) 전도 검사는 모두 정상범위였다.

침근전도검사상 비정상자발전위(abnormal spontaneous activity, ASA)가 좌측 내광근(vastus medialis)과 외광근(vastus lateralis)에서 관찰되며 운동단위활동전위(motor unit action potential)는 두 근육 모두에서 동원되지 않았다. 장내전근(adductor longus), 장요근(iliopsoas), 전경골근(anterior tibialis)에서는 이상이 발견되지 않았다(그림 49-1).

1. 전기진단검사상 부분 축삭 손상을 동반한 좌측 대퇴신경병증을 시사한다.
2. 전기진단검사로 요천추신경근병증, 신경총병증, 다발성말초신경병증은 제외할 수 있다.

추가적으로 필요한 검사는?

증상이 발생한 이후, 6주경에 얼마나 회복되었는지 확인하기 위해 임상증상 변화와 전기진단검사를 시행할 필요가 있다.

전기진단검사 결론

전기진단검사 결과는 부분 축삭 손상을 동반한 좌측 대퇴신경병증을 시사한다.

◎ 임상 경과

증상 발생 이후 4개월 뒤에 재검진을 시행하였다. 좌측 허벅지 근육량은 증가하였고, 운동능력 및 기능이 정상적으로 회복되었다.

◎ 고찰

복부나 골반 수술의 결과로 발생하는 대퇴신경병증(femoral neuropathy)은 직접적으로 신경이 손상되거나 간접적인 압박에 의해 나타난다. 견인기의 위치에 따라 대퇴신경이 늘어나거나 눌려서, 또는 혈종 등에 의해 대퇴신경병증이 발생할 수 있다.

환자의 서혜부 탈장봉합이 대퇴신경병증과 관련이 있었을 것이다. 신경의 직접적인 손상이나 구조물 사이에 신경이 포착되면서[1] 대퇴신경병증이 발생할 수 있는데 개복술이나 내시경 수술 모두에서 발생 가능한 것으로 보고되고 있다.[2,3] 위에서 언급한 요소들 중 내시경으로 탈장을 교정할 때 그물형태의 인공물을 넣고 고정하기 위해 'ㄷ'자 모양의 철사침을 사용하는데 그것이 포착 신경병증(entrapment neuropathy)의 한 원인일 수 있다.[4] 일반적으로 서혜부 탈장 복귀술 이후에 발생하는 전형적인 신경병증은 장골하복신경(iliohypogastric nerve), 장골서혜신경(ilioinguinal nerve), 음부대퇴신경(genitofemoral nerve)에서 흔하게 발생하는 것으로 알려져 있다. 이 신경들과 더불어 대퇴신경병증도 내시경을 통한 서혜부 탈장 봉합술 이후에 발생하는 것으로 보고되고 있다.[4]

대퇴신경마비는 장골서혜신경(ilioinguinal nerve) 차단술에 사용되는 마취제가 침범한 결과로 발생한 특정한 대퇴신경병증을 말한다. 그 결과로 발생되는 증상은 보통 24시간 이내에 호전된다.[5]

이번 사례는 탈장 수술 이후에 발생한 대퇴신경병증을 보여주고 있다. 수술 이후에 발생된 대퇴신경병증의 예후가 잘 알려져 있지 않음에도 불구하고 이번 사례는 거의 완전히 회복된 사례였다. 일반적으로 포착에 의한 또 다른 신경이상은 6주에서 8주 사이에 자연적으로 회복된다.[4]

◎ 참고문헌

1. Azuelos A, Coro L, Alexandre A. Femoral nerve entrapment. Acta Neurochir Suppl 2005;92:61-2.
2. Lange B, Langer C, Markus PM, Becker H. Paralysis of the femoral nerve following totally extraperitoneal laparascopic inguinal hernia repair. Surg Endosc 2003;17:1157.
3. Skandalakis JE, Skandalakis LJ, Colborn GL. Testicular atrophy and neuropathy in herniorrhaphy. Am Surg 1996;62:775-82.
4. Seid AS, Amos E. Entrapment neuropathy in laparoscopic herniorrhaphy. Surg Endosc 1994;8:1050-3.
5. Tsai TY, Huang YS, Tsai YC, Liu YC. Temporary femoral nerve palsy after ilioinguinal nerve blockade combined with splash block for post-inguinal herniorrhaphy analgesia in a pediatric patient. Acta Anaesthesiol Taiwan 2007;45:237-40.

증례
50

하지 위약이 있는 두 소년

50-1. 달리는 것이 어려운 10대 소년

병력

15세 소년이 달리는 것이 어렵고 자주 넘어지는 것으로 주소로 내원하였다. 웅크리기가(crouch) 힘들다고 했고 감각에는 변화가 없다고 했다.

과거에 서혜부탈장(inguinal hernia) 및 양측 족부, 우측 슬관절, 우측 전완에 골절 병력이 있었다. 양측 고관절이형성성(hip dysplasia), 요척골유합증(radioulnar synostosis)으로 정형외과, 가족성 고콜레스테롤혈증(familial hypercholesterolemia)으로 순환기내과 진료를 주기적으로 보고 있었다. 만기(full term)에 출생하였고 주산기 문제(perinatal problem)는 없었다. 흥미롭게도 아버지와 누나가 비슷한 증상이 있었다(그림 50-1).

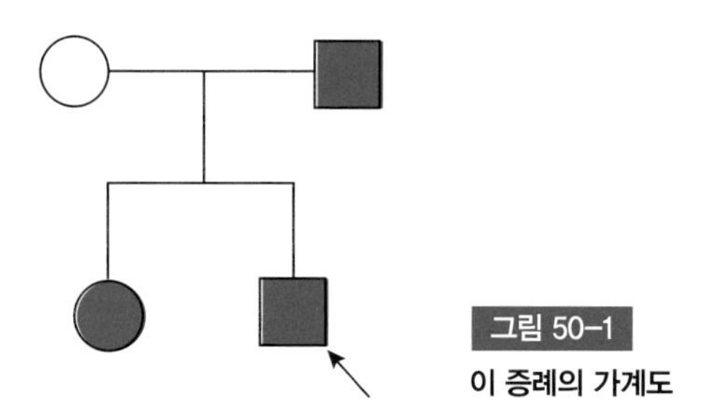

그림 50-1
이 증례의 가계도

이 시점에서 감별진단은?

1. 유전성 운동감각신경병증(hereditary motor and sensory neuropathy, 이하 HMSN, 샤르코-마리-투스병(Charcot-Marie-Tooth disease, 이하 CMT))
2. 유전성 근육병증(hereditary myopathy)
3. 척수전각세포질환(anterior horn cell disease)
4. 요천추신경총병증(lumbosacral plexopathy)
5. 국소신경병증(focal neuropathy)

환아는 주관적인 근위약을 호소하지 않았지만 달리는 것이 어렵고 자주 넘어지는 것은 경미하거나 오래된 근위약이 있었다는 의미일 수 있고 감각운동다발신경병증(sensorimotor polyneuropathy), 근육병증, 척수전각세포질환의 가능성을 시사한다. 아버지와 누나도 비슷한 보행 문제를 갖고 있어서 상염색체 우성(autosomal dominant)인 유전성 질환이 의심된다. 감각 증상이 없다는 것은 유전성 감각운동다발신경병증에서는 흔하며, 후천적인 신경병증의 가능성을 낮게 한다. 외상의 병력이나 감각 증상이 없는 양측 요천추신경총병증은 드물지만 감별해야 한다. 추가적으로 좌골신경병증(sciatic neuropathy)과 같은 국소신경병증도 감별해야 한다.

신체 검진

시진

평균 이하의 신장, 요족(high arched feet), 경도의 외반슬(genu valgum)이 있었다.

발달 이정표(Developmental milestone)

양측 족배(dorsum of foot)에 가벼운 촉각에 대한 감각 저하(hypesthesia)가 있었다.

감각

전신에서 통증 자극에 대한 반응과 고유감각(proprioception)이 저하되어 있었다.

반사

근신전반사(muscle stretch reflex)가 양측 슬관절과 족관절에서 1+였다. 바빈스키 징후(Babinski's sign)와 족간대성경련(ankle clonus)은 양측에서 보이지 않았다.

보행

양측에서 분명한 족하수(foot drop)가 있었고 유각기(swing phase) 초기에 발끝이 자주 걸렸다(difficulty in clearing the toes).

도수근력검사

	Upper extremity	Knee extensor	Knee flexor	Ankle dorsiflexor	Ankle plantar flexor
Right	5	4	4	3	4
Left	5	4	4	3	4

혈액검사 결과

전혈구계산(complete blood count)과 혈중요소질소(blood urea nitrogen), 혈청 크레아티닌(serum creatinine), 전해질(electrolytes), 적혈구침강속도(erythrocyte sedimentation rate)를 포함한 일반화학검사(routine chemistry)는 정상이었다. 혈청 지방 수치(lipid profile)는 정상 범위 내에 있었다. 혈청 크레아틴키나아제(creatine kinase, 이하 CK)도 151 IU/L(정상 범위, 20~270 IU/L)로 정상이었다.

이 시점에서 감별진단은?

병력과 신체 검진에서 가장 중요한 소견은 달리기가 어려운 것, 잦은 낙상, 하지의 근신전반사 저하, 족배의 감각 저하, 요족이다. 그러나 혈청내 근육 효소 수치는 정상이었다. 환자가 감각 증상을 호소하지 않았지만 신체 검진에서 족배 감각 저하가 발견되었다.

달리기 어려운 것과 잦은 넘어짐은 근위약이나 고유수용체 문제를 시사하는 것일 수 있다. 근신경반사 저하는 유전성 감각운동다발신경병증, 유전성 근육병증, 척수전각세포질환, 양측 요천추신경총병증에서 다 나타날 수 있다. 감각 이상이 있기 때문에 척수전각세포질환이나 근병증은 가능성이 낮다. 그 중 근병증은 감각 이상 소견과 함께 CK수치가 정상이기 때문에 더욱 가능성이 낮지만 감별진단에는 포함되어야 한다.

이런 점들을 고려했을 때 현재 가장 가능성이 높은 도수근력검사(manual muscle test) 진단은 유전성 운동감각신경병증이다.

전기진단검사 결과

SENSORY NERVE CONDUCTION STUDIES			
NERVE - RECORDING SITE	Onset LAT (ms)	Base-peak AMP (μV)	Peak-peak AMP (μV)
R MEDIAN - digit II		No response	
R SUPERFICIAL PERONEAL - Foot		No response	
L SUPERFICIAL PERONEAL - Foot		No response	
R SURAL - Lateral Malleolus		No response	
L SURAL - Lateral Malleolus		No response	

MOTOR NERVE CONDUCTION STUDIES				
NERVE - RECORDING SITE	LAT (ms)	AMP (mV)	Distance (cm)	NCV (m/s)
R MEDIAN - Abductor Pollicis Brevis				
Wrist	**14.55**	**5.6**		
Elbow	34.20	**2.4**	23.7	**12.1**
R ULNAR - Abductor Digiti Minimi				
Wrist	13.70	**2.5**	21.9	**7.8**
Elbow	41.70	**2.4**	23.7	**12.1**
R COMMON PERONEAL - Extensor Digitorum Brevis				
Ankle		No response		
Fib head		No response		
L COMMON PERONEAL - Extensor Digitorum Brevis				
Ankle		No response		
Fibular head		No response		
R TIBIAL - Abductor Hallucis				
Ankle	**24.00**	**0.8**		
Knee	61.40	**0.4**	42.0	**11.2**
L TIBIAL - Abductor Hallucis				
Ankle	**22.85**	**2.8**		
Knee	65.45	**0.6**	40.0	**9.4**

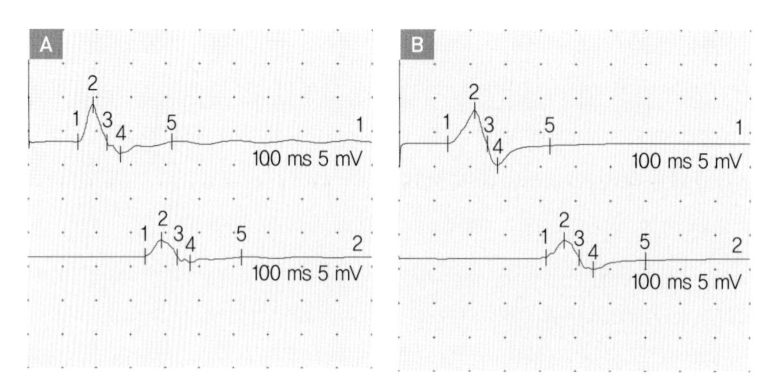

그림 50-2

복합근육활동전위(CMAP)의 파형. 정중신경(median)(A)과 척골신경(ulnar)(B)의 신경전도검사(nerve conduction study)에서 근위부와 원위부의 시간분산(temporal dispersion)이 비슷하다. 운동 전도속도가 매우 느리다. [스윕 속도(sweep speed), 100 ms; 민감도(sensitivity), 5 mV/div]

F - WAVE	
NERVE - RECORDING SITE	MIN F LAT (ms)
R TIBIAL - Abductor Hallucis	No response
L TIBIAL - Abductor Hallucis	No response

NEEDLE ELECTROMYOGRAPHY								
MUSCLE	IA	Spontaneous			MUAP			Interference Pattern
		FIB	PSW	CRD/ FASC	AMP	DUR	PPP	
R Tibialis Anterior	Nl	N	N	N	Nl	Nl	**Nl/Inc**	Complete
R Abductor Pollicis Brevis	Nl	**2+**	**2+**	N	Nl	N	**Nl/Inc**	**Discrete**
R Extensor Pollicis Brevis	Nl	N	N	N	Nl	Nl	**Nl/Inc**	Complete

전기진단검사 결과 요약

상하지에서 감각신경활동전위(SNAP)가 나오지 않았다. 양측 총비골신경(common peroneal nerve)에서 복합근육활동전위가 유발되지 않았다. 그리고 양 하지에서 F-파도 나오지 않았다. 우측 정중신경, 척골신경, 양측 경골신경(tibial) 모두 CMAP 감소와 느린 전도속도(7.8~12.1 m/sec), 잠시(latency) 지연이 있었다. 흥미롭게도 극도로 느린 전도속도에도 불구하고 근위부 자극시 반응과 원위부 자극시 반응에서의 시간분산이 비슷했다(그림 50-2). 이는 이 질환의 병태생리(pathophysiology)가 균일한 탈수초화(demyelination)라는 뜻이다. 단지신근(extensor digitorum brevis)에서 탈신경(denervaton) 소견이 관찰되었고 전위와 운동단위활동전위 간섭(interference)이 불연속적(discrete)이었다. 다상성(Polyphasic) 운동단위활동전위가 전경골근(tibialis anterior)과 단무지외전근(abductor pollicis brevis)에서 보였다.

위에 기술한 소견의 주요 함의(implication)는 다음과 같다:

1. 운동신경전도검사는 양측 상하지에 균일한 탈수초화를 강력히 시사한다. 이로써 국소신경병증의 가능성은 배제할 수 있다.
2. 상하지에서 감각신경활동전위가 유발되지 않았기 때문에 근육병증과 척수전각세포질환을 배제할 수 있다.
3. 침근전도 결과는 만성 축삭 소실과 신경재분포(re-innervaton)가 있음을 의미한다.

요컨대, 이 환자의 전기진단학적 이상 소견은 균일한 탈수초화와 만성 축삭 소실을 동반한 전신감각운동다발성말초신경병증과 일치하다.

추가적으로 필요한 검사는?

유전자 검사

DNA검사에서 CMT 1A형의 특징인 말초수초단백질22(peripheral myelin protein 22, 이하 PMP22)의 중복(duplication)이 나왔다. 가족들에게 시행한 전기진단학적 검사와 DNA 검사에서 유전 방식이 밝혀졌다. 아버지와 누나에게서도 PMP22 중복이 발견되어 상염색체 우성 유전을 확인하였다.

가족들의 전기진단학적 검사

아버지도 전기진단학적 검사를 받았다. 정중신경을 검사하였는데 복합근육활동전위의 진폭과 전도속도가 감소되었고 잠시 지연도 관찰되어 이 증례의 환자와 유사하게 나왔다(그림 50-3).

MOTOR NERVE CONDUCTION STUDIES				
NERVE - RECORDING SITE	LAT (ms)	AMP (mV)	Distance (cm)	NCV (m/s)
R MEDIAN - Abductor Pollicis Brevis				
Wrist	11.25	**3.3**		
Elbow	20.80	**1.7**	20.0	**20.9**

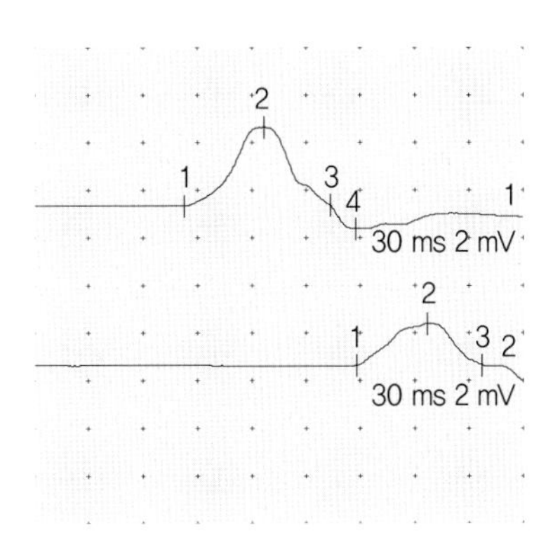

그림 50-3

환자 아버지의 정중신경 운동신경전도검사 파형. 잠시가 매우 지연되어 있다. [스윕 속도(sweep speed), 30 ms; 민감도(sensitivity), 2 mV/div]

신경 생검

신경 생검을 하여 조직병리학(histopathologic) 소견을 보면 샤르코-마리-투스병 분류를 아는 데 도움이 되었겠지만 시행하지는 않았다.

전기진단검사 결론

병력, 신체 검진, 전기진단학적 검사, 유전자 검사로 유전성 운동감각신경병증, 즉, 샤르코-마리-투스병(Charcot-Marie-Tooth disease) 1A형을 확진하였다.

입원 경과

환자는 특별한 의학적 처치 없이 소아과를 정기적으로 방문하였다. 증상은 진행되지 않았다.

50-2. 족배굴곡(Ankle Dorsiflexor) 위약과 편평외반족(Pes Planovalgus) 변형이 있는 소년

병력

10세 소년이 좌측 족배굴곡 약화를 주소로 내원하였다. 만기에 자연 질분만(spontaneous vaginal delivery)으로 태어났고 출생시 체중도 정상이었다. 17개월이 되어서야 걷기 시작했지만 기타 발달 지연은 없었다고 한다. 평발이었고 6세 때 특발성 편평족으로 진단받았다(그림 50-4). 그리고 발목을 위로 젖히는 것이 어려웠다. 그의 아버지도 원인 불명의 사지 위약으로 장애가 있었고 동네 병원 의사으로부터 말초신경병증이 있다고 들었다. 하지만 추가적인 검사를 받지는 않았다. 환자의 형은 건강했고 족부 변형도 없었다. 편평족을 교정하기 위해 양측 아킬레스건 신장술을 받을 계획이었다. 수술 전 환자의 변형과 위약에 대한 신경학적 원인에 대해 알아보기 위해 근전도실로 의뢰되었다.

이 시점에서 감별진단은?

1. 유전성 신경병증(hereditary neuropathy)
2. 근병증(myopathy)
3. 운동신경 질환(motor neuron disease)

이 환자는 감각 증상은 없었고 족부 변형과 위약을 호소하였다. 족부 변형은 샤르코-마리-투스병과 같은 유전성 신경병증에서 보이는 중요한 소견이다. 환자의 아버지에 대한 병력이 확실하지는 않지만 가족력 역시 유전성 신경병증을 의심케 하는 사실이다. 그렇지만 근병증의 가능성도 고려해야 한다. 그의 위약이 근위부 근육보다 원위부에서 보이기는 했지만 원위부근병증, 지대근디스트로피(limb-girdle muscular dystrophy)과 척수근위축증(spinal muscular atrophy, SMA) III형과 같은 운동신경질환도 감별진단에 포함해야 한다.

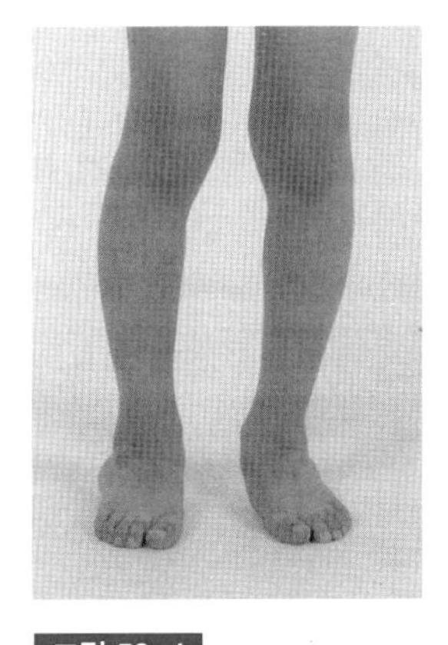
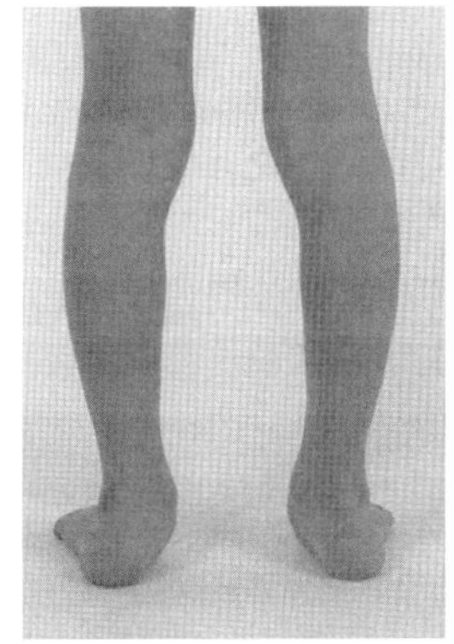

그림 50-4
환자 하지의 모습. 심한 편평외반족이 양측에서 관찰된다.

신체 검진

시진

심한 양측 편평외반족이 관찰되었다. 양측 하지에서 눈에 띄는 말초 신경의 비대는 발견할 수 없었다.

감각

가벼운 촉각(light touch)과 바늘 통각(pin prick)에서 이상감각(paresthesia)이나 감각 저하(hypesthesia)를 호소하지 않았다. 하지만 진동감각(vibration sensation)은 저하되어 있었다.

반사

심부건반사는 양측 슬관절, 족관절에서 1+였다.

도수근력검사

	Hip flexor	Knee extensor	Ankle dorsiflexor	Long toe extensor	Long toe flexor
Right	5	5	3	2	4
Left	5	5	3	2	4

혈액검사 결과

초기 검사에 간과 근육 효소 수치도 포함하였다. 혈청 알칼리성 포스파타제(alkaline phosphatase, ALP) 수치는 387 IU/L(정상치, 60~300 IU/L)로 약간 올라가 있었다. 혈청 아스파라진산염(aspartate, AST)과 알라닌아미노전달효소(alanine transaminase, ALT) 수치는 각각 22와 7 IU/L로 정상이었다. CK 수치는 107 IU/L(정상치, 20~270), 젖산탈수소효소(lactate dehydrogenase)는 187 IU/L(정상치, 100~225 IU/L)로 정상이었다. 혈청 알돌라제(aldolase) 수치는 9.8 IU/L(정상치, <7.6 IU/L)로 상승되어 있었다.

전기진단검사 결과

SENSORY NERVE CONDUCTION STUDIES			
NERVE - RECORDING SITE	Onset LAT (ms)	Base-peak AMP (μV)	Peak-peak AMP (μV)
R MEDIAN - digit II	2.80	25.0	32.1
R ULNAR - digit V	2.40	16.6	23.3
R SUPERFICIAL PERONEAL - Foot	2.85	**3.7**	**4.2**
R SURAL - Lateral Malleolus	2.70	**4.1**	**11.5**
L SUPERFICIAL PERONEAL - Foot	2.60	**4.6**	**5.6**
L SURAL - Lateral Malleolus	2.45	**5.5**	**12.3**

MOTOR NERVE CONDUCTION STUDIES				
NERVE - RECORDING SITE	LAT (ms)	AMP (mV)	Distance (cm)	NCV (m/s)
R MEDIAN - Abductor Pollicis Brevis				
Wrist	**3.35**	**2.4**		
Elbow	6.80	2.0	18.0	52.2
R ULNAR - Abductor Digiti Minimi				
Wrist	2.75	8.6		
Elbow	6.10	7.0	19.0	56.7
R COMMON PERONEALL - Extensor Digitorum Brevis				
Ankle		**No response**		
R COMMON PERONEAL - Tibialis Anterior				
Fibular Head	4.45	**3.8**		
R TIBIAL - Abductor Hallucis				
Ankle	3.70	7.6		
Knee	**12.50**	**2.8**	31.0	**35.2**
L COMMON PERONEAL - Extensor Digitorum Brevis				
Ankle		**No response**		
L COMMON PERONEAL - Tibialis Anterior				
Fibular Head	4.30	**1.3**		
L TIBIAL - Abductor Hallucis				
Ankle	4.30	**5.8**		
Knee	**13.60**	**3.1**	31.0	**33.3**

H - REFLEX			
NERVE - RECORDING SITE	H LAT (ms)	H AMP (mV)	H/M AMP (%)
R TIBIAL (KNEE) - Soleus	**40.50**	0.3	**19.20%**
L TIBIAL (KNEE) - Soleus	30.35	0.4	63.10%

NEEDLE ELECTROMYOGRAPHY								
MUSCLE	IA	Spontaneous			MUAP			Interference Pattern
		FIB	PSW	CRD/FASC	AMP	DUR	PPP	
R Tibialis Anterior	Nl	**1+**	**1+**	N	Inc	Inc	Inc	**Reduced**
R Gastrocnemius (medial)	Nl	N	N	N	Nl	Nl	Nl	**Reduced**
R Peroneus Longus	Nl	**1+**	**1+**	N	Inc	Inc	Inc	**Reduced**
R Vastus Medialis	Nl	N	N	N	Inc	Inc	Inc	**Reduced**
L Vastus Medialis	Nl	N	N	N	Inc	Inc	Inc	**Reduced**
L Tibialis Anterior	Nl	**2+**	**2+**	N	Inc	Inc	Inc	**Discrete**
L Peroneus Longus	Nl	N	N	N	Inc	Inc	Inc	**Discrete**
L Gastrocnemius (medial)	Nl	N	N	N	Inc	Inc	Inc	**Discrete**
R First Dorsal Interosseous	Nl	N	N	N	Inc	Inc	Inc	Complete
L First Dorsal Interosseous	Nl	N	N	N	Inc	Inc	Inc	Complete
L Biceps Brachii	Nl	N	N	N	Nl	Nl	Nl	Complete

전기진단검사 결과 요약

신경전도검사에서 우측 정중신경, 양측 총비골신경, 양측 경골신경에서 반응이 감소해 있었다. 경골신경의 신경전도속도는 우측에서 35.2 m/s, 좌측에서 33.3 m/s로 떨어져 있었다. 양측 비골신경에서는 운동반응이 유발되지 않았다. 양측 표재비골신경과 비복신경(sural)에서 감각신경활동전위 진폭이 감소하였다. H-반사는 우측에서 잠시가 40.5 ms로 지연되어 있었다.

침근전도에서 양측 전경골근과 우측 장비골근(peroneus longus)에서 비정상자발전위가 관찰되었다. 검사를 시행한 대부분의 근육에서 지속시간이 긴 다상성운동단위활동전위가 관찰되었다. 간섭양상은 우측 전경골근, 비복근(gastrocnemius), 장비골근, 양측 내측광근(vastus medialis)에서 저하되어 있었고 좌측 전경골근, 장비골근, 불연속적이었다.

전기진단검사 결론

전기진단학적 검사 결과는 감각운동다발성말초신경병증(축삭소실형)에 합당하다. 임상적으로 CMT 2형이 의심된다.

추가적으로 필요한 검사는?

유전자 검사

임상양상과 전기진단학적 검사에서 CMT 2형이 강하게 의심되었으나 당시 병원에 CMT 2형에 특이적인 유전자 검사가 없었다. 그러나 CMT와 관련된 다른 유전자들이 축삭형 CMT를 일으킬 수 있기 때문에 CMT 1형과 관련있는 PMP22 유전자량 검사(gene dose test), PMP22, 수초단백질제로(myelin protein zero, 이하 MPZ), 간극연결베타(gap junction beta1(connexin 32), 이하 GJB1) 염기서열분석(sequencing)을 시행하였다. 모든 유전자 검사에서 음성이 나왔다.

임상 경과 및 추적근전도 검사

외래에서 추적관찰을 하였고 그의 가측 족부변형을 교정하기 위해 양측 단하지보조기(ankle-foot orthoses, 이하 AFO)를 처방하였다. 양측 AFO를 차면 보행이 더 수월하였다.

두 증례에 대한 고찰

유전성 운동감각신경병증으로도 알려져 있는 CMT병은 비균질적인(heterogenous) 유전성 질환이다.[1] 운동 신경, 감각 신경 둘 중 하나만 침범되는 드문 경우에는 유전성 운동신경병증, 혹은 유전성 감각신경병증이라는 용어를 사용한다. CMT병은 족부와 하지에 우선적으로 근육 조직과 촉각이 소실되는 것이 특징이지만 진행된 단계에서는 수부와 상지도 이환된다. 이 질환은 가장 흔한 유전성 신경학적 질환 중 하나이고 아직 치료가 불가능하다.[2]

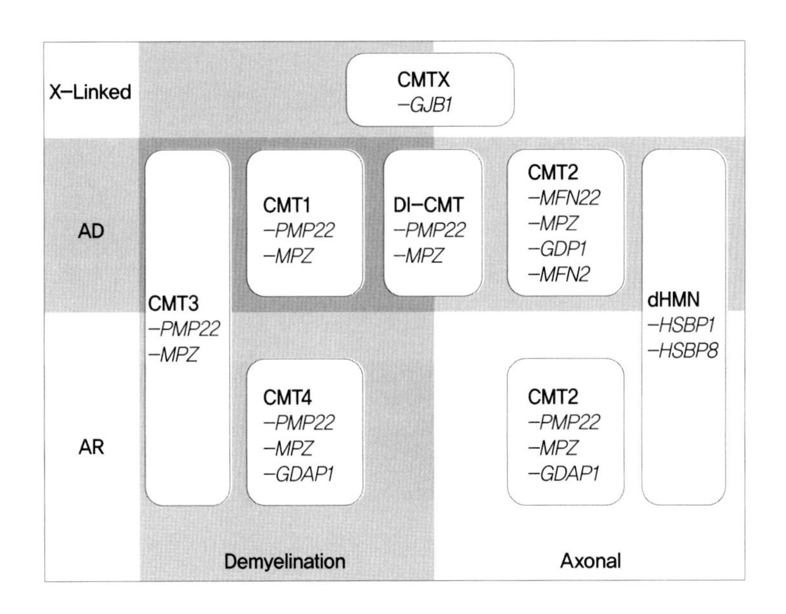

그림 50-5

샤르코-마리-투스병의 분류와 대표 유전자.[1] 도식도에 나왔듯이 CMTX와 DI-CMT에서는 탈수초화와 축삭소실 양상을 동시 보인다. AD, 상염색제 우성; AR, 상염색체 열성; CMT, 샤르코-마리-투스병; CMTX, X연관 샤르코-마리-투스병; dHMN, 원위부 운동신경병증; DI-CMT, 우세-중간(dominant intermediate) 샤르코-마리-투스병; GDAP1, 강글리오시드 유발 분화(ganglioside induced differentiation) 관련 단백질1; GJB1, 간극연결베타1(gap junction B1); HSBP1과 8, 열충격(heat shock) 27-kDa 단백질1과 8; MFN2, 마이토퓨신(mitofusin) 2; MPZ, 수초단백질제로; PMP22, 말초 수초단백질 22.

이 질환은 기본적으로 탈수초화신경병증인 CMT 1형, 3형, 4형(상지의 운동 신경전도속도가 38㎧ 미만)과 축삭형신경병증인 CMT2형(상지의 운동신경전도속도가 38㎧ 초과)으로 분류된다.[3] 하지만 최근 연구들에서 신경집세포(Schwann cell)와 신경세포 사이의 밀접한 상호작용으로 이 두 아군의 병리는 종종 혼재되어 있음이 밝혀졌다.[4] 이런 이유로 CMT는 수초, 신경집세포, 축삭과 관련된 단백질을 암호화(encode)하는 상당수의 유전자에서 생기는 돌연변이에 의해 발생한다.[1] 전세계에서 수많은 연구자들이 유전적 분류에 대해 많은 것을 밝혔음에도 불구하고, 여전히 신경전도검사와 유전 양상에 의한 분류는 신속한 진단을 위해서 유용하다(그림 50-5).

CMT분류와 관련된 유전자와 유전자자리(locus)들은 표 50-1에 요약되어 있다.

첫째 증례는 전기생리학적으로 심한 축삭소실을 보이는 점을 제외하고는 전형적인 CMT 1A형의 임상양상과 가족력을 보인다. 둘째 증례는 CMT 2형 환자를 시사한다.

CMT 1형은 대부분 상염색체 우성 유전, 신경전도속도의 균등한 저하와 같은 전형적인 형질을 보인다. CMT 1형이 CMT의 가장 흔한 아형으로 전체의 40~50%를 차지한다.[1] 말초수초초단백질22 외에 수초단백질제로, 조기성장반응2(early-growth-response2), 신경미세섬유 경쇄(neurofilament light chain) 유전자도 CMT 1형과 연관되어 있다.

CMT 2형은 상염색체 우성 축삭형 유전성 운동감각신경병증이다. 이 질환은 신경세포 위축으로 인한 것이고 신경전도검사에서 정상 혹은 경계치의 신경전도속도와(상지의 운동 신경전도속도가 38㎧ 초과)

표 50-1 Classification and gene abnormalities of Charcot-Marie-Tooth disease.[1,7-9]

Type	Locus	Associated genes	Clinical Description	OMIM
CMT1 (HMSN 1: Autosomal Dominant, Demyelinating)				
CMT1A	17p11.2 - 12	PMP22 duplication	For CMT1A-C: distal weakness, areflexia, high arches,	118220
CMT1B	1q22.23	P0	hammertoes, uniform slowing of NCV;	118200
CMT1C	16p	SIMPLE gene (LITAF)	prominent demyelination	601098
CMT1D	10q	Early growth response 2 (ERG2)	Severe neuropathy, childhood onset	607678
CMT1E	17p11.2 - 12	PMP22 duplication	CMT with Deafness	118300
CMT1F	8p21	Neurofilament light polypeptide 68 kDa	Early onset	607734
X-linked Demyelinating				
CMTX1	Xq13 - q 22	Connexin 32 (GJB1/Cx32)	Females are affected less severely	302800
CMTX2	Xp 22.2	Unknown	Rare; infantile onset; mental retardation	302801
CMTX3	Xq 26.3 - q 27.1	Unknown	Early onset; pain and paresthesias; spastic paraparesis in one family; women were unaffected	302802
CMTX4	Xq 24 - q 26.1	Unknown	Severe neuropathy, mental retardation, and deafness (Cowchock syndrome)	310490
CMTX5	Xq 22.3	PRPS1	Early onset; mild to moderate neuropathy; optic atrophy and deafness	311070
Hereditary neuropathy with predisposition to pressure palsy (HNPP)				
HNPP	17p11.2 - 12	PMP22 deletion	Painless recurrent mononeuropathy with compression or without remarkable causes; carpal tunnel syndrome, cubital tunnel syndrome, peroneal palsy, brachial plexus involvement.	162500
	8p23	RHO guanine-nucleotide exchange factor-10	Slow nerve conduction velocities	608136
CMT2 (HMSN2; Autosomal Dominant, Axonal)				
CMT2A1	1p36.2	Kinesin family member 1B	Typical CMT2	
CMT2A2	1p36.2	Mitofusin 2 (MFN2)	Typical CMT2, distal weakness, preserved reflexes, variable sensory loss, axonal	609260
CMT2B	3q21	Ras-related protein 7 (RAB7)	Prominent sensory involvement	600882
CMT2C	12q23	Unknown	Vocal cord and respiratory involvement	606071
CMT2D	7p15	Glyclyl-tRNA synthetase (GARS)	Predominent upper limb involvement	601472
CMT2E	8p21	Neurofilament light chain (NEFL)	Intermediate to slow NCV	607684
CMT2F	7q11 - 21	Small heat shock protein 1 (HSP27)	Slow progression	606595
CMT2G	12q12	Unknown	CMT2 with vocal cord paralysis	608591

표 50-1 Classification and gene abnormalities of Charcot–Marie–Tooth disease.[1,7-9] (계속)

Type	Locus	Associated genes	Clinical Description	OMIM
CMT2H	8q13 - q21.1	Ganglioside-induced differentiation-associated protein-1(GDAP1)	Some have pyramidal tract involvement	607731
CMT2I/J	1q22	MPZ	Late onset, pupillary abnormalities, hearing loss	607677/ 607736
CMT2K	8q13 - q21.2	GDAP1	CMT2 with vocal cord paralysis or intermediate to slow NCV	607831
CMT2L	12q24.3	Heat shock protein 8 (HSP22)	One Chinese family described	608673
CMT2 (HMSN2; Autosomal Recessive, Axonal)				
CMT2B1	1q21.2	Lamin A/C nuclear envelope protein (LMNA)	Rapid progression to proximal	605588
CMT2B2	19q13.3	Mediator of RNA polymerase II transcription, subunit 25	Typical CMT2	605589
CMT2H/K	8q13 - q21.1	GDAP1	Very early onset CMT with vocal cord paralysis	607731/ 607831
CMT3 (HMSN3; Autosomal Dominant, Demyelinating : Dejerine-Sottas Disease)				
CMT3A	17p11.2 - 12	PMP22	Onset in infancy with delayed milestones, severe demyelination, and hypertrophic nerves; so-called 'hypomyelinating neuropathy '	601097
CMT3B	1q21 - q23	P0		159440
CMT3C	10q21 - q22	EGR2		129010
CMT3D	19q13	Periaxin		605725
CMT4 (Autosomal Ressesive, Childhood Onset)				
CMT4A	8q13 - 21.1	GDAP1	Severe childhood demyelinating neuropathy with high arches, scoliosis, wheelchair bound in later childhood	214400
CMT4B1	11q22	Myotubularin-related protein-2	Significant demyelination with diffuse myelin outfoldings, cranial nerve involvement	601382
CMT4B2	11p15	SET binding factor	Similar to CMT4B2, early onset glaucoma	604563
CMT4C	5q23 - 32	SH3TC2	Severe, childhood onset	601596
CMT4D	8q24.1	n-myc down stream regulated protein (NDRG1)	Severe, demyelinating with diffuse skeletal abnormalities, hearing loss (HMSN-Lom)	601455
CMT4E	10q21 1q22	EgR2 MPZ	Severe, childhood onset	605253
CMT4F	19q13	Periaxin	Severe, early onset	145900
CMT4G	10q22	Unknown	Childhood onset, severe distal muscle weakness (HMSN-Russe)	605285
CMT4H	12p11.21 - q13.11	FGD4	Early onset, slow progression, scoliosis	609311
CMT4J	6q21	FIG4	Asymmetric, distal and proximal weakness; severe motor neuronopathy and demyelinating sensorimotor neuropathy	611228

표 50-1 Classification and gene abnormalities of Charcot–Marie–Tooth disease.[1,7–9] (계속)

Type	Locus	Associated genes	Clinical Description	OMIM
Others				
CMT with spastic paraparesis (HMSN5)	Unknown	GJB1, MFN2, BSCL2	Autosomal dominant, spasticity, high arches, axonal neuropathy	600361
CMT with optic neuropathy or retinitis pigmentosa (HMSN6)	1p36.2	MFN2	Severe CMT with blindness or severe visual loss	601152
CMT Dominant intermediate				
DI-CMTA	10q 24 1 - q 25 1	Unknown	One Italian family has been reported: moderate severity; slow progression	606483
DI-CMTB	19p12 - p 13 2	DNM2	Rare; neutropenia can occur	606482
DI-CMTC	1p 34 - p 35	YARS	Rare; moderate severity; slow progression	608323
DI-CMTD	1q 22	MPZ	Variable severity	607791

Distal herediatry motor neuropathy (dHMN) is not present in this table . OMIM, onlineMendelian inheritance in man

진폭 감소가 나타난다. 임상 양상과 유전자 위치에 따라서 명확하게 분류된 아형들이 몇가지 있다. 주요 증상은 족부 변형과 보행 장애이고 매우 느린 진행을 보여서 중등도의 장애만 겪는다.[5]

CMT 2형의 유전자형(genotype) 중 알려진 것은 CMT2A(1번 염색체 장완 35–36), CMT2B(3번 염색체 장완 13–22), CMT2C(성대마비 동반), CMT2D(7번 염색체 단완 14), 8번 염색체 단완 21의 NEFL 유전자의 돌연변이와 관련 있는 CMT2E, 근위부 CMT2 혹은 HMSN P(3번 염색체 장완 13.1), MPZ 돌연변이가 있는 CMT2, 상염색체 열성 CMT2(1번 염색체 21.2–21.3), 감각운동 신경세포병(neuronopathy)를 동반한 뇌량(corpus callosum) 형성부전(agenesis)(15번 염색체 장완 13–15), 난청과 정신지체를 동반한 X연관 CMT2(X염색체 장완 24–26)가 있다.[5,6]

최근 수년간 수많은 상염색체 우성 CMT2와 관련된 유전자들이 규명되었다. 이들 중 6개가 상염색체 우성 축삭형 CMT를 일으키는 주요 유전자이다: 마이토퓨신2(MFN2; CMT2A), RAS 연관 단백질7(RAB7; CMT2B), 글리실-전령리보핵산 합성효소(glycyl-tRNA synthetase, GARS; CMT2D), 신경미세섬유 경쇄(NEFL; CMT2E), 열충격 단백질27(HSP27; CMT2F), 열충격 단백질22(HSP22; CMT2L). 다른 CMT 아형과 다른 표현형을 보이는 몇몇 유전자들도 축삭형 CMT를 일으킨다. 수초 단백질제로(MPZ; CMT1B), 간극연결단백질1(GJB1; CMTX), 강글리오시드 유발 분화 연관 단백질1(GDAP1; CMT2H, K, CMT4A), 디나민2(DNM2; DI–CMTB)에 돌연변이가 있는 환자들이 이 상대적으로 작지만 중요한 분류에 속한다.[7]

참고문헌

1. Pareyson D, Marchesi C. Diagnosis, natural history, and management of Charcot–Marie–Tooth disease. The Lancet Neurology 2009;8:654–67.
2. Krajewski KM, Lewis RA, Fuerst DR, et al. Neurological dysfunction and axonal degeneration in Charcot–Marie–Tooth disease type 1A. Brain 2000;123 (Pt 7):1516–27.
3. Nicholson GA. The dominantly inherited motor and sensory neuropathies: clinical and molecular advances. Muscle Nerve 2006;33:589–97.
4. Berger P, Young P, Suter U. Molecular cell biology of Charcot–Marie–Tooth disease. Neurogenetics 2002;4:1–15.
5. Gemignani F, Marbini A. Charcot–Marie–Tooth disease (CMT): distinctive phenotypic and genotypic features in CMT type 2. J Neurol Sci 2001;184:1–9.
6. Warner LE, Garcia CA, Lupski JR. Hereditary peripheral neuropathies: clinical forms, genetics, and molecular mechanisms. Annu Rev Med 1999;50:263–75.
7. Zuchner S, Vance JM. Molecular genetics of autosomal–dominant axonal Charcot–Marie–Tooth disease. Neuromolecular Med 2006;8:63–74.
8. Inherited Peripheral Neuropathies Mutation Database. (Accessed 16–Dec, 2009, at http://www.molgen.ua.ac.be/CMT-Mutations/ Home/IPN.cfm.)
9. Online Medelian Inheritance in Man. (Accessed 16–Dec, 2009, at http://www.ncbi.nlm.nih.gov/omim.)